D0306839

Etre femme
au temps
de Louis XIV

DU MÊME AUTEUR

Mme de Sévigné, Correspondance, édition critique, Bibliothèque de la Pléiade, 3 volumes, Gallimard, 1973-1978.

Courrier, édition des lettres de Louis Brauquier à Gabriel Audisio (1920-1960), M. Schefer, 1982.

L'Imposture littéraire dans Les Provinciales *de Pascal*, Publications de l'Université de Provence, 1984.

Histoire de Provence-Alpes-Côte d'Azur :
La Provence devient française (536-1789), Fayard, 1986.
Naissance d'une région (1945-1985), Fayard, 1986.

Mme de La Fayette, *Œuvres complètes*, édition critique, François Bourin-Julliard, Robert Laffont, 1990.

Madame de Sévigné et la lettre d'amour, Bordas, 1970 ; réédition Klincksieck, 1992.

Bussy-Rabutin, *Histoire amoureuse des Gaules* (en collaboration avec Jacqueline Duchêne), coll. « Folio », Gallimard, 1993.

L'Impossible Marcel Proust, Robert Laffont, 1994.

La Fontaine, Fayard, 1990 ; réédition, 1995.

Chère Mme de Sévigné, coll. « Découvertes », Gallimard, 1995.

Naissance d'un écrivain : Mme de Sévigné, Fayard, 1996.

Molière, Fayard, 1998 (Grand Prix de l'Académie française, biographies littéraires).

Marseille (avec la collaboration de Jean Contrucci), Fayard, 1998.

Ninon de Lenclos ou la Manière jolie de faire l'amour, nouvelle édition augmentée, Fayard, 2000.

Madame de La Fayette, nouvelle édition augmentée, Fayard, 2000.

Mon dix-septième siècle : de Mme de Sévigné à Marcel Proust, cédérom édité par le CMR 17, Université de Montpellier, 2001.

Les Précieuses ou comment l'esprit vint aux femmes, Fayard, 2001 (Grand Prix de l'essai de la Société des gens de lettres).

Mme de Sévigné ou la chance d'être femme, Fayard, 1982 ; nouvelle édition augmentée, Fayard, 2002.

Roger Duchêne

Etre femme au temps de Louis XIV

PERRIN
www.editions-perrin.fr

ISBN 2-262-01971-1

Ce livre parle d'un temps où l'on découvre, non sans peine, que la femme est l'égale de l'homme, que son corps n'est pas impur, que son esprit n'est pas débile, qu'elle est capable de juger du vrai, du beau et du bien, qu'elle peut même accéder aux sciences nouvelles, qu'elle a l'avantage de pouvoir être une créatrice en même temps qu'une procréatrice. Il y a de cela trois siècles, dans la France de Louis XIII et de Louis XIV. Est-ce une si vieille histoire ? N'a-t-elle vraiment rien à dire, rien à apprendre à certains de nos contemporains ?

Le système paraissait solide. Médecins, juristes, philosophes, théologiens s'accordaient pour porter un diagnostic pessimiste sur la nature des femmes. C'était pour les hommes un devoir de protéger leur faiblesse et de veiller sur leur vertu. En les frappant au besoin pour les corriger. Avec modération. Sans aller jusqu'au sang. Comme les enfants. Les écrivains dénonçaient leurs mensonges et leurs malices comme des vices congénitaux, comme si la ruse n'était pas l'arme des opprimés.

Le bel édifice s'est écroulé, là du moins où règnent la science et la raison. On peut tout dire sur leurs limites. Reste que sans elles règnent les préjugés sans fondement, les superstitions injustifiées, les erreurs et les peurs. Ce livre rappelle les méfaits des traditions qu'on ne veut pas abandonner, des autorités qu'on refuse de mettre en cause, des idées reçues dont on n'examine pas les fondements, et dans le plus vif des contrastes, les bienfaits du libre examen, les mérites de l'indépendance d'esprit, la valeur de ce qu'apportent l'observation et l'expérience. Tout a commencé pour les femmes lorsque les premières dissections ont contredit le « savoir » des Anciens.

Ce début a été possible grâce à la levée des interdits religieux qui défendaient l'examen scientifique des cadavres et aux médecins d'examiner les femmes. La Réforme n'y a pas été étrangère, qui a ôté à l'Eglise catholique un trop long monopole. Elle l'a conduite à repenser sa doctrine au cours du long concile de Trente, qui a profondément et longuement influencé les pratiques et les mentalités. Contrairement aux idées reçues, les pères ne s'y sont pas montrés misogynes. En traitant les deux sexes sur un pied d'égalité, en comptant sur la femme pour maintenir la foi dans le couple, ils lui ont au contraire redonné la dignité, la « part d'honneur » que lui accordait l'Evangile.

Grâce à des études récentes, ce livre peut enfin donner des femmes du XVIIe siècle une idée neuve et globale. En allant du corps à l'esprit, des accouchements difficiles aux premières œuvres littéraires féminines, il traite des couvents et des salons, des mariages d'intérêt et de la découverte de la tendresse, des paysannes et de leur travail, des grandes dames et de leur rôle de pionnières. Il raconte avec sympathie l'histoire d'une libération.

1

Un mâle inachevé

Dans sa *Physionomie humaine*, publiée en 1591, mais encore rééditée en 1660, Jean-Baptiste Porta explique que les femmes doivent à leur tempérament d'avoir physiquement la chair molle, le visage étroit, les yeux petits, le nez droit, et moralement l'esprit craintif, coléreux, et surtout trompeur. Le visage large et fort de l'homme est à l'image de son cœur généreux, courageux et juste. La femme, c'est la panthère ou la perdrix. L'homme, c'est le lion ou l'aigle. Avec des variantes, ce portrait-robot des deux sexes reste valide tout au long du XVIIe siècle et au-delà. L'autorité des Anciens s'accorde avec celle des médecins pour l'imposer à l'opinion, dominée par les hommes qui ne demandent qu'à croire que ce partage est fondé en raison et sur un savoir scientifique garanti par la tradition.

Ce savoir vient de loin. Quatre siècles avant Jésus-Christ, les disciples d'Hippocrate ont composé, à partir de son enseignement et de la science de l'époque, un recueil intitulé *Les Maladies des femmes. Génération. Nature de la femme*. On y différencie radicalement le corps de la femme, rempli de sucs, de celui de l'homme, qui reste sec. L'un ressemble à la laine, l'autre à un tissu dense. Cette différence apparaît dès la conception : « L'embryon femelle se solidifie et s'articule plus tard. La raison en est que la semence qui donne une fille est plus faible et plus humide que celle du mâle. » Cette distinction n'est pas sans influence sur la hiérarchie des sexes, car les savants du temps donnent la préférence au chaud et au sec, qualités associées au tempérament de l'homme, sur le froid et l'humide attribués par la nature à celui de la femme.

C'est en s'appuyant sur les théories hippocratiques que, un demi-siècle plus tard, Aristote soutient que la femme est faible, emportée, jalouse, menteuse, effrontée, tout le contraire du mâle, qui doit à sa chaleur et à sa sécheresse d'être courageux, pondéré, actif et intelligent. Son avis fait autorité. Médecins et philosophes sont désormais persuadés de l'inégalitaire répartition des humeurs selon les sexes : les bonnes dominent chez les hommes, chez les femmes les mauvaises. Pendant des siècles, ce que l'on pense de la nature et de la condition féminines repose sur un fondement « scientifique » incontesté : « La femelle, dit Galien, est plus imparfaite que le mâle pour une et principale raison, à savoir pour ce qu'elle est plus froide. »

Au IIe siècle après Jésus-Christ, ce médecin a repris et précisé l'enseignement d'Hippocrate. Traduits et conservés par les médecins arabes, ses ouvrages, comme ceux des disciples de son devancier, se sont répandus dans l'Europe du XIVe siècle grâce à des copies manuscrites, en attendant de l'être plus largement encore grâce à l'imprimerie. Complétés par les théories d'Aristote, ils sont restés depuis la source révérée d'un savoir médical jugé intangible. Les savants et les praticiens du XVIIe siècle y découvrent une conception de la femme élaborée par des hommes en dehors de toute observation anatomique directe, puisque chez les Grecs comme chez les Arabes la religion interdisait de disséquer des corps humains, et aux hommes d'effectuer des interventions ou même des observations sur les femmes. Comme tout le monde pense que l'homme constitue la perfection de la nature humaine, et que c'est par rapport à lui que la femme doit être comprise et décrite, nul ne doute de la vérité des affirmations péremptoires des fondateurs de la médecine occidentale sur la supériorité masculine.

Ainsi cautionnée, l'idée de la faiblesse physique et morale de la femme apparaît comme une évidence qui traîne partout, et particulièrement dans la littérature populaire, source et reflet de l'opinion commune. A quoi bon reprocher à la femme « d'être prompte à se courroucer et entrer en colère ? » écrit Guillaume Bouchet dans *Les Serées* en 1584. C'est un effet de sa nature. « Ayant la chair molle et fluide, elle est bien aisée d'être éprise et enflammée par tout le corps. » Heureusement, cela ne lui dure guère, car « elle est bientôt éteinte, principalement si elle est réprimée par l'eau, qui sont les pleurs ». Répandue par les médecins qui l'ont adoptée, diffuse dans la mentalité collective, la théorie des tempéraments explique de façon cohérente non seulement l'être physique des femmes, mais encore leurs sentiments et leur comportement. Elle en fait des victimes de leur physiologie. On les en blâme au lieu de les plaindre.

On s'en inquiète aussi. On craint tout particulièrement leur flux menstruel, signe évident de leur humidité, d'autant plus pernicieux qu'on en ignore la cause, car on ne sait encore rien du mécanisme de l'ovulation. Comme ce flux cesse avec la grossesse, on en déduit que dans ce cas, le sang a un rôle bénéfique, puisqu'il sert à nourrir le fœtus, puis à former le lait. Mais on comprend mal qu'il puisse aussi s'écouler sans avoir servi. En ce temps où il est admis que la nature ne fait rien inutilement, cet écoulement sans finalité devient une preuve de la faiblesse de la nature féminine, le signe d'une évidente défaillance. C'est la froideur de leur tempérament qui empêche les femmes de transformer en « bon » sang la totalité de la nourriture qu'elles absorbent.

Le sang menstruel est donc un superflu dangereux. Retenu, il devient une « liqueur vénésique », un poison mortel pour celle qui est privée de ses évacuations. Evacué, il est dangereux pour son environnement. La femme qui a ses règles passe pour ternir le miroir dans lequel elle se regarde, aigrir le vin nouveau, dessécher la plante qu'elle touche, etc. Les médecins partagent ces préjugés, cautionnés par Aristote et rapportés en détail par Pline dans son *Histoire naturelle*. Par cet « excrément » maléfique, la femme « empire toutes choses, écrit l'un d'eux, et détruit leurs forces et facultés naturelles ». Alors que la sécheresse rend les hommes sains et robustes, l'humidité menstruelle gâte la force des femmes.

Quand on pense à toutes les maladies qu'entraînent encore les dysfonctionnements liés au cycle menstruel, dont beaucoup exigent des médicaments récemment découverts, voire des interventions chirurgicales impossibles jusqu'à une date récente, on comprend que les règles aient été longtemps liées dans l'imaginaire collectif à la faiblesse et à la mort. C'est un fait qu'un grand nombre de femmes ont été, pendant des siècles, affaiblies, ou sont mortes, en raison d'incurables pertes de sang. « J'ai vu enfin chez elle la pauvre Caderousse, écrit Mme de Sévigné en janvier 1674. Elle est verte et perd son sang et sa vie : trois semaines tous les mois, cela ne peut aller loin. » Cela dura encore deux ans, puisque la jeune femme mourut en décembre de l'année suivante, à moins de trente ans.

Pour la médecine héritée des Anciens, l'écoulement régulier des menstrues, qui permet aux femmes d'évacuer les superfluités liées à leur nature spongieuse, joue un rôle capital dans leur équilibre physique et moral. C'est ce qui explique l'importance de l'organe dont dépend la bonne marche de ces écoulements. « Toutes les maladies des femmes proviennent de la matrice », dit encore le médecin Paracelse au XVe siècle. Il applique à leurs maux le grand principe d'Hippocrate : « C'est la matrice qui fait la femme. »

Ce principe n'est pas sans conséquences sur sa place dans la hiérarchie des sexes. Platon, dans le *Timée*, décrit les parties de l'âme, différemment situées dans le corps. L'une, supérieure, celle qui est immortelle, l'âme rationnelle, est située dans la tête. L'autre se divise en deux. La première, l'âme irascible, celle du courage militaire, est logée dans la poitrine ; la seconde, la moins noble, l'âme du désir concupiscent, est dans le ventre. Il y a dans le corps une hiérarchie du haut vers le bas. Siège de l'âme inférieure, l'utérus est situé loin du siège de la raison. La femme, qui dépend de cet organe, s'en trouve par là même écartée. Elle est selon Platon « un mâle puni ». Après avoir créé l'espèce humaine, le démiurge la divise en deux parties. « Ceux des mâles qui étaient couards et qui avaient mal vécu se sont, à ce qu'il paraît, transformés en femelles à leur deuxième naissance. »

Il y a plus. « C'est vers ce temps-là et pour cette raison, continue l'auteur, que les dieux ont formé l'amour de la conjonction charnelle. Ils en ont fait un vivant pourvu d'une âme, dont ils ont mis une espèce en nous [les hommes] et l'autre dans les femelles. » Ce « vivant rebelle au raisonnement », qui « s'efforce, sous l'action de ses désirs furieux, de tout dominer », personnifie la pulsion sexuelle, nécessaire à la reproduction. Cette pulsion existe chez les deux sexes, mais pas sous la même « espèce ». Située dans la matrice, celle de la femme est autonome et incontrôlable. Montaigne l'explique dans ses *Essais* : « Les dieux, dit Platon, nous ont fourni d'un membre désobéissant et tyrannique, qui, comme un animal furieux, entreprend par la violence de son appétit, soumettre tout à soi. De même aux femmes, un animal glouton et avide, auquel si on refuse aliments en sa saison, il forcène, impatient de délai, et soufflant sa rage en leurs corps, empêche les conduits, arrête la respiration, causant toutes sortes de maux, jusqu'à ce qu'ayant humé le fruit de la soif commune, il en ait largement arrosé et ensemencé le fond de leur matrice. »

Beaucoup d'écrivains, et même de médecins, oublient l'existence de la pulsion masculine pour accorder à la pulsion féminine, identifiée à l'appétit d'un utérus animalisé, une importance démesurée. « Nature, dit des femmes le Rondibilis de Rabelais dans le *Tiers Livre* (1530), leur a dedans le corps posé en lieu secret et intestin un animal, un membre » qui n'existe pas chez les hommes. C'est dans ce membre que « quelquefois sont engendrées certaines humeurs nitreuses, boracineuses, âcres, mordicantes, lancinantes, chatouillantes amèrement », dont « la pointure et le frétillement douloureux (car ce membre est tout nerveux et de vif sentiment) ébranle tout le corps, ravit tous les sens, jette la confusion dans toutes les pensées ». Porte-parole ou non de Rabelais, Rondibilis insiste : on a raison d'appeler l'utérus « animal », car il a des « mouvements propres », et parfois si violents que la femme en perd tout contrôle de soi, entraînée en « syncope, épilepsie, apoplexie et vraie ressemblance de mort ».

Nul savoir n'est alors suffisant pour infirmer cette vision des femmes, soumises à leur matrice, même chez les médecins et praticiens qui leur sont les plus favorables. Au XVIe siècle, le chirurgien Ambroise Paré, dans son *Livre de la génération*, croit devoir constater : « Pour le dire en un mot, la matrice a ses sentiments propres, étant hors la volonté de la femme, de manière qu'on la dit être un animal, à cause qu'elle se dilate et accourcit plus ou moins selon la diversité des causes. Et quand elle désire, elle frétille et se meut, faisant perdre patience et toute raison à la pauvre femmelette, lui causant un grand tintamarre. » Si Ambroise Paré parle ainsi de celle qu'il appelle « femmelette », ce n'est pas par mépris, mais par compassion pour un sexe qui a, pense-t-il, le malheur d'être affecté d'un terrible handicap. Pour lui comme pour beaucoup de ses confrères, la femme est un être qui mérite indulgence et pitié.

La représentation de l'utérus comme un corps vivant ayant sa propre vie est particulièrement ancrée dans les mentalités. On la prétend fondée en expérience. Examinant une dame de la cour d'Henri IV, un médecin croit voir en sa matrice de si violents mouvements « qu'il semblait qu'elle eût un animal dans le ventre ». Elle bougeait « de telle sorte qu'elle faisait surmonter la couverture du lit où elle était couchée ». Si étrange qu'elle soit, l'idée de tels mouvements persiste pendant tout le XVIIe siècle, et même au XVIIIe. En 1755, le médecin Pierre Roussel écrit encore dans son *Système physique et moral de la femme* : « Personne ne doit douter que la matrice ne soit un organe doué d'un instinct particulier, inexplicable. » Comment la femme pourrait-elle, dans ces conditions, se conduire comme un être pleinement raisonnable et maître de soi ?

Le médecin Jean Liébault avait, dès 1585, rejeté cette conception d'une matrice autonome et en quelque sorte perverse. Il ne veut y voir qu'un organe propre au sexe féminin. Il en fait l'éloge. C'est, dit-il, la « plus noble, plus principale et plus nécessaire » partie de la femme, en « collégeance » avec toutes les autres parties du corps. Mais c'est elle aussi qui la rend particulièrement vulnérable. En plus des maladies qui touchent les deux sexes, toute femme est en effet affligée d'une quantité de maux qui lui sont propres et qui lui causent tant de fatigues qu'elle devrait « souhaiter ne point naître ». A cela, explique-t-il, il y a des causes secondaires, comme son tempérament, ses tissus « mous et lâches », les superfluités et excréments que produit une vie oisive. Mais il y a surtout une cause principale, la sensibilité extrême de sa matrice, dont la moindre indisposition entraîne

« une infinité de maux étranges et insupportables ». Malgré un point de départ différent, Jean Liébault se trouve en fin de compte d'accord avec Hippocrate et ses commentateurs.

Hostile à la représentation platonicienne, Jean Fernel, autre médecin, prétend, en 1646, ne voir en la matrice qu'un viscère comme l'estomac et l'intestin ; il ne l'en décrit pas moins, lui aussi, comme si elle avait des sentiments autonomes. S'il lui arrive quelque chose de fâcheux, écrit-il, « étant lors irritée et comme mise en colère, elle se retire de son lieu propre, et se jette d'un autre côté pour fuir ce qui lui est contraire et ennemi et suivre ce qui lui est agréable et doux ». Comme l'utérus est sensible aux odeurs, on emploiera pour l'apaiser une méthode déjà préconisée chez les Grecs, qui consiste à faire respirer des parfums désagréables en même temps qu'on envoie ailleurs des parfums agréables. A la fois repoussée et attirée vers le bas, la matrice reprendra sa position naturelle. Le paradoxe, c'est que de pareils remèdes peuvent être prescrits par ceux-là mêmes qui ne croient plus aux mouvements désordonnés de l'utérus, mais qui restent persuadés qu'il est très sensible aux odeurs. Tant la science de l'époque reste imprégnée des plus anciens préjugés.

En 1667, Philibert Guibert, auteur de traités pharmaceutiques, s'accorde avec le célèbre obstétricien François Mauriceau pour écrire à peu près la même chose que Paracelse : « La matrice est la cause de presque toutes les maladies des femmes. » L'hystérie, communément appelée « suffocation de matrice », est devenue une explication commode des malaises féminins, le symbole des faiblesses de la féminité. C'est que la femme est tout entière construite autour de sa matrice : « *Tota mulier in utero* », répète-t-on à loisir après les Anciens. Nicolas Venette, médecin ouvert aux nouveautés, le dit comme les autres à la fin du XVIIe siècle, en présentant l'idée de façon positive : « Quand la matrice est en bon état, on ne saurait dire quels avantages elle apporte à une femme. La couleur de son visage est vive, ses yeux sont brillants et pleins de feux, sa voix est agréable et charmante, son discours est engageant : en un mot, l'amour lui inspire des sentiments de douceur et de complaisance. » Même chez un auteur bienveillant, la femme ne saurait être considérée comme aussi fiable que l'homme, puisqu'elle dépend d'une partie de son être dont elle n'a pas la maîtrise.

Les femmes mêmes concourent à répandre ces idées négatives. Louise Boursier, célèbre sage-femme, consacre tout un livre aux « maladies de la matrice », dont elle fait elle aussi le principal handicap des femmes. « Sans les maux que cette partie leur cause, écrit-elle, elles pourraient égaler par leur santé à celle des hommes, tant du corps que de l'esprit, mais Dieu les a voulu rendre moindres en cela pour obvier à l'envie qu'un sexe eût pu porter à l'autre. » Influencée par les idées de son temps, Louise Boursier voit dans les maux arbitrairement attribués à l'utérus l'un des moyens dont s'est servi la volonté divine pour manifester l'infériorité féminine et assurer la nécessaire hiérarchie entre les deux sexes.

Louise Boursier croit parler d'expérience. Elle a vu quantité de femmes meurtries dans leurs parties intimes, faute d'hygiène et de soins adéquats, et surtout à la suite de grossesses répétées et d'accouchements douloureux auxquels elles n'avaient guère de moyens d'échapper. Liée à leur physiologie et à leur fonction de reproductrice, la faiblesse qui résultait de ces maux, du flux menstruel et des pertes de sang pouvait paraître congénitale, même aux yeux des observateurs les mieux disposés envers le sexe féminin. Elle n'était que conjoncturelle. Il faudra, pour s'en persuader, les lents progrès de la contraception, de la radiologie et de la chirurgie.

Dès la fin du XVIIe siècle pourtant, la science a établi que l'on s'était trompé sur un point essentiel : l'hystérie. En 1681, Sydenham, un médecin anglais, démontre que la matrice n'est pas la cause première d'une affection qui relève en fait de l'hypocondrie. Mais personne alors n'admet une idée trop éloignée de croyances invétérées. C'est seulement au siècle suivant que les médecins éclairés reconnaissent, à la suite des travaux de Joseph Raulin, publiés en 1784, que l'hystérie est une maladie qui peut affecter les deux sexes, et qui n'a rien à voir avec l'organe qui lui avait à tort donné son nom.

Aux certitudes hippocratiques sur l'infériorité de la femme, Galien a apporté six siècles plus tard une preuve expérimentale, à partir de dissections effectuées sur des singes. Dans le *De usu partium* (« De l'utilité des parties du corps »), où il a consigné ses observations et ses idées, il explique que la femme est un homme à l'envers, autrement dit un homme manqué. Il suffit, pour le voir, de considérer la conformation de son système génital. « Figurez-vous-en les parties qui s'offrent les premières à votre imagination, écrit-il ; retournez en dehors celles de la femme, tournez et repliez en dedans celles de l'homme, et vous les trouverez toutes semblables les unes aux autres. Supposez d'abord avec moi celles de l'homme rentrées et s'étendant intérieurement entre le rectum et la vessie : dans cette supposition, le rectum occuperait la place des matrices avec les testicules de chaque côté de la partie externe, la verge du mâle deviendrait le col de la cavité qui se produit, et la peau de l'extrémité de la verge, qu'on nomme prépuce, deviendrait le vagin de la femme.

Supposez à l'inverse que la matrice se retourne et tombe en dehors : ses testicules ne se retrouveraient-ils pas alors nécessairement en dedans de sa cavité ; ne les envelopperaient-ils pas comme un scrotum ? Le col, jusque-là lâché en dedans du périnée, pendant à cette heure, ne deviendrait-il pas le membre viril, et le vagin de la femme, qui est un appendice cutané de ce col, ne tiendrait-il pas lieu de ce qu'on nomme le prépuce ? » Faute d'expérimentation, ces ingénieux retournements ont été considérés comme d'indubitables vérités pendant des siècles.

D'abord répétée en latin dans des ouvrages traduits de l'arabe ou du grec, la description de Galien se répand en français, à la Renaissance, dans des livres imprimés, accessibles à l'élite cultivée. « Toutes les parties génératives qui sont en l'homme se trouvent aussi en la femme », écrit par exemple Jacques Deschamps dans sa traduction du *De usu partium*, publiée à Lyon en 1566. Garantie par le prestige des Anciens et l'autorité des puissantes facultés de médecine de Montpellier et de Paris, cette vision prétendument scientifique est ancrée dans les mentalités. Elle n'a rien d'innocent. Elle s'insère dans une démonstration générale de l'infériorité féminine, conforme à la théorie des tempéraments. Si le mâle porte ses organes génitaux à l'extérieur, c'est à cause de la surabondance de sa chaleur. La froideur et l'humidité de la femme l'obligent au contraire à cacher et à renfermer les siens à l'intérieur d'elle-même, car « la chaleur dilate et élargit toute chose, et la froideur les détient et resserre ». La situation interne des organes féminins est une imperfection, le résultat d'une impuissance, une preuve évidente de la supériorité masculine.

La croyance en la similitude des organes des deux sexes est renforcée par ce qui tient lieu d'expériences : les exemples de filles soudainement transformées en garçons. Les textes en fourmillent depuis Pline. Dans son *Voyage en Italie*, Montaigne en rapporte un d'après Ambroise Paré, qui « a mis ce conte dans son livre de chirurgie, qui est très certain ». En 1610, sur le témoignage d'un médecin accepté sans le moindre scepticisme, Antoine du Verdier décrit, dans ses *Diverses leçons*, « l'étrange transmutation d'une fille en mâle ». A l'âge où les femmes commencent « de mettre hors leurs menstrues », celle dont il est question, « au lieu d'avoir ses purgations, jeta hors le membre viril, qui jusques à l'heure, avait demeuré caché dedans le corps ». Longtemps admis comme possibles par la plupart des médecins, ces changements inopinés de sexe sont à sens unique, de femme en homme et non l'inverse, car comme l'écrit Jacques Duval dans son *Traité des hermaphrodites*, « les hommes formés tels en la vulve maternelle ne déposent jamais leur nature virile et ne retournent pas en arrière vers le sexe féminin, d'autant que toutes choses tendent à la perfection ». Pendant des siècles, à la suite d'Aristote et de Galien, la médecine a apporté une caution prétendument objective à la doctrine établie de l'infériorité naturelle du sexe féminin.

« Le sexe viril est le plus fort, dit Furetière dans son *Dictionnaire* (1690). On excuse la faiblesse du sexe » (au sens de sexe féminin). Cette faiblesse est un handicap. Elle peut expliquer la subordination de la femme. Elle ne peut pas la justifier. Mlle de Gournay, l'une des toutes premières femmes à publier des livres en faveur des femmes, l'a fort bien objecté au début du XVIIe siècle : s'il suffisait d'être le plus fort physiquement pour avoir toutes les supériorités, la « bête brute » serait indubitablement supérieure à l'homme. On n'a pas le droit de conclure de la faiblesse physique de la femme à son infériorité dans les mœurs, le caractère et l'intelligence. C'est pourtant ce qu'on fait depuis toujours. La religion, l'expérience, la loi naturelle, tout est bon pour répandre et confirmer l'idée d'une infériorité qui semble d'une vérité immémoriale.

Les médecins grecs continuent au XVIIe siècle d'être des maîtres incontestés pour la plupart des médecins, dont ceux de la prestigieuse faculté de Paris, qui refusent jusqu'à l'idée que leur enseignement puisse être sérieusement remis en cause dans le moindre domaine. A suivre les plus hautes autorités du temps, la femme paraît donc destinée à demeurer pour toujours et à juste titre l'inférieure de l'homme. Mais en marge des institutions officielles, un nouveau savoir médical est en train de s'élaborer, qui risque d'ébranler le vieil édifice des raisonnements traditionnels. L'enjeu est d'importance. En examinant la femme d'un œil neuf, ce savoir devrait être capable d'établir objectivement si l'infériorité qu'on lui impute depuis toujours lui est véritablement naturelle, ou si elle ne repose que sur d'inadmissibles préjugés. Ce qui changerait radicalement sa condition.

2

Le mystère féminin

« Jamais on n'a tant fouillé dans le corps de l'homme que depuis un siècle, écrit Bayle en 1684. Mais de toutes les parties qu'on a examinées avec une incroyable curiosité, il n'y en a point qu'on ait plus exactement épluchée que celles qui servent à la génération. » La levée de l'immémoriale interdiction de faire des dissections, un siècle et demi plus tôt, a en effet rendu possible l'anatomie du corps humain. De 1526 à 1535, on en pratique deux ou trois par an à Montpellier, quatre au moins à partir de 1550. Un *theatrum* y est installé à cet effet en 1556. Puis on les multiplie. On s'y intéresse particulièrement aux organes génitaux afin de décider si la femme est ou non un mâle inachevé, et par conséquent inférieure par nature à l'homme.

En 1509, Henri-Corneille Agrippa ose l'un des premiers allers contre l'opinion générale et publie, en latin, un livre où il prétend montrer *La Noblesse et préexcellence du sexe féminin*. Pour ce faire, il puise ses arguments dans sa culture encyclopédique, cherchant ses preuves dans la Bible, la mythologie, les historiens anciens et même dans la Cabale, à laquelle il a consacré un ouvrage qui a fait du bruit. Son projet est marqué d'un esprit nouveau : la volonté de prouver, contre la tradition, que l'idée de l'infériorité de la femme n'est pas incontestable.

Louis de Serres témoigne du même état d'esprit dans son livre sur les *Causes, signes et curations des empêchements de la conception et de la stérilité*, paru en 1625. Ayant énuméré tout ce que les médecins et les philosophes ont écrit sur l'infériorité et la débilité des femmes, il s'en indigne au lieu de s'en persuader : « Toutes ces raisons, plus injurieuses que recevables, plus pleines d'animosité que de vérité, ne sauraient ébranler la constance de ceux qui, s'attachant à la pure et vraie vérité du problème proposé, tiennent le parti de Dieu et de la nature contre ceux qui ne sont nés que pour contrôler les œuvres du souverain. » La femme ne saurait être moins que l'homme, puisque Dieu est l'auteur « du sexe féminin aussi bien que du masculin ».

L'idée de l'infériorité des femmes se heurtait chez les philosophes à une objection de principe. Comment la nature, qui ne fait rien en vain, avait-elle pu créer avec la femme un être mutilé et imparfait ? Aristote invoquait une sorte de nécessité « accidentelle ». Galien prétendait que l'imperfection féminine était un mal en vue d'un bien puisqu'elle était nécessitée par les conditions de la reproduction : il est, disait-il, « peu vraisemblable que le grand ouvrier et maître de la nature eût voulu sans cause et pour son plaisir seulement faire la moitié de notre espèce imparfaite et quasi mutilée si de cette imperfection ne nous provenait quelque grande utilité ». Ces arguments paraissent insuffisants aux esprits éclairés du XVIIe siècle.

Pierre de la Primaudaye, dans sa *Philosophie humaine et morale*, conteste en 1617 la légitimité d'une méthode qui aboutit à définir la femme comme « une infirmité et imperfection de la nature ». René de Ceriziers, en 1650, dans *Le Philosophe français*, déclare insoutenable l'opinion de ceux qui, avec Aristote, prétendent que la femme est un hasard de la nature. Une telle définition de celle qui a été choisie pour pérenniser l'espèce humaine est, dit-il, outrageuse, presque sacrilège, envers Dieu qui en a ainsi décidé. Il n'est pas raisonnable de dévaloriser une moitié de l'humanité au profit de l'autre moitié. Le handicap de ces raisonneurs, c'est de ne disposer que d'une science livresque, fondée sur la même tradition que les idées qu'ils contestent, et d'entasser à la mode du temps des exemples aussi hétéroclites qu'incertains. Pour s'écarter des idées d'Aristote et de Galien, les dissections permettent maintenant de s'appuyer sur des observations aussi incontestables que difficiles à faire admettre de l'opinion et même de la communauté scientifique.

Indice des nouvelles curiosités et de la conscience de la nouveauté de leurs résultats, Vésale, en 1543, place en frontispice de son *De corporis humani fabrica* une planche représentant une leçon d'anatomie. Signe de l'intérêt porté à la femme, cette planche montre un corps féminin, à l'abdomen ouvert. Preuve du poids de la tradition, cet abdomen montre un utérus et un col d'utérus qui ressemblent beaucoup à l'appareil urogénital de l'homme. Deux ans plus tard, Charles Estienne s'émancipe davantage. Dans sa *Dissection des parties du corps humain*, il donne une large place à la description de la matrice, nettement présentée comme un organe spécifique.

Pour illustrer son texte, il y joint dix planches, dues au chirurgien La Rivière. Destinées à montrer « par figure tout ce qui est dans le corps de la femme outre ce qui se trouve en l'homme », ce sont de remarquables œuvres d'art qui célèbrent la beauté d'un corps présenté dans sa singularité féminine. Plusieurs planches en montrent la matrice dans les différents états de la gestation, car on ne saurait, dit l'auteur, « faire meilleure dissection d'une matrice qu'en une femme grosse et enceinte ». Dans leur description comme dans leur représentation, la conformation, la composition, la place et la fonction des organes féminins apparaissent à l'évidence impossibles à confondre avec les organes prétendument semblables du corps masculin.

Etablie par une science non encore reconnue par les maîtres patentés dans les lieux officiels de la diffusion du savoir, la description objective de la spécificité féminine ne peut cependant prévaloir sans précautions contre l'idée reçue, qu'a si longtemps garantie une « science » fondée sur des valeurs aussi sûres que l'autorité et la tradition. Il faut donc se soumettre, au moins en apparence, à l'autorité de Galien. Dans le dernier chapitre de son livre, Estienne décrit « le col et membre honteux » de la femme comme des parties « correspondantes au membre viril ». Malgré son anticonformisme, le chirurgien Ambroise Paré fait de même en 1650, et le médecin Pierre Franco l'année suivante. C'est le prix à payer pour oser soutenir qu'il n'est pas « ridicule » de s'intéresser aux organes génitaux des femmes, et pour présenter au public les résultats de dissections qui ne sont plus menées désormais pour corroborer les dires des Anciens, mais pour les contrôler et, au besoin, les contredire.

En 1585, dans son *Trésor des remèdes secrets pour les maladies des femmes*, Jean Liébault va plus loin. Dès le premier chapitre d'un livre écrit en français, il expose à ses lecteurs que la femme n'est pas un être « mutilé et imparfait, mais faible et maladif », qu'il faut par conséquent soigner. Ce qui était chez Galien la preuve de l'infériorité des femmes, la place de ses organes, devient à ses yeux la plus belle réussite de la nature, qui a su cacher les parties propres à la génération et « les situer en un lieu propre et commode pour recevoir la semence et y concevoir » un être vivant. Pour la première fois, semble-t-il, dans la représentation hiérarchisée des espèces qui est alors de règle, la femme n'est pas placée au-dessous de l'homme. Elle cesse d'être une copie défectueuse du mâle pour devenir un être en soi, doué de sa propre perfection, inférieur à l'homme seulement de façon accidentelle, par sa faiblesse physique et sa vulnérabilité aux maladies.

L'essentiel est dit désormais sur la spécificité du système uro-génital féminin et sur l'impossibilité subséquente de considérer la femme comme un « mâle inachevé », et donc comme une aberrante imperfection au sein de la perfection de la nature humaine.

En 1603, dans ses *Discours philosophiques*, Jourdain Guibelet montre avec plus de précision, dans son texte et dans les gravures qui l'illustrent, ce qu'on avait déjà soutenu et montré avant lui. En 1621, puis en 1646, le médecin André Dulaurens revient à la charge, n'hésitant pas à dénoncer sans les habituelles précautions de ses prédécesseurs les erreurs des Anciens : les parties génitales de la femme, dit-il, sont différentes de celles de l'homme dans leur nombre, leur forme et leur composition. Les ouvrages qui vont désormais paraître sur le même sujet n'apportent guère de neuf. Ils témoignent seulement de la difficulté de faire passer dans le public, et même chez les médecins, les nouvelles vérités. Dans son livre, André Dulaurens s'appuie sur les récentes découvertes pour dénoncer l'absurdité des légendes colportées sur les mutations sexuelles. Puisque les organes sont différents, dit-il, le tempérament ne saurait les faire changer de place. Les médecins qui prétendent avoir vu de tels changements ont été les victimes de leur ignorance, confondant une excroissance du clitoris ou un prolapsus de la matrice avec un sexe masculin. Signe que le sujet est d'actualité, Guy Patin, futur doyen de la faculté de Paris, le prend pour sujet de thèse en 1624 : « La femme ne peut-elle pas se transformer en homme ? » Malgré le conservatisme forcené dont il fera preuve dans la suite, il répond par la négative.

Jourdain Guibelet, qui se prévaut du titre de « médecin du roi à Evreux », est le plus audacieux. Il s'attaque à la base de la doctrine adverse en contestant le principe du partage inégal des tempéraments. Ce principe ne repose, dit-il, que sur l'ignorance et se trouve constamment démenti par l'expérience. Les praticiens peuvent constater sans peine que telle femme « brune », « pleine de courage » et entraînée aux exercices physiques est certainement plus chaude qu'un homme « pituiteux, nourri dans l'oisiveté ». Il en faudra beaucoup plus pour venir à bout d'une théorie si généralement admise. Elle s'est largement répandue dans le public français grâce à la traduction dès 1580, par G. Chappuis, de l'ouvrage à succès du médecin Huarte, paru cinq ans plus tôt en espagnol, *L'Examen des esprits propres et nés aux sciences*. L'auteur prétendait y déterminer scientifiquement les aptitudes de chacun à partir du mélange des tempéraments.

En 1631, pour répondre à une des nombreuses réimpressions de la traduction de Chappuis, Guibelet publie un très critique et très moderne *Examen de « L'Examen des esprits »*. Il y revient sur l'idée, soutenue contre l'expérience par celui qu'il réfute, de la similitude des organes des deux sexes. Les femmes, rétorque-t-il, n'ont « ni prostates, ni parastates, ni épidydimes » ; elles ont un clitoris, découvert et décrit par Fallope. Quand Louis Barles publie en 1675 ses *Nouvelles Découvertes sur les organes de l'homme servant à la génération*, il ne fait, malgré le titre de son livre, que reprendre et vulgariser ce que les manuels d'anatomie contiennent depuis un siècle. Sans toujours persuader leurs lecteurs ni les plus entêtés des médecins et savants accrochés à la tradition.

C'est dans la longue durée, entre 1540 et 1670, que s'est opérée, grâce à l'anatomie, une première révolution, essentielle. Malgré les combats d'arrière-garde et le poids des idées reçues, il est maintenant établi que la femme n'est pas un homme manqué, une créature placée au-dessous de son compagnon masculin dans la chaîne des êtres et des choses instituée par Dieu au commencement du monde. A la fin du XVIIe siècle, avec beaucoup de mal et d'aléas, l'idée pénètre dans le monde médical. Elle progresse lentement dans l'opinion éclairée grâce aux ouvrages où des médecins et des chirurgiens l'ont exprimée en français. Il faudra encore beaucoup de temps pour qu'elle s'impose à tous ceux, les plus nombreux, qui n'ont pas une formation suffisante pour entrer objectivement dans le débat et en comprendre les enjeux.

Les découvertes de la fin du siècle n'ont pas la même incidence directe sur l'idée qu'on se fait de la situation de la femme dans l'échelle de la création. Préludes indispensables à la constitution d'une science moderne de la formation de l'embryon, elles n'en sont pas moins capitales. Dès le milieu du XVIe siècle, grâce aux premières dissections, Fallope avait découvert les trompes qui portent son nom, sans pouvoir en expliquer la fonction. On bataille encore ferme, cent ans plus tard, pour décider de leur rôle. En 1650, Harvey avance l'hypothèse que chez les mammifères en général, et par conséquent chez la femme, tout embryon se développe à partir d'un œuf. En novembre 1672, Régnier de Graaf expose les expériences qui, selon lui, démontrent que les vésicules trouvées dans les « testicules femelles » (devenus les ovaires) sont effectivement des œufs (on va les appeler ovules), et que ceux-ci passent de ces « testicules » dans l'utérus par le moyen des trompes. Vivement combattues par les médecins et les praticiens traditionalistes, ces vérités sont généralement reçues par les anatomistes, et bientôt acceptées par une nouvelle génération de savants qui ne suivent plus aveuglément l'opinion des Anciens.

La découverte des ovules aurait sans doute été reçue avec plus de sérénité sans une autre découverte quasi concomitante, aussi importante, mais qu'on ne croit pas alors compatible avec la précédente. En juillet 1678, le Hollandais Huygens fait à l'Académie des sciences de Paris une communication sur les nouveaux microscopes qu'il a rapportés de son pays. Il la termine par une vague allusion à une trouvaille qui serait, dit-il, « propre à donner de l'occupation à ceux qui recherchent avec soin la génération des animaux ». Il fait ainsi prudemment allusion, sans en nommer l'auteur, aux travaux de Leeuwenhoek, son compatriote. Passionné de microscope, parmi beaucoup d'autres observations, cet autodidacte avait vu, dans le sperme d'un chien puis d'autres animaux, quantité d'animalcules qu'il supposait liés à la formation de l'embryon. Il ne se trompait pas. Ces animalcules sont en effet les spermatozoïdes. On en ignorait l'existence. Il faudra encore beaucoup de temps pour que les savants établissent que ce sont eux qui fécondent les ovules.

Ceux qui eurent vent de découvertes qui allaient si fort contre les idées reçues s'en moquèrent ou s'en choquèrent. « L'opinion des œufs, dira un chirurgien quelques années plus tard, ne parut pas plutôt sur la scène qu'on la regarda comme un paradoxe des plus extravagants. Les petits-maîtres en plaisantèrent. Le théâtre s'en divertit. Les précieuses prirent la chose sur le ton sérieux et la regardèrent comme un outrage sanglant que l'on faisait à leur sexe de le comparer à celui des poules. La plupart de ceux qui jugent de tout superficiellement la mirent au rang des creuses visions. » En fait, même les savants qui prirent le parti de Graaf ne comprirent qu'exceptionnellement ce que ses expériences apportaient de nouveau par rapport à l'ovisme plus deviné que démontré de Harvey. Malgré son importance, la nouvelle de l'existence des spermatozoïdes n'atteignit guère le public français, insuffisamment informé par Huygens. C'est en anglais que Leeuwenhoek publia, non sans peine, le résultat de ses observations dans les *Philosophical Transactions*.

Des premières dissections aux découvertes dues au microscope, la médecine a apporté une contribution essentielle à la transformation de l'idée que l'on se faisait jusqu'alors de la femme, ébranlant ou même renversant de prétendues certitudes qui lui étaient, depuis toujours, défavorables. Les autorités scientifiques ne cessaient de ressasser les idées d'Hippocrate et d'Aristote, de Platon et de Galien. Et voici que, au milieu du XVIe siècle, des médecins et des chirurgiens ont la curiosité d'y regarder de plus près. Voici aussi qu'ils en ont la possibilité, puisqu'on les autorise à opérer sur des cadavres de femmes et à intervenir directement lors des accouchements. Voici qu'ils mènent des expériences sur les organes féminins des animaux, et qu'ils découvrent les ovules, et même les spermatozoïdes. Un nouvel esprit scientifique remet en cause les antiques certitudes.

Des ouvrages qui se sont efforcés, pendant plus de cent cinquante ans, de contrer les idées reçues et de répandre les découvertes en cours, est résultée à la fin du XVIIe siècle, chez tous ceux qui acceptaient de s'informer, une nouvelle façon de considérer les femmes. Elles sont devenues dignes d'intérêt, au moins comme objets d'étude. Aucun savant, même pour plaisanter, n'oserait maintenant écrire comme Arnaud de Villeneuve, médecin célèbre du Moyen Age : « Je m'occuperai ici, avec l'aide de Dieu, de ce qui touche aux femmes, et comme la plupart du temps les femmes sont de méchantes bêtes, je traiterai ensuite de la morsure des animaux venimeux. » On sait maintenant que la femme n'est pas un « monstre de nature », un homme manqué, un modèle inférieur de l'espèce humaine. On lui accorde une spécificité dont on montre les handicaps. D'inférieure en droit, elle devient inférieure en fait, dans des domaines particuliers seulement, liés à quelques particularités physiques. C'est un immense changement de statut, la promesse de possibles remises en cause ultérieures, la base d'une possible reconnaissance de la complémentarité des deux sexes dans une totale égalité naturelle.

Cette révolution capitale, la plus importante dans l'histoire des femmes, n'a pas de date précise. Car la science a progressé lentement, mêlant longtemps vérité et erreur. Ses résultats les plus sûrs ont mis du temps à s'imposer chez ceux et celles, les médecins et les femmes, à qui ils étaient directement destinés. On enseignera doctement la médecine de Galien bien après que les vrais savants en auront établi et montré les erreurs. On a continué très longtemps, presque jusqu'à nos jours, à enseigner la théorie des humeurs et à parler de l'hystérie comme d'une maladie spécifique des femmes. Qu'importe ? A la fin du XVIIe siècle, on savait ou on pouvait savoir que le principe de l'infériorité de la femme ne pouvait se prévaloir d'un savoir médical authentique, qu'il n'avait aucune base scientifique, qu'il avait cessé d'être une donnée de la nature. Les idées étaient objectivement établies. Il ne restait qu'à les faire connaître.

Ce n'était pas une mince affaire, car à la fin du siècle encore, elles n'avaient cheminé, lentement, que dans des milieux restreints. Dans une partie du corps médical, dans le petit nombre de ceux et celles qui se tenaient au courant des progrès scientifiques, chez ceux et celles qui lisaient la presse naissante ou qui fréquentaient les conférences où se discutaient les trouvailles. Le cheminement des découvertes médicales est à l'image du cheminement de toutes les autres nouveautés. Le mouvement part des lieux où se fait le savoir, des capitales culturelles, essentiellement de Paris pour la France. Il part du haut, des savants et des élites cultivées. Il met du temps, beaucoup de temps à se répandre, du haut en bas de la société, des villes vers les villages et les coins reculés. Bien peu de femmes, à la fin du XVIIe siècle, se trouvaient au courant des découvertes capitales qu'on venait de faire à leur sujet. En aurait-on informé les autres que la plupart se seraient vraisemblablement écriées : « Que m'importe ? » Alors même qu'une partie d'entre elles s'intéressent au grand débat qui, pendant tout le siècle, traite de leur statut intellectuel, social et moral, dont le développement scientifique est à leur insu l'indispensable support.

De tant de découvertes qui les concernaient au plus haut point, les femmes n'ont en effet guère eu conscience, peu de soulagement dans leurs maux, un bien faible début de bénéfice moral. Rien de plus éclairant sur le rythme des progrès de la science, à cette période de l'humanité, que le temps qu'il fallut pour sortir des antiques certitudes et en fonder de nouvelles sur un savoir en train de se faire. Sans parler des années qu'il faudra encore avant que ce savoir soit confirmé et accepté de tous, avant aussi qu'il entraîne enfin des conséquences pratiques pour les malades et particulièrement pour les femmes. A ce premier et difficile essor de la biologie, les praticiens, médecins ou chirurgiens du temps opposent le plus souvent un sceptique : « A quoi bon ? » Sages-femmes et matrones l'ignorent. Hommes et femmes du peuple n'en savent rien, et les gens cultivés pas grand-chose.

Les évidents décalages dans les contenus d'ouvrages parus dans le même temps sur les mêmes sujets montrent que les changements d'état d'esprit n'ont pas lieu pour tous et partout au même rythme. La médecine n'est pas la même chez ceux qui font d'inhabituelles dissections et chez ceux qui continuent d'expliquer Aristote et Galien à la faculté. Elle n'est pas la même chez les chercheurs, les enseignants et les praticiens. Elle n'est pas la même à la ville et à la campagne. Les pratiques médicales s'en ressentent, et aussi l'idée qu'on se fait de la femme. Dans la France du XVIIe siècle, rien n'est homogène. Il y a une hiérarchie sociale et des privilèges déclarés, mais il y a aussi des avances ou des retards, notamment dans les idées, qui dépendent largement de la condition sociale et géographique des personnes en cause. Face à une médecine au progrès balbutiant, pour les Français et les Françaises, c'est le règne absolu de l'inégalité.

De nos jours, les découvertes sont rapidement vulgarisées et suivies de leurs applications pratiques ; on a de la peine à comprendre les lenteurs d'une science qui se créait et s'imposait difficilement contre des préjugés plus que millénaires. C'est au cours du XVIIe siècle, presque à l'insu des intéressées, que l'on est passé de l'erreur à la vérité sur les organes féminins. C'est seulement au siècle suivant que l'on comprendra leur fonctionnement dans la génération et que l'on pourra enfin définir le rôle exact de l'homme et de la femme dans un processus reposant sur un incontestable dimorphisme sexuel. Pour que les progrès d'une biologie naissante modifient la condition féminine, il faudra encore du temps, beaucoup de temps. Jusqu'à l'ultime aboutissement de ces premières découvertes, la pilule, capable de donner aux femmes la maîtrise d'un cycle menstruel dont on n'a encore découvert ni le mécanisme ni la véritable fonction à la fin du XVIIe siècle.

3

« Tu enfanteras dans la douleur »

« Il est de la droite raison et de la sagesse d'accepter avec une entière soumission à l'ordre de Dieu et avec la plénitude de son cœur les peines qu'il a attachées à l'état que nous avons embrassé. » Celui de l'épouse est semblable à celui du soldat. « L'homme de guerre expose sa vie parce qu'il est de sa profession de le faire. Une femme raisonnable doit donc accepter sans tristesse et sans inquiétude les événements inséparables de sa condition et doit mettre principalement sa piété à s'y préparer et à s'y résoudre. » L'épouse entrera dans les « travaux » de l'enfantement « comme dans un combat qui est naturel à son état, qu'elle a dû prévoir avant de s'y engager, et dans lequel elle doit généreusement offrir à Dieu sa vie ». Comme la guerre est le risque de l'homme, l'accouchement est celui de la femme mariée. A cette différence près, oubliée du chanoine Leroy, auteur en 1675 d'un livre *Sur les devoirs des mères*, que la guerre est un métier volontaire, celui des nobles et des mercenaires, et que toutes les femmes, à moins de se faire religieuses, sont alors condamnées au mariage, nécessaire à la survie de l'espèce. Enfanter n'est pas pour elles un choix, mais un devoir attaché à leur fonction naturelle de reproductrices.

A l'article « Femme » de son *Dictionnaire*, Furetière donne en premier lieu cette brève et significative définition : « Celle qui conçoit et qui porte les enfants dans son ventre. » La femme, pour lui, se définit d'abord par la maternité. C'est aussi ce que fait l'Eglise, mais en ajoutant, avec saint Augustin, saint Thomas et beaucoup d'autres commentateurs de la Genèse, que les douleurs, inséparables de l'accouchement, sont l'effet de la sanction divine. « La fécondité est la gloire de la femme », écrit Bossuet dans une de ses *Elévations sur les mystères*. Puis il enchaîne : « C'est là que Dieu met son supplice ; ce n'est qu'au péril de sa vie qu'elle est féconde... L'enfant ne peut naître sans mettre sa vie en péril ni le mari devenir père sans hasarder la plus chère moitié de sa vie. Eve est malheureuse et maudite dans tout son sexe. » Enfanter est pour la femme une gloire, un devoir et une punition.

« Ce qui oblige davantage les femmes à se soumettre avec une acceptation toute volontaire, avec un esprit de pénitence et de sacrifice, et avec une courageuse piété, à toutes les incommodités qui ont accoutumé d'accompagner la grossesse, et même aux travaux de l'enfantement, continue Leroy, c'est que la femme, dans la première transgression, a beaucoup plus péché que l'homme, ainsi qu'on le remarque dans l'Ecriture. » D'Eve vient le mal principal, puisqu'elle a cédé d'abord au démon et incité Adam à manger le fruit défendu. « C'est pourquoi, commente le chanoine, les femmes doivent reconnaître qu'il a été de la justice de Dieu que les infirmités corporelles aient été plus attachées à leur sexe qu'à celui des hommes. » Ce qui est « signifié par ces paroles que Dieu dit à Eve aussitôt qu'elle eut péché : "Je multiplierai vos afflictions et vos grossesses, et vous n'enfanterez qu'avec douleur (Genèse 31-16)" ». Les femmes doivent donc « accepter très volontairement et comme une condamnation pleine d'équité les peines auxquelles Dieu les a condamnées de sa propre bouche ».

Ce raisonnement n'est ni nouveau ni propre au XVIIe siècle, mais il devient plus fréquent dans le discours ecclésiastique à mesure qu'on avance dans le siècle. Les décrets du concile de Trente (1545-1563) ont rappelé et renouvelé la sentence de la Bible : les douleurs de l'enfantement sont le signe et la sanction de la faute originelle. Tandis que, lentement mais sûrement, les résolutions du concile s'imposent en France, imprégnant chaque jour davantage la pensée et les pratiques religieuses, on culpabilise de plus en plus les femmes en couches. « A la femme, traduit-on aujourd'hui, Dieu dit : "Je multiplierai les peines de tes grossesses ; dans la peine tu enfanteras des fils." » La version du chanoine Leroy accentue la sévérité de la condamnation en insistant sur le caractère répété et inévitable de la douleur.

Persuadés que la femme est condamnée à souffrir pour racheter sa faute originelle, les clercs, qui sont des hommes, n'imaginent pour elle qu'une conduite possible : offrir cette souffrance à Dieu pour le salut de son âme et la rédemption de l'humanité. On lui a, pour cela, composé des prières, comme celle-ci, de Godeau, en 1656 : « En mon accouchement, fortifiez mon cœur pour supporter les douleurs qui l'accompagnent, et que je les accepte comme des effets de votre justice sur notre sexe pour le péché de la première femme. Qu'en la vue de cette malédiction, et de mes propres offenses dans le mariage, je souffre avec joie les plus cruelles tranchées, et que je les joigne aux souffrances de votre fils sur la croix, au milieu desquelles il m'a engendrée en la vie éternelle. Elles ne peuvent être si rudes que je les mérite, car bien que la sainteté du mariage ait rendu ma conception légitime, je confesse que la concupiscence y a mêlé son venin, et qu'elle m'a fait faire des fautes qui vous déplaisent. Que si votre volonté est que je meure en mon accouchement, je l'adore, je le bénis et je m'y conforme. »

Toute une littérature populaire se développe pour répéter le message, demandant aux femmes non seulement de supporter les peines de l'enfantement, mais encore de les souhaiter pour mieux assurer leur salut. A une sage-femme huguenote, une chambrière non réformée oppose un remède préférable à tout autre : « Nous autres catholiques nous retrouvant en tel travail, nous recommandons la patiente à Dieu le Père tout-puissant, à la douce Vierge Marie et pour ce disons l'oraison de sainte Marguerite. » L'intérêt bien compris de la femme n'est pas d'avoir moins de douleurs, mais d'en réclamer plus en ce monde pour ne pas être châtiée dans l'autre.

Il ne faut pas minimiser l'apaisement qu'a pu apporter à certains esprits, dans une société où quasi personne ne doute des vérités de la religion, le sens que l'Eglise apporte à la douleur et à l'éventuelle mort des femmes en couches. Ce n'est pas rien de participer à la Rédemption avec le Christ en croix et d'être persuadé, dans le pire des cas, d'une glorieuse entrée dans la vie éternelle. A défaut d'autres remèdes, la foi a sans doute permis à plus d'une de mieux supporter les « travaux de l'accouchement ». Mais il ne faut pas minimiser non plus les traumatismes entraînés par la culpabilisation du sexe féminin et l'annonce répétée d'intolérables douleurs et de morts atroces. Toute femme enceinte avait, de ces maux, une expérience directe pour avoir entendu les cris des parturientes, et une connaissance au moins indirecte des décès survenus autour d'elle par les récits tragiques qu'on lui en avait fait et que l'on ne manquait pas de lui répéter, le moment venu. L'importance relative de l'apaisement et de la peur a dû varier, dans des proportions impossibles à saisir, selon le degré de la foi et de l'émotivité des individus, les circonstances particulières de l'événement, le degré de fortune et la culture de chacune.

Même fortement christianisées, le moment de l'accouchement venu, bien des femmes n'ont, semble-t-il, pratiqué qu'imparfaitement, ou même pas du tout, la soumission volontaire à une souffrance inévitable que leur conseillaient des clercs qui s'en savaient dispensés. Une longue tradition, issue d'une mentalité collective liée depuis toujours à pareille circonstance, allait dans le sens contraire, personnifiée dans les matrones qui prétendaient soulager les maux des femmes en couches et faciliter leur travail par des pratiques ancestrales, souvent de caractère magique. Si leur rôle diminue en ville à mesure qu'on avance dans le siècle, elles restent souveraines dans les campagnes, et en ville chez ceux, sans doute les plus nombreux, qui ne veulent ou ne peuvent recourir aux services de nouveaux venus dans ce métier, les accoucheurs.

Loin d'abandonner les femmes à leurs maux, les matrones utilisent une abondante pharmacopée naturelle, dont personne ne met en doute l'efficacité, au moins relative. On lubrifie abondamment les mains de celle qui va opérer et les organes de la femme avec des produits gras, beurre fondu non salé, saindoux, huile de noix ou d'olive selon les régions. On lui fait boire des breuvages sucrés de miel, ou du vin, pour lui donner des forces. On lui donne de l'ail et de l'oignon, censés « ranimer les esprits et favoriser la dilatation ». A moins qu'on ne lui fasse gober un œuf, qui fera descendre l'enfant par sympathie, celui-ci étant censé nager dans la matrice comme le jaune de l'œuf dans sa glaire. Les matrones ou des femmes expérimentées connaissent aussi des champignons, des herbes et des racines aux effets plus ou moins analgésiques. L'eau de la reine de Hongrie ou des Carmes, le laudanum et autres narcotiques n'apparaîtront qu'au XVIIIe siècle.

Dès les premières douleurs, parentes et voisines se considèrent obligées d'accourir, à l'exception des vierges. Elles calfeutrent portes et fenêtres, qui devront rester soigneusement fermées durant tout l'accouchement, en principe pour éviter de pernicieux courants d'air, en fait parce qu'on craint les sorts et qu'on veut soustraire la mère et l'enfant à l'influence maléfique de quelque sorcière ou magicien des environs. On veille à ce que tout nœud, tout cordon, toute attache ou boucle de la parturiente soient défaits, moins pour assurer la liberté de ses mouvements, comme on le prétend, que pour se conformer à une pratique conjuratoire immémoriale. Autour de la femme en travail la superstition règne à côté de la religion, l'une à l'autre mêlées dans des proportions variables selon les lieux et les temps. Même lorsque tout se présente bien, la femme sur le point d'accoucher ne se sent un peu rassurée que lorsqu'on aura disposé autour d'elle les amulettes familières, les « topiques ».

Chez les riches, on se passe de femme en femme et de génération en génération la « pierre d'aigle », grosse comme un œuf de pigeon, qui a pour elle de contenir une autre pierre qui y ballotte « comme une amande sèche dans sa coque ». Jusqu'à la fin du

XVIIe siècle, on utilise aussi les bézoards, en vogue dès le Moyen Age. Ce sont des concrétions de forme sphérique formées dans l'estomac des animaux, notamment des chamois des Alpes. La mandragore, qui sert à lutter contre la stérilité, passe en fin de grossesse pour attirer « le sang menstruel » et faire « sortir l'enfant du ventre de sa mère ». Dans la *Pharmacopée royale*, Moyse Charas affirme les vertus de la peau de serpent, « propre à l'accouchement des jeunes femmes, en en faisant une ceinture à la cuisse droite ». On la remplace au besoin par une ceinture rouge ou un ruban bleu ou jaune. L'Eglise, qui s'efforce de canaliser ces sortes de pratiques, remplace la peau de serpent, ou ce qui en tient lieu, par la ceinture de sainte Marguerite. On l'expose dans la chambre où accouchent les reines de France. A défaut, on en a des images et on incite la femme à prier la sainte, ou des patrons et patronnes locales, ou mieux encore la Vierge Marie, qui prend une place prépondérante dans les accouchements à mesure que le siècle s'avance.

Signe de l'importance des présages, au moment où commence le travail, on place souvent dans l'eau une « rose de Jéricho ». Si elle s'ouvre, c'est le présage d'une délivrance rapide ; sinon, d'un accouchement laborieux. Chacun sait que, dans tous les cas, c'est une rude partie qui s'engage, gagnée quand elle apporte une nouvelle vie, perdue quand meurt l'enfant, ou sa mère, ou les deux. On ne disposait pas de statistiques. Heureusement. L'étude des registres des baptêmes et des décès a depuis montré qu'en général un accouchement sur quatre-vingts est suivi de la mort de la mère. Comme une femme mariée accouche alors en moyenne sept à huit fois, une sur dix mourait en couches. Les décès les plus nombreux ne touchaient pas les plus jeunes femmes, mais celles qui atteignaient la quarantaine, usées par les grossesses répétées. Aux morts survenues pendant le travail s'ajoutaient, dans les jours suivants, celles des fièvres puerpérales, dues à un total manque d'hygiène.

Ces morts sont trop fréquentes pour que, même sans chiffres, les femmes ne soient pas conscientes des risques auxquels toute naissance les expose. Aux premières douleurs, surtout lors de leurs premiers accouchements, elles sont souvent prises de terreurs paniques. Au village, les femmes qui entourent celle qui accouche l'encouragent à crier pour diminuer son mal, mais aussi pour annoncer l'événement à la communauté. Elles y joignent parfois les leurs. La naissance est un acte public. La femme peine et crie au milieu d'autres femmes dont beaucoup ne servent à rien, sinon à tendre davantage l'atmosphère en rappelant leurs souffrances passées.

Point question de dévêtir la parturiente : sa pudeur s'y oppose, car la nudité complète ou même la semi-nudité serait considérée comme indécente, fût-ce entre parentes et voisines. Pour délivrer la femme, on opère sous le jupon ou du moins sous un linge. Durant les premières contractions, on lui laisse la liberté de ses mouvements. Quand arrive la phase terminale, elle doit au contraire prendre une position précise, impérativement dictée par la tradition et les coutumes des lieux, très variées au début du XVIIe siècle. La femme accouche accroupie, à genoux, debout, parfois à quatre pattes, le plus habituellement assise de côté. En ce cas, elle est d'ordinaire sur une autre femme qui lui tient les bras ou le haut du corps. Bien que les hommes soient en principe proscrits de cette affaire de femmes, dans les fermes isolées, ou lorsque l'accouchement dure et dépasse les forces féminines, c'est souvent le mari qui immobilise sa femme. La matrone, elle, occupe toujours la même place, face à celle qu'elle accouche, sur une chaise ou un banc qui la met à la bonne hauteur pour surveiller le déroulement du travail.

Avec les matrones, l'accouchement n'a jamais lieu dans une chambre, sur un lit, mais dans la pièce commune, devant l'âtre, et même, chez les pauvres, à l'étable, parmi les bêtes. Elles pensent que la naissance est le résultat de l'action de l'enfant, qui décide de sortir du « four », où il a été comme « cuit », quand il se sent à point et capable de partir. On doit l'aider dans ses efforts et tout faire pour lui faciliter le passage. D'où maintes initiatives intempestives et parfois dangereuses, qui blessent les femmes, les font souffrir et parfois les mutilent. Beaucoup de pratiques sont sans danger mais inefficaces, comme ces fumigations qui se heurtent au scepticisme du médecin Laurent Joubert dans la seconde moitié du XVIe siècle : « Les bonnes femmes de village à l'entour de Montpellier, écrit-il, ont éprouvé que si celle qui est travaillée d'enfant s'assied sur le cul d'un chaudron qu'on a levé présentement du feu, elle enfante plus aisément. » Elles prétendent que la tiédeur du chaudron « ramollit le croupion et le rend plus facile à céder comme font les fomentations ramollissantes que nous faisons à cet effet ». Persuadées qu'un accouchement est d'autant plus réussi qu'il a été plus rapide, les matrones de village cherchent toujours à activer la venue de l'enfant.

On appelait accouchements contre nature ceux où il se présentait mal, ou bien, cas encore plus difficiles, ceux où une malformation ou l'étroitesse du bassin de la femme rendait la venue de l'enfant difficile, voire impossible. Souvent dus aux carences alimentaires de la petite enfance, qui entraînaient cette forme de rachitisme, ces maux étaient beaucoup plus fréquents qu'aujourd'hui, surtout dans le peuple. Egales devant la douleur, qu'on ne savait guère atténuer, les femmes ne l'étaient pas devant ce handicap, qui frappait davantage les pauvres que les riches et conduisait presque toujours à la mort les malheureuses qui en étaient atteintes.

Leur cas posait inévitablement un problème de conscience. Fallait-il attendre que l'enfant soit mort pour utiliser le crochet et l'extraire du ventre de sa mère, au risque de causer aussi la mort de la femme, exténuée de fatigue et souvent gangrenée par le cadavre ? Fallait-il sacrifier l'enfant à la mère ? C'était un vieux débat. L'Eglise l'avait depuis longtemps résolu en citant saint Ambroise : « Si l'on ne peut pas secourir l'un des deux sans offenser l'autre, il vaut mieux n'aider ni l'un ni l'autre. » Cette décision sans appel, théoriquement justifiée par le souci de laisser la décision à Dieu, entraînait un immobilisme qui provoquait à coup sûr deux morts au lieu d'une. Partisans depuis toujours de l'action, accoucheurs et matrones n'en tenaient guère compte dans leur pratique, s'efforçant au contraire de privilégier la survie de la mère, qu'ils jugeaient nécessaire à son mari et à ses enfants.

A ce vieux débat, quelques rares réussites de césariennes avaient donné une nouvelle actualité à la fin du XVIe siècle. Selon leurs auteurs, cette opération devait permettre de sauver et la mère et l'enfant. Sans nier cette possibilité théorique, le chirurgien Ambroise Paré objecta qu'il valait mieux s'en tenir aux leçons avérées de l'expérience, qui avait établi que les femmes ne survivaient pas habituellement à l'opération préconisée. Dans ces cas difficiles, le devoir du médecin ou du chirurgien n'était pas d'innover à tout prix, mais de traiter les femmes en travail « humainement », en considérant le prix infini de leur vie, tissée des mille liens de l'affection conjugale et de l'amour maternel. Malgré son habituel modernisme, Paré recommandait en l'occurrence de s'en tenir à la tradition, c'est-à-dire, à mots couverts, de sauver la mère au détriment de l'enfant.

Le débat prit un tour aigu avec la publication, en 1630, d'un important ouvrage de théologie morale. Un jésuite, Théophile Raynaud, y posait sans ambiguïté la question du baptême, rendu possible par la césarienne dont il ne voulait considérer que les succès. Selon lui, le principe absolu de la nécessité d'assurer à tout prix le salut éternel de l'enfant obligeait en conscience le médecin à pratiquer l'opération dès lors que des réussites avaient montré que celle-ci n'était pas forcément mortelle. En 1648, à la Sorbonne, les docteurs consultés se contentèrent de renvoyer à saint Ambroise : « Si l'on ne peut tirer l'enfant sans le tuer, l'on ne peut le tirer sans péché mortel. » Ils refusèrent même la solution de compromis proposée par certains, le baptême *in utero* qui aurait, pensaient-ils, assuré la vie éternelle de l'enfant sacrifié à la survie de sa mère.

Avec plus ou moins de netteté, les grands accoucheurs du XVIIe siècle se rangent à l'avis d'Ambroise Paré malgré la doctrine de l'Eglise. Pour François Mauriceau, auteur en 1668 d'un *Traité des maladies des femmes grosses et accouchées*, le critère qui doit décider de l'action du praticien, c'est « la sûreté de la vie de la femme qui est entre ses mains ». Contre les théologiens, il soutient qu'il n'y a « jamais eu aucune loi chrétienne qui ordonnât de tuer la mère pour sauver l'enfant par l'opération césarienne ». On ne doit entreprendre cette opération qu'après la mort de la mère, dans le cas où l'enfant lui survit. En 1685, dans *La Pratique des accouchements*, Paul Portal soutient pareillement qu'il ne faut « jamais venir à cette opération que lorsqu'il ne se trouvera pas d'autres moyens ». « Il faut regarder premièrement Dieu et son prochain, écrit-il encore. Regarder Dieu, parce qu'il serait offensé en laissant mourir une femme. Regarder son prochain, parce qu'il n'y aurait pas de charité de laisser mourir une femme sans la secourir. » La secourir, c'est-à-dire la délivrer par tous les moyens possibles d'un enfant coincé dans ses entrailles, qui ne peut que l'entraîner dans la mort.

« Si l'on voyait une femme en péril, dans ce cas, écrit encore Portal, partisan de l'utilisation d'un tire-tête de son invention, on pourrait tirer l'enfant, le croyant mort, quoique bien souvent on puisse se tromper. Mais faisant ce qu'on peut, on n'est pas obligé à l'impossible. Quoi qu'il en soit, il faut toujours sauver la mère lorsqu'on la voit en danger, mais non autrement. » Il était difficile, dans le contexte où il écrit, de prendre plus nettement parti pour l'action contre l'inaction, pour la survie de la mère contre la vie de l'enfant, c'est-à-dire doublement contre la position définie par saint Ambroise et précisée par les moralistes partisans de la trop dangereuse césarienne. Pour éviter d'être condamné par l'Eglise, toujours attentive aux prises de position de ce genre, il joue sur l'incertitude de la vie et de la mort de l'enfant au moment de la décision.

La pensée d'accoucheurs ultérieurs, celle par exemple de Philippe Peu en 1694, est apparemment beaucoup moins favorable à la femme. « C'est l'importance du baptême qui fait l'importance et le fond de la question », écrit-il, se plaçant d'emblée sur le plan religieux. « En concurrence de péril égal entre la mère et l'enfant, précise-t-il, à ne regarder que la vie du corps, nul ne serait en droit de sacrifier l'une à l'autre ou d'attenter sur l'une pour conserver l'autre, parce qu'elle est un bien sacré. Mais n'autorisons point cette supposition d'égalité, qui ne peut être qu'en idée, puisque le salut de l'enfant n'étant véritablement en sûreté que par un baptême reçu après qu'il est né, le péril de sa vie, tant qu'il est dans l'utérus, est inséparable de celui de son salut et, par cette raison, incomparablement plus grand que celui de sa mère qui ne risque au plus qu'un reste de malheureux jours. » Toutes les précautions sont prises par rapport à la doctrine de l'Eglise.

Peu n'en refusent pas moins la césarienne, trop dangereuse pour la mère. Le praticien doit agir sans craindre d'utiliser le crochet. « Les enfants tirés en temps et en lieu, explique-t-il, survivent presque tous à leur blessure... Le crochet tend à mettre la vie de l'âme en sûreté et ne fait que risquer simplement celle du corps. Si des enfants tirés avec le crochet viennent morts, on peut supposer qu'ils l'étaient ; on a la conscience en repos. » Etonnante casuistique qui repose sur la probabilité de l'innocuité du crochet pour justifier une action qui, en fait, entraîne le plus souvent la mort de l'enfant. Pour Philippe Peu, comme pour Paul Portal et François Mauriceau, l'important est de justifier l'action du praticien, qui ne peut se borner à laisser faire la nature quand il en constate les défaillances. A mesure que la pratique médicale progresse, offrant aux praticiens des possibilités d'interventions inconnues jusque-là (césarienne, crochet, tire-tête), les accouchements « hors nature » leur posent de difficiles cas de conscience. Par leurs écrits et leurs actes, ils contribuent à décider avec l'Eglise, et parfois contre elle, de la valeur à accorder à la vie d'une femme, de préférence ou non à celle de son enfant.

Pour les matrones, plus nombreuses que les accoucheurs, établis seulement dans les villes, la question de la césarienne ne se posait pas : elles n'étaient autorisées à la pratiquer que sur les mortes. Pour le reste, influencées par les femmes du village, conservèrent-elles leur ancienne pratique, favorable à la mère, ou se rangèrent-elles à l'avis de l'Eglise ? Dans la seconde moitié du XVIIe siècle, pour mieux répandre sa doctrine, les autorités religieuses favorisent l'institution d'une matrone de communauté, plus facile à contrôler que les traditionnelles matrones de village. Le curé, qui lui fait prêter serment en présence des femmes réunies dans l'église, exige d'elle la connaissance des formules du baptême et l'incite à faire progresser la prière et l'invocation des saints au détriment des amulettes et des formules plus ou moins magiques employées depuis la nuit des temps.

Le serment qu'elle doit prêter ne dit rien des cas de conscience posés par les accouchements contre nature. Il l'engage, chaque fois qu'elle verrait « un danger pressant, à user des conseils et des lois du chirurgien et des autres femmes » qu'elle sait « entendues et expérimentées en cette fonction ». C'est avouer qu'elle ne sait pas se tirer seule des situations difficiles. C'est reconnaître aussi que, dans les cas, sans doute fréquents en dehors des villes, où il n'y a personne de compétent pour aider la matrone, toute femme dont la constitution physique empêche le passage de son enfant ne peut qu'accoucher et mourir dans les pires douleurs.

4

De la matrone à l'accoucheur

Sur un point, les progrès des recherches médicales, notamment en anatomie, ont eu d'heureuses conséquences immédiates pour les femmes, ou une partie d'entre elles. Surtout dans les villes, les matrones formées sur le tas cèdent progressivement la place à des praticiennes ou à des praticiens qualifiés. Jusqu'alors, les femmes considéraient la médecine de leur sexe, et particulièrement ce qui concernait la naissance, comme un privilège naturel. Seules celles qui avaient été mères pouvaient avoir compétence dans un domaine tout féminin depuis la nuit des temps. Cette pratique exclusive, fondée sur un monopole absolu, faisait des matrones les dépositaires de secrets quasi magiques, les détentrices d'une sorte de droit de vie et de mort. Respectées par les épouses, sur lesquelles elles avaient pleine autorité, elles inquiétaient les hommes qui suspectaient leurs mystères. Ils les soupçonnaient facilement de ravauder les pucelages perdus et de favoriser les tromperies des femmes adultères en les avortant.

Pendant des siècles, ces matrones ont représenté le savoir. Quand les médecins du XVIe siècle s'intéressent au phénomène de la génération, c'est d'abord auprès d'elles qu'ils s'instruisent. Nul alors ne songe à les éliminer pour introduire à côté ou au-dessus d'elles des personnages plus compétents. La question ne se pose qu'avec la constitution et le progrès d'une science médicale des particularités féminines qui découvre les failles des connaissances traditionnelles. Dès 1565, Simon de Valembert écrit en français son traité *De la manière de nourrir et gouverner les enfants dès leur naissance.* « Ce qui m'a ému d'ainsi le faire [ce qui m'a poussé à écrire en français] est que je désire être entendu des femmes de France », explique-t-il. Ambroise Paré en 1551 (*La Manière d'extraire les enfants*), Jacques Duval en 1612 (*Accouchements des femmes*) et Jacques Guillemeau en 1620 (*De la grossesse et accouchement des femmes*) font de même. Leur but est d'informer le public éclairé des nouveaux acquis et surtout d'en instruire les matrones. Tâche largement impossible, car beaucoup d'entre elles ne savent pas lire, et presque toutes ont plus de confiance en leur expérience que dans un savoir extérieur tout neuf. Rares furent sans doute au début celles qui, comme Jane Massale, dite Gervaise, à Montpellier, ne manquaient jamais une anatomie publique lorsqu'on y étudiait un corps de femme.

Louise Boursier est la figure exemplaire d'une nouvelle génération. De bonne famille, épouse d'un chirurgien d'armée, matrone d'un quartier populaire, elle sait lire et écrire, et peut par la suite briguer, en s'instruisant, le titre de sage-femme jurée. Pour cela, il lui faut passer un examen devant un médecin, deux chirurgiens et deux sages-femmes. Elle le réussit en 1598. Tout en continuant d'assister les pauvres, elle pénètre, grâce à son diplôme, dans la haute société et y est bientôt à la mode. Devenue l'accoucheuse de Marie de Médicis, reine de France, elle reçoit ses deux fils. Elle écrit des *Observations* où elle consigne, pour ses semblables, une exemplaire expérience professionnelle. Quand elle connaît, en 1627, un grave échec auprès de la belle-sœur du roi, Marie de Bourbon-Montpensier, qui meurt à la naissance de la future Grande Mademoiselle, elle s'en défend avec une vigueur qui choque le médecin Guillemeau. Il lui répond. Signe d'une indiscutable évolution des mœurs, la question n'est plus de savoir si un homme, médecin ou accoucheur, peut ou non intervenir dans les accouchements, mais si la matrone lui est ou non subordonnée. Preuve qu'il est maintenant largement acquis qu'à côté de celui de la matrone, il existe un savoir médical auquel elle doit, si possible, avoir recours dès qu'elle s'aperçoit qu'il s'agit d'un cas difficile.

Dans les villes, les premiers spécialistes du corps féminin travaillent à améliorer les conditions matérielles de la naissance. En 1536, Euchaire Rodion, médecin allemand, écrit, dans sa langue maternelle pour être compris des femmes, un traité *Des divers travaux et enfantements des femmes et par quel moyen on doit survenir aux accidents qui peuvent échoir devant et après leurs travaux.* Il y conseille la position mi-couchée, mi-assise, ou mieux encore l'utilisation d'une chaise spéciale, la chaise d'accouchement. Venue d'Allemagne en France par l'Alsace, elle se répand peu à peu chez les riches. Ambroise Paré en vante les mérites : « La femme grosse y est située étant renversée sur le dos, de sorte qu'elle a son inspiration et expiration libre ; l'*os sacrum* et l'*os caudae* sont en l'air, n'étant aucunement pressés, ce qui fait que lesdits os se disjoignent et se séparent plus aisément. Pareillement, l'os pubis, à cause que les cuisses sont écartées l'une de l'autre. Joint aussi que la sage-femme besogne plus à l'aise, étant assise devant la femme grosse. L'on mettra un oreiller au dossier de la chaise, et quelques linges, où les cuisses seront appuyées, afin que la femme grosse soit plus à son aise. »

La constante amélioration de la chaise, qui deviendra d'un usage courant au XVIIIe siècle, témoigne d'une préoccupation nouvelle, déjà sensible dans le texte de Paré : veiller au confort de la parturiente. La position couchée sur le dos, seule pratiquée aujourd'hui par la médecine occidentale, est venue de la généralisation de l'emploi de la chaise, sous l'impulsion des accoucheurs, puis de son remplacement par un lit de travail. Elle n'était guère en usage au XVIIe siècle, où le lit n'était généralement utilisé qu'après la naissance de l'enfant, pour y placer la femme au repos quand tout était fini.

Impensable pour les femmes et presque sacrilège pour les hommes d'Eglise, l'idée d'un accouchement sans douleur ne peut alors venir qu'à de rares esprits non conformistes. Seuls quelques voyageurs osent prétendre, comme Jean de Léry en 1580, Pierre de Marces en 1605 ou Marc Lescarbot en 1612 qu'ils ont vu, le premier au Brésil, le deuxième en Afrique, le troisième en Nouvelle-France, des femmes accoucher sans peine avec la seule aide de leur mari, puis reprendre aussitôt leurs activités ordinaires, le nouveau-né pendu à leur cou. Ils s'en étonnent et se demandent pourquoi ces « Américaines », ou autres femmes relevant d'une civilisation primitive, se montrent plus robustes et moins sensibles à la douleur que les femmes des villes d'Europe, obligées de rester alitées au moins quinze jours après leur accouchement.

Au milieu du XVIe siècle, quelques médecins vont dans le même sens que les voyageurs. Laurent Joubert, en 1578, note que « les villageoises et autres femmes de labeur, qui font ordinairement grand exercice, et sont plus debout qu'assises, ont beaucoup plus aisées délivrances que les marchandes et bourgeoises, qui sont le plus souvent au repos ou assises, ne travaillant à autre chose qu'en ouvrage et couture ». En 1646, un admirateur et éditeur des médecins du siècle précédent, Lazare Meysonnier, va jusqu'à prétendre (évidemment sans preuves) que « les pauvres villageoises et femmes d'artisan », mieux préparées à la souffrance, comptent moins de mortes en couches que « les dames et demoiselles ». Il y aurait donc, selon lui, un rapport étroit entre les modes de vie habituels des femmes et leur aptitude à supporter, physiquement et moralement, les douleurs de l'enfantement. La souffrance serait la rançon d'une civilisation trop éloignée de la simplicité naturelle. Il n'est plus question, pour ces pionniers, de voir dans les douleurs de l'accouchement la conséquence du péché originel et de la malédiction divine.

Les médecins, sur ce point, s'accordent avec les matrones. Pour tenter de soulager les femmes en couches, ils ne rejettent pas les traditionnels remèdes de bonnes femmes dès lors qu'ils les apaisent et diminuent leurs maux. Car l'effet d'un remède, disent-ils, dépend en grande partie de la confiance de celle qui le reçoit. Euchaire Rodion insiste sur l'aide morale à apporter à la femme en travail. Il faut, dit-il, la « consoler de paroles douces et aimables » et lui « donner bonne espérance » en lui assurant que son enfant viendra bientôt « à bon port ». La crainte lui paraît l'une des causes principales des accouchements difficiles. Ambroise Paré, au milieu du XVIe siècle, Louise Boursier, au début du siècle suivant, pensent de même et donnent des conseils analogues. Le discours médical éclairé, qui ne se résigne pas à la souffrance des malades et des femmes en couches, est en contradiction avec celui des clercs.

Il lui faudra bientôt changer ou se masquer pour ne pas entrer en conflit avec les enseignements de la Réforme catholique. Il faut, affirment ses tenants, que le praticien et le prêtre collaborent pour rappeler aux femmes le caractère expiatoire de leurs maux. Les médecins résistent d'abord à la pression de l'Eglise, tel Rodriguez Castro qui soutient que les souffrances de la femme sont dues à des raisons objectives, principalement de ce que « la tête du fruit qu'elle porte » est, dans l'espèce humaine, particulièrement volumineuse. Il faut pourtant céder, au moins en apparence. En 1668, l'un des meilleurs obstétriciens de l'époque reprend l'explication de Rodriguez, mais n'omet pas de rappeler ensuite la raison que « la plupart du monde croit » : la femme souffre parce qu'ainsi l'a ordonné Dieu « à cause de son péché ».

Qu'importe. L'atmosphère des accouchements est en train de changer. En novembre 1670, un an après la naissance d'un prématuré mort-né, Mme de Grignan accouche d'une fille, qu'on appellera Marie-Blanche. Après deux lignes de la comtesse à son mari (« je suis hors de tout péril et ne songe qu'à vous aller trouver »), Mme de Sévigné conte l'événement à son gendre : « Vous savez que ma fille et moi, nous allâmes samedi dernier nous promener à l'Arsenal. » Il y avait en effet, non loin du Marais où habitaient les deux femmes, situé entre les bâtiments du grand et du petit Arsenal, un vaste jardin d'où l'on jouissait d'une vue admirable. Mme de Grignan y sent de « petites douleurs ». Sa mère veut, au retour, envoyer chercher Mme Robinet, une sage-femme qui a récemment participé aux accouchements de la reine

Marie-Thérèse. La comtesse refuse. On se conduit sans rien changer.

« On soupa. Elle mangea très bien, écrit la marquise. Monsieur le coadjuteur (Jean-Baptiste de Grignan, coadjuteur de son oncle, l'archevêque d'Arles, beau-frère de la comtesse), et moi, nous voulûmes donner à cette chambre un air d'accouchement ; elle s'y opposa encore avec un air qui nous persuadait qu'elle n'avait qu'une colique de fille. Enfin, comme j'allais envoyer quérir malgré elle la *Robinette*, voilà des douleurs si vives, si extrêmes, si redoublées, si continuelles, des cris si violents et si perçants, que nous comprîmes très bien qu'elle allait accoucher. La difficulté, c'est qu'il n'y avait point de sage-femme. Nous ne savions tous où nous en étions ; j'étais au désespoir. Elle demandait du secours et une sage-femme. C'était alors qu'elle la souhaitait ; ce n'était pas sans raison, car comme nous eûmes fait venir en diligence la sage-femme de la Deville, elle reçut l'enfant un quart d'heure après. »

En ville, il y a de la ressource. A défaut de la sage-femme prévue, Mme de Sévigné en fait venir une autre, qui a accouché la femme de chambre de sa fille quelques jours plus tôt. Il y a aussi des médecins. « Dans ce moment, dit la marquise, Pecquet arriva, qui aida à la délivrer. » Ancien médecin de Foucquet, Jean Pecquet n'était pas un praticien quelconque. Membre de l'Académie des sciences, c'était un savant anatomiste qui avait découvert, au niveau des vertèbres lombaires, un « réservoir » qui porte toujours son nom. Sa présence et son concours ont de quoi rassurer la comtesse. « Quand tout fut fait, écrit sa mère, la *Robinette* arriva, un peu étonnée ; c'est qu'elle s'était un peu amusée à accommoder madame la duchesse (la belle-fille du Grand Condé, mère d'une fille de quelques jours), pensant en avoir pour toute la nuit. » Mme de Grignan a eu de la chance, pour son second accouchement, d'être rapidement délivrée, dans les meilleures conditions, par des gens qualifiés et efficaces.

Depuis le milieu du siècle, les femmes en couches des milieux aisés commencent à profiter d'une évolution qui, dans le long terme, aboutira à la médicalisation, à la rationalisation et à la sécurisation d'un acte naturel, entouré jusqu'alors de mystères, d'ignorance et de dangers. Elles peuvent maintenant profiter de l'assistance d'une sage-femme qualifiée, ou mieux encore d'un accoucheur, grande innovation de l'époque. Chirurgien (et non médecin), ce personnage a trouvé dans sa connaissance de la toute neuve obstétrique une spécialisation qui lui permet de sortir de sa condition, d'abord proche de celle des barbiers dont sa profession est issue. Sa compétence progresse avec le siècle, au point de faire de lui un spécialiste, indispensable dans les cas difficiles, même si, pendant longtemps, il continue à se heurter à un grave obstacle psychologique et moral : même sous le drap, car la parturiente reste toujours couverte, d'immémoriaux interdits font parfois considérer son intervention comme un geste immoral, attentatoire à la pudeur. Au point qu'un toucher gynécologique mené par un homme peut provoquer chez certaines des convulsions, des crises d'hystérie, voire la mort.

En novembre 1704, « un pauvre journalier » fait appel à un accoucheur. « Le bras de l'enfant, lui dit-il, sort jusqu'au coude depuis le matin. » Quand l'accoucheur arrive, vers dix heures du soir, la femme se met à hurler. Ce n'est pas, lui dit-elle, à cause des douleurs de l'enfantement, car elle ne souffre guère, mais parce qu'elle éprouve une « crainte terrible » à l'idée de se trouver entre les mains d'un homme. Il l'accouche prestement. Elle est prise d'incessants tremblements. « Elle mourut, conclut l'accoucheur, une demi-heure après que je l'eus si heureusement accouchée, et l'on ne peut guère imputer cette mort qu'à la frayeur dont elle avait été saisie. » Signe d'une évolution favorable : à l'aube du XVIIIe siècle, même un pauvre peut aller chercher l'accoucheur. Signe de la persistance des censures ancestrales, son intervention peut, même à cette époque, traumatiser à mort une femme qui, d'après le même récit, avait pourtant vu « quantité » de ses pareilles précédemment accouchées avec succès par le même homme.

C'est que, malgré les progrès dont ils étaient porteurs, l'existence des accoucheurs n'est pas unanimement approuvée. Il y a même des médecins pour la condamner, tel Philippe Hecquet, médecin des religieuses de Port-Royal et doyen de la faculté de médecine de Paris, auteur d'un traité, *De l'indécence aux hommes d'accoucher les femmes.* Peut-être aurait-il fallu beaucoup plus de temps pour surmonter les vieux tabous si un événement fortuit n'avait accéléré l'inévitable évolution. En 1663, pour la naissance d'un enfant illégitime, le premier qu'il attendait de La Vallière, sa maîtresse, Louis XIV, peu confiant dans le savoir et la discrétion des sages-femmes, la confia à un accoucheur. Il fit de même pour ses bâtards suivants. L'affaire finit par se savoir. L'exemple du roi était sans réplique. Il contribua fortement à valoriser les accoucheurs et à faire reculer les préjugés d'antan dans les milieux qui fréquentaient ou connaissaient la Cour, puis chez ceux, très nombreux, qui les copiaient.

Sous l'influence des nouveaux venus, le climat et la pratique des accouchements se modifient peu à peu. Ces spécialistes luttent contre la présence dans la salle de femmes trop nombreuses et trop bruyantes. Au lieu de contribuer à la panique et d'encourager les cris et les gémissements, jusqu'alors signes et preuves du travail de la femme en couches, ils s'efforcent de la rassurer, et de canaliser l'expression de sa douleur. La matrone cherche une délivrance la plus rapide possible. Elle l'accélère par peur de l'accident. Elle croit qu'il ne faut pas laisser passer l'heure, qu'il faut cueillir le fruit mûr, que l'enfant est impatient de sortir, qu'il ne faut pas hésiter à l'aider, à aller le chercher. L'accoucheur au contraire veut qu'on patiente, qu'on laisse faire « la nature » sans rien précipiter. Il sait, lui, que c'est la mère qui expulse l'enfant, et qu'il importe de l'empêcher de s'épuiser prématurément pour qu'elle ait toute sa force dans ses ultimes contractions.

La présence de médecins et d'accoucheurs qualifiés permet parfois de sauver des mères. En juillet 1668, un médecin et deux accoucheurs, dont le célèbre Portal, sont appelés au chevet d'une bourgeoise de Paris. L'enfant s'est bien présenté, par la tête. Mais « les parties externes de la mère, épaisses et endurcies, empêchaient la dilatation, et par conséquent la sortie ». Le travail dura dix-sept jours. « Le dix-huitième, à huit heures du matin, écrit Portal, nous reconnûmes que notre malade empirait, que ses forces diminuaient... Nous fûmes tous trois d'avis que l'enfant était mort... Nous conclûmes d'en venir à l'opération après que la malade aurait reçu ses sacrements et donné ordre à sa conscience comme elle fit. » Matrones, accoucheurs et médecins avaient en effet l'impérative obligation d'avertir de son état tout malade en danger de mort.

L'un des chirurgiens s'efforce alors de ficher un crochet dans la tête de l'enfant pour l'extraire. Il n'y arrive pas. Portal prend le relais en n'utilisant que la main. « Je séparai avec mes doigts, dit-il, toutes les portions de la tête de l'enfant, autant doucement qu'il fut possible, de peur qu'elles ne blessassent la malade, qui pendant ce temps souffrait extrêmement. Je les tirai les unes après les autres, et toute la substance du cerveau s'écoula. Je repoussai ensuite le tronc ou corps de l'enfant, qui se trouvait encore dans la matrice où il était arrêté par les épaules qui n'avaient pu sortir de l'orifice interne ; j'eus beaucoup de peine à le repousser pour pouvoir prendre les pieds afin d'avoir plus de prise à le tirer, et les ayant enfin rencontrés, je les conduisis dehors et amenai le reste de ce cadavre tout entier, à la réserve de la tête, et ensuite, je tirai l'arrière-faix. » Pour soigner l'accouchée, on lui frotte « un peu rudement deux ou trois fois par jour » les parties « noires, mortifiées, et presque sans sentiment » avec « une éponge trempée dans de l'eau salée tiède ». On ne lui épargne ni les saignées ni des « cardiaques faits avec de l'eau de scorsonère et de chardon béni », mêlée « d'alkermès et de citron ».

La femme survécut. Elle resta trois mois alitée. « Elle disait tous les jours qu'il lui semblait qu'elle accouchait à tous moments, continue l'auteur du récit. Elle n'a point eu d'autres enfants depuis ce temps-là, quoiqu'elle se soit toujours bien portée à la réserve qu'elle est sujette à un prurit ou démangeaison qui lui fait de la peine et qui lui est causé par des fleurs blanches qui l'incommodent beaucoup, et qu'elle n'y trouve aucun soulagement que quand elle s'étuve avec de l'esprit de vin suivant le rapport qu'elle m'en a fait. » Bien des femmes, après de telles souffrances, refusaient, dans la mesure où elles le pouvaient, des rapports conjugaux susceptibles de les redoubler. Dans la plupart des cas, ces malheureuses gardaient dans leur chair de douloureuses et durables traces de leur supplice, des hernies notamment, et des descentes de matrice. Elles restaient pour toujours physiquement et moralement mutilées.

Le 31 mars 1673, l'abbé de Coulanges conte à un ami les circonstances dramatiques de la naissance d'un nouvel enfant de Mme de Grignan, sa petite-nièce. C'est son quatrième accouchement en quatre ans, seize mois après celui d'un fils, en Provence, à Lambesc en novembre 1671. Cette fois, elle est à Aix. « Vous aurez su, écrit l'abbé à son correspondant, que Mme la comtesse, après avoir été deux jours dans les douleurs de l'enfantement, enfin lundi dernier sur les trois heures après minuit, elle [*sic*] se trouva dans le plus grand péril de la vie où une femme puisse être de la manière dont son enfant se présenta, qui fut par le ventre et le nombril. » Cette présentation est la pire, plus dangereuse qu'un siège ou les pieds en avant. Nulle sage-femme, nul accoucheur d'Aix ne paraissait capable de délivrer la malheureuse.

« Jugez, Monsieur, continue l'abbé de Coulanges, de quel secours » la comtesse eut besoin « et de la part de Dieu pour lui donner de la force et du courage, et de la part de la personne qui la délivra pour la faire accoucher heureusement de son enfant, c'est-à-dire pour elle, car son pauvre enfant, qui était un garçon très bien fait, gros et puissant, vint si faible et comme étouffé à ce que l'on dit dans ses eaux qu'il n'apporta de vie en ce monde que pour y être ondoyé et pour y faire échange aussitôt de la bienheureuse dans le ciel ». On a évité le pire. On a sauvé la mère. On a même pu baptiser l'enfant, né entier et vivant. Ce résultat tient du miracle, un miracle qui porte un nom. « C'est M. Joubert, précise l'abbé de Coulanges, excellent chirurgien d'Apt, envoyé par Mme de Buous [une cousine du comte], qui a sauvé la vie à Mme de Grignan. Il mérite que l'on sache son nom après une aussi grande opération que celle-là. » La comtesse a eu beaucoup de chance d'être accouchée par un habile chirurgien, mais elle a eu d'abord celle d'être l'épouse d'un Grignan, lieutenant général représentant le roi dans la province. Aurait-on, sans cela, fait venir depuis Apt le praticien capable de la sauver ?

En 1668, fort de l'approbation royale, le chirurgien François Mauriceau publie son *Traité des maladies des femmes grosses*, qui connaît un très grand succès. C'est un manuel destiné à faire le point sur la science obstétricale et à servir de référence pour tous les futurs accoucheurs. Des praticiens comme Portal, Peu et Dionis, qui doivent leur notoriété à leurs réussites dans des cas difficiles, publient des ouvrages analogues, nourris de leur propre expérience. Ils pensent, par leurs récits, aider des praticiens placés devant des cas analogues. On sait maintenant faire face à des situations devant lesquelles les chirurgiens du début du siècle seraient demeurés impuissants. Mais on est loin de le savoir toujours et partout.

Dans leurs livres, les médecins dénoncent avec force les habitudes ancestrales et les « superstitieuses maximes », qu'ils avaient eux-mêmes répandues et encouragées pendant des siècles. Ils se heurtent à forte partie, car les matrones, bien implantées, jouissent de la confiance des femmes qui partagent leurs façons de penser et se fient à leurs comportements ancestraux. Il faudra beaucoup de temps pour que changent les mentalités et que les nouvelles façons de faire se répandent en dehors de certains milieux. Le progrès du savoir accentue les disparités entre les riches et les pauvres, entre la ville et la campagne.

Médecins et accoucheurs, qui savent seuls tenir la plume, sont en l'occurrence à la fois juge et partie. Les pratiques des matrones n'étaient sans doute pas toujours aussi désastreuses qu'ils les dépeignent, et leur propre science n'est pas sans lacunes. Ignorant les règles de l'hygiène, ils propagent les fièvres puerpérales tout autant que leurs rivales. Les réussites qu'ils racontent sont souvent dues à leur habileté manuelle de praticiens hors pair plutôt qu'à un savoir qui demeure impuissant dès lors qu'il faudrait faire une césarienne. Tous les accoucheurs n'ont pas la même habileté, et bien des matrones s'étaient rendues habiles par la pratique. Le véritable progrès tient moins aux résultats de l'action des nouveaux venus, impossibles à mesurer, qu'à la modification, lente et incomplète, mais irréversible, des mentalités qu'elle a entraînée. Pour le moment, coexistent l'ancienne et la nouvelle façon d'accoucher, l'une implantée dans une superstitieuse tradition, l'autre greffée sur un savoir incomplet mais rassurant.

« Il faut avouer, écrit Philippe Peu à la fin du XVIIe siècle, que s'il y a pour l'accoucheur un quart d'heure de bon temps dans sa profession, c'est dans les occasions où les commères du vieux temps débitent leur rêverie avec une prévention et un entêtement dont on a bien de la peine à s'empêcher de rire en soi-même, quoiqu'on soit souvent obligé (quand cela ne tire pas à conséquence) de les laisser faire, à moins que de passer pour un malhabile et de se les attirer sur les bras. » On est en pleine mutation. Le savoir doit composer avec l'ignorance dans l'intérêt même du progrès. C'est seulement en avançant dans le XVIIIe siècle que l'accoucheur s'imposera définitivement. Alors, face à l'obscurantisme de la matrone, toujours suspecte de magie ou de sorcellerie, avec ses drogues et ses pratiques insolites, il représentera pleinement la compétence fondée sur le savoir. Il sera l'homme des lumières. Au temps de *L'Ecole des femmes* et du *Malade imaginaire*, il est surtout l'homme des cas difficiles, le dernier recours des femmes qui ne veulent pas mourir. Il personnifie leur espoir. Pour celles qui ont la chance de pouvoir recourir à ses services, c'est déjà un immense progrès.

5

La fin des sorcières

L'existence du démon, ange déchu, prince des ténèbres en révolte contre Dieu, son créateur, est inscrite dans la Bible. Et aussi le principe de la chasse aux sorciers et sorcières : « Vous ne souffrirez point, lit-on dans l'Exode, ceux qui usent de sortilèges et d'enchantements, et vous leur ôterez la vie. » Longtemps pourtant, le christianisme s'est borné à faire du démon le tentateur, celui qui incite les hommes au péché, la personnification de leurs mauvais penchants. On le montre actif et plein de ruse, s'efforçant d'accroître le nombre des damnés pour en peupler son royaume infernal. On ne lui accorde pas d'influence directe sur le cours matériel des choses. Il n'a pas besoin d'auxiliaires humains. Il n'use pas de sorcellerie.

Selon Michelet, qui a le premier tenté d'en écrire une histoire dans un livre significativement appelé *La Sorcière* (1862), ce personnage serait né au Moyen Age. Résultat d'une révolte larvée du petit peuple contre un ordre social injuste et cruel, la sorcellerie se serait particulièrement développée chez les femmes, faibles parmi les faibles, opprimées parmi les opprimés. Des paysannes auraient alors ramassé ce qui restait des croyances dans les anciens dieux et recueilli le savoir des ignorants, un savoir rural, fondé sur la connaissance des herbes et des « secrets » capables de guérir. Loin d'être accusées de détenir des savoirs magiques interdits, ces femmes auraient eu dans les villages un rôle précis de guérisseuses et de consolatrices. On les y aurait non seulement tolérées, mais souhaitées. Puis de profonds changements survenus au fil du temps dans les mentalités, dans les mœurs et dans la société les ont rendues suspectes. On les craignit. On se mit à les persécuter. Elles ne subsistent qu'en s'entourant de mystère, voire en se cachant.

Leurs pratiques perdurent cependant. En 1679, Jean-Baptiste Thiers en a dressé, pour les condamner, un catalogue exhaustif et une description précise dans son *Traité des superstitions selon l'Ecriture sainte, les décrets des conciles et les sentiments des saints pères et des théologiens.* A la campagne surtout, on appelle les sorcières (ou on en dénonce l'intervention) en cas de difficultés physiques ou morales. Elles passent pour être à volonté capables de guérir ou de rendre malades hommes et bêtes. Elles savent évoquer les morts et deviner l'avenir. Elles connaissent les plantes et les rites susceptibles de donner de l'amour ou au contraire d'assouvir les haines. Elles interviennent dans toutes les circonstances importantes de la vie. Lors des mariages par exemple, où l'on craint qu'elles ne jettent au marié, parfois même pendant la cérémonie religieuse, un sort qui entraînerait le « nouement d'aiguillette », autrement dit l'impuissance. A la naissance aussi où tant de légendes montrent bonnes et mauvaises fées décidant du destin d'un enfant.

Affaire de femmes jusqu'à l'apparition des accoucheurs et des médecins, la grossesse et la venue au monde continuent traditionnellement d'être liées à des pratiques magiques. Si l'Eglise du XVIIe siècle surveille étroitement la matrone, c'est qu'on la soupçonne de tenir peu ou prou de la sorcière, ne serait-ce qu'en participant à la lutte des forces de vie et de mort entourant le passage de l'enfant des ténèbres du sein maternel à la lumière du jour. Comme la sorcière, la matrone connaît les herbes qui apaisent ou sont censées apaiser la douleur. On la crédite d'en connaître d'autres qui favorisent la conception. On l'accuse aussi d'en procurer qui provoquent l'avortement. A défaut d'elle, on connaît toujours au village une femme qui possède ces secrets. Avant la médecine, il y a les simples. Avant le médecin, homme de la ville, il y a la sorcière, familière des campagnes. Et parce qu'on attribue le succès de ses interventions à sa personne autant et plus qu'à ses pratiques, on la dote d'un pouvoir personnel, d'une capacité de faire le bien ou le mal à volonté qui la dépasse, qui vient d'ailleurs, qu'elle tient du démon.

Au début du christianisme, plutôt que de sorcellerie, on s'inquiète des réfractaires qui prolongent la croyance dans les dieux du paganisme et continuent de célébrer leur culte dans des cérémonies nocturnes. « Il convient d'ajouter, lit-on dans un texte du IVe siècle, que certaines femmes criminelles, suppôts de Satan, et séduites par ses mirages et ses visions démoniaques, croient et professent qu'elles chevauchent certains animaux et traversent l'espace en compagnie de Diane, déesse païenne, ou d'Hérodiade et d'un nombre incroyable de femmes, obéissant aux ordres de la déesse comme à ceux d'une maîtresse absolue. » L'Eglise considère ces descriptions comme de purs mensonges, des inventions sans rapport avec la réalité. Burchard, évêque de Worms de 1006 à 1025, l'affirme solennellement : « Crois-tu qu'il puisse exister une femme qui chevauche la nuit en compagnie de démons transformés en femmes ainsi que l'affirment certains trompés par le diable ? Si tu crois cela, tu dois faire pénitence pendant un an. » Croire aux sorcières et à leur pouvoir magique est alors considéré comme un péché, qui nécessite pénitence. Jean de Salisbury, au XIIe siècle, dénonce pareillement comme des produits de l'imagination, chez des esprits simples, tous les récits de prétendues « assemblées nocturnes où les assistants festoient et se livrent à toutes sortes de pratiques » pendant que l'on sacrifierait des enfants.

Tout change à la fin du XVe siècle. Le 9 décembre 1484, le pape Innocent VIII publie la bulle *Summis desiderantes affectibus*. C'est le signal d'une immense chasse aux agents du démon qui durera presque deux siècles. L'Eglise voit maintenant partout la main du diable, d'un diable agissant, qui trouble l'ordre du monde. Et partout, elle découvre des sorciers et des sorcières. Deux ans après la bulle pontificale, paraît un gros livre, le *Malleus maleficarum*, « Le Marteau des sorcières », écrit par Henri Institor et Jacob Sprenger, deux dominicains. Les sorciers, selon eux, appartiennent à une secte constituée sous l'autorité du diable, dont les adeptes commettent toutes sortes de crimes : métamorphoses d'hommes en animaux, blasphèmes, déviations sexuelles, infanticides. Ils se réunissent en assemblées nocturnes pendant lesquelles se déroulent les pires horreurs, très souvent en présence du démon. L'étonnant, c'est que les auteurs décrivent minutieusement ces pratiques comme autant de vérités scientifiques soigneusement répertoriées pour avoir été, croient-ils, dûment constatées. Leur ouvrage fait autorité.

Il faut attendre près de un siècle pour qu'un médecin allemand, Jean Wier, ose en publier une réfutation en règle (1579). Intitulé *Histoires, disputes et discours des illusions et impostures des diables, des magiciens infâmes, sorcières et empoisonneurs*, son ouvrage ne met pas en doute l'existence d'interventions diaboliques. Il soutient que celles-ci n'agissent que sur l'imagination. Pour lui, les sorciers sont le jouet d'une tromperie volontaire du diable, qui leur fait croire à tort qu'il passe un pacte avec eux et leur persuade tout ce qui s'ensuit. Il ne s'empare jamais que de l'esprit de personnes crédules, recrutant ses adeptes parmi les êtres frustes et ignorants, ou parmi les mélancoliques, ou chez ceux qu'aveugle un désir particulièrement ardent de nuire ou de mal faire. C'est ce qui explique la proportion particulièrement élevée des femmes dans les affaires de sorcellerie. Leur faiblesse en fait les victimes privilégiées des illusions envoyées par le démon.

Jean Wier ne sera pas suivi. L'existence des sorciers et la réalité de leurs maléfices sont des faits pour Jean Bodin, un juriste aussi sérieux qu'érudit, un représentant éminent de l'humanisme, un esprit en principe éclairé, qui publie en 1580 une *Démonomanie des sorciers.* Il en va de même pour Henri Boguet, un magistrat expérimenté, qui juge sa première affaire à Saint-Claude en 1598. Une paysanne sans histoires, Françoise Secrétain, est accusée par une petite fille de huit ans de lui avoir mis dans le corps cinq démons à l'aide d'une croûte de pain. Il la déclare coupable. Elle est brûlée vive. C'est la première des vingt-huit condamnations qu'il prononcera pour sorcellerie. La légende lui en attribuait six cents... De son expérience, Boguet tirera la matière d'un livre, publié en 1602, le *Discours exécrable des sorciers,* sorte de guide d'enquête à l'intention des magistrats conduits à enquêter après lui contre les sectateurs du diable. On l'utilisera beaucoup sous Henri IV et sous Louis XIII.

A travers toute l'Europe, la lutte contre la prétendue sorcellerie est impitoyable. Comme Michelet l'a écrit, comme l'ont senti les contemporains, les femmes en sont les principales victimes. Ils se trompent dans les proportions. Selon Bodin, il y a cinquante sorcières pour un sorcier, dix mille selon le père Garasse. D'après les meilleurs spécialistes, elles ne représentent en moyenne que 80 % du total des accusés, avec un maximum de 95 %, en France, dans le Jura. Curieusement, dans le ressort du parlement de Paris, entre 1501 et 1680, la sorcellerie masculine l'emporte au contraire légèrement (50,5 %). Cette exception échappe à l'opinion. Pour elle, le sorcier est pour ainsi dire toujours une sorcière.

Cette idée n'a rien d'étonnant puisque, selon la Bible, la femme est la première à avoir rencontré le diable, au paradis terrestre. Pis encore, elle lui a cédé, et elle a entraîné Adam dans sa chute. Sprenger le rappelle dans son *Marteau des sorcières* : « Le péché d'Eve ne nous aurait pas conduits à la mort de l'âme et du corps s'il n'avait été suivi de la faute d'Adam, à laquelle l'entraîna Eve et non le diable. » Ce texte, qui minimise le rôle de l'homme, gauchit la position officielle de l'Eglise. Le *Catéchisme* du concile de Trente insiste au contraire sur la responsabilité d'Adam, dont la conduite a décidé en dernier ressort du destin de l'humanité. On ne s'attarde pas à ces nuances. Théologiens et prédicateurs reprennent à l'envi l'idée qu'Eve a été l'instrument du diable pour causer le péché d'Adam.

Dans une de ses *Elévations sur les mystères,* Bossuet note la malice du démon, s'attaquant au maillon faible du couple. « Quelque parfaite que fût, et dans le corps et encore plus dans l'esprit, la première femme immédiatement sortie des mains de Dieu, elle n'était selon le corps qu'une portion d'Adam, et une espèce de diminutif. Il en était à proportion à peu près autant de l'esprit. » Prisonnier des préjugés sur la femme hérités de la tradition philosophique et médicale, Bossuet invente à son sujet une bizarre perfection moins parfaite... Le diable en a fait son profit : « En attaquant Eve, il se préparait dans la femme un des instruments les plus dangereux pour perdre le genre humain... Il ne faut pas s'étonner qu'il le continue et qu'il tâche encore d'abattre l'homme par les femmes. » Comme le disent avec lui aussi bien le jésuite Guilloré que le janséniste Treuvé, la femme s'est faite « l'instrument du démon ».

En 1715, dans son *Commerce dangereux entre les deux sexes*, l'abbé Drouet de Maupertuis va jusqu'au bout de cette idée. « Le diable, écrit-il, n'a guère d'émissaire plus affectionné et qui soit plus dans ses intérêts que la femme. » Le péché originel a détruit l'harmonie du couple : « Cette compagne de l'homme, cette moitié de lui-même, cette portion de sa substance n'a que trop souvent pris le parti du démon contre celui qu'elle devait respecter comme son père, craindre comme son maître et aimer comme époux. » S'appuyant sur des autorités aussi anciennes et respectées que Jean Chrysostome ou Tertullien, dont il adapte les textes aux besoins de sa démonstration, l'auteur conclut sans état d'âme : « Le démon n'a point de voie plus sûre pour perdre les hommes que de les livrer aux femmes. » La femme est la plus dangereuse des tentatrices. Sans être cependant diabolique par essence...

Elle ne l'est pas non plus pour Sprenger dans *Le Marteau des sorcières*, qui n'a pas, précise-t-il, de préjugé défavorable ni de mépris envers « un sexe en qui Dieu, pour notre confusion, a toujours fait des œuvres de puissance ». Il constate seulement qu'il y a plus de sorcières que de sorciers. Pour lui, c'est un fait d'expérience, acquis dès le temps des païens, dont il doit donner les raisons. Il les énumère. Premièrement, les femmes sont plus crédules que les hommes. « Comme le démon cherche surtout à corrompre la foi, il les attaque en priorité. » Deuxièmement, elles sont « plus impressionnables ». Troisièmement, elles sont bavardes : « Ce qu'elles apprennent dans les arts magiques, elles le cachent avec peine aux autres femmes. » En outre, faibles et vindicatives, « elles cherchent un moyen de se venger facilement, en secret, par des maléfices ». Et de plus, elles sont excessives, incapables du juste milieu entre le bien et le mal. « Dans la malice, quand elles sont régies par un mauvais esprit, elles sont les pires. »

Plus d'un siècle après *Le Marteau*, en 1612, dans un chapitre intitulé : « Des sorciers et que les femmes y sont plus adonnées que les hommes », le dominicain Michaelis reprend trois des raisons de Sprenger : faiblesse de leur raison, puissance de séduction, obstination excessive. En 1622, Pierre de Lancre, magistrat bordelais grand chasseur de sorcières, dont il a fait brûler quantité au pays de Labourd, en ajoute une, tirée de la théorie des tempéraments : « Or est-il que l'humide [des femmes] s'émeut aisément et reçoit diverses impressions et figures ; elles ne cessent leur mouvement qu'à peine et bien tard, et les hommes entretiennent moins obstinément leur imagination. » Au début du XVIIe siècle, alors que la lutte contre la sorcellerie atteint son paroxysme, pour les magistrats comme pour les clercs, il ne fait pas de doute que les sorciers sont d'abord et surtout des sorcières.

Pour Sprenger, la sorcellerie est l'arme du faible. Les femmes s'en servent pour lutter contre la force des hommes. « Réellement, écrit-il, la cause principale qui contribue à la multiplication des sorcières, c'est ce duel pénible entre les femmes mariées et non mariées et les hommes. » Comme l'écrira plus tard Michelet avec plus de poésie, la sorcellerie est le résultat de la guerre des sexes. Les sorcières, dit encore Sprenger, sont des femmes qui refusent d'être « gouvernées », ayant malicieusement choisi « de suivre leur mouvement sans aucune retenue ». Leur grand tort serait donc d'avoir décidé d'affirmer leur liberté. Sous son allure moderne, cette intuition n'est exacte qu'en partie. Plutôt qu'une femme libérée, la sorcière semble avoir été une femme marginalisée. « Le stéréotype de la sorcière, écrit l'un des meilleurs spécialistes du sujet, était fréquemment celui de la vieille femme vivant un peu isolée du reste des villageois mais possédant sa propre maison, redoutée pour ses pouvoirs, pauvre sans être dans la plus noire des misères, quelque peu déviante parce qu'elle avait "usé" plusieurs maris successifs, et ayant finalement vu disparaître la plupart des liens familiaux qui devaient la protéger dans une société patriarcale où les solidarités humaines jouent un rôle primordial. »

Pour certains de ses accusateurs, la sorcière est une femme frustrée. Elle va chercher dans le sabbat l'assouvissement de désirs sexuels qu'elle n'arrive pas à réfréner. Selon Bodin, s'il y en a plus que de sorciers, « c'est la force de la cupidité bestiale qui a réduit la femme à l'extrémité pour jouir de ses appétits ou pour se venger ». Elle suit ses pulsions instinctives, n'étant pas dotée comme l'homme, ou du moins pas autant que lui, de cette raison qui distingue l'être humain des bêtes et l'aide à se comporter comme l'exigent la morale et la religion. Le diable, qui connaît son irrépressible sensualité, « en use, écrit Boguet, parce qu'il sait que les femmes aiment le plaisir de la chair afin que, par un tel chatouillement, il les retienne en obéissance ». Les sorcières sont attachées au démon parce qu'elles entretiennent avec lui des rapports que nous dirions sado-masochistes. S'il les tient sous sa dépendance, c'est qu'il n'y a rien, dit l'auteur, « qui rende plus tributaire et obligée une femme à l'homme que lorsqu'il en abuse ». Dans *Le Marteau des sorcières*, la sexualité n'est pas une cause de la sorcellerie. L'union du diable et de la sorcière au sabbat fait simplement partie du pacte. Elle est le signe et le moyen de la possession. Elle n'est pas forcément accompagnée de jouissance, au contraire. Dans beaucoup de récits, le membre du diable est déficient, son sperme inexistant ou glacé, à moins, ce qui est encore pire, qu'il ne soit énorme, couvert d'écailles, dentelé, extrêmement douloureux...

Les chasseurs de sorcières prennent grand soin, dans les aveux qu'ils leur arrachent, de leur faire décrire les rapports sexuels illicites et contre nature auxquels elles se sont adonnées. La description de ces ébats traduit en fait des peurs, des désirs, des frustrations immémoriales, des fantasmes et des légendes, si souvent ressassés que chacun finissait par y croire, juges et victimes mêlés dans une même confusion du réel et de l'imaginaire. Tout cela n'aurait été qu'un jeu de rôle si le feu du châtiment n'avait été bien réel. En moyenne, la moitié environ des personnes jugées ont été condamnées. Dans toute l'Europe du XVIe siècle et du début du XVIIe, des milliers de victimes sont mortes d'une répression qui a surtout frappé les femmes. Parce qu'elles personnifiaient aux yeux des hommes les forces obscures susceptibles de résister à la mise en ordre qu'exigeaient les nouveaux savoirs.

A cette sorcellerie des campagnes s'ajoute, puis se substituera, un phénomène distinct, celui des possessions démoniaques, qui surgit dans des villes de province, principalement dans des couvents. A la fin du XVIe siècle, il touche d'abord des personnes isolées, Nicole Aubry, Jeanne Féry, Marthe Brossier (1599). Puis ce sont les grandes possessions collectives, contées et commentées par Michelet. Dans tous ces cas, la mise en cause d'une personne d'exception, qui ne ressemble en rien aux sorcières de village, en général un homme, préférablement cultivé (un prêtre), conduit à mettre en vedette quelques femmes, des religieuses, victimes du prétendu sorcier par lequel le démon a été introduit dans la communauté. Au dialogue de sourds du juge cultivé et de la paysanne inculte soupçonnée de pratiques magiques se substitue la lutte entre des individus appartenant pareillement à l'élite, dont l'un, l'accusé, réputé « libertin », n'est pas comme la sorcière en retard, mais en avance sur son temps. Entre ces deux personnages survient un troisième, collectif, qui monopolise l'attention : les possédées. Parce qu'elles sont, fait nouveau, considérées comme des victimes et non comme des coupables, elles sont entourées d'une cohorte de gens d'Eglise censés les délivrer de leurs démons : les exorcistes. Pendant des semaines, des mois, des années, ils se livrent ensemble en public à des gesticulations spectaculaires, moyens d'un cérémonial concerté de la lutte de l'orthodoxie contre l'hérésie, du bien contre le mal, de la norme contre les dérèglements.

La première de ces grandes affaires se déroule en Provence, à Marseille, à la Sainte-Baume, à Aix-en-Provence, avec le procès de Gaufridy (1609-1611), suscité par les accusations de Madeleine Demandolx. Sébastien Michaelis en tire son *Histoire admirable de la possession et conversion d'une pénitente.* Publié en 1612, son livre va servir de référence (et de modèle) pour les « possessions » à venir. De 1632 à 1640, la plus importante de toutes par sa durée et les intérêts mis en cause se déroule à Loudun. Elle conduit Urbain Grandier au bûcher. Sans résultat. Trois ans après son supplice, les diables habitent toujours les religieuses, qui continuent de disserter de tout, y compris de théologie, et surtout de se contorsionner de toutes les façons, mimant en public les actes les plus lubriques dans des positions inconvenantes. Le bruit de ces extravagances se répand au-delà de la ville. Il finit par atteindre Paris, où il intéresse la bonne société.

En septembre 1637, la duchesse d'Aiguillon, nièce de Richelieu, décide de se rendre sur les lieux. Julie d'Angennes, fille aînée de Mme de Rambouillet, l'accompagne. Voiture est aussi du voyage, qui ne croit guère aux esprits, et surtout François Hédelin, abbé d'Aubignac, ancien précepteur du fils du maréchal de Brézé, neveu du ministre. Prêtre, avocat, théoricien du théâtre, c'est un docte, auquel les grands airs des exorcistes n'en imposent guère. Il s'étonne du caractère répétitif des séances, dont le déroulement lui semble convenu d'avance. Dans les contorsions des religieuses, il ne voit pas la présence du diable, mais des exercices de cirque. Il en dénonce l'indécence. Il en montre la supercherie, car en face des représentants de la moderne intelligentsia parisienne, exorcistes, possédées et démons font piètre figure. La conclusion est sans appel : « Tout ce jeu n'est que fourbe, imposture, détestation et sacrilège. » Il avait cependant coûté la vie d'un homme...

Les médecins qui avaient un peu d'esprit critique n'étaient pas moins sceptiques que les mondains éclairés. Un magistrat de Dijon, Philibert de La Marre, eut l'idée de demander son avis à l'un d'entre eux sur une autre grande affaire, celle des possédées de Louviers (1642-1647). Il reçut en réponse une très précise explication, selon la théorie des humeurs, de la façon dont se développe, principalement chez les femmes, une maladie mélancolique qui peut aller jusqu'à la folie. Dans le cas le plus simple, la « rêverie de matrice » entraîne des dérèglements de l'imagination orientés par les préoccupations dominantes des personnes affectées. « Quelqu'un pensera être changé en chien, un autre en loup ; celle-ci croit avoir un diable dans le corps, quelque autre pensera en voir perpétuellement. » Une autre se verra damnée. Dans le cas le plus grave, la maladie cause le délire, cas des fous et de tous ceux auxquels leur mal fait perdre le sens de la réalité.

Le mode de vie des religieuses de Louviers, leur formation intellectuelle, leur connaissance de ce qu'on a publié sur ce qui s'est passé à Aix et à Loudun les ont évidemment prédisposées à rêver de diables et de possessions en cas de troubles mélancoliques, prévisibles pour plusieurs raisons. « Premièrement, il faut remarquer, dit le médecin, que ce sont toutes filles assez jeunes et qui peut-être n'ont point eu leurs purgations naturelles, ou bien si certaines les ont eues, que ç'a été fort légèrement ; dans les femmes, il ne faut point demander la cause qui amasse et jette le sang vers la matrice, ce qui se fait en certain temps comme chacun sait. Que si en ce temps, les veines ne s'ouvrent point, peut être parce qu'elles ne sont pas encore accoutumées, comme dans les jeunes filles, peut-être aussi manque d'exercice et de chaleur comme il arrive en beaucoup de religieuses qui mènent une vie sédentaire, peut-être à cause de l'un et de l'autre, tout ce sang qui s'est amassé se retient. Il s'en amasse de nouveau le mois suivant. Le tout s'arrête. La chaleur naturelle en dissipe la partie la plus ténue, et la plus grosse demeure toujours. Peu à peu, elle s'altère et se rôtit, se change en mélancolie ou humeur noir et malicieux [*sic*] et qui envoie ses vapeurs dans la tête et qui font ce que nous avons écrit par ci-devant. » Ce raisonnement repose sur une médecine archaïque. Il avait, en son temps, le mérite de donner à des phénomènes prétendument diaboliques des explications « scientifiques ».

Comme d'Aubignac, le médecin voit dans les prétendus maléfices des phénomènes parfaitement explicables, et même peut-être l'effet de manigances destinées à abuser la crédulité publique. Pour soigner le mal des religieuses, rien n'est pire, selon lui, que la publicité et l'excitation des exorcismes dont les cérémonies nourrissent et développent les fantasmes. Il faut en revenir à la bonne doctrine : « Les voies de la nature sont les voies de Dieu, puisque la nature, à vrai dire, n'est rien autre chose que l'ordre que Dieu garde en la production, conservation, changement et altération de toutes choses. » Puisque cet ordre manifeste la toute-puissance de celui qui l'a créé, il est tout à fait invraisemblable qu'il laisse le diable le perturber sans raison. En toutes choses, il faut préférablement voir des phénomènes naturels. S'il se trouvait d'aventure que quelqu'un se crût ou fût cru possédé, « je serais d'avis, conclut le médecin, qu'on le laissât en la garde de deux ou trois personnes sans le considérer autrement que comme un malade ».

Dans cette lettre, un médecin éclairé s'adresse à un conseiller au parlement de Dijon, qui cherche à se faire une idée raisonnable des possessions qui défraient la chronique. A côté de ceux qui continuent de pourchasser les sorcières en toute bonne foi se développe une nouvelle génération de magistrats, plus modernes, qui doutent de la réalité de la sorcellerie. Les grandes affaires urbaines de possessions ont attiré l'attention des juridictions supérieures sur les procès menés dans les campagnes contre sorciers et sorcières. Imbus d'un esprit nouveau, les hauts magistrats, et particulièrement ceux du parlement de Paris, mettent un frein à cette chasse qui relève d'une logique dépassée dans un monde où, comme l'écrit le médecin, il n'y a pas de place pour des pratiques qui perturberaient l'ordre établi par Dieu. Ils sont sur ce point en plein accord avec les « beaux esprits », disons les intellectuels de la capitale, comme Julie d'Angennes ou l'abbé d'Aubignac.

Survenue à Auxonne, une dernière affaire de possession (1658-1663) fera beaucoup moins de bruit. Colbert, qui parvient au pouvoir après la chute de Foucquet, ne veut plus de ces procès spectaculaires. En 1670-1672, il intervient fermement contre les parlements de Pau, de Bordeaux et de Rouen. Une nouvelle jurisprudence s'est établie à Paris, qu'il impose à tout le royaume en 1682. Les poursuites pour sorcellerie sont désormais interdites. On ne peut attaquer en justice que pour des causes rationnelles, comme l'empoisonnement des bestiaux (dont la mort était si souvent imputée jusque-là à des pratiques magiques). Se faire passer pour sorcier n'est plus qu'un délit dérisoire d'abus de la crédulité publique.

Cette mesure importante dans l'histoire des mentalités est une date importante dans l'histoire des femmes. Elle les délivre de la peur qui entourait depuis deux siècles toutes celles que la vie avait marginalisées, facilement considérées comme sorcières et trop vite condamnées. Elle les projette dans la modernité. Tout ce qu'elles représentaient de savoirs occultes, de superstition et de reste du paganisme est dévalorisé puisqu'on ne leur reconnaît plus de pouvoirs, sauf celui d'abuser des esprits trop crédules. Elles ne sont plus le lien du ciel et de la terre, de Dieu et du diable, la part d'irrationnel d'un monde insaisissable. On explique leurs comportements par les humeurs de leurs corps. Les médecins se trompent sans doute en donnant trop de place aux « rêveries de matrice ». Mais ils ont deviné que possessions et sabbats exprimaient sur le plan de l'imaginaire les refoulements consécutifs aux contraintes d'une sexualité interdite ou insatisfaite.

6

« Il n'y a ni homme ni femme »

A la fin du XVIIe siècle, la médecine, sinon le médecin, commence à apporter quelques réponses neuves sur la spécificité de la femme et peut au moins l'aider à se découvrir autrement que comme un être imparfait. Mais, celle-ci, en ce temps-là, ne consulte pas le médecin sur son identité biologique, mais le prêtre pour ausculter son âme. Il l'instruit par ses sermons, la délivre de ses fautes par la confession, décide parfois de sa conduite en lui servant de directeur. A une époque où toute la France est chrétienne, et même catholique après la révocation de l'édit de Nantes, il faut tenir le plus grand compte de l'enseignement et de l'influence de l'Eglise sur les fidèles. C'est elle qui définit le rôle de la femme dans le couple et dans la société, elle aussi qui confirme les qualités et les défauts prétendument liés à son sexe.

Entre les préjugés qui définissent depuis toujours la femme comme un être inférieur et les paroles du Christ qui a transgressé les tabous traditionnels pour lui donner un statut en principe égal à celui de l'homme, les clercs ont eu dès l'origine beaucoup de mal à concevoir une doctrine cohérente. Le Nouveau Testament enseigne que le Christ est venu sur terre pour sauver le genre humain et qu'il est mort en croix pour racheter pareillement les péchés des hommes et des femmes. Les représentations figurées du Jugement dernier montrent des élus et des damnés des deux sexes. Jésus a ordonné que la bonne nouvelle de son Evangile soit annoncée à tout le monde. Dans l'épître aux Galates, Paul rappelle le caractère indifférencié de tous les chrétiens : « Il n'y a, écrit-il, ni Juifs ni Grecs ; il n'y a ni esclave ni homme libre ; il n'y a ni homme ni femme ; car tous vous ne faites qu'un dans le Christ Jésus. » Nul ne saurait contester ce message fondamental.

Mais on peut y apporter des corrections. La première, c'est de rappeler que le récit de la Genèse montre que la femme a péché avant l'homme, qu'elle a donc plus de part dans la faute originelle. « Ce n'est pas Adam qui s'est laissé séduire, écrit Paul dans l'épître à Timothée : c'est la femme qui, séduite, en vint à commettre la transgression. » Si l'homme et la femme sont également chassés du paradis terrestre, il reste que c'est Eve qui a entraîné Adam dans le péché en se faisant complice du démon tentateur. Comme la première femme, toute personne du sexe féminin est en puissance une séductrice capable d'entraîner l'homme dans sa faute. Chacune porte en elle cette faiblesse, que l'homme a le devoir de compenser par sa force. A l'évident handicap d'une force physique moindre, s'ajoute en effet chez la femme une plus grande faiblesse morale.

Autre correction à apporter au principe d'égalité des sexes, la femme n'a pas été faite en même temps que l'homme, mais après lui. Bien plus, elle n'a pas été créée par Dieu comme l'homme à partir de la matière inerte, mais à partir d'un homme déjà créé : « Il n'est pas bon que l'homme soit seul. Donnons-lui une aide », dit le Créateur, qui a lui-même marqué le caractère secondaire et donc la subordination de la compagne de l'homme. L'homme est le chef, la femme est l'auxiliaire. Paul en déduit qu'elle n'a pas le droit d'entrer dans l'église la tête nue. « L'homme, écrit-il, ne doit pas se couvrir la tête, étant l'image et le reflet de Dieu. La femme, pour sa part, est le reflet de l'homme, car ce n'est pas l'homme qui est issu de la femme, mais la femme de l'homme. En effet, l'homme n'a pas été créé pour la femme, mais la femme pour l'homme. »

Par ces considérations, et d'autres semblables, les Pères de l'Eglise, et les théologiens après eux, sans l'avouer et sans en avoir toujours eu conscience, ont rétabli les femmes dans une infériorité pratique mieux accordée aux mentalités de leur pays et de leur temps que l'égalité théorique qu'ils devaient leur reconnaître en raison de l'enseignement du Christ. Ils sont si persuadés de la faiblesse et de l'infériorité naturelle du sexe féminin, reconnue aussi par les savants et affirmée par les philosophes, que cette conviction imprègne toute leur pensée et transparaît dans des domaines où on l'y attendrait le moins.

C'est le cas, par exemple, du droit d'accès à la pensée et à la réflexion religieuses. Pendant les trois années de sa vie publique, le Christ est presque constamment entouré de celles que l'Eglise appelle les « saintes femmes ». Elles ne sont pas réduites à l'assister dans les tâches matérielles. Il les juge dignes de suivre son enseignement : Marthe s'occupe de la cuisine, mais Marie n'est pas désavouée de demeurer près de lui à écouter ses paroles.

C'est à des femmes que le Christ apparaît lors de la Résurrection, avec mission d'en avertir les apôtres. A des femmes qu'il annonce l'Ascension. Sans parler du rôle attribué à la Vierge Marie. A lire l'Evangile, la femme semble appelée à jouer un rôle éminent dans la diffusion et l'interprétation du message chrétien. Mais à la suite de Paul, les Pères de l'Eglise l'ont quasi réduite au silence.

A Corinthe, des chrétiennes avaient pris la parole pour donner leur avis en public. Choqués de cette conduite inhabituelle, donc indécente, les hommes en référèrent à Paul, qui leur donna raison : « Comme dans toutes les Eglises des saints, que les femmes se taisent dans les assemblées, car il ne leur est pas donné mission de prendre la parole. Qu'elles se tiennent dans la soumission, ainsi que la loi le dit ! Si elles veulent se renseigner sur quelque point, qu'elles interrogent à la maison leur propre mari, car il est inconvenant pour une femme de parler dans une assemblée. » Sans tenir compte du rôle éminent que le Christ avait donné aux femmes qui l'entouraient, l'apôtre renvoie à l'ancienne loi, c'est-à-dire aux prescriptions de la loi juive, qui excluait les femmes de la connaissance. Prisonnier des usages de son temps, il leur impose des règles qui les écartent par principe de l'accès aux discussions théologiques et les cantonnent dans une dévotion toute pratique.

Malgré quelques exceptions, cette façon de voir prévaut sans trop de peine tant que les laïcs, hommes et femmes confondus, se trouvent dans la même situation par rapport aux clercs. A ceux-ci la connaissance directe des textes sacrés et leur interprétation autorisée. A ceux-là, une connaissance indirecte de leur religion par l'enseignement paroissial, par les sermons entendus lors des nombreuses messes et autres cérémonies obligatoires et aussi par les représentations figurées des scènes bibliques que le fidèle découvre, quel que soit son sexe, dans la modeste église de son village ou dans les plus belles cathédrales, selon son lieu de naissance, sa condition sociale et son mode de vie. Chacun en retient quelques images simples, Eve cédant au serpent, le Christ sur la croix, Dieu le Père séparant finalement les bons et les méchants.

Mais voici que, après des siècles, tout change avec l'invention de l'imprimerie et l'irruption de la Réforme. Contre la tradition de l'Eglise, certains proclament que l'Evangile ne doit pas être le monopole des clercs et l'impression donne aux laïcs qui savent lire la possibilité d'accéder aux textes sacrés et à leurs commentaires. Sauf pour les élites, le latin y faisait jusque-là obstacle. Poètes et intellectuels de la Renaissance travaillent à promouvoir la langue maternelle, la langue vulgaire accessible à tous. On pille les œuvres des Anciens pour créer une littérature en français. On les traduit aussi. Pourquoi ne traduirait-on pas la Bible ? C'en est fini d'un partage du savoir religieux qui passe entre le prêtre et les fidèles. Il y a désormais d'autres clivages, par exemple entre ceux qui savent lire et les autres, donc entre le haut et le bas de la société, entre les riches et les pauvres, mais aussi, éventuellement, entre ceux qui ont naturellement le droit d'accéder aux livres et ceux qui n'en sont pas jugés dignes, principalement les femmes.

D'emblée, pour les évangélistes, puis pour les réformés, il ne doit pas y avoir, sur ce point, de distinction entre les sexes. Erasme souhaite que tout le monde puisse lire l'Evangile sans aucune distinction. En une vingtaine de dizains, un discours anonyme *De la dame française qui désire la sainte Ecriture* résume, au milieu du XVIe siècle, les raisons pour lesquelles la femme doit avoir le droit d'accéder à la parole divine, comme quiconque relevant de la chrétienté. Jésus lui-même en a donné l'exemple en se montrant à Madeleine et en lui parlant avant d'apparaître aux apôtres. Refuser la lecture de la Bible aux femmes sous prétexte qu'elles sont fragiles et enclines au mal serait une erreur ; elles en ont d'autant plus besoin pour se fortifier. La « dame française » proclame son droit de découvrir la parole de Dieu dans sa langue maternelle, « Car c'est horreur et fureur de défendre,/ Lire en français ce qu'on doit écouter/ Et ce qu'on veut en français faire entendre. » Chez les réformés, pour les femmes comme pour les hommes, la lecture des textes sacrés est désormais le prolongement naturel de l'enseignement des sermons.

Les théologiens catholiques rejettent cette pratique scandaleuse. Le père Garasse, après bien d'autres, s'en prend aux égarés qui « permettent aux femmes la lecture des Saintes Ecritures », et qui vont même (ce qui est inexact) jusqu'à tolérer qu'elles montent en chaire pour lire et expliquer la Bible. « Qu'une femme lise les prophéties d'Ezéchiel et de Zacharie, écrit le jésuite en 1623 dans sa *Doctrine curieuse*, elle en tirera le même profit pour son instruction que si elle lisait du bas breton ou du japonais. » Cette pratique n'est pour lui qu'un degré de plus dans une dépravation générale. On ne veut plus admettre que la lecture et le commentaire des Saintes Ecritures sont une activité réservée aux clercs.

Malgré l'évolution apportée par la diffusion de l'imprimerie et par le développement de la langue française, les autorités catholiques souhaitent qu'on s'en tienne à la répartition traditionnelle du savoir religieux entre ceux qui possèdent une compétence en ce domaine, et les autres qui ne sont pas qualifiés pour le définir et le répandre. Elles se montrent réticentes envers la traduction de l'Ecriture, susceptible de la rendre accessible à des esprits insuffisamment éclairés pour la comprendre sans les explications de personnes qualifiées. Les fidèles partagent cet avis. Ronsard regrette que les « femmes fragiles interprètent en vain le sens des Evangiles ». On dénonce le rôle d'un sexe « imbécile » dans l'existence et la diffusion de l'hérésie réformée. En 1627, Jean Bouchet traduit l'opinion générale dans *Les Serées* en rappelant aux femmes qu'elles « se doivent garder d'appliquer leurs esprits aux curieuses questions de théologie, dont le savoir appartient aux prélats, recteurs et docteurs ». Un vrai problème existe désormais, qui tient à la fois à l'idée que l'on se fait de la femme et à celle du degré d'accès à l'Ecriture permis aux laïcs.

Même en dehors des discussions théologiques, pour la connaissance générale et la pratique de la religion, la femme reste inférieure à l'homme, en principe seul capable d'une bonne instruction. Selon Paul et les Pères, c'est de son mari que l'épouse doit recevoir les éclaircissements dont elle pourrait avoir besoin pour compléter l'enseignement donné à l'église. Même les huguenots rappellent quelquefois ce principe à leurs femmes pour freiner leur appétit de savoir religieux. Dans une lettre de 1549, le célèbre jésuite François Xavier explique pourquoi il convient de « cultiver davantage les âmes des maris que celles de leurs femmes ». Charles Borromée, dans ses *Instructions aux confesseurs*, écrites au sortir du concile de Trente mais publiées en 1648 et adoptées en 1657 par l'assemblée du clergé de France, recommande fermement de faire porter l'effort de l'instruction religieuse sur les pères de famille, « parce que ces derniers exercent leur influence sur les femmes, les enfants et les serviteurs ». C'est la doctrine traditionnelle de l'Eglise. Elle se heurte à l'évolution des mœurs, notamment dans la famille.

Dès 1578, Matthieu Delaunoy, un huguenot converti, la déplore dans son *Discours chrétien contenant une remontrance aux parents*. Par faiblesse ou pour suivre la mode, au lieu d'instruire leurs épouses comme ils en avaient la charge, les hommes, même cultivés, ont renoncé au légitime pouvoir qu'ils tenaient de Dieu. Ils tolèrent le désordre chez eux et se tournent parfois vers l'hérésie. Même si cela résulte de récents et regrettables changements culturels, il faut en tenir compte. Aux femmes d'aujourd'hui « plus babillardes que sages », mais désireuses de s'instruire, il faut donner une éducation religieuse appropriée. Alors seulement, on pourra entreprendre, grâce à elles, une nécessaire « réformation ».

Les membres du clergé ont depuis longtemps constaté dans les paroisses que les femmes sont plus portées à la religion et plus respectueuses de ses règles que les hommes. Elles appartiennent à ce que saint Augustin et les Pères ont appelé « le sexe dévot ». D'où un paradoxal renversement des rôles, qui fait aux femmes, en principe sous l'autorité de leurs époux, y compris dans le domaine religieux, un devoir de les convertir. Les moralistes chrétiens le leur rappellent constamment. « Les femmes doivent porter leurs maris à la piété et les gagner à Dieu par leurs discours et plus encore par leur sagesse et par l'exemple de leur vie sainte et édifiante », lit-on par exemple dans *La Vie des gens mariés, ou les obligations de ceux qui s'engagent dans le mariage*, publié en 1695 par le père Girard de Villethierry. Cette conversion par l'exemple a été, au début du siècle, un des thèmes constants des romans moraux de Jean-Pierre Camus, l'évêque de Belley.

C'est aussi à la femme chrétienne qu'il revient impérativement de veiller à la foi et aux bonnes mœurs des enfants et des domestiques. « C'est de vous, mesdames, déclare Bourdaloue en 1682 dans un "Sermon sur l'impureté", que dépendent la sainteté et la réformation du christianisme, et si vous étiez toutes aussi chrétiennes que vous devez l'être, le monde, par une bienheureuse nécessité deviendrait chrétien. » Devant la démission des hommes à exercer, dans leur famille, le contrôle religieux qui leur revient de droit, les autorités insistent sur ce que montrait l'Evangile, le rôle des femmes dans la propagation et le maintien de la foi. Rôle tout pratique, qui doit être tenu plus par « l'exemple » que par « le discours ».

Certains pourtant pensent désormais que pour être efficace, l'exemple doit être soutenu par la connaissance. Il faut par conséquent donner aux femmes un enseignement qui s'accorde avec leur état, mais aussi avec leur nature. Les instruire est d'autant plus nécessaire que ce sont des êtres au jugement « ordinairement très inconstant et mal solide », qu'il convient de former et d'informer pour qu'elles ne transmettent, par leurs pratiques et dans leurs conversations, que le contenu d'une foi orthodoxe, sans traces des superstitions habituelles à leur sexe et des idées approximatives ou même erronées imputables à l'ignorance dans laquelle on les a tenues jusque-là. Dans le contexte issu de la Renaissance et de la Réforme, on commence à penser souhaitable de donner aux femmes une certaine instruction religieuse.

Au début du XVIIe siècle, cette idée ne s'est pourtant pas encore imposée. Le père Caussin attribue à François de Sales le mérite de l'avoir reprise et surtout appliquée. Il savait, écrit-il, « que le prince des apôtres faisait tant de cas de la bonne instruction des femmes qu'il disait que les infidèles qui ne croient pas en l'Evangile pouvaient être gagnés à la foi par la bonne conversation des dames chrétiennes ; aussi n'a-t-il point négligé une partie si nécessaire de la chrétienté, mais il faut avouer qu'il l'a cultivée avec plus d'étude, de prudence, d'adresse et de courage que tous ceux qui l'avaient précédé ». Cette attitude étonne ses confrères. Adrien Bourdoise, fondateur du séminaire de Saint-Nicolas-du-Chardonnet, n'hésite pas à lui écrire sa surprise de voir « un évêque à qui Dieu avait donné de si grands talents s'employer presque uniquement à la conduite des personnes du sexe ». Il pensait que l'évêque de Genève aurait agi plus utilement en s'occupant comme lui de la formation du clergé.

Bourdoise n'était pas le seul de cet avis. Dans *L'Esprit du bienheureux François de Sales*, Jean-Pierre Camus rapporte qu'on demandait parfois au fondateur de la Visitation pourquoi il perdait son temps à instruire des femmes « auxquelles il faut répéter cent fois une chose avant qu'elles la retiennent ». François de Sales retournait l'argument en faveur de son apostolat. A d'autres, répondait-il, de s'occuper des hommes : « Laissons aux grands ouvriers les grands desseins. » Pour lui, il se contente d'une activité plus modeste : « Ce sexe infirme est digne de grande compassion ; c'est pourquoi il faut en avoir plus de compassion que du fort. La charge des âmes n'est pas tant des fortes que des faibles, disait saint Bernard. » François de Sales ne conteste pas une hiérarchie établie par Dieu, qui a créé, dit-il, « les hommes d'un sexe plus vigoureux et prédominant, et a voulu que la femme fût une dépendance de l'homme ». Il exerce son devoir de pasteur envers celle qui a le moins de force.

Car comment pourrait-elle avancer en « la perfection chrétienne » à laquelle elle a, comme les hommes, le droit d'accéder si personne ne prend soin d'elle ? Sa faiblesse n'est pas une tare, et les clercs doivent la traiter « avec honneur », puisque « Notre-Seigneur ne lui a pas dénié son assistance ; il était ordinairement suivi de plusieurs femmes, et elles ne le quittèrent point en la croix, où il fut abandonné de tous ses disciples excepté de son bien-aimé Jean. L'Eglise, qui donne à ce sexe le nom de dévot, ne l'a pas en si basse estime ». Sans entrer dans une discussion théorique sur l'égalité des sexes, François de Sales entend rendre aux femmes la dignité que l'Evangile leur accorde. Ses disciples et admirateurs, tels Camus, Caussin, du Boscq, Le Moyne retiendront sa leçon.

En 1609, paraît l'*Introduction à la vie dévote*, immédiatement considérée comme un ouvrage destiné aux femmes. Dans la préface de son *Traité de l'amour de Dieu*, l'évêque de Genève regrettera cette interprétation restrictive. On m'a « naguère averti, écrit-il, que l'adresse que j'avais faite de ma parole à Philothée, en l'*Introduction à la vie dévote*, avait empêché plusieurs hommes d'en faire leur profit, d'autant qu'ils n'estimaient pas dignes de la lecture d'un homme les avertissements faits pour une femme ». Singulière réaction, proteste-t-il, « car je te laisse à penser, mon cher lecteur, si la dévotion n'est pas également pour les hommes comme pour les femmes ». Les épîtres de saint Jean adressées à des femmes n'étaient-elles pas aussi destinées aux hommes ? « Mais outre cela, précise l'auteur, c'est l'âme qui aspire à la dévotion que j'appelle Philothée. » Comme l'âme, la dévotion n'a pas de sexe. L'*Introduction à la vie dévote* s'adresse à tous les laïcs vivant dans le monde et désireux d'être dévots sans être d'Eglise.

En fait, le livre reste marqué par son origine, les lettres de direction de François de Sales à Mme de Charmoisy. Quand celle-ci lui apprend qu'elle les a montrées à un prêtre de ses amis : « Quoi, lui répondit-il, ce bon personnage a-t-il bien eu la patience de lire tous ces chétifs bulletins, faits pour l'usage d'une femme ? Vraiment, vous nous avez fait un grand honneur de l'amuser après si peu de fait et de lui faire voir ces rares pièces ! » Modestie à part, François de Sales admet qu'en s'adressant à une femme, il a dû tenir compte des limites inhérentes au sexe de la destinataire. Malgré les transformations opérées dans les textes initiaux pour les publier dans un livre destiné aux deux sexes, le public a tout de suite reconnu un ton et un climat dus aux circonstances de sa rédaction. Même en 1619, dans son édition définitive, l'*Introduction à la vie dévote* semblait plus particulièrement destinée à ces femmes dont l'évêque de Genève s'occupait assidûment comme directeur de conscience, puis comme fondateur d'un ordre féminin avec Jeanne de Chantal, sa fille spirituelle.

« Je trouve vos pratiques et votre dévotion si ajustées à mon humeur et à la faiblesse de mon sexe, lui affirme une femme qui a pris l'initiative de lui écrire après l'avoir lu, que je ne crois pas que vous puissiez rien commander que je ne puisse facilement accomplir. Je connais aussi plusieurs dames qui ont le bien de vivre dessous votre sainte conduite et qui m'ont assurée que Dieu vous avait fait naître en ce siècle pour nous apprendre la vertu. » Puis après lui avoir demandé d'être sa dirigée sans l'avoir jamais vu : « Adieu, Monsieur et très cher Père, et continuez de faire, comme vous avez commencé, autant de saintes comme il y a de femmes en ce monde. » Persuadée que les personnes de son sexe sont moralement trop faibles pour emprunter les voies difficiles de la perfection, cette femme est enthousiasmée d'avoir découvert dans un livre un auteur qui a su se mettre à la portée de celles qui, comme elle, ont besoin d'être encouragées et aidées par des pratiques qu'on peut « très facilement accomplir », ce qui ne veut pas dire que ce soient des pratiques faciles.

L'élan est donné. Plusieurs ouvrages paraîtront bientôt dans le même esprit, en principe destinés à tous, mais adoptés surtout par les femmes, tel celui du père Le Moyne, *De la modestie ou de la bienséance chrétienne* (1656). D'autres leur sont principalement destinés comme l'*Occupation continuelle en laquelle l'âme dévote s'unit toujours avec Dieu* du capucin Philippe d'Angoumois (1618). D'autres enfin s'adressent spécifiquement aux femmes, telle *L'Honnête Femme* du cordelier du Boscq, dont le but affiché d'exposer aux dames les qualités nécessaires pour « réussir dans les compagnies » se double de la volonté de les aider à progresser vers les qualités morales, puis vers les vertus chrétiennes. « Il m'a semblé, dit l'auteur, en tête de son troisième volume, paru en 1636, que je devais rendre l'honnête femme encore plus chrétienne qu'elle l'était aux deux premières parties. » Et à la fin, en présentant le chapitre « De la vertu chrétienne » : « Qu'elle est absolument nécessaire à l'honnête femme. Ce discours est comme l'abrégé de tous ceux de cette dernière partie. »

Même chez ceux qui leur sont le plus favorables, la valorisation des femmes dans la pensée chrétienne n'a lieu que dans le souvenir de la faute originelle et dans le rappel de leur nécessaire soumission. « Femmes, écrit François de Sales dans sa fameuse *Introduction*, aimez tendrement, cordialement, mais d'un amour respectueux et plein de révérence les maris que Dieu vous a donnés, car vraiment Dieu pour cela les a créés d'un sexe plus vigoureux et prééminent et a voulu que la femme fût une dépendance de l'homme. Toute l'Ecriture sainte vous recommande étroitement cette sujétion. » Dans *La Cour sainte*, l'un des moralistes les plus soucieux de mettre leurs dons en valeur malgré la chute originelle, le père Caussin, vante leurs grandes qualités, comme la compassion, la dévotion, l'obéissance. Mais il rappelle aussi, sous l'éminente autorité de saint Augustin, que « la première femme, ingrate envers Dieu, traîtresse à son mari, meurtrière de sa race, a fait un pont à Satan pour passer dans le monde ». Malgré le désir des meilleurs esprits de l'Eglise d'aider les femmes à faire leur salut et de se servir d'elles pour instruire leurs enfants et convertir leurs maris, l'idée demeure de leur faiblesse, voire de leur perversité naturelle : « Il est certain, écrit encore le père Caussin, que les femmes ont beaucoup de fragilité en leur sexe et d'artifice en leur conduite. »

Conformément aux orientations du concile de Trente, il existe désormais toute une littérature morale et religieuse spécialement destinée aux femmes. Tout en maintenant le principe d'une religion qui est la même pour tous dans son contenu et dans ses pratiques, on y tient compte d'une spécificité féminine, due à « l'infirmité naturelle » du sexe faible. On reconnaît à la femme comme à l'homme d'être une créature de Dieu, mais en quelque sorte de second rang. On ne doit ni ignorer ni mépriser cet être fragile ; on doit l'aider à surmonter ses difficultés. Telle est l'ambiguïté du statut de la femme chrétienne, en droit égale à l'homme dont elle a été tirée lors de la Création, en fait en dessous de lui à cause de la faiblesse morale qu'elle a, dit-on, montrée au paradis terrestre et qu'elle a conservée. Cette faiblesse, on la considère désormais comme un handicap malheureux plutôt que honteux. On ne désespère pas de le compenser par une direction spirituelle appropriée.

Sur la nature et le comportement de la femme, l'Eglise partage les préjugés contemporains. Elle ne les aggrave pas. Elle contribue sans doute au maintien de la femme dans des rôles sociaux traditionnels, inférieurs à ceux des hommes aux yeux de la société du temps et plus encore du nôtre. Les clercs n'y voient pas une injustice, mais la conséquence d'un ordre naturel, qui n'ôte pas à la femme son égalité de principe et sa dignité d'être humain. Fait nouveau, dans la vie religieuse du couple, ils lui accordent une prépondérance qui s'accroît à mesure qu'on s'avance dans le siècle. Contre ceux qui veulent la tenir dans l'ignorance pour mieux la gouverner (et la sauver), l'Eglise de la Contre-Réforme promeut très largement l'idée d'une nécessaire instruction religieuse, adaptée à ses forces et à son « état ». Par une conséquence inattendue, cette instruction a souvent outrepassé son but, contribuant largement à la promotion intellectuelle et familiale de celles qui l'ont reçue. Sur ce point également, la femme du milieu du XVIIe siècle est au cœur d'une évolution commencée un siècle plus tôt, mais qui devient à ce moment-là évidente et irréversible.

L'Eglise de la Contre-Réforme cesse de ne voir en la femme qu'une tentatrice ou une procréatrice. Elle lui accorde « la part d'honneur » qui doit revenir à la compagne de l'homme. Mais cet acquis, quelque important qu'il soit, coexiste avec les plus anciens préjugés. Exprimés dans des textes qui font autorité, constamment rappelés par les prédicateurs, ils sont ancrés dans les mentalités. C'est donc sur un fonds de méfiance et de suspicion envers un sexe auquel sa faiblesse naturelle reconnue ôte son égalité de principe avec l'autre sexe que se jouent les rapports de la femme du XVIIe siècle avec une institution fortement tenue en main par des hommes auxquels il revient de diriger les femmes. Les premiers progrès de la médecine n'y changent rien. Trop partiels, trop peu répandus, ils sont encore loin de détruire, ou même de contester, l'idée que les médecins ont largement contribué, eux aussi, à répandre et à valider pendant des siècles : la faiblesse et l'infériorité du sexe féminin. Tout ce qui a été dit et fait dans l'Eglise en faveur des femmes, tout ce qu'elles ont pu dire et faire elles-mêmes s'inscrit à l'intérieur de cet inusable préjugé. Il durera encore tout le siècle, et largement au-delà.

7

Au couvent

Des couvents du XVIIe siècle, deux images dominent notre imaginaire, toutes deux caricaturales. L'une a été popularisée par ceux qui, comme Molière dans ses comédies, montrent des parents prompts à mettre leurs filles en demeure de choisir entre un mariage abusif et l'enfermement religieux. L'autre vient d'une tradition littéraire ancienne, constamment reprise et gaillardement exploitée dans les éditions successives des contes de La Fontaine, sur les coupables libertés qu'on aurait de tout temps prises avec le vœu de chasteté dans les monastères féminins. Très efficaces sur un public gagné d'avance, ces représentations simplifient et déforment une réalité beaucoup plus complexe, que le concile de Trente s'était précisément efforcé d'ordonner. Il y fallut du temps, car les abus étaient invétérés, et pas seulement dans les domaines mis en cause par la littérature. L'enfermement des filles malgré leur volonté était l'un des plus importants, le cas des amoureuses récalcitrantes tout à fait secondaire.

En 1599, par sympathie pour les Arnauld, l'abbé de Cîteaux pousse la supérieure de Port-Royal, âgée et infirme, à prendre pour coadjutrice Jacqueline Arnauld, fille d'un avocat célèbre, bien en cour auprès de Henri IV. L'intéressée n'a pas tout à fait huit ans. On lui donne l'habit de novice. Pour l'accoutumer à la vie religieuse, on la place à Maubuisson. Elle y prend le prénom de l'abbesse, Angélique d'Estrées, qui doit sa place à sa sœur Gabrielle, maîtresse du roi. Celui-ci venait souvent au couvent, avec sa cour. C'étaient alors des concerts, des bals, des festins dans les jardins et dans les appartements de l'abbesse. Après la mort de Gabrielle, l'année où la petite Arnauld est mise à Maubuisson, le roi continue de protéger sa sœur, qui mène une vie très libre. Devenue régente après l'assassinat de son mari en 1610, la reine alerte le supérieur de l'ordre. Il envoie des observateurs. L'abbesse les séquestre. Elle s'opposera à la réforme de son couvent jusqu'à ce qu'on l'emmène de force chez les clarisses en 1618. Elle y achèvera sa vie dans la pénitence. Sa fin marque celle d'une époque.

Jacqueline Arnauld n'avait vu que sa période de gloire. En octobre 1600, après un an de noviciat, elle y a fait profession de religieuse. L'abbesse de Port-Royal dont elle est coadjutrice meurt. Malgré son jeune âge, son père décide de faire valoir ses droits à la succession. Il n'est pas question de perdre un établissement prestigieux et lucratif. Pour obtenir les bulles indispensables à la nomination, on prétend que la coadjutrice a dix-sept ans. Rome trouve que c'est tôt pour devenir abbesse. Arnauld y a des protecteurs puissants. On passe sur les objections. Le 5 juillet 1602, Angélique prend possession de son abbaye. Elle n'a pas tout à fait onze ans. L'année suivante, l'abbé de Cîteaux la bénit et lui fait faire sa première communion. Ce jour-là, dans Port-Royal, il y a beaucoup de beau monde et grand festin.

Malgré son jeune âge, l'abbesse dit ponctuellement les offices, même les matines, différées en sa faveur de deux à quatre heures du matin. Le reste du temps, elle joue et se promène dans les enclos. Les jours de pluie, elle lit l'histoire romaine ou des romans. Elle fait des visites dans les environs, accompagnée de quelques religieuses. On les lui rend. Sa famille vient souvent la voir, sa mère surtout. Comme dans beaucoup d'autres couvents, on y prend, sans débauches, d'assez grandes libertés avec la règle.

« Il y avait pour confesseur un religieux bernardin si ignorant qu'il n'entendait pas le Pater, lit-on dans une relation contemporaine de la prise de possession d'Angélique. Il ne savait pas un mot de catéchisme et n'ouvrait jamais d'autres livres que son bréviaire. Son exercice était d'aller à la chasse. Il y avait trente ans qu'on n'avait prêché à Port-Royal, sinon à sept ou huit professions... Les moines bernardins qui y venaient n'entretenaient les religieuses que des divertissements de Cîteaux et de Clairvaux, de ce qu'ils appelaient *les bonnes coutumes de l'ordre...* On ne communiait alors que de mois en mois et aux grandes fêtes. La Purification était exceptée, parce que c'était le temps du carnaval, où l'on s'occupait à faire des mascarades dans la maison, et le confesseur en faisait avec les valets. » Les habits étaient agrémentés d'ornements mondains. En 1604, après sa visite du couvent, le général de l'ordre n'y avait rien trouvé à redire, sauf qu'il fallait augmenter le nombre des religieuses de douze à seize.

Cependant, Angélique s'ennuie. Elle n'aime pas la vie monastique. En 1608, un sermon de carême d'un prédicateur de passage l'émeut profondément. Elle se sent transformée. Maintenant, elle souhaite demeurer dans son abbaye et y appliquer la réforme ordonnée par le concile. Ce désir suscite l'opposition des religieuses. Accoutumées à leur genre de vie sans rigueur comme sans scandale, elles n'ont aucune envie d'en changer. Informé des intentions de sa fille, Arnauld s'y montre hostile. A la Toussaint de la même année, entendant un sermon sur la huitième béatitude : « Bienheureux ceux qui souffrent pour la justice », Angélique y voit un encouragement personnel à réaliser son projet. Elle se sent divisée. Elle tombe malade. Touchées de son état, au carême de l'année suivante, la prieure et quelques religieuses lui annoncent qu'elles sont d'accord pour la réforme du couvent. Angélique propose, pour commencer, de mettre en commun ce que chacune a conservé en propre. On l'écoute. On restaure les vœux d'obéissance et de pauvreté. Il reste à rétablir la clôture, une clôture absolue, y compris envers les membres de la famille de l'abbesse, envers son père même. Le vendredi 25 septembre 1609, celui-ci arrive en carrosse, avec sa femme, un fils, une belle-fille. On lui refuse l'entrée du monastère. Il tempête. Peine perdue.

Placée elle aussi au couvent en bas âge, Agnès, une cadette d'Angélique, a treize ans. Elle prend parti pour sa sœur, qui n'a, dit-elle, fait que son devoir, respectant « ce qui lui était prescrit par le concile de Trente ». Rien de plus juste. Le 4 décembre 1563, dans sa 25e session, les Pères avaient prononcé l'obligation absolue de la clôture pour les religieuses de tous ordres. Au moment de ce qui est entré dans l'histoire sous le nom de « la journée des guichets », l'assemblée du clergé de France n'a pourtant pas encore accepté ces décisions. Elle ne le fera que six ans plus tard, en 1615. Mais le mouvement est lancé et, lentement mais sûrement, avec des survivances et des disparités, à des rythmes divers, la réforme se met en place dans tous les couvents du royaume. A quelques exceptions près, car rien n'est jamais uniforme sous l'Ancien Régime, on travaille à mettre fin aux vieux abus.

Les débuts d'Angélique sont, à bien des égards, exemplaires. Cadette d'une nombreuse famille (vingt enfants dont six filles parmi les dix qui atteindront l'âge adulte), elle est vouée toute jeune à la vie religieuse par des parents qui n'avaient pas les moyens de doter toutes leurs filles et qui se sont souciés, comme l'on disait, de l'établir. Ils ont beau être ce qu'on appelle de bons chrétiens, ce choix prématuré ne leur pose pas de problème de conscience, pas plus que les fausses informations sur l'âge de leur fille transmises à Rome pour permettre sa nomination d'abbesse. Ils sont persuadés d'agir pour le bien de leur enfant en lui assurant à la fois de quoi subsister honorablement et des conditions de vie favorables à son salut éternel. Car la vie monastique, surtout pour une fille, est unanimement proclamée très supérieure et infiniment plus méritoire que la vie dans le siècle. Selon l'Eglise, l'état de religieuse doit être considéré comme une grâce de Dieu.

Il y a des abus, depuis longtemps dénoncés. C'est à cause d'eux que les réformés ont fermé les couvents et invité hommes et femmes à retrouver la liberté et à se marier. Rabelais, dans *Gargantua*, ne veut que de belles et accortes filles dans son abbaye de Thélème, prenant plaisamment le contre-pied de la coutume de ne mettre en religion que « celles qui étaient borgnes, boiteuses, bossues, laides, folles, insensées, maléficiées et tarées », autrement dit les filles inaptes au mariage et à la vie sociale. Expliquant comment les sœurs doivent examiner les vocations des novices avant de les admettre à la profession, dans l'un de ses *Entretiens*, François de Sales évoque le cas des mêmes délaissés, garçons et filles, « ceux, dit-il, qui vont en religion, à cause de quelque défaut corporel ou naturel, comme pour être boiteux, borgnes ou pour êtres laids et tels autres défauts ». Le pire, ajoute-t-il, « c'est qu'ils y sont portés par leurs parents », jugeant « qu'ils ne sont pas bons pour le monde », et que les mettre au couvent, « ce sera autant de décharge pour leur maison ».

L'auteur connaît les contraintes économiques qui pèsent sur les « vocations ». D'autres parents, continue-t-il, « ont une grande quantité d'enfants. “Eh bien, disent-ils, il faut décharger la maison, envoyant les cadets en religion afin que les aînés aient tout et qu'ils puissent paraître au monde” ». Alors, « pour ce que c'est leur père qui prend soin d'eux, les enfants se laissent conduire sans méfiance où l'on veut, sous l'espérance de vivre du bien de l'autel ». Cette pratique est connue, analysée, la conduite des parents condamnée en chaire par des prédicateurs malgré les mesures prises pour tenter d'assurer la liberté des engagements religieux et la compétence des supérieures. Le concile a fixé à douze ans l'âge minimum du noviciat, à seize ans celui de la profession, à quarante la possibilité de devenir abbesse. Ces mesures ont été globalement respectées. Au milieu du siècle, Jacqueline Arnauld n'aurait pas pu avoir le destin qui lui a été imposé sous Henri IV.

Mais si personne ne doute, dans l'Eglise, que la vocation doive être libre, on a en ce temps-là une conception de la liberté des enfants fortement infléchie par leur devoir d'obéissance. Grâce à leur âge, à leur expérience, à leur sens des réalités, les parents savent, pense-t-on, beaucoup mieux que les intéressés ce qui convient pour assurer au mieux leur avenir. Dans la plupart des cas, c'est donc le père qui décide en conscience de l'établissement de ses divers enfants, garçons et filles, en fonction de leur rang d'apparition au foyer, des ressources financières et du crédit dont dispose la famille, des opportunités qui se présentent d'obtenir la succession d'une parente à la tête d'une abbaye, ou simplement, pour telle enfant, d'y être élevée à moindres frais. François de Sales lui-même apporte d'étonnantes précisions à ce qu'est, selon lui, la liberté d'entrer au couvent. Elle ne réside nullement dans l'absence de pressions des père et mère, mais dans l'acceptation finale par l'enfant de leur volonté, qui doit être considérée comme l'expression de celle de Dieu. Seule serait condamnable la contrainte qui forcerait la jeune fille à prononcer des vœux irrévocables.

A une fille d'Annecy mise au couvent à treize ans, qui voulait absolument rentrer dans le monde, qui pleurait et se révoltait, la résignation vint un jour, content les « Annales de la Visitation », tandis qu'elle priait devant le tombeau du saint fondateur. Elle l'entendit lui dire : « Ma fille, quand vous fûtes présentée au baptême, vous aviez la capacité de recevoir le sacrement, mais vous n'aviez ni la puissance de le demander ni le désir de le recevoir ; la divine Bonté se contenta de la foi, du désir et de la demande de vos parents. La religion est en quelque manière un second baptême : vous n'avez ni le désir ni la force de demander votre vocation, mais vous avez la capacité de la recevoir. » Après quoi, la révoltée devint une novice fervente, qui prit l'habit à quinze ans, et devint maîtresse des novices, puis successivement supérieure des deux Visitations d'Annecy, et enfin de celle de Mâcon.

On s'étonne aujourd'hui de tels comportements. Ils étaient naturels aux parents du XVIIe siècle, qui pensaient jouir sur leurs enfants d'une autorité déléguée par Dieu. Les enfants, de leur côté, ne mettaient d'ordinaire en doute ni cette autorité, ni le principe de l'excellence d'un choix que les axiomes d'une foi qu'ils partageaient avec ceux qui les entouraient, à la maison comme au couvent, présentaient comme « la meilleure part ». Les parents savaient conditionner insensiblement les volontés de leurs filles. Le moyen le plus simple et le plus habituel était de les placer au couvent très tôt comme pensionnaires. On pensait que n'ayant pas été élevées dans leur famille, elles regretteraient moins, devenues adultes, une vie dans le monde qu'elles n'auraient pas connue.

Vincent de Paul porte un jugement sévère sur ce genre de recrutement : « Les maisons de la Visitation, écrit-il, prennent des petites filles à pension, et les élevant dans l'esprit de la religion, donnent l'habit à celles qui le demandent à seize ans. Mais presque toutes celles qui le prennent de cette sorte mènent après une vie lâche et fainéante parce qu'elles n'ont pas une vraie vocation, ayant été mises là par leurs parents et y étant demeurées par respect humain. » Peut-être aussi par peur de se sentir ensuite inadaptées au monde. Les sœurs qui, dans les annales, ont conté peu après sa mort la vie de chacune des religieuses, ne partagent pas ces réserves. Dans l'entrée précoce au couvent, elles découvrent une sorte de grâce : « Son heureuse destinée à porter le joug du Seigneur de bonne heure, disent-elles de l'une d'entre elles, l'achemina, par le petit habit à prendre le grand en son temps. »

Il n'est pas sûr qu'en laissant Marie-Blanche, sa fille aînée, qui avait cinq ans et demi, à la Visitation d'Aix au moment de quitter cette ville pour aller passer l'été à Grignan, la comtesse ait eu la volonté délibérée d'en faire une religieuse. Mais elle n'ignorait pas l'influence que pourrait avoir sur l'esprit d'une enfant si jeune la vie qu'elle allait y mener pendant son absence. Obligée de se rendre à Paris pour complaire à sa mère malade d'un rhumatisme, la comtesse ne reprit pas sa fille avec elle lorsqu'elle revint en Provence, un an après sa mise au couvent. Marie-Blanche y passa toute sa vie. Elle y fait profession à dix-sept ans et trois mois. Elle en sera plus tard supérieure. Elle y jouit du double prestige d'être la fille du lieutenant général de la province et l'arrière-petite-fille de la fondatrice de l'ordre. A lire le récit de sa vie par les visitandines, il ne semble pas qu'on puisse vraiment parler à son sujet de « vocation forcée ». Combien de filles, placées d'abord comme pensionnaires, sont ensuite devenues, comme elle, « librement » religieuses ?

Antoine Arnauld n'avait pas pris le détour de placer ses deux filles au couvent comme simples pensionnaires. A cinq et sept ans, Angélique et Agnès savaient qu'elles étaient inexorablement destinées à devenir religieuses. La première, à ce qu'on rapporte, prit sa profession et son avenir en dégoût peu après être devenue abbesse. Pour le surmonter, elle a mené un temps la vie semi-mondaine dont se contentaient beaucoup de religieuses qui, comme elle, n'avaient pas d'autre vocation que le choix de leurs parents. Comme elle avait confié ses regrets à des personnes de bon sens, celles-ci remarquèrent qu'ayant fait sa profession avant l'âge, elle pouvait s'en dédire et quitter le couvent. Elle s'en choquait, confia-t-elle plus tard, car quelque chose en elle semblait l'avertir qu'elle ne pouvait quitter sa condition sans se perdre, « qu'il n'y avait point de loi qui la dispensât d'être à Dieu, et qu'il lui avait fait trop d'honneur de la prendre pour lui ». Ce scrupule est un bon exemple du conditionnement qui transforme, même à contrecœur, une contrainte initiale en consentement personnel.

Les réformes les plus impératives, même appuyées sur les convictions religieuses les plus sincères, ne peuvent rien contre les habitudes ancrées dans les nécessités. Malgré toutes les recommandations, les parents continuèrent, sans en éprouver de mauvaise conscience, de placer au couvent les enfants et particulièrement les filles qu'ils n'avaient pas les moyens d'établir autrement. Bossuet, Bourdaloue et plus tard Massillon tonnent vainement en chaire contre cette pratique. « Des parents barbares et inhumains, dit ce dernier, pour élever un seul de leurs enfants plus haut que ses ancêtres et en faire l'idole de leurs vanités, ne comptent pour rien de sacrifier tous les autres et de les précipiter dans l'abîme : ils arrachent du monde des enfants à qui l'autorité seule tient lieu d'attrait et de vocation pour la retraite ; ils conduisent à l'autel des victimes infortunées, qui vont s'y immoler à la cupidité de leurs pères plutôt qu'à la grandeur du Dieu qu'on y adore. »

Le grand scandale, aux yeux des prédicateurs, ce n'est pas d'éventuelles mises au couvent de filles en âge d'être mariées pour les obliger à épouser quelqu'un dont elles ne veulent pas, c'est le sacrifice d'enfants trop jeunes pour avoir pu exprimer une volonté propre. « L'expérience de longues années », explique Jacques Eveillon dans son *Traité des excommunications*, lui a appris « que les filles ou embouchées par les religieuses ou prévenues par leurs parents auxquels elles n'osent déplaire disent avoir la volonté qu'elles n'ont pas. Cela vient de la faiblesse de jugement ou d'ignorance, étant si jeunes quand on les met sous le joug de la profession qu'elles ne savent ce qu'elles disent ni ce qu'elles font ». Il faut en effet avoir beaucoup de maturité et de force d'âme pour opposer sa volonté à celle de ses parents comme cette postulante malgré soi dont parle Fléchier. A la question rituelle : « Ma fille, que demandez-vous ? », elle répondit au grand vicaire : « Je demande les clés du monastère, Monsieur, pour en sortir. » Cette attitude ne pouvait qu'être exceptionnelle, en raison des pressions familiales et des vexations que des révoltées de ce genre auraient subies à leur retour dans le monde. Jacques Eveillon estime qu'un tiers des religieuses prononcent leurs vœux à contrecœur.

Les garçons figurent dans les sermons à côté des filles. Mais celles-ci, en réalité, pâtissent plus que ceux-là des mises au couvent forcées ou conditionnées. Il y avait souvent, pour l'aîné des cadets, une place à l'armée, et pour les suivants, dans le clergé séculier, un certain nombre de fonctions où ils avaient prestige, autorité, argent. Moyennant une simple tonsure, on pouvait devenir abbé et jouir des revenus d'un « bénéfice » en restant dans le monde. Elevés à la maison ou au collège, les fils de l'aristocratie et des bourgeois aisés n'étaient que rarement enfermés dès l'enfance dans un lieu où ils devraient passer toute leur vie.

Moins nombreux que les religieuses, les moines pouvaient rentrer dans le monde sans encourir le blâme qui empêchait les religieuses de quitter leur couvent. En cas de frasques, la réprobation était infiniment moins sévère pour les hommes que pour les femmes, et les risques beaucoup moins grands s'ils ne respectaient pas leur vœu de chasteté.

Pour lutter contre les vocations forcées, le concile avait accordé à ceux et celles qui avaient fait profession un délai de cinq ans pour engager une action en nullité de vœux. Cette mesure fut reprise dans la législation française. Mais les jeunes filles concernées n'avaient guère de moyens de prouver, comme on le leur demandait, qu'elles s'étaient engagées « par force » ou « par crainte ». La famille niait avoir exercé de la contrainte, les religieuses du couvent aussi. Il était difficile à celle qui était enfermée de trouver des témoins et de réunir des preuves. Et l'affaire durait des années. Vers 1630, la seconde femme de Charles de Sévigné, père du mari de la célèbre marquise, mit Marie de Kéraldanet, sa fille cadette d'un premier lit, chez les bénédictines de Vitré pour avantager son aînée et lui procurer un meilleur mariage.

La jeune fille accepta d'entrer au couvent, mais seulement, disait-elle, pour échapper aux mauvais traitements de sa mère, sans vouloir devenir religieuse. Elle le devint pourtant, et c'est seulement en 1652 qu'une enquête fut ouverte, à la suite de ses plaintes répétées. Comme les faits étaient notoires, après deux jugements du parlement de Rennes, Marie put sortir du couvent, rentrer dans ses droits et épouser Gilles de Sévigné au bout d'un quart de siècle, en 1654. Sa sortie n'arrangeait pas sa nièce, héritière de sa sœur aînée, qui l'attaqua en justice. L'affaire remonta lentement jusqu'au Conseil du roi. Si bien que longtemps encore après son mariage, Marie de Kéraldanet restait sous la menace d'une décision de justice qui l'aurait à nouveau enfermée. Les vœux solennels entraînaient en effet la mort civile de celle qui les prononçait et son exclusion de tous les héritages auxquels elle avait part. Les annuler lui rendait tous ses droits et rompait les savantes combinaisons élaborées autour de son renoncement au monde. La société ne pouvait tolérer un tel risque qu'à titre très exceptionnel, puisqu'il concernait sa partie supérieure, celle où il fallait de l'argent pour maintenir son rang ou progresser dans l'échelle sociale.

On comprend, dans ces conditions, que la réforme tridentine n'a pas toujours été facile à appliquer. L'énergie manifestée par les supérieures chargées de la mettre en œuvre s'est fréquemment heurtée à une égale énergie des religieuses qui avaient consenti à se sacrifier selon les vœux de leur famille, mais qui étaient fermement décidées à conserver dans leurs couvents les libertés, souvent modestes, qu'elles y avaient trouvées ou acquises. Comme souvent sous l'Ancien Régime, la situation est restée très diverse selon les ordres, dont chacun avait ses particularités, parfois même selon les divers établissements, où régnaient d'anciennes habitudes. La situation variait aussi selon le rang des personnes. Chargées de la vie pratique, les sœurs converses n'étaient que des domestiques aux yeux des sœurs professes. Entre celles-ci, malgré les principes d'égalité affirmés dans les constitutions et règlements, des hiérarchies s'étaient presque toujours établies en fonction de l'ancienneté et de la richesse des familles, sans parler des privilèges des supérieures, et surtout des quelques abbesses nommées par le roi parmi les membres de la plus haute noblesse.

En 1680, quand elle croit que sa fille et son gendre vont quitter définitivement la Provence, Mme de Sévigné plaide la cause de l'aînée de ses petites-filles. « Je n'aime point vos baragouines d'Aix, dit-elle des visitandines qui parlent provençal. Pour moi, je mettrais la petite avec sa tante », une sœur du comte, abbesse de l'abbaye de La Villedieu à Aubenas. « Elle serait abbesse quelque jour : cette place est toute propre aux vocations un peu équivoques : on accorde le cloître et les plaisirs. » Ou encore : « On a mille consolations dans une abbaye. On peut aller avec sa tante voir quelquefois la maison paternelle. On va aux eaux. On est la nièce de Madame. Enfin, il me semble que cela vaut mieux. » La grand-mère préconise une solution de compromis. « Mais qu'en dit Monsieur l'archevêque ? demande-t-elle. Son avis vous doit décider. » François de Grignan, archevêque d'Arles, doyen de la famille, était le grand-oncle de la petite religieuse. A en croire la relation de la vie de Marie-Blanche, écrite par les visitandines au moment de sa mort, ce n'est pas lui qui trancha, mais la jeune fille elle-même qui choisit, refusant de quitter le couvent où elle avait été élevée, même pour devenir ailleurs la coadjutrice de sa tante.

Tout en haut de l'échelle, à l'abbaye de Fontevrault, on voit perdurer en s'affinant les pratiques du début du siècle. A Jeanne-Baptiste de Bourbon, bâtarde de Henri IV, qui y était abbesse depuis 1637, succède en 1670 Gabrielle-Angélique de Rochechouart, sœur de Mme de Montespan, maîtresse de Louis XIV. Sa nièce et coadjutrice, qui vivait à l'abbaye depuis l'âge de six ans, lui succédera. A sa mort, en 1704, Gabrielle-Angélique régnait sur cent religieuses. Elle avait vécu sans scandale, codifiant le règlement intérieur de son monastère. Elle attachait une grande importance à la liturgie. Connaissant le latin et le grec au point d'être capable de traduire Homère et Platon, elle fit de son abbaye un haut lieu culturel, s'efforçant d'élever le niveau intellectuel de ses religieuses. Selon Mme de Sévigné, « l'abbé Têtu la gouvernait fort ». Cela l'exclut de l'épiscopat. Louis XIV trouvait qu'il aimait trop les femmes... C'était en tout bien tout honneur. Rien de commun entre le climat de Fontevrault sous son règne et celui de Maubuisson au temps du bon roi Henri. Plus peut-être à cause des modifications survenues dans le climat moral au fil du siècle qu'en raison des prescriptions tridentines.

La question de la réforme des monastères et de la liberté des vocations ne touchait en fait qu'une très faible partie de la population, la plus riche. Depuis le XVIe siècle, pour mettre une fille au couvent, il fallait la doter, exactement comme si on la mariait et pour la même raison : assurer son entretien. Avec cette différence qu'au lieu de dots qui variaient de 30 000 à 300 000 livres, ou même plus, la dot d'une religieuse professe variait entre 2 000 et 10 000 livres à Paris (un peu moins en province), dont souvent la famille ne payait que les intérêts à 3 ou 5 %. Cette dot montait ou baissait selon la qualité de l'établissement, et parfois avec les services que la communauté pouvait attendre des futures religieuses. Elle pouvait augmenter fortement dans le cas d'une religieuse infirme ou mentalement diminuée. En ce cas, les visitandines de la rue Saint-Antoine, à Paris, pouvaient aller jusqu'à demander 15 à 20 000 livres. De telles sommes n'étaient pas à la portée de toutes les bourses.

Même faible par rapport à celui des dots des filles mariées, le montant des sommes demandées pour la dot des religieuses implique une certaine fortune de la part de la postulante ou de ses parents. Il en va de même pour le placement des filles comme pensionnaires. La question de la liberté des vocations ne se pose donc que pour un petit nombre de personnes, appartenant aux couches les plus élevées de la société. Les prédicateurs l'ont dit en chaire : les mises au couvent forcées ont lieu dans les familles qui ont un statut social à maintenir ou à améliorer. Quantitativement marginale, cette affaire doit son intérêt à la nature des problèmes soulevés : le rapport des parents et des enfants, de la foi et de la vocation, de l'Eglise et de l'argent, de la liberté et de la contrainte. Ces sujets mettent en cause des valeurs dont l'importance dépasse le nombre des personnes concernées.

8

L'impossible enfermement

La Réforme avait dénoncé les mauvaises mœurs des moines et des religieuses. Pour y remédier, le concile de Trente prescrit à chaque ordre de revenir à sa règle originelle dans le cadre d'une vie conventuelle réglementée aussi dans son organisation matérielle. Pour les protéger des tentations du monde, les religieuses devront désormais recevoir peu de visites, en principe derrière des grillages. Les salles de bal, de festin et de réception sont prohibées. Si certains ordres sont habilités à accueillir des pauvres et à soigner des malades et des enfants, c'est seulement à l'intérieur des murs du couvent, car la clôture doit être rigoureuse. Chargé de faire appliquer concrètement les décisions du concile, l'évêque de Milan, Charles Borromée, s'exécute aussitôt avec rigueur, ordonnant par exemple la pose de grilles solides aux fenêtres des couvents de son diocèse. Tous les évêques sont priés d'agir dans le même sens.

Il y faudra du temps. Les autorités religieuses et civiles de chaque pays, les évêques de chaque diocèse mettent plus ou moins d'empressement à obéir au concile. Même lorsque ses prescriptions sont enfin acceptées par le clergé de France, il faut compter avec les habitudes invétérées et les innombrables privilèges. Les religieuses entrées au couvent avant la Réforme, dans des conditions différentes, la ressentent comme une sorte de rupture du « contrat moral » qu'elles avaient bon gré mal gré consenti à passer dans l'intérêt d'une famille dont elles supportent mal d'être brusquement et totalement séparées. Plus que l'éventuel retour à une chasteté forcée, qui ne concerne qu'une minorité, ce qui choque les religieuses, c'est de se voir sevrées de toute vie affective, elles dont les parents, notamment les mères, passaient souvent de longs moments auprès d'elles. En les obligeant à suivre la règle de l'ordre auquel elles appartiennent, en général fort dure, on leur ôte désormais tout confort, on les prive des petits plaisirs de la vie et des distractions qu'elles trouvaient dans des rencontres et des fêtes qui n'avaient en général de scandaleux que leur existence dans un lieu de prière. Avec l'institution du parloir, de la grille et de la surveillance des conversations, on les coupe de tout contact avec un monde dont elles avaient accepté d'être éloignées, mais non totalement coupées.

La première partie du XVIIe siècle est une période de bouleversement pour les femmes des couvents. En restaurant les strictes obligations de la vie monastique, la réforme prescrite par le concile de Trente sacrifie les religieuses qui y avaient été placées dans un autre climat et suppose résolue la question de la sincérité des vocations à venir. La mère Angélique Arnauld a été une des premières à l'appliquer à Port-Royal en 1609. L'assemblée des évêques de France la rend obligatoire en 1618. On la conduit avec plus ou moins de rapidité, en général avec rigueur et non sans conflits, dans les années qui suivent. En se heurtant presque partout aux anciennes habitudes, la réforme développe parallèlement son contraire, les exceptions, les exemptions et les privilèges.

Jean-Baptiste Thiers, dans son *Traité de la clôture des religieuses*, rapporte en 1681 l'indignation d'un docteur en théologie contre « ces abus des entrées et sorties, qui dans ce siècle sont très fréquents sans que les religieuses, leurs directeurs, leurs confesseurs, leurs chapelains et même la plupart de leurs supérieurs en fassent le moindre scrupule ». La « journée des guichets » a frappé les imaginations parce qu'elle était le symbole d'une clôture totale, sans aucune exception, même pour la plus proche famille. En fait, il y avait beaucoup d'accommodements statutairement prévus, par exemple pour le roi et sa famille, pour les membres fondateurs et leurs proches, pour les bienfaiteurs, c'est-à-dire ceux qui avaient donné l'argent nécessaire à la construction ou l'installation du couvent, ceux qui en subventionnaient le fonctionnement.

Accompagnée de sa cour, la reine d'Angleterre en exil s'installait à sa guise, avec son entourage, au couvent de la Visitation de Chaillot qu'elle avait fondé parce que les carmélites l'avaient trouvée trop envahissante. Mme de Sévigné, petite-fille de la fondatrice, entre et séjourne comme chez elle dans tous les couvents du même ordre. Mme de Grignan se plaît à faire des retraites à la Visitation d'Aix, où elle peut voir autant qu'elle veut sa fille aînée. Dans une société de privilèges, où chacun se prévaut d'en avoir le plus possible et se plaît à les exercer ostensiblement, il est très difficile de faire respecter partout la même loi, même s'il s'agit des règles d'un concile édictées au nom de l'Eglise pour la plus grande gloire de Dieu.

Introduites en France en 1604, les carmélites appartiennent à un ordre cloîtré des plus sévères et regroupent des religieuses dont les vocations sont habituellement de bon aloi. Dans la première moitié du XVIIe siècle, leur couvent de Paris s'ouvre néanmoins à la reine régente Anne d'Autriche, qui y vient faire ses dévotions. La reine Marie-Thérèse l'accompagne après son arrivée en France. Elle continue ses visites après la mort de sa bellemère, d'autant que la supérieure parle espagnol. En avril 1676, elle s'y rend à deux reprises avec Mme de Montespan, qui entreprend d'organiser là une loterie. Mme de Sévigné a conté la scène. « Elle fit apporter tout ce qui peut convenir à des religieuses ; cela fit un grand jeu dans la communauté. » Ce qui corse l'affaire, c'est que la maîtresse en titre de Louis XIV s'y entretient avec Mlle de La Vallière, la rivale qu'elle avait évincée, devenue sœur Louise de la Miséricorde. « Elle lui demanda si tout de bon, elle était aussi aise qu'on le disait. "Non, dit-elle, je ne suis point aise, mais je suis contente." »

Mme de Montespan parle du roi à la religieuse et lui demande ce qu'elle devra lui dire. « L'autre, d'un ton et d'un air tout aimables, mais peut-être piquée de ce style : "Tout ce que vous voudrez, Madame, tout ce que vous voudrez." » Après quoi la visiteuse voulut manger. « Elle donna une pièce de quatre pistoles pour acheter ce qu'il fallait pour faire une sauce qu'elle fit elle-même et qu'elle mangea avec un appétit admirable. Je vous dis le fait sans aucune paraphrase. » Il parle en effet de soimême. L'absence de vergogne et le sans-gêne de la maîtresse du roi dans sa visite à des religieuses cloîtrées expliquent les efforts de l'Eglise pour les protéger du monde. La scène malicieusement contée par la marquise en montre l'inefficacité dès lors que sont concernés des personnages importants, y compris lorsqu'il s'agit d'une femme dont la situation à la Cour constitue en soi un scandale. Sans parler de la présence de la reine, témoin de la conversation entre les deux maîtresses de son mari.

Quelques jours plus tard, le 6 mai, Mme de Sévigné évoque une autre sorte d'entorse à la clôture, liée aux nécessités de la vie pratique. « Mme du Gué la religieuse s'en va à Chelles, écritelle. Elle y porte une grosse pension pour avoir toutes sortes de commodités. Elle changera souvent de condition à moins qu'un jeune garçon, qui est leur médecin, que je vis hier à Livry, l'oblige de s'y tenir. Ma bonne, c'est un jeune garçon dont le visage est le plus beau et le plus charmant que j'aie jamais vu. » Il vient d'Italie, amené par les ducs de Nevers et de Brissac. Ce dernier l'a placé à Chelles, dont sa sœur est abbesse. « Il a un jardin de simples dans le couvent, mais il ne me paraît rien moins que "Lamporeccio "(un jeune homme d'un conte de Boccace, repris par La Fontaine, qui trouve moyen de contenter l'abbesse et huit religieuses d'un même couvent). Je crois que plusieurs bonnes sœurs le trouvent à leur gré, et lui disent leurs maux, mais je jurerais qu'il n'en guérira pas une que selon les règles d'Hippocrate. » Ayant porté ses goûts ailleurs, Amonio n'est pas un danger pour la vertu des dames.

Il n'empêche. C'est le temps de la Réforme. « Le pauvre Amonio n'est plus à Chelles, conte Mme de Sévigné cinq mois plus tard. Il a fallu céder au visiteur. » L'abbesse est « inconsolable de cet affront ». Pour s'en venger, elle mène la politique du pire. « Elle a défendu toutes les entrées de la maison, de sorte que ma sœur de Biron, ma sœur de La Meilleraye, ma belle-sœur de Cossé, tous les amis, tous les cousins, tous les voisins, tout est chassé. Tous les parloirs sont fermés. Tous les jours maigres sont observés. Toutes les matines sont chantées sans miséricorde. Mille petits relâchements sont réformés. Et quand on se plaint : "Hélas ! je fais observer la règle. — Mais vous n'étiez pas si sévère. — C'est que j'avais tort ; je m'en repens." Enfin, on peut dire qu'Amonio a mis la réforme à Chelles. » Tout cela, évidemment, ne dura qu'un temps. Mais l'histoire d'Amonio rappelle l'existence des « petits relâchements » chers au cœur des religieuses comme à leurs parents, et les efforts de l'Eglise pour en venir à bout. Lutte incessante, toujours à recommencer dès lors qu'il s'agit de grandes familles. Lutte largement inefficace, dont les échecs contribuent à rendre supportable aux filles placées dans ces couvents une vie à laquelle elles se sont habituées sans l'avoir choisie.

Il était prévisible que la Réforme compliquerait la vie des religieuses des couvents relâchés. Il l'était moins qu'elle allait créer de sérieux obstacles aux vocations des femmes désireuses de se tourner vers une vie religieuse active, tout entière au service des pauvres et des malades, particulièrement nombreuses au début du siècle, quand fleurit ce qu'on a appelé l'humanisme dévot. L'exemple le plus frappant est celui des visitandines. Le 6 juin 1610, François de Sales réunit trois femmes désireuses de se consacrer à Dieu dans une petite maison d'Annecy, où la Réforme a contraint de transférer le siège épiscopal de Genève. Il s'agit, explique l'évêque dans une sorte d'avant-projet, de « donner lieu à une très honnête retraite à quelque âme bien résolue et saintement impatiente de se retirer du monde ». C'est le cas d'une veuve de trente-huit ans, la baronne de Chantal, qui a eu six enfants dont trois encore vivants, et qui va devenir la cofondatrice de l'ordre. A ces sortes de femmes et de filles, l'évêque de Genève « ouvre la porte d'une petite assemblée ou

congrégation ». Elles vivront « ensemble par manière d'essai, sous de petites constitutions pieuses ».

Ce sont des sœurs semi-cloîtrées. Aucun homme ne doit entrer chez elles que pour les besoins autorisés dans les monastères réformés. Seules des femmes pourront pénétrer dans leur habitation, et encore avec l'autorisation de l'évêque ou de son délégué. « Quant aux sœurs, elles sortiront pour le service des malades, après l'année de noviciat, pendant lequel [service] elles ne porteront point d'habit différent de celui des femmes du monde, mais sera noir, et elles le ravaleront à l'extrémité de l'humilité et modestie chrétienne. Elles chanteront le petit office de Notre-Dame pour avoir en cela une sainte et divine récréation. » Il s'agit d'équilibrer vie active et contemplative, dans une proportion laissée aux circonstances, chez des femmes désireuses à la fois de se retirer du monde et de se montrer utiles. Leur pieuse retraite les laisse disponibles pour des activités constamment considérées par l'Eglise comme spécifiques des femmes : les œuvres de charité envers les pauvres et les malades. En souvenir de la visite de Marie à sa cousine Elisabeth au moment de ses couches, on appela Visitation la congrégation naissante. Le 6 juin 1611, les trois religieuses prononcèrent des vœux simples. Le lendemain, elles commencèrent leurs visites charitables.

Au bout de deux ans d'expérience, François de Sales établit pour l'institution, qui lui paraît viable, un projet de constitution qui distingue clairement sa fin et les moyens. Sa fin, c'est de rendre la vie religieuse accessible aux femmes de petite santé, aux dames âgées, aux veuves qui continuent à avoir des intérêts dans le monde, pour lesquelles sont expressément prévues des possibilités de sortir quand il leur faudrait s'occuper de leurs enfants et de leurs affaires. Les « moyens » consistent dans « la contemplation et oraison » et dans « le service des pauvres et des malades ». Ce service implique des sorties, sévèrement réglementées. La supérieure décide du choix des visiteuses et des conditions des visites. « Quant aux hommes, dit le projet, elles ne les visiteront point que pour des maladies graves et fortes, et lorsqu'ils commenceront à se remettre, elles cesseront de les visiter ne laissant pas, en ce qu'elles pourront, de leur procurer du soulagement sans venir elles-mêmes. » François de Sales prévoit, pour ses religieuses, la possibilité de réunir femmes et filles de la ville, les dimanches et jours de fête, afin de leur enseigner les exercices de la piété. Il prévoit aussi celle d'accueillir dans leur maison, en très petit nombre et pour peu de temps, des femmes qui voudraient y faire une pieuse retraite.

Favorablement expérimenté à Annecy, ce projet simple est bientôt remis en cause lorsque Denis de Marquemont, évêque de

Lyon, entreprend, sous la pression de quelques dames de la ville, d'y établir une nouvelle communauté qui s'inspirerait de celle d'Annecy. Le 26 janvier 1615, accompagnée de quatre religieuses, Jeanne de Chantal s'installe à Lyon à cet effet. L'institution créée en Savoie, alors terre étrangère, est ainsi, pour la première fois, transplantée en France. Et surtout l'évêque de Genève se voit obligé de tenir compte des volontés de celui de Lyon, farouchement décidé à appliquer les directives du concile de Trente. Elles excluent le modèle initialement prévu pour la Visitation.

En juin 1566, les pères ont en effet décidé, à propos des congrégations à vœux simples, que leurs membres devraient choisir entre les vœux solennels ou la dissolution. Appliquée aussi aux hommes, à l'exception des jésuites, cette mesure paraissait encore plus nécessaire pour les femmes, dont la faiblesse, pensait-on, avait grand besoin d'être protégée par des grilles de toutes sortes. Les membres de la communauté créée par François de Sales ne pourront donc devenir de vraies religieuses, comme le souhaite l'évêque de Lyon, qu'à condition de se conformer à la nouvelle réglementation en acceptant la clôture absolue et perpétuelle et en prononçant les trois vœux solennels.

Plus question de sorties hors du couvent pour aller s'occuper d'affaires en suspens. Ce reste d'appartenance au monde ne peut qu'apporter du trouble dans les familles où l'on a besoin de savoir clairement que la femme qui a opté pour la vie religieuse a définitivement renoncé à sa part des biens familiaux et à toute participation dans leur gestion. Mieux vaut laisser dans la vie séculière les veuves qui ne sont pas totalement libérées de leurs obligations que de voir ce qui ne s'est encore jamais vu, une mère sortir de sa communauté « pour aller, comme tutrice et curatrice de ses enfants, faire des contrats et baux à ferme ». L'évêque de Lyon refuse les visites aux malades, toute sortie répétée du couvent lui paraissant inconcevable. Il ne veut pas non plus des réunions des dimanches et jours de fête pour instruire les fidèles. On doit s'en tenir à la tradition de l'Eglise, fermement appuyée sur la fameuse épître de Paul aux habitants de Corinthe, qui ôte aux femmes toute possibilité de prendre la parole en public.

L'évêque de Genève considéra que ces modifications n'altéraient pas l'essentiel. Il aurait préféré, explique-t-il en février 1616 à la mère Favre, l'une des trois fondatrices de la maison d'Annecy, s'en tenir à une congrégation à vœux simples. « Mais de bon cœur, j'acquiesce que ce soit une religion [un ordre régulier] pourvu que par la douceur des constitutions, les filles infirmes soient reçues, les femmes veuves y aient retraites, et les femmes du monde quelque refuge pour leur avancement au service de Dieu. » Tel était le cœur du projet : offrir un asile sûr à des femmes qui avaient besoin d'un refuge où elles pourraient perfectionner leur dévotion sans être obligées à d'excessives pratiques d'austérité et de mortification. François de Sales essaya vainement d'obtenir de Rome quelques aménagements à la clôture pour les veuves. Il proposa également que les visitandines soient dispensées du grand office pendant au moins cinquante ans. En 1618, dans les constitutions définitives, cette dispense n'est que de cinq années. La « douceur » voulue par le fondateur de l'ordre y est devenue très relative. Il n'a pas eu de chance. La Visitation s'est implantée en France au mauvais moment, quand le clergé venait enfin de décider d'appliquer fermement les décisions conservatrices du concile. Les couvents de cet ordre n'en connurent pas moins un grand essor à travers le pays. Il y en avait cent vingt-cinq à la fin du siècle.

Sous la pression de Jeanne de Chantal, François de Sales avait compris qu'il ne fallait pas imposer la clôture à toute une catégorie de femmes qui, sans refuser la prière et la contemplation, voulaient se consacrer à Dieu dans l'action, en allant par exemple vers les pauvres et les malades. Le besoin d'action était trop réel et l'élan de charité féminin trop puissant pour que le projet conçu par les fondateurs de la Visitation ne soit pas, au moins en partie, réalisé par d'autres. Vincent de Paul et Louise de Marillac sont de ceux-là. Le premier a conté comment, à Châtillon-des-Dombes, toute une procession de dames répondit un dimanche de 1617 à l'appel qu'il venait de faire en chaire d'aller soigner des malades. Inutile, pense-t-il, de les réunir en communauté. Il suffira d'organiser les mouvements qui poussent presque spontanément les femmes de cœur chrétiennes à venir au secours de leur prochain. Vincent fonde donc un peu partout des « charités » locales. Il leur confie une mission conforme à la tradition des couvents hospitaliers, mais tournée vers l'extérieur. En 1625, il les regroupe sous l'égide de la congrégation de la Mission, dirigée par les lazaristes.

A Paris, il s'efforce de coordonner l'action d'un groupe de femmes du monde intéressées par le sort lamentable des pensionnaires de l'Hôtel-Dieu. D'une dizaine, sous son influence, ce groupe passe à cinquante, cent cinquante et même deux cents femmes, qui appartiennent à la grande noblesse et à la haute magistrature. Il fonde pour elles la compagnie des dames de la charité, structure qui ne comporte pas d'engagement définitif. Il y garde celles qui restent, les meilleures, quand beaucoup, l'élan retombé, ont cessé de visiter elles-mêmes les pauvres et les malades, n'hésitant pas à envoyer à leur place des domestiques qui s'acquittent mal d'une corvée qu'elles n'ont pas choisie.

S'appuyant sur les femmes qui ont une véritable vocation, Vincent forme avec elles, en 1633, une confrérie de la charité des servantes des pauvres malades des paroisses, autrement dit des « filles de la charité », placée sous la direction de Louise de Marillac. Mariée malgré elle à vingt-deux ans, cette jeune femme s'était confiée à la direction de Vincent de Paul. Veuve en 1625, elle vivait depuis sous sa direction en se consacrant à des œuvres de piété et de charité.

Les fondateurs savent l'échec de François de Sales et de la mère de Chantal. Aussi décide-t-on, « par prudence », que « les sœurs ne seront liées par aucune sorte de vœux ». Chacune reste libre. « Le monde reprendra celles qui, malgré tout, n'auront jamais cessé de lui appartenir. » Auxiliaires des dames de la charité, ces servantes des pauvres, en qui elles considèrent Jésus-Christ, sont habillées d'une longue robe de droguet, avec des souliers plats et un bonnet pour cacher leurs cheveux. Pour ne pas être empêchées de sortir, les « sœurs grises » ne doivent pas apparaître comme des religieuses. Elles n'ont ni grille, ni voile, ni couvent. Ce qui ne les empêche pas d'obéir à un règlement minutieux, notamment à l'occasion de leurs éventuels voyages. Elles doivent toujours et partout être les servantes des pauvres, mais dans l'ombre, silencieusement. Cette discrétion les dispense d'avoir à demander des autorisations qui seraient forcément refusées. On ne présentera la nouvelle congrégation aux autorités que lorsqu'elle aura fait ses preuves, qu'elle aura démontré son utilité dans le respect des exigences attachées à des vœux qu'elles n'auront même pas eu besoin de prononcer.

Le terrain ainsi préparé, Vincent de Paul autorise Louise de Marillac à établir des vœux perpétuels pour les membres de la communauté. Deux ans plus tard, en 1644, après dix ans d'expérience, quand celle-ci rayonne sur toute la France, il sollicite l'approbation de ses statuts. Il y faudra du temps. Celle du roi est donnée en 1657, un peu avant la mort du fondateur, celle de Rome en 1668, un peu après. Vincent de Paul et Louise de Marillac ont eu le mérite de réussir ce qui paraissait impossible après l'échec de François de Sales et de quelques autres : obtenir que des femmes ni mariées ni cloîtrées exercent librement une activité charitable. A ce titre, l'existence des filles de la charité marque une étape dans l'histoire des femmes : c'est à leur occasion qu'est pour la première fois officiellement reconnu à des femmes le droit de jouer un rôle social d'assistance au sein de la cité. C'est aussi une étape dans l'histoire de l'Eglise. Renouant avec les origines, Vincent de Paul libère des couvents la charité des femmes. Point besoin de clôture ni de chapelles pour se mettre en présence de Dieu. « C'est quitter Dieu pour Dieu, disait

Louise de Marillac, quand on laisse quelqu'un de ses exercices pour le service des pauvres. »

L'activité des filles de la charité et des religieuses cloîtrées qui travaillent dans les hôpitaux relativise l'existence des abus. Point question, dans ces cas-là, de vocations forcées ni de mises en « religion » précoces. Point question non plus de dots importantes. A la différence des dames de la charité dont elles ont pris le relais, les filles de la charité sont d'origine modeste. Elles valent par leur travail et leur dévouement, non par leur argent. Comme le projet initial des visitandines, leur existence et leur considérable développement témoignent d'un nouvel état d'esprit, chez leurs fondateurs comme chez ceux qui les ont soutenus : ils ont cru dans les femmes. Ils ont pensé qu'on devait cesser de les considérer comme d'éternelles pécheresses en puissance qu'il faut constamment surveiller et canaliser, voire enfermer. C'était une révolution difficile à admettre pour tous ceux, les plus nombreux, qui continuent d'être persuadés (comme les pères du concile) qu'une femme ne peut être chaste que si elle est soigneusement mise à l'abri de la tentation. « A une femme, disait-on traditionnellement, il faut un mari ou une clôture. »

En projetant de donner un asile accessible aux femmes âgées, aux malades et aux veuves, François de Sales avait voulu élargir le champ d'activité des couvents et veiller, à l'heure de la réforme, à ce que ces établissements ne soient pas tous des lieux réservés à une élite tendue vers la perfection et plongée dans la pénitence. Les « petits relâchements » dont parle Mme de Sévigné à propos de Chelles obtinrent, moins légitimement mais beaucoup plus facilement, un résultat analogue. Vincent de Paul, lui, a élargi le champ d'activité des femmes en leur ouvrant les portes d'une vie à la fois libre, charitable et dévote. Sans réussir à les sortir de leurs murs, d'autres fondateurs leur permettent d'être à la fois religieuses et actives en se consacrant à l'enseignement, notamment à celui des pauvres. C'est aussi une grande nouveauté, car jusqu'à cette époque, l'enseignement, dont on n'avait pas encore reconnu l'utilité pour ceux qui n'appartiennent pas à l'élite, n'est pas considéré par l'Eglise comme une activité charitable.

Sous l'effet de la réforme des couvents et de l'élan qui a suscité de nouvelles congrégations, contemplatives ou engagées dans des activités de charité, les religieuses du XVIIe siècle sont bien éloignées du type unique de la nonne frustrée, prête à saisir la moindre occasion de plaisir sexuel, des représentations littéraires héritées de la tradition médiévale. Elles excitent la curiosité. Jean-Baptiste Thiers s'étonne que des jeunes filles aillent jusqu'à prétendre avoir la vocation afin d'être admises à faire un stage parmi elles pour « observer ce qui s'y passe » et épier si les religieuses « vivent en bonne intelligence », si « elles sont bien ou mal nourries », si leurs établissements sont « bien réglés ». Ces curieuses sont en général déçues. Elles ne trouvent d'ordinaire que banalité et monotonie. Pour compenser cette déception, avec Marivaux et Diderot, on inventera bientôt de nouveaux fantasmes : les couvents deviennent le lieu privilégié des jeunes filles abandonnées qui pleurent leurs amants volages, subissent les sévices de supérieures sadiques et se consolent dans des amours saphiques. En fait, grâce à la réforme, les couvents ont été restaurés au fil du siècle dans leurs fonctions de lieux de prière à un Dieu en lequel on croit. Grâce aux « petits relâchements » qui modèrent la sévérité des institutions où on les place, une foi médiocre suffit aux religieuses dont les vocations ont été « un peu équivoques » pour y trouver le bonheur paisible d'une vie retirée au sein d'une communauté plus solidaire que solitaire.

9

A l'école des filles

« Tout le monde, si pauvre qu'il soit, apprend à lire et à écrire », écrit en 1535 Marino Giustiniano, l'ambassadeur de Venise. Sans doute exagère-t-il une expérience restreinte, fondée sur ce qu'il a vu à Paris. A la fin du siècle, Henri IV proclame au contraire la nécessité de restaurer les écoles, en raison de « l'ignorance qui prenait cours dans le royaume par la longueur des guerres civiles ». Entre-temps, l'Eglise catholique, qui croit à la nécessité de l'instruction religieuse pour lutter contre la Réforme, a nettement pris parti en faveur de la généralisation d'un enseignement de base. En 1542 et en 1547, le concile de Trente recommande de multiplier les écoles. A Bordeaux en 1583, à Bourges en 1584, des assemblées d'évêques décident que toutes les paroisses d'une population « suffisante » ont l'obligation d'avoir un maître d'école. En 1560 et 1588, les états généraux vont jusqu'à recommander la gratuité d'une sorte d'enseignement élémentaire. Les petites filles ne sont pas oubliées. Il revient, déclare-t-on, à des veuves ou à des jeunes filles suffisamment instruites de leur dispenser un enseignement de base, désormais jugé indispensable.

Alors qu'à l'aube du XVIIIe siècle certains esprits éclairés redouteront les dangers d'une instruction populaire susceptible de déstabiliser la société, les recommandations de la Contre-Réforme, adoptées et appliquées sans contestation sur ce point par les évêques de France, poussent, pendant tout le XVIIe siècle, à l'implantation généralisée d'écoles qui permettront au peuple d'avoir une connaissance convenable de la vraie religion et à chacun de sauver son âme en ne se laissant pas prendre aux subterfuges de l'hérésie. En 1685, la révocation de l'édit de Nantes par Louis XIV rend encore plus nécessaire l'œuvre de scolarisation par l'Eglise, puisqu'il faut instruire les nouveaux convertis de la vraie foi, la seule du royaume.

C'est à cette occasion que l'Etat intervient, pour la première et seule fois de l'Ancien Régime, dans le domaine des écoles élémentaires, laissées d'ordinaire sous la responsabilité exclusive des autorités ecclésiastiques. En 1698, précisant un édit de 1695 sur la vérification des capacités des maîtres et maîtresses par les curés et les prélats, une déclaration royale ordonne qu'on établisse une école dans toutes les paroisses, signe que les recommandations faites par les évêques, un siècle plus tôt, n'avaient été qu'imparfaitement suivies d'effet. Pour assurer la création et l'entretien de l'école, les habitants de la paroisse seront spécialement imposés. Sauf s'ils reçoivent une autre forme d'instruction, tous les enfants devront la fréquenter jusqu'à quatorze ans, cette obligation ne s'imposant « nommément » qu'aux enfants « dont les pères et mères ont fait profession de la prétendue religion réformée ». Cette dernière précision marque les limites d'une scolarisation plus générale dans les principes que dans les faits, et le caractère fondamentalement religieux de l'enseignement dispensé.

Chaque fois qu'est rappelée la nécessité d'ouvrir une école ou d'en améliorer le niveau, on insiste sur l'ignorance religieuse des enfants. Evêque de Montpellier de 1676 à 1696, Charles de Pradel entreprend de persuader les communautés qu'elles doivent toutes avoir un maître d'école catholique dont les enfants suivront régulièrement l'enseignement. Il se rend en personne sur les lieux, réunit filles et garçons à l'église, les interroge sur le catéchisme du diocèse, récompense les meilleurs, félicite ou encourage le vicaire selon le niveau des élèves. Quand il n'en est pas satisfait, il envoie après sa visite un formulaire où il exprime ses regrets de ne pas avoir trouvé ceux qu'il a interrogés « assez instruits parce qu'ils n'allaient point à l'école ». Il y déplore que « les particuliers » qui sont « chargés de nourrir le maître » préfèrent ne pas y envoyer leurs enfants pour ne pas avoir à le payer. Il ordonne au vicaire de veiller désormais à leur instruction et de « visiter l'école au moins une fois par semaine ».

Ce discours, souvent repris, surtout dans les campagnes, montre que l'enseignement religieux dispensé dans les paroisses par les curés se révèle très insuffisant s'il n'est pas complété par un enseignement plus général, donné par des maîtres d'école. Pierre Fourier, fondateur d'une congrégation destinée à l'enseignement des filles, soutient que « les prédications ou discours ordinaires des pasteurs » ne suffisent pas « pour les enfants, qui sont simples et grossiers ». Il faut les compléter à l'aide « d'autres personnes qui leur expliquent familièrement, de près et souvent, ce qui est de leur salut, chose qui ne se peut aisément faire par un curé ». Autrement dit, l'enseignement religieux donné dans le cadre des pratiques habituelles du culte n'est pas adapté aux enfants, que l'on doit imprégner lentement et continuellement des vérités essentielles de la foi par l'entremise de spécialistes de l'enseignement.

Le but essentiel de ces spécialistes n'est pas d'initier leurs élèves au savoir profane, mais de profiter de l'intérêt pratique de leur enseignement pour les attirer à l'école et leur y donner un début d'instruction religieuse. Pierre Fourier demande aux filles de Notre-Dame d'enseigner la lecture et l'écriture, mais aussi la couture, « pour servir d'amorce à inviter les petites à nos écoles et les amener à la doctrine chrétienne et piété ». Dans sa vie de Jean-Baptiste de La Salle, fondateur des frères des écoles chrétiennes à la fin du XVIIe siècle, le chanoine Blain donne le même rôle à l'enseignement profane : « On ne regarde cette sorte d'instruction que comme l'appât qui attire à d'autres plus importantes et plus nécessaires. C'est pour enseigner les vérités du salut et les principes de la religion à ceux et celles qui viennent apprendre à lire, à écrire et le chiffre [c'est-à-dire à compter], qu'on ouvre les écoles gratuites. »

En 1616, dans la bulle où il accordait aux ursulines de Toulouse le droit d'enseigner, Paul V ne disait pas autre chose. Il les engageait « à s'employer gratuitement à l'instruction des petites filles, premièrement en leur enseignant avec la piété et la vertu, ce qui est digne d'une vierge chrétienne, la manière d'examiner sa conscience, de confesser ses péchés, de communier, d'ouïr la sainte messe, de prier Dieu, de réciter le rosaire, de méditer et de lire les livres spirituels, de chanter des cantiques, de fuir le vice et ses occasions, d'exercer les œuvres de miséricorde, de gouverner une maison et finalement de faire toutes les actions d'une bonne chrétienne ». En second lieu seulement, afin d'attirer les élèves « avec plus d'ardeur » vers la nouvelle institution et de « les retirer des écoles hérétiques », il invitait les religieuses à leur apprendre « à lire, écrire, travailler à l'aiguille de diverses façons ; enfin toutes sortes de travaux décents et convenables à une jeune fille bien élevée ».

Désireuse de christianiser le royaume en profondeur, l'Eglise tridentine sait qu'il faut commencer par le commencement, et par conséquent enseigner la religion catholique aux enfants selon leur condition. Pour la masse, il y a les petites écoles paroissiales, placées sous l'autorité des chantres des chapitres épiscopaux, mais insuffisamment nombreuses, dont l'accès est subordonné à un droit d'écolage payé par les parents, qui s'en dispensent le plus possible. Il s'y ajoute, depuis le XVIe siècle, les écoles charitables, plus ou moins gratuites, fondées par les dévots, ceux par exemple de la compagnie du Saint-Sacrement, et surtout les écoles établies par les municipalités soucieuses de donner aux enfants des connaissances de base. Au fil du siècle, ces écoles-là se sont beaucoup développées. Ce sont elles que Louis XIV cherche à rendre obligatoires en 1698. Avec des maîtres recrutés et payés par la commune, elles sont, comme les précédentes, sous la surveillance des évêques et des curés.

La question de l'utilité de l'instruction des filles ne se pose pas moins aux autorités que celle de l'instruction du peuple. La Réforme catholique tranche positivement dans les deux cas. C'est une question de principe : le salut n'est pas une question de sexe. Les filles ont les mêmes droits d'y accéder que les garçons. On doit donc leur assurer le minimum de formation intellectuelle nécessaire pour qu'elles soient capables de connaître et de pratiquer convenablement leur religion. En réaffirmant que l'ignorance n'excuse pas le péché, le concile a clairement rappelé que tout chrétien doit connaître les rudiments du catholicisme. A l'Eglise de lui en donner les moyens, et au fidèle de s'en servir. La scolarisation religieuse, et avec elle une scolarisation générale de base, est obligatoire pour tout le monde. L'effort consenti en faveur des petites écoles féminines ne doit pas être moindre qu'en faveur des écoles masculines.

Il s'y ajoute un intérêt pratique. Si les femmes, par leur statut subalterne, n'ont pas ou ont moins besoin d'un enseignement donné à des fins professionnelles, elles ont plus que les garçons besoin d'une éducation religieuse et morale. D'abord parce qu'elles sont plus faibles, et qu'il faut compenser cette faiblesse en les formant et en les aidant. Ensuite parce qu'il leur reviendra plus tard d'assurer l'éducation de leurs enfants, et éventuellement de convertir leurs maris par leur bon exemple — ce qui exige qu'elles soient préparées à ce rôle en recevant les connaissances nécessaires et les bases solides d'une foi sans faille. D'où « l'étroite et indispensable obligation où sont les seigneurs de village d'y établir des écoles de filles ».

Ces écoles doivent être distinctes et si possible séparées des écoles de garçons. A Paris, un règlement de 1659 révoque toutes les dérogations antérieurement accordées. Il en va de même dans la plupart des diocèses. A Châlons, où l'évêque se montre plus tolérant, les statuts diocésains précisent, en 1673, les « précautions » à prendre « à l'égard des maîtres d'écoles qui reçoivent des filles ». On les fera étudier dans une salle séparée de celle des garçons, ou bien on les fera « venir à l'école à des heures différentes », ou bien « on visitera fort souvent les écoles comme par surprise », ou bien « on priera quelque honnête femme d'observer ce qui s'y passe et d'en avertir dès qu'il y aura quelque mauvais soupçon », ou encore on « renverra les dites filles chez leurs parents dès qu'il y aura le moindre péril ». L'Eglise craint que les écoles mixtes ne favorisent des fautes contre la pureté. Comme si, à la campagne surtout, les filles n'avaient pas quantité d'autres occasions d'être mêlées aux garçons. Le refus de la mixité est la principale entrave au développement de l'enseignement des filles, parce qu'elle freine leur fréquentation scolaire. A choisir, comme le montre le règlement de Châlons, ce sont elles qui restent à la maison.

C'est en partie pour surmonter cet obstacle que de nombreuses communautés religieuses féminines à vocation éducative sont apparues dès la première partie du siècle. En 1597, Pierre Fourier, curé de Mirecourt, fonde avec la Vosgienne Alix Le Clerc la congrégation de Notre-Dame. Il voulait instituer une communauté d'institutrices non cloîtrées. Comme François de Sales pour les visitandines, il se heurte aux décrets du concile. La compagnie des chanoinesses de Saint-Augustin (les augustines) qu'il organise n'est approuvée par Rome en 1628 que sous la condition de la clôture. Il en va de même pour les ursulines. Fondées en Italie par Angèle Mérici, elles étaient arrivées en Provence en 1592. Elles s'installèrent à Paris en 1612, grâce à l'action de la pieuse Mme Acarie. Elles avaient pour but principal d'enseigner les pauvres et d'envoyer dans les campagnes des institutrices qu'elles auraient formées pour cela. Elles se heurtèrent bientôt à l'obligation de la clôture. En 1620, sous la pression des autorités ecclésiastiques, elles deviennent un ordre régulier. Enfermées dans des couvents obligatoirement situés en ville, elles doivent renoncer à aller enseigner les pauvres des villages et se contenter de dispenser une instruction gratuite à ceux des villes et des principaux bourgs du royaume. En 1715, elles comptent plus de trois cent cinquante maisons, dans lesquelles neuf mille religieuses s'occupent de l'enseignement des filles, élémentaire et gratuit pour les pauvres, élémentaire et plus ou moins secondaire pour des pensionnaires et des demi-pensionnaires aisées et payantes.

Trois préjugés, solidement ancrés dans la tradition et les mentalités, ont notablement retardé l'instruction des filles des campagnes. La tradition de l'Eglise ne comptait pas l'enseignement parmi les activités permises aux femmes au titre de la charité (les « bonnes œuvres »). La doctrine de Paul et des Pères de l'Eglise, constamment rappelée au début du siècle, refusait aux femmes le droit d'enseigner autrement qu'à titre privé, chez elles, dans leurs maisons. La faiblesse de la nature féminine excluait de laisser des femmes se répandre librement sans surveillance, sans clôture, pour aller librement vers le peuple. Pour lever ces obstacles, la récente prise de conscience par les autorités religieuses de la nécessité de donner un enseignement aux filles n'aurait peut-être pas suffi s'il n'y avait eu l'expérience réussie des filles de Vincent de Paul, dispensant au-dehors soins et enseignement selon les besoins. Avec le temps, la rigueur initiale de l'obligation de clôture prononcée par le concile s'infléchit. Dans la dernière partie du siècle, de nombreuses congrégations enseignantes à vœux simples se créent sans susciter d'opposition, en général sur le modèle de ce qu'avaient prévu de faire Pierre Fourier et les ursulines.

Dans tous les cas, l'enseignement religieux tient une place prépondérante dans l'horaire, dans le climat général et dans les autres activités de l'établissement. La salle, quand c'est possible, ressemble à une chapelle. Des images pieuses ornent les murs. On y fait des prières en entrant, en sortant, à chaque heure. On y enseigne avec un matériel exclusivement religieux. Les maîtres, dit le règlement des frères des écoles chrétiennes, « n'enseigneront à lire qu'avec des livres de piété et propres à instruire les enfants, et non avec des livres profanes ». La messe quotidienne est toujours recommandée et souvent obligatoire. Le dimanche, le maître conduit les élèves à l'église paroissiale où des places leur sont réservées. L'après-midi est consacré aux interrogations sur le sermon entendu à l'église, aux vêpres, au catéchisme enseigné par le curé. Selon le mot du biographe de Jean-Baptiste de La Salle : « L'école est l'Eglise des enfants. »

Fondée sur les mêmes principes pour les filles et pour les garçons, l'éducation morale est encore plus stricte quand il s'agit des filles. « Défendez à vos écoliers, et principalement à vos écolières, dit un règlement, la vanité, le luxe, l'orgueil, la superbe, les braveries [la coquetterie vestimentaire], les nudités du col, du sein, des épaules, des bras, d'avoir les cheveux frisés, poudrés, tortillés. » L'école a pour but d'apprendre à lutter contre le péché et, particulièrement pour les filles, contre les péchés qu'on attache à leur sexe. Dans la congrégation de Notre-Dame, imitée par beaucoup d'autres institutions de filles, on dispose dans chaque classe un « banc de victoire » placé sous le patronage de la Vierge Marie. « Ce banc, selon le règlement, sera préparé pour y mettre les écolières qui, durant une semaine entière, n'auront fait aucune faute en lisant leurs leçons, ou bien en disant leurs prières, ou en récitant leur catéchisme et qui, outre cela, n'auront manqué de venir à toutes les leçons par l'espace d'un mois, ou qui auront fait en autre manière quelque grande vaillance. » Il faut acquérir la maîtrise de soi. Il faut tâcher de se surpasser.

Le latin est souvent la langue dans laquelle les garçons apprennent à lire. Comme les filles ne sont pas destinées à être savantes, et que les écoles élémentaires qu'elles fréquentent ne servent pas comme les écoles paroissiales de pépinières pour les séminaires, l'enseignement leur est au contraire donné en français, ou même dans leurs langues et patois régionaux. Celles qui dépassent le stade de la lecture pour aller jusqu'à l'écriture et au calcul font surtout des exercices pratiques. La maîtresse, dit le règlement, leur donnera à faire « des formes de quittance, de récépissé, de partie [facture] pour marchandise vendue ou pour ouvrages faits, ou pour argent prêté, et pour diverses autres choses qui se rencontrent tous les jours parmi les affaires du monde, et qui ont besoin de s'écrire pour plus grande assurance. Elle leur montrera la façon d'écrire par article distinct, de tirer les sommes de chacun, les mettre en somme grosse ». Il s'agit d'assurer aux élèves les plus avancées un début de formation en économie domestique.

Dans les petites écoles, l'enseignement féminin fait une grande place à l'apprentissage des travaux manuels, en particulier de la couture, sous son aspect le plus simple et le plus utilitaire. « On se contentera d'enseigner des ouvrages communs, dit un règlement, et tout ensemble aisés et bienséants, et utiles aux pauvres et aux riches. On n'y montrera point d'autres ouvrages rares et subtils, et de gros appareils pour lesquels il faille se servir de grands métiers et de tréteaux. » Allant éventuellement jusqu'à l'apprentissage de la dentelle, l'enseignement pratique de ces écoles n'est d'ordinaire pas aussi approfondi que celui des congrégations qui enseignent comment faire des ouvrages « plus estimés, plus exquis et plus rares ». Les sœurs de Saint-Joseph, nées au Puy-en-Velay, sont allées, fait exceptionnel, jusqu'à la création d'un atelier. « L'établissement de ces demoiselles, dit le compte rendu de l'assemblée constitutive, forme une véritable fabrique de dentelle. Elles ont continuellement sous les yeux environ deux cent cinquante filles et souvent plus de trois cents qu'elles ont soin de faire travailler. Il y en a de tous âges et de tout état. Ce sont elles qui élèvent et enseignent les jeunes filles à ce travail, se trouvant par là en état d'aider à la subsistance de leur famille. » A la limite de l'atelier de charité, un tel établissement permet de prolonger la formation religieuse et morale des jeunes filles au-delà de l'âge habituel.

Incontestable dans son principe, la volonté de l'Eglise de développer un enseignement élémentaire féminin s'est effectivement exercée pendant tout le siècle. On lui a donné dans les villes une ampleur proche de celui des garçons. Si, dans les bourgs et les villages, la proportion des maîtresses non religieuses recrutées et payées par les communautés est très inférieure à celle des maîtres (soixante-six contre trois mille par exemple au

XVIIIe siècle dans ce qui deviendra le département du Doubs), ce déficit se trouvait souvent compensé par une mixité latente, et surtout par un important réseau d'enseignantes relevant de congrégations de tiers ordres, créées, tolérées et finalement maintenues malgré le décret du concile sur leur suppression. Sous réserve d'importantes disparités régionales, dans la seconde moitié du siècle, il existe, même pour les filles, d'assez bonnes possibilités de scolarisation.

Elles ne sont pas toujours utilisées, surtout chez les plus pauvres, pressés de faire travailler les enfants, parfois dès neuf ans, toujours vers onze ou douze ans. A la campagne, les parents ne les envoient à l'école qu'à mi-temps, pendant les seuls mois d'hiver. D'autres handicaps s'y ajoutent quand il s'agit des filles. Comme on passe du temps à leur enseigner des connaissances pratiques, en couture par exemple, on en a moins pour leur dispenser les rudiments d'un apprentissage intellectuel. Elles sont aussi plus fréquemment absentes que les garçons, car l'habituelle répartition des rôles entre les sexes veut qu'elles participent aux tâches ménagères et s'occupent éventuellement de leurs frères et sœurs plus petits. Il s'y ajoute que les parents les plus pauvres trouvent inutile de les envoyer aux petites écoles, surtout payantes, pour des acquisitions intellectuelles jugées sans intérêt pratique. S'ils font le sacrifice d'y envoyer une partie de leurs enfants, ils préféreront envoyer leurs garçons. Plus tard, statutairement, ce sont les hommes et non les filles qui ont à lire, à écrire, à signer. De celles, relativement nombreuses, qui auront appris à le faire, beaucoup auront tout oublié après quelques années, faute de pratique.

Il est normal, dans ces conditions, que le seul élément objectif que l'on ait pour comparer l'alphabétisation des filles et des garçons, leurs signatures sur les contrats de mariage et autres actes notariés, témoigne d'une forte disparité au détriment des filles. Réalisées à la fin du XIXe siècle à l'initiative de Louis Maggiolo, recteur de l'académie de Nancy, des cartes permettent d'établir des constantes. Une coupure étonnante entre la France du Nord et la France du Sud, la seconde signant beaucoup moins. Un avantage prévisible des villes sur les campagnes. Un désavantage, lui aussi prévisible, des femmes par rapport aux hommes. En tenant compte des corrections apportées par les recherches récentes, on atteint 85 à 86 % d'hommes sachant signer dans la région parisienne entre 1600 et 1700, contre 58 à 60 % de femmes, chiffres probablement optimistes. A Rennes, à la fin du siècle, la proportion serait de 46 contre 32 %, de 21 et 14 % pour les communes rurales du département. A Aix, elle serait de trente-quatre contre treize, et seulement de dix-sept et quatre pour les alentours.

Partout et dans toutes les classes sociales, les taux de signatures féminines sont inférieurs à ceux des signatures masculines. A Paris, à la fin du XVIIe siècle, dans les milieux défavorisés, les deux tiers des hommes sont capables de signer, mais à peine la moitié des femmes. Il en va de même dans les couches supérieures de la population. En Provence, les notables urbains qui font un testament le signent à 90 % ; leurs femmes à seulement 75 %. Dans certaines des paroisses rurales du Midi, moins de 10 % savent signer. Une scolarisation presque équivalente des filles et des garçons, d'après le nombre et la répartition des écoles, aboutit à une grande disparité du niveau des hommes et des femmes entrés dans la vie. Ce paradoxe s'explique en partie. L'enseignement des filles est, au XVIIe siècle, en pleine mutation. Il lui faudra du temps pour porter ses fruits. C'est surtout à la fin du siècle que l'on a jeté les bases d'une scolarisation dont les effets ne se manifesteront souvent qu'au siècle suivant, ou même plus tard. Pour la plupart des femmes, qui n'ont même pas conscience de la lente et difficile transformation qui est en cours, non seulement le savoir et la culture, mais encore l'intérêt d'y accéder sont encore, comme les progrès de la médecine, des idées parfaitement étrangères.

S'il y a d'importantes différences culturelles entre France du Nord et France du Sud, entre villes, bourgs et campagnes, il y a encore plus de distance entre les femmes cultivées d'une élite peu nombreuse et la masse des femmes qui n'ont même pas le minimum de bagage intellectuel nécessaire pour comprendre leur religion selon le désir de l'Eglise. A celles-ci, qui peuvent sans doute déplorer oralement la rudesse de leur sort et s'insurger intérieurement contre la domination masculine, toute contestation rationnelle des idées dominantes, toute expression écrite de leur refus d'être considérées comme des inférieures restent impossibles. Pour ces femmes, qui sont la majorité, il n'y a qu'une culture, qui remonte à la nuit des temps, faite d'anciennes traditions et d'immémoriales superstitions greffées d'un christianisme qui leur apprend à la fois leur fondamentale égalité avec les hommes et leur nécessaire soumission.

Comme celle des hommes de leur milieu, la vie de ces femmes est rythmée par les dimanches et les fêtes religieuses où l'on ne doit pas travailler. Elles ont la même obligation que leurs compagnons d'assister à la messe ces jours-là et d'y écouter les sermons du curé. C'est le seul enseignement qu'elles reçoivent. Elles savent ou devraient savoir que le Christ est mort sur la croix pour leurs péchés comme pour ceux des hommes. Elles ont la même obligation qu'eux de se confesser et de communier une fois par an à Pâques. Sauf cas de mort subite, elles recevront pareillement l'extrême-onction avant de quitter la vie. Mais le dimanche ne les dispense pas des tâches ménagères. On leur rappelle que toute femme, comme Eve, est tentatrice et pécheresse, qu'elle est faite pour avoir des enfants et pour servir son mari. Ce sont ses premiers devoirs. Sans doute n'a-t-elle pas même l'idée de les contester. Elle croit sans peine qu'il en est ainsi depuis qu'Adam et Eve ont été chassés du paradis terrestre, et qu'il en sera ainsi jusqu'au Jugement dernier.

L'horizon des filles qui ont fréquenté les écoles élémentaires n'est finalement pas très différent. Leur destin s'inscrit dans les mêmes idées, souvent noyées dans un programme trop ambitieux pour être efficace. Ceux qui s'occupent d'enseignement « se souviendront, écrit en 1688 l'archevêque de Besançon en tête de son catéchisme, que le principal devoir d'un maître et d'une maîtresse d'école est d'apprendre la religion aux enfants, qu'ils doivent leur faire souvent le catéchisme, leur expliquant en termes clairs les grands mystères, l'unité et la grandeur de Dieu, l'adorable Trinité, l'Incarnation du Verbe, la divine Eucharistie, les sacrements, les commandements de Dieu, etc., se servant des demandes et des réponses qui sont dans le catéchisme, et auront soin de voir si les enfants comprennent ». Mais, filles ou garçons, que pouvait effectivement « comprendre » de tout cela la majorité des enfants des petites écoles, à leur âge et dans leur milieu ? Comment venir à bout de l'essentielle contradiction d'« expliquer en termes clairs les grands mystères » ?

« Que signifie l'Incarnation du fils de Dieu ? » lit-on dans le catéchisme ainsi préfacé. Réponse : « C'est que la seconde personne de la Très Sainte Trinité, Dieu le Fils, a pris un corps et une âme comme nous au ventre sacré de la sainte Vierge Marie. » Puis : « Dites-moi donc en peu de mots ce que c'est que le mystère de l'Incarnation. » Réponse : « C'est le Fils de Dieu, la seconde personne de la Sainte Trinité qui s'est fait homme pour nous en prenant un corps et une âme dans les sacrés flancs de la sainte Vierge. » Sans parler de la difficulté du contenu de ces textes, entre le parler quotidien, souvent patoisant, des enfants des petites écoles, et le niveau du langage de ce qu'ils avaient à retenir, il y avait un tel fossé que l'enseignement religieux qui leur était prodigué avec ardeur, dévouement et conviction ne devait guère leur être compréhensible. Restait, pour tout le monde, une certaine formation morale, et pour les plus doués et les plus assidus, filles ou garçons, qu'ils avaient appris à lire, parfois même à écrire et à compter.

10

De Port-Royal à Saint-Cyr

C'est surtout à partir de la seconde moitié du XVIIe siècle que s'est développé, sous l'impulsion de l'Eglise, un vaste effort d'acculturation des masses par l'expansion disparate mais constante d'écoles élémentaires dont les filles ont en partie profité. La définition, l'implantation et le développement de l'enseignement secondaire avaient largement précédé cet essor. Il débute au XVIe siècle dans une vive concurrence entre catholiques et protestants, largement dominée par les premiers qui en auront finalement le monopole. Dès avant 1650, 70 % des collèges de jésuites et 60 % de ceux de l'Oratoire sont fondés, constituant l'essentiel d'un vaste réseau en constante progression. Au milieu du siècle, un peu moins de cinquante mille élèves fréquentent ces sortes d'établissements, un garçon sur cinquante, appartenant à la noblesse, à la bonne bourgeoisie, aux plus riches des boutiquiers et des artisans, à des surdoués de la paysannerie. Rien de tel pour les filles, puisqu'on ne cherche pas à leur donner, comme aux garçons, la formation intellectuelle de base nécessaire pour accéder à des fonctions dont elles sont exclues « par nature ». Elles n'ont à plus forte raison aucun accès au plus ancien des enseignements, celui des universités.

Si l'on veut donner à une fille quelque chose qui ressemble de très loin à l'instruction que les garçons reçoivent au collège, la meilleure solution, vers le milieu du siècle, paraît être de la mettre chez des religieuses d'une congrégation enseignante ou d'un ordre qui prend des pensionnaires dont elles assurent l'éducation religieuse, morale et intellectuelle. Mme de Sévigné y a placé sa fille en 1656. Cette conduite, lui écrit-elle une vingtaine d'années plus tard, « était alors trouvée une bonne conduite et une chose nécessaire à son éducation ». C'était encore une nouveauté. Les couvents, jusqu'à une date récente, n'acceptaient d'accueillir des enfants, souvent très jeunes, que s'ils étaient destinés à la vie religieuse par leurs parents. On leur enseignait ce qui convenait à leur futur état, essentiellement la lecture pour dire les prières des offices. Y donner l'instruction qui convenait à des filles destinées au monde n'allait pas de soi.

Dans les ordres qui commencent, au premier tiers du siècle, à mêler quelques pensionnaires aux futures professes, la préoccupation religieuse reste essentielle. Il en allait ainsi à Port-Royal, dont Racine a vanté « l'excellente éducation donnée à la jeunesse ». Elle reposait, comme ce sera le cas dans les nombreuses institutions où les pensionnaires ne se distinguaient guère des novices ou futures novices, sur une stricte séparation des enfants et de ce qu'on appelait « le siècle ». « Il n'y eut jamais, dit l'auteur, d'asile où l'innocence et la pureté fussent plus à couvert de l'air contagieux du siècle, ni d'école où les vérités du christianisme fussent plus solidement enseignées. » La vie des élèves, dont on ne sait si elles iront vers le monde ou si, comme on l'espère, elles resteront au couvent, est entièrement remplie par les exercices de piété, l'instruction religieuse et le travail manuel. Elles portent l'habit des novices, participent aux offices, vivent dans un silence seulement coupé de brèves et austères récréations. Elles sont conditionnées à préférer le travail au jeu et à pratiquer la mortification et la pénitence. Elles admirent les bons exemples des religieuses vouées à Dieu, qui s'appliquent à mettre en pratique les principes qu'elles enseignent.

« Mais on ne se contentait pas, continue Racine, de les élever à la piété, on prenait aussi un très grand soin de leur former l'esprit et la raison, et on travaillait à les rendre également capables d'être ou de parfaites religieuses ou d'excellentes mères de famille. On pourrait citer un grand nombre de filles élevées dans ce monastère qui ont depuis édifié le monde par leur sagesse et leur vertu. On sait avec quels sentiments d'admiration et de reconnaissance elles ont toujours parlé de l'éducation qu'elles y avaient reçue. » En un temps où les châtiments corporels étaient fréquemment employés, les religieuses s'attachaient à conquérir les cœurs de leurs élèves. Ce point est fortement marqué dans le « Règlement pour les enfants de Port-Royal », rédigé en 1657 par Jacqueline Pascal, la sœur de l'auteur des *Pensées*, alors maîtresse des novices : « Il faut, dit-elle, les traiter fort civilement et ne leur parler qu'avec respect, et leur céder tout ce que l'on peut. » Plutôt que de menacer ou de sévir, il faut faire appel à l'amour. Les religieuses de Port-Royal savaient créer un climat favorable à leurs exigences.

Mais c'était une éducation pour une élite assurée par une élite. Jacqueline Pascal ne l'ignore pas. Dans l'avertissement qui précède son « Règlement », elle remarque que, sans être purement théorique, ayant été pratiqué « pendant plusieurs années à Port-Royal-des-Champs, il ne serait pas toujours facile ni même utile de le mettre en pratique avec cette exactitude à l'extérieur ». L'échec peut venir des enfants, car « un si grand silence » et « une vie si tendue » pourraient les mener « dans l'abattement et dans l'ennui, ce qu'il faut éviter sur toutes choses ». Il peut venir aussi des éducatrices, car « toutes les maîtresses » ne sont pas forcément capables d'entretenir les élèves « dans une si exacte discipline en gagnant en même temps leur affection et leur cœur, ce qui est tout à fait nécessaire pour réussir dans leur éducation ». Il faut, conclut l'auteur, « allier, selon la parole d'un pape, une force qui retienne les enfants sans les rebuter et une douceur qui les gagne sans les amollir ». Il s'agit de former moralement plus que d'enseigner.

A sa sortie d'un tel couvent, la jeune fille devrait être prête à la vie qui l'attend dans le monde. Parfaitement maîtresse d'elle-même et de sentiments qu'on lui a appris à contenir dans de justes bornes, elle est en principe capable de s'adapter aux rapports sociaux et à la vie conjugale. Elle n'a rien d'une savante, mais elle dispose des bases essentielles, puisqu'elle sait lire, écrire et compter. On lui a, selon le mot de Racine, formé « l'esprit et la raison ». Elle a même une certaine culture, une culture religieuse, sur laquelle elle peut s'appuyer pour éventuellement réfléchir et penser par elle-même. L'ennui, c'est qu'elle appartient à une espèce rare pour ne pas dire expérimentale. Formées dans une seule maison, pendant un temps fort court, les anciennes pensionnaires de Port-Royal sont des êtres d'exception. Port-Royal n'a quantitativement apporté qu'une très faible contribution à l'éducation des jeunes filles.

Quoique plus forte, la contribution des visitandines est restée très mesurée. Malgré son intérêt pour les âmes féminines et son désir de fonder un ordre tourné vers le monde extérieur, François de Sales n'avait pas prévu que les membres de la nouvelle congrégation fussent des enseignantes. Dans sa jeunesse, Mme de Sévigné a vu les cinq filles de Foucquet, entrées très jeunes à la Visitation du faubourg Saint-Antoine, devenir toutes les cinq religieuses dans le même monastère ou à celui du faubourg Saint-Jacques. Les accuser, comme elle le fait, de ne prendre des élèves, toutes pensionnaires, que dans l'idée d'en faire des religieuses, c'est constater que les visitandines restent fidèles à la volonté de leur fondateur. Elles ne faisaient d'exception, pour des raisons financières, que dans le cas de filles de bonne noblesse ou de milieux capables de payer de fortes pensions.

A Paris, grâce à quelques réussites spectaculaires, elles jouissaient d'une excellente réputation. « En 1647, lit-on dans les annales manuscrites du couvent de la rue Saint-Antoine, la duchesse de Nemours ayant eu la douleur de perdre le prince son époux, cette princesse choisit notre maison pour sa retraite. » Au moment de mourir, « elle ordonna par son testament que les princesses ses filles demeurassent dans notre monastère jusqu'à leur établissement ». Beau résultat : « L'aînée a été duchesse de Savoie, et la cadette Mlle d'Aumale, reine de Portugal. » Au couvent de Chaillot, les religieuses ont accueilli la princesse Bénédicte, fille d'un prince palatin, future duchesse de Brunswick, et la princesse Louise, fille de la reine de Bohême. Dans ce couvent, qu'elle avait fondé, la reine d'Angleterre en exil, Henriette de France, allait souvent effectuer de longues retraites, emmenant avec elle sa fille, la future belle-sœur de Louis XIV, qui n'était alors qu'une enfant.

Quand ses fils viennent lui rendre visite, on s'empresse autour d'eux pour les catéchiser, car ils sont demeurés fidèles à la religion anglicane. Leur mère, assure la mémorialiste de la Visitation, convoquait alors tout exprès « des gens doctes et de réputation pour les instruire dans notre sainte foi ». Plusieurs années après, dans une lettre à sa sœur, Charles, devenu roi, la plaint de devoir aller au monastère. Si vous y avez séjourné par ce mauvais temps, lui écrit-il, « vous vous y êtes un peu beaucoup ennuyée ». Ennui ou pas, Henriette d'Angleterre a entendu à la Visitation de beaux sermons et y a fréquenté des religieuses de qualité, telle la supérieure du couvent, Mlle de La Fayette, naguère chaste bien-aimée de Louis XIII.

De cette éducation et de celle de quelques princesses, totale ou partielle, on ne peut guère tirer de renseignements sur la nature et le niveau de l'enseignement habituel des visitandines. Vers le milieu du siècle, elles avaient sans doute bonne réputation, y compris en province, puisque la marquise de Sévigné leur a confié sa fille quelque temps. N'étant pas fondamentalement des enseignantes, elles ne prenaient qu'un nombre restreint de pensionnaires, dans certains de leurs établissements seulement. Il en allait de même dans des couvents de divers ordres, que leurs constitutions n'avaient pas spécifiquement destinés à l'éducation des enfants. La formation qu'on y donnait à quelques élèves d'âges différents, sans souci d'établir un programme et une progression des études, pouvait s'y avérer bénéfique pour des esprits ouverts, mais ne ressemblait en rien à un enseignement secondaire organisé.

Les premières à se présenter en France comme une communauté à vocation enseignante furent les ursulines. Elles venaient d'Italie. Dès leur arrivée en Provence, elles se heurtèrent à l'opposition de ceux qui leur reprochaient de « vouloir que les filles enseignassent » au mépris des préceptes de saint Paul, rappelés chaque fois qu'on cherchait à donner aux filles un enseignement assuré par des femmes non cloîtrées. Pour continuer leur mission, elles durent accepter la clôture. En 1682, dans un sermon prêché aux ursulines de la rue Saint-Avoye à Paris, le père Crasset leur rappelle l'incontestable principe : « L'auréole des docteurs est pour les hommes apostoliques qui prêchent et qui défendent la religion par leurs écrits et par leur parole. » Mais selon saint Thomas, ajoute-t-il, « s'il se trouve une femme ou une fille assez savante et assez zélée pour annoncer, *non pas en public, mais en particulier,* la doctrine de l'Evangile, elle peut aussi aspirer à cette auréole ». Conclusion : « Quelle gloire donc pour vous d'avoir place dans le ciel parmi ces grandes lumières de l'Eglise qui l'ont éclairée de leur doctrine. » Malgré quelques combats d'arrière-garde, à la fin du siècle, par la fiction de l'éducation domestique, les religieuses ont acquis le droit d'enseigner leurs élèves, y compris dans les matières religieuses.

Cloîtrées, mais donnant un enseignement élémentaire à des externes pauvres, les ursulines y avaient ajouté, pour avoir de quoi vivre, un enseignement payant, plus complet, destiné à des pensionnaires et à des demi-pensionnaires. A la différence des visitandines, elles acceptent que ces élèves ne soient que des élèves et pas de probables novices. Elles les savent destinées au monde, et ne cherchent pas à les en séparer. Leurs constitutions indiquent expressément que leurs pensionnaires pourront « voir leurs père et mère ou ceux et celles qui en tiennent lieu ». Les visites ne leur sont interdites que les dimanches et les jours de fête. Elles doivent porter des vêtements simples, mais ne sont pas habillées en religieuses. On leur donne un certain confort. Les dortoirs sont chauffés. On se soucie de leur hygiène. Elles ont de l'eau chaude pour leur toilette, une nourriture saine et équilibrée. « La propreté et choses semblables », écrit l'auteur de la première chronique de l'ordre, bien qu'accessoires par rapport à l'éducation, sont « néanmoins si nécessaires que c'est bien souvent l'attrait qui porte les personnes de qualité à nous confier leurs filles ». On permet aux plus jeunes de s'amuser pendant les récréations. Bref, on ne traite pas les élèves en futures religieuses.

Le programme scolaire se veut original, car aux matières de base, dit « programme restreint » (religion, lecture, écriture, comptes, couture et broderie), enseignées en français, s'ajoutent des options variées. Les ursulines du faubourg Saint-Jacques allèrent jusqu'à proposer d'enseigner à leurs élèves « tout ce que leurs parents peuvent désirer qu'elles sachent », comme le latin, la poésie, l'histoire, la géographie, la zoologie, la botanique, les arts d'agrément. Elles préjugeaient de leurs forces. Elles n'étaient pas elles-mêmes assez instruites pour satisfaire aux exigences d'un programme si étendu. On abandonna notamment le latin et la zoologie. On revint aux travaux ménagers et à l'écriture des lettres d'affaires. On n'en eut pas moins de succès. Dès 1620, il y avait en France soixante-cinq couvents d'ursulines.

Leur succès entraîna des imitations. Alix Le Clerc, fondatrice de la congrégation de Notre-Dame, se rendit spécialement de Lorraine à Paris pour étudier leur exemple. Autorisées par le pape en 1616 à avoir des externes en même temps qu'elles se trouvaient placées sous la règle de saint Augustin, ces religieuses juxtaposèrent comme les ursulines un externat gratuit pour l'enseignement élémentaire et un internat payant pour des pensionnaires qui devaient au moins rembourser les frais de leur entretien. Leur programme ressemblait à s'y méprendre à celui de leurs devancières. Les internes, qui avaient de cinq ans et demi à dix-huit ans, étaient réparties en trois classes dont les activités scolaires avaient lieu de huit heures à dix heures, puis de une heure à trois heures. Les horaires fixes et l'enseignement simultané donné dans une classe regroupant des élèves de niveaux différents étaient une des originalités de ces établissements.

Plusieurs ordres de religieuses enseignantes se développèrent bientôt sur ce modèle sans atteindre le nombre ni la renommée des ursulines et des augustines. Mais malgré la bonne volonté de toutes celles qui tentèrent de donner aux filles un enseignement qui prétendait s'élever au-delà d'un enseignement purement élémentaire, malgré même ce que cet enseignement non réglementé pouvait avoir de moderne et de novateur, le niveau et les résultats de ces établissements féminins n'eurent rien de comparable à ceux des collèges, alors en pleine expansion. La partie n'était pas égale. Quand les garçons recevaient un enseignement organisé annuellement, avec des programmes et des méthodes rationalisés, il n'y avait pour les filles ni cursus ni année scolaire. Les parents n'hésitaient pas à les placer et à les enlever des couvents sans tenir compte du moment ni de la durée des études. La majorité des élèves n'y passait en moyenne que une année ou deux quand leurs frères étudiaient entre trois et huit ans.

A la fin du siècle, Saint-Cyr est une exception. Créée en 1686 pour accueillir des filles de bonne noblesse, mais pauvres, l'institution était conçue pour donner sur douze ans un enseignement organisé et complet aux deux cent cinquante élèves qui y vivaient continûment comme pensionnaires. Réparties en quatre classes (rouge, verte, jaune, bleue), elles étaient éduquées et instruites par trente-six dames, assistées de vingt-quatre aides. Au début, la maison n'est pas un couvent. Au service des enfants, les dames gardent leur nom de famille et doivent absolument éviter « les austérités qui se pratiquent dans les autres communautés ». Mme de Maintenon ne veut pas des petites filles « modestes », idéal des autres institutions, mais de vraies enfants ayant gardé leur joie de vivre. Elle prône une discipline souple qui leur laisse leur spontanéité. Elle recommande de ne pas les ennuyer de prières interminables. Bien qu'elle mette au premier plan leur formation religieuse et morale, elle souhaite préparer ses filles à être des femmes du monde, aux manières agréables, à la conversation aisée.

Pour cela, à l'imitation de ce que font les jésuites dans leur collège, elle introduit le théâtre à Saint-Cyr. En 1689, la trop grande ardeur des jeunes filles à jouer *Esther*, une pièce que Racine avait écrite pour elles, les perturbations entraînées par la transformation du couvent en succursale de la cour lors des quelques représentations données devant des invités privilégiés, la pression des dévots conduisirent la fondatrice à douter du relatif libéralisme qu'elle avait voulu donner à l'établissement qu'elle avait fondé avec l'appui du roi. On en changea la supérieure. On proscrivit l'esprit du monde. En 1692, on transforma la communauté des éducatrices en ordre religieux avec vœux solennels. Plus de fantaisie dans les habits des dames, plus de turbulence dans la conduite des élèves, presque plus de visites de parents. La vie des demoiselles de Saint-Cyr ressemble désormais à celle des filles élevées dans les couvents les plus austères.

Au début, les lectures profanes étaient autorisées aux élèves, s'il s'agissait de livres honnêtes. Désormais, « aucun livre entier » ne leur est permis, « si ce n'est l'*Imitation de Jésus-Christ* et leurs *Heures* ». Dès le début, la formation proprement intellectuelle n'avait qu'une place secondaire dans les programmes. Elle la perd au profit de l'instruction religieuse et des travaux ménagers. Le silence règne à Saint-Cyr comme naguère à Port-Royal. Les élèves n'ont, dans la journée, « pas plus de trois heures et demie de liberté là-dessus ». Même les jeux doivent être éducatifs. Si les maîtresses se montrent indulgentes, Mme de Maintenon les en reprend. « Soyez en garde, disait-elle, contre la pente que vous avez de trop les considérer et ménager ; c'est leur bien qui me fait parler ainsi. Plus vous les élèverez durement, plus vous contribuerez à leur bonheur. » La nourriture est très sobre. Les salles de classe et le dortoir ne sont jamais chauffés. La mortalité est considérable.

L'exemple de Saint-Cyr montre combien il est difficile d'aller contre son temps. Le désir de réforme et le souhait d'une pédagogie nouvelle qui animaient Mme de Maintenon, s'inspirant des idées de Fénelon dans son *Traité de l'éducation des filles*, publié en 1687, ont été vite emportés sous les pressions extérieures, et plus encore sous le poids des préjugés dominants sur la corruption de la nature humaine, plus grande encore chez les filles que chez les garçons. Pour la fondatrice de l'institution comme pour l'évêque de Cambrai, l'idée moderne qu'il faut donner une certaine instruction aux filles s'appuie sur l'ancien préjugé de la plus grande faiblesse naturelle du sexe féminin. On ne les instruit que pour leur donner les moyens de la surmonter.

Confier les filles à un couvent pour leur donner une bonne éducation et une instruction convenable est apparu un certain temps comme la meilleure solution. Mme de Sévigné elle-même s'y était ralliée vers le milieu du siècle. Mais en 1676, quand Mme de Grignan, au moment de rentrer de Provence à Paris, laisse à cinq ans et demi sa fille aînée au couvent de la Visitation d'Aix, elle n'a plus du tout confiance dans ce qu'elle considère comme un emprisonnement. Elle regrette d'avoir jadis mis sa fille chez les religieuses du même ordre, à Paris et à Nantes : « J'admire, écrit-elle, comme j'eus le courage de vous y mettre ; la pensée de vous y voir souvent et de vous en retirer bientôt me fit résoudre à cette barbarie. » Curieusement, c'est au moment où l'enseignement féminin dans les couvents est en plein essor que la marquise s'en détourne. Peut-être parce que le chagrin qu'elle ressent de l'absence de sa fille lui fait regretter de s'en être autrefois privée.

A propos de ses petites-filles, elle ne s'en prend pas seulement à l'enfermement que suppose le couvent. Elle en critique le niveau. De retour en Provence à la fin de 1688, après neuf ans passés à Paris pour régler un procès, Mme de Grignan trouve insuffisante l'instruction donnée pendant son absence à sa cadette, Pauline, placée au couvent des bernardines d'Aubenas, dont une sœur de son mari était abbesse. Elle songe, pour la parfaire, à confier cette fille, qui a treize ans, aux visitandines d'Aix, où son aînée vient de faire profession. « Ah ! ma fille, proteste la grand-mère, gardez-la auprès de vous ; ne croyez point qu'un couvent puisse redresser une éducation ni sur le sujet de la religion, que nos sœurs ne savent guère, ni sur les autres choses. » Et quelques jours plus tard : « Pauline n'est donc pas parfaite. Je n'eusse jamais cru que la principale de ses imperfections eût été de ne pas savoir sa religion. Vous la lui apprendrez, ma fille... En récompense, votre belle-sœur l'abbesse lui apprendra à vivre dans le monde. »

Sous l'ironie de la marquise se cache une probable vérité. L'internat chez des religieuses astreintes à l'obligation de clôture dans un couvent vouait à un certain échec l'éducation de filles pensionnaires destinées à en sortir. Comment ces femmes retirées de toute vie extérieure auraient-elles pu savoir y préparer leurs élèves ? Comment auraient-elles pu leur donner une formation de l'esprit qu'elles n'avaient pas reçue ? Et même sur ce que Mme de Sévigné appelle la religion, elles sont statutairement condamnées à l'ignorance par des constitutions et des directeurs qui ne leur permettent de lire que leurs livres d'heures ou des ouvrages pieux. La religion pour elles, c'est la prière, l'assistance aux offices, l'application à suivre la règle de leur ordre. C'est, dans la soumission de leur intelligence, l'acceptation d'un mode de vie dont la meilleure part consiste à se sentir comme en présence de Dieu, dans une sorte d'amour mutuel. Plus les religieuses vivent dans l'esprit de la Réforme, qui leur a rappelé qu'elles sont les épouses de Jésus-Christ, moins elles sont faites pour donner à des pensionnaires destinées à une autre forme de mariage les éléments essentiels d'une culture profane, ni même ceux d'une connaissance intellectuelle de la religion.

Dans sa critique des couvents, Mme de Sévigné rejoint *a contrario* le programme tracé par Arnolphe à l'institution où il avait placé Agnès, « loin de toute pratique/ Pour la faire élever selon sa politique ». Il avait, dit-il, ordonné « quels soins on emploierait/ Pour la rendre idiote autant qu'il se pourrait ». Car pour lui, l'éducation d'une fille destinée au mariage ne doit consister qu'à apprendre à obéir à Dieu, autrement dit à respecter la morale chrétienne, à aimer son mari, à savoir « coudre et filer ». C'était assurément ce que les religieuses savaient le mieux faire. Mais dans le droit fil des recommandations du concile, elles apprenaient aussi à leurs pensionnaires à lire, et aux mieux douées à écrire afin de les rendre capables de tenir les comptes de leur future maison. C'est ce que regrette Arnolphe, quand Horace lui a lu la lettre d'Agnès. « Voilà, friponne, dit-il, à quoi l'écriture te sert,/ Et contre mon dessein l'art t'en fut découvert. »

A en juger par la brièveté de leurs séjours dans les pensionnats, par le temps consacré aux prières et exercices religieux, par la place faite à la préparation aux travaux domestiques et par le petit nombre de lectures autorisées, l'enseignement donné aux filles dans les couvents restait rudimentaire et partiel. Celles qu'on y plaçait n'en étaient pas moins des privilégiées par rapport à la masse de celles qui n'avaient pas accès à l'enseignement élémentaire dispensé par les religieuses, et à leur ébauche, plus ou moins avancée, d'enseignement secondaire. De qualité inégale selon les lieux et les congrégations, l'enseignement des couvents a du moins apporté à celles qui les ont fréquentés les bases essentielles dont s'est servie Agnès pour communiquer avec Horace, ce minimum sur lequel pourra, à tout moment, se greffer une certaine culture.

La sélection des élèves était d'autant plus rude qu'elle se faisait par l'argent. Comme le cloître impliquait l'internat, il fallait au moins payer leur pension. Les ursulines, les plus nombreuses et les moins chères, les recrutaient en majorité, non pas dans la noblesse, qui fréquentait des établissements plus huppés, mais dans la grande et moyenne bourgeoisie, chez les marchands et dans l'artisanat supérieur. A Rouen, les plus nombreuses sont des filles de marchands (30 %), suivies par les filles de titulaires d'offices. Il y a aussi des filles de militaires (3,5 %) et de maîtres de métier (2,5 %). Les élèves sont d'autant moins nombreuses qu'on descend dans la hiérarchie sociale. Pour les filles, recevoir un semblant d'enseignement secondaire, pratiquement sans finalité professionnelle, était un luxe réservé à un petit nombre.

11

Une culture ouverte

A l'enseignement que sa fille envisageait de faire donner à Pauline à la Visitation d'Aix, Mme de Sévigné oppose celui que la comtesse pourrait lui donner elle-même : « Vous ferez bien mieux à Grignan, lui écrit-elle, quand vous aurez le temps de vous appliquer [...] Vous causerez avec elle [...] Je suis persuadée que cela vaudra mieux qu'un couvent » (24 janvier 1689). A l'éducation des pensionnats, où l'on met un temps les filles à l'abri du monde avec, souvent, l'espoir à peine caché de s'en débarrasser, Mme de Sévigné préfère de beaucoup l'éducation par les parents, à la maison. C'est ainsi qu'elle avait été élevée chez ses grands-parents Coulanges, malgré l'existence tout à côté de chez elle du monastère de la Visitation du faubourg Saint-Antoine, fondé par sa grand-mère.

Orpheline de père et de mère, Marie de Rabutin a onze ans quand un conseil de famille fixe à huit cents livres la somme allouée pour sa « nourriture » et son train de vie. Il s'y ajoute douze cents livres pour l'entretien et le « paiement des maîtres qui l'instruisent ». Ces maîtres particuliers n'étaient pas seulement chargés de sa formation intellectuelle ; on enseignait aussi aux filles la danse, le chant, le maintien, les bonnes manières, l'équitation. Mme de La Guette, dans ses *Mémoires*, rapporte qu'elle voulut même un maître d'armes, et son père le lui accorda. En ce temps où beaucoup pensaient encore que le savoir intellectuel ne convenait pas aux femmes, rien n'était plus variable que le contenu et le résultat d'une éducation domestique. Cela pouvait aller de l'ignorance quasi totale d'une Mlle de Montpensier à la science universelle d'une demoiselle Shurman, en passant par le savoir vaste mais discret que Mlle de Scudéry attribue à Sapho. Tout dépendait du milieu social, mais aussi des circonstances et de l'ouverture d'esprit des parents.

A sa fille, en 1688-1689, Mme de Sévigné donne, à propos de

Pauline âgée d'une quinzaine d'années, des principes que devaient partager la plupart des esprits éclairés de son temps. Il faut, dit-elle, la considérer déjà comme une grande personne et toujours s'adresser à elle raisonnablement : « Ce n'est point dans l'enfance qu'on se corrige ; c'est quand on a de la raison. L'amour-propre, si mauvais à tant d'autres choses, est admirable à celle-là. Entreprenez donc de lui parler raison, et sans colère, sans la gronder, sans l'humilier, car cela révolte » (28 février 1689). Il faut s'appuyer sur son désir d'être aimée : « L'envie de vous plaire fera plus que toutes les gronderies » (8 décembre 1688). On doit élever les enfants sans les contraindre, par la force de l'affection et la douceur de la persuasion. Le plus important, c'est de converser, au sens où Montaigne employait ce mot, c'est-à-dire de vivre ensemble, de partager les mêmes expériences, d'en parler, autrement dit d'établir une relation affectueuse de communication.

« Pour moi, écrit Mme de Sévigné, je jouirais de cette jolie petite société... Je la ferais travailler, lire de bonnes choses, mais point trop simples, je raisonnerais avec elle, je verrais de quoi elle est capable, et je lui parlerais avec amitié et avec confiance » (26 octobre 1688). La grand-mère en prend à témoin son amie, Mme de La Fayette, autre exemple d'une éducation réussie à la maison : elle « approuve extrêmement que vous causiez souvent avec votre fille, qu'elle travaille, qu'elle lise, qu'elle vous écoute et qu'elle exerce son esprit et sa mémoire » (1er novembre 1688). « La vraie morale de son âge, c'est celle qu'on apprend dans les bonnes conversations, dans les fables, dans les histoires par les exemples ; je crois que c'est assez. Si vous lui donnez un peu de votre temps pour causer avec elle, c'est assurément ce qui serait le plus utile » (15 janvier 1690). Pour la marquise, qui parle d'après son expérience, l'esprit d'un enfant, et tout particulièrement d'une fille, se forme essentiellement par la conversation avec sa mère ou celle qui en tient lieu.

Elle y ajoute la lecture : « Vous lui ferez lire de bons livres, écrit-elle, l'Abbadie même, puisqu'elle a de l'esprit. » Jacques Abbadie, pasteur protestant, avait écrit en 1684 un *Traité de la vérité de la religion chrétienne*, dont se servaient même les catholiques pour sa valeur apologétique. Le donner à lire à Pauline était, selon la marquise, le meilleur moyen de lui apprendre sa religion, dans un ouvrage qui s'adressait à la raison, aux antipodes des strictes pratiques et des effusions des couvents où l'on ne savait pas l'enseigner. La marquise plaide pour les livres sérieux, des livres d'adulte contre les livres faciles, les livres qu'on faisait lire aux Agnès : « Je trouve Pauline bien avancée d'avoir lu les *Métamorphoses* [celles d'Ovide en traduction]. On ne revient point de là à la *Guide des pécheurs*. Donnez, donnez-lui hardiment les *Essais de morale* » (29 octobre 1688). C'était une série d'opuscules du janséniste Nicole, dont la marquise s'était elle-même nourrie, quelques années plus tôt, pour accepter les épreuves de sa vie dans la soumission aux sages desseins d'une toujours juste Providence.

« Je ne veux rien dire, écrit-elle un an plus tard [16 novembre 1689], sur les goûts de Pauline [pour les romans] ; je les ai eus avec tant d'autres qui valent mieux que moi que je n'ai qu'à me taire. Il y a des exemples des bons et des mauvais effets de ces sortes de lectures. Vous ne les aimez pas ; vous avez fort bien réussi. Je les aimais ; je n'ai pas trop mal couru ma carrière. *Tout est sain aux sains*, comme vous dites. Pour moi, qui voulais m'appuyer dans mon goût, je trouvais qu'un jeune homme devenait généreux et brave en voyant mes héros, et qu'une fille devenait honnête et sage en lisant *Cléopâtre* » — un roman-fleuve de La Calprenède. « Quand on a l'esprit bien fait, continue la marquise, on n'est pas aisé à gâter. Mme de La Fayette en est encore un exemple. Cependant, il est très assuré, très vrai que M. Nicole vaut mieux. » C'est, dit-elle, un chemin pour conduire à l'amour de Dieu. Puis s'adressant directement à sa petite-fille, « je vous conjure, ma chère Pauline, de ne pas tant laisser votre esprit du côté des choses frivoles que vous n'en conserviez pour les solides et pour les histoires ; autrement votre esprit aurait les pâles couleurs ».

Peu importent les titres avancés et les concessions faites par Mme de Sévigné aux opinions de sa fille. L'essentiel, c'est que, pour elle, l'esprit d'une jeune fille se forme par la lecture de ce qui court alors dans le monde, romans héroïques et pastoraux aussi bien que livres d'histoire et traités de morale. Point d'enseignement spécialisé, point de programme scolaire. A la différence des garçons qui reçoivent dans les collèges un enseignement humaniste progressif qui va de l'apprentissage de la grammaire à la connaissance des principes de la rhétorique, c'est une formation sans projet défini, à partir d'auteurs français et italiens contemporains, que reçoit une fille comme Pauline. Elle se forme l'esprit à partir de libres réflexions, partagées avec sa mère, sur les livres à succès du temps, ceux que pratiquent au même moment les adultes de son entourage. Elle se cultive dans la fréquentation familière des ouvrages jugés intéressants par un groupe social qui sait à la fois s'en nourrir et les critiquer.

De cette éducation toute moderne, Mme de Sévigné prend pour exemple l'éducation que donne à ses propres enfants son ami Arnauld de Pomponne, fils d'Arnauld d'Andilly et neveu de la fameuse mère Angélique : « Voudriez-vous ne pas donner le plaisir à Pauline, qui a bien de l'esprit, d'en faire quelque usage, en lisant les belles comédies de Corneille et *Polyeucte*, et *Cinna*, et les autres ? N'avoir de la dévotion que ce retranchement, sans être portée par la grâce de Dieu, me paraît être bottée à cru.... Je ne vois point que M. et Mme de Pomponne en usent ainsi avec Félicité, à qui ils font apprendre l'italien et tout ce qui sert à former l'esprit » (5 mai 1689). Comme les amis qu'elle prend pour cautions, Mme de Sévigné comprend dans la formation de Pauline le nécessaire apprentissage de la langue italienne. « Faites-lui apprendre l'italien », conseille-t-elle en novembre 1688. Un an plus tard, elle se réjouit d'une lettre de Pauline qui lui conte « qu'elle apprend l'italien », que Mme de Grignan est sa « maîtresse », « qu'elle lit le *Pastor fido* » (30 octobre 1689).

La formation de l'esprit par des lectures mondaines n'incite pas les jeunes filles au libertinage de pensée. Les Pomponne, continue la marquise, « ne laisseront pas d'apprendre parfaitement à leur fille comme il faut être chrétienne, ce que c'est que d'être chrétienne et toute la beauté et solidité de notre religion ». A la pratique des couvents, à la méfiance de tant de textes écrits par les autorités qualifiées de l'Eglise envers la nature féminine, s'oppose cette solide confiance d'une Mme de Sévigné, chrétienne convaincue, et même en ce temps-là convertie à l'austérité janséniste, dans les mérites de la conversation et de la réflexion autour de toutes sortes de lectures. Pour elle, entre culture et religion, point de contradiction à craindre dès lors que l'on a veillé à donner à la jeune fille une tête bien faite. Sans doute beaucoup d'autres femmes pensaient-elles et agissaient-elles dans le même esprit.

Volontairement écartées de l'enseignement officiel, tourné tout entier vers le passé, reposant essentiellement sur la connaissance des Anciens et, en principe, encore donné uniquement en latin, les jeunes filles qui appartenaient à des familles cultivées accédaient, grâce à leurs parents, à une autre forme de culture, plus ouverte, plus évolutive, pleine d'avenir. Ce pouvait être une grande chance, comme le prouveront, par exemple, les lettres d'une Mme de Sévigné. Mais personne, à l'époque, n'en avait conscience, car il fallait beaucoup d'audace, et même un peu de folie, pour oser penser, comme le Gélasire des *Précieuses* de l'abbé de Pure, qu'il pouvait exister une autre forme de culture que celle qui était longuement et savamment dispensée dans les collèges.

Les jeunes filles qui allaient au couvent et celles auxquelles on cherchait à donner une solide formation moderne dans leurs familles n'étaient qu'une minorité. La plupart des esprits féminins restaient en friche. Le 12 janvier 1676, aux Rochers, Mme de

Sévigné s'amuse des ignorances d'une « petite personne », jeune fille d'environ dix-sept ans, qui habite au bout de son parc : « C'est, dit-elle, un petit esprit vif et tout battant neuf que nous prenons plaisir d'éclairer. *Elle est dans une parfaite ignorance.* » Sa mère, explique l'épistolière, « est fille de la bonne femme Marcille ». Comme le montre son nom, elle vient d'un milieu populaire. Elle sait jouer au trictrac et au reversis. Elle sait même écrire, puisqu'elle tiendra bientôt la plume sous la dictée de Mme de Sévigné, empêchée de la tenir elle-même par un rhumatisme. Elle est donc d'une ignorance relative.

« Nous nous faisons un jeu de la défricher généralement sur tout, continue la marquise : quatre mots de ce grand univers, des empires, des pays, des rois, des religions, des guerres, des astres, de la carte. Ce chaos est plaisant à débrouiller grossièrement dans une petite tête, qui n'a jamais vu ni ville ni rivière et qui ne croyait pas que toute la terre allât plus loin que ce parc. » En quelques mots, l'épistolière définit un programme quasi encyclopédique, dont la base est l'histoire et la géographie. Il faut aider l'individu à se situer dans le monde. Puis elle continue : « Je lui ai dit aujourd'hui la prise de Weismar ; elle sait fort bien que nous en sommes fâchés, parce que le roi de Suède est notre allié. » L'instruction doit être pratique : l'actualité en fait partie, et la conversation sur cette actualité. La façon dont la marquise s'y prend, à cinquante ans, pour ouvrir une intelligence est révélatrice de la formation qui a marqué son propre esprit. Elle n'a pas eu à emmagasiner des connaissances ; elle a appris à réagir aux événements et à la culture de son temps. Ce n'était pas le cas de tout le monde.

Quatre ans plus tard, à Nantes, Mme de Sévigné rencontre une autre jeune fille, Marie de Sesmaisons, qui appartient celle-là à l'aristocratie bretonne. « C'est une Agnès, écrit l'épistolière, au moins à ce que je pensais, et j'ai trouvé tout d'un coup qu'elle a bien de l'esprit et une envie si immodérée d'apprendre ce qui peut servir à être une honnête personne, éclairée et moins sotte qu'on ne l'est en province qu'elle m'en a touché le cœur. Sa mère est une dévote ridicule. Cette fille a fait de son confesseur tout l'usage qu'on en peut faire ; c'est un jésuite qui a bien de l'esprit. Elle l'a prié d'avoir pitié d'elle, de sorte qu'il lui apprend un peu de tout, et son esprit est tellement débrouillé qu'elle n'est ignorante sur rien. » Elle apprend même à chanter auprès « des comédiens qui sont en cette ville ». Elle comprend « les airs d'opéra ». Malgré son handicap de provinciale fille d'une mère dévote, cette Agnès-là fait tout pour tirer parti des circonstances et devenir quand même une femme d'esprit.

Ce qui sauve les jeunes filles intelligentes, quand elles sont d'un certain milieu, c'est qu'à la différence des pauvres, elles ont au moins appris à lire et à écrire, au couvent ou à la maison. Elles disposent des bases indispensables pour progresser si elles le veulent, et elles le veulent souvent, car ce savoir dont elles se sentent exclues présente pour elles l'attrait du fruit défendu. Tout leur est bon pour progresser vers lui, leur confesseur, des comédiens de passage, quelques conversations avec une marquise à l'esprit curieux. Parce que leurs études ne sont pas organisées dans un cursus fixe comme celles des garçons, elles n'ont pas un jour, comme eux, l'impression de les avoir achevées, ou, pour mieux dire, d'en être débarrassées. Elles sont toujours prêtes à apprendre au gré des circonstances, des rencontres, des lectures. Au lieu de se former l'esprit par un dressage systématique mais limité dans le temps, elles restent longtemps et parfois toute leur vie ouvertes à un apprentissage permanent.

Alors que les garçons ferment leurs livres scolaires en quittant le collège, nombre de filles ouvrent ou continuent d'ouvrir toutes sortes de livres même après leur mariage. Elles apprennent à tout âge : Mme de Coligny a trente et un ans quand Corbinelli lui conseille d'apprendre le latin avec Bussy, son père. Toute femme d'un certain niveau social est entourée d'hommes de savoir dont la fréquentation et les conseils peuvent être d'un grand profit intellectuel. En se mettant à la portée de celles qu'ils fréquentent, ces doctes les initient à une culture « classique » médiatisée à leur intention. La princesse de Conti est servie par Daniel de Cosnac et dirigée par l'abbé de La Vergne ; Mlle de Montpensier entourée de Segrais et de Guilloire. Costar, dans ses *Lettres*, joue auprès de Mme de Lavardin, mariée et mère de famille, un rôle d'éducateur du goût et de conseiller littéraire.

Mme de Sévigné et Mme de La Fayette sont deux exemples éclatants de la parfaite réussite d'une éducation reçue à la maison, complétée par la bonne formation qu'elles ont reçue comme « écolières » (le mot est de l'auteur de *La Princesse de Clèves*) d'excellents intellectuels de leur temps. Chapelain avait été le précepteur du mari d'une des tantes de la marquise avant d'être un des premiers académiciens français et l'un des maîtres de la critique littéraire. Sans jamais lui avoir donné de « leçons » au sens strict du terme, il contribua à former le goût de l'épistolière, qui continuait à l'interroger sur ses lectures au moment où elle mariait sa fille. Son autre maître avait été Ménage, un érudit qui savait s'adapter aux esprits des femmes qu'il entourait de petits soins et flattait de galantes déclarations d'amour. Les mauvaises langues prétendirent qu'elle était « le plus bel ouvrage qui soit sorti de ses mains ». Il tint le même rôle de galant et de maître, mais plus longtemps et plus assidûment, auprès de Mme de La Fayette, avant et après son mariage. A sa demande, il corrigea les fautes de français ou d'italien de ses lettres, lui fournit les livres à la mode pendant ses années d'exil en province, contribua à lui former le goût en discutant de littérature avec elle, dans leurs lettres puis oralement, l'initia (superficiellement) aux langues anciennes et lui servit de guide et de garant dans la rédaction de son premier livre, *La Princesse de Montpensier.*

Le phénomène est général. En province, quand Pierre-Arnoul Marin, premier président du parlement de Provence, va passer ses vacances à la Tour d'Aigues en août 1675, sa femme, « qui avait envie d'apprendre la langue italienne et de dessiner, prit ce temps-là pour s'y occuper et retint pour cela auprès d'elle le père Albert, religieux très vertueux, qui pourrait lui montrer fort bien l'un et l'autre ». Précepteur ou « directeur », secrétaire ou « amant », des familiers, souvent des abbés de cour qui en avaient tout loisir, entouraient de leurs soins les femmes de la bonne société et tâchaient de mettre à leur portée, par la conversation et les livres à la mode, le minimum de savoir indispensable à toute culture. Grandement favorable à la promotion intellectuelle des femmes de la bonne noblesse et des milieux aisés, c'était un phénomène nouveau, dû à l'importance que prenaient peu à peu dans le monde tous ceux qui contribuaient, en dehors de l'Eglise qui en avait eu longtemps le monopole, à la vie de l'esprit.

Comme le pense Mme de Sévigné, en l'absence d'un véritable enseignement secondaire féminin, la maison pouvait être l'endroit le mieux adapté pour donner à une fille la meilleure formation intellectuelle possible. A condition que s'y trouve un ensemble de conditions favorables. Ce n'était pas toujours le cas. Même chez les nobles et les riches, la mère n'était pas toujours attentive à l'éducation des enfants, l'entourage pas toujours de bon niveau. Mme de Grignan elle-même a été plus d'une fois contrainte de mettre brièvement Pauline au couvent pour aller à Paris, ou même longuement quand elle est restée dans la capitale pour suivre un procès difficile. Mieux valait l'enseignement déficient des religieuses que de laisser des filles aux mains des seuls domestiques. Pour celles de maints notables de province, le couvent était souvent préférable à la maison, surtout à la fin du siècle, quand, avec l'existence d'ordres enseignants, la pension ne signifiait plus nécessairement un enfermement définitif. Elle permettait de nouer des relations avec des compagnes susceptibles de devenir l'objet d'amitiés durables et quelquefois d'offrir des ouvertures inespérées sur le meilleur monde.

En fait, pour l'immense majorité des filles, la question du lieu de leur instruction ne se posait pas. Sauf dans les couches sociales les plus élevées, la maison était le lieu obligatoire d'un enseignement par défaut, par absence ou par insuffisance des autres formes d'enseignement. Entre le XVIe et le XVIIIe siècle, elle reste le premier lieu et souvent le lieu unique de la formation féminine, fondée sur des apprentissages transmis de mère en fille et de génération en génération dans la répétition immémoriale des mêmes pratiques et des mêmes gestes. C'est à la maison que la future femme apprend de sa mère son métier d'épouse et de mère : la cuisine, le soin des enfants, l'entretien du linge, le maniement de l'aiguille et de la laine. A la campagne, la petite fille aide sa mère à prendre soin de la basse-cour, travail traditionnel des paysannes. A la ville, la maison peut devenir le lieu d'une sorte d'apprentissage professionnel, quand il s'agit de pratiques artisanales ou de la tenue d'une boutique. C'est à la maison aussi, avec sa mère encore, que l'enfant apprend à prier et à regarder les images pieuses qui nourriront sa vie religieuse. C'est avec elle qu'elle va aux offices et qu'elle apprend les rites de la piété catholique. Pour la plupart des filles, l'éducation est un dressage naturel et quotidien à la reproduction des faits et gestes maternels. De son état d'esprit aussi, de sa mentalité, de ses croyances et de ses superstitions.

Il arrivait que l'on mît un garçon en apprentissage dans une autre maison que la sienne, chez un maître de même métier, afin de mieux le former au travail qui serait le sien. Cette pratique n'avait pas de raison d'être pour les filles du peuple. On a trouvé en Angleterre quelques cas de jeunes filles de l'aristocratie transférées de leur famille à une autre entre quinze et vingt ans pour compléter leur formation mondaine. On n'en connaît pas de semblables en France. Pas plus qu'on ne trouve d'exemples de familles dans lesquelles auraient été organisées des études en vue d'une formation progressive et complète des filles. En Angleterre, de telles initiatives s'expliquent, comme la création de pensionnats laïcs pour jeunes filles, par la suppression des couvents sous la pression de l'Eglise anglicane. En France, l'alternative est entre la maison et le couvent, c'est-à-dire, sauf exceptions éclatantes dans des milieux à la fois aisés et particulièrement éclairés, entre rien et pas grand-chose.

12

L'honneur des filles

La religion chrétienne accorde à la virginité une valeur absolue, une valeur religieuse. Nécessaire à la conservation et à la propagation de l'espèce humaine commandée par le Créateur au début de la Genèse, le mariage est un état inférieur. Contre les réformés qui avaient mis ce principe en doute, les pères du concile l'ont solennellement rappelé dans un de leurs décrets : « Si quelqu'un dit que l'état de mariage doit être préféré à l'état de virginité ou du célibat, et que demeurer dans la virginité ou le célibat n'est pas meilleur que de se marier, qu'il soit anathème. » La virginité est la meilleure façon d'accumuler des chances d'accéder au salut éternel. Celle des filles particulièrement. Car la totale et parfaite continence féminine est plus que tout agréable à Dieu. Que pourraient-elles d'ailleurs lui offrir d'autre, dans leur état de misère et d'imperfection ? Selon une classification remontant à saint Jérôme, reprise par saint Thomas d'Aquin, on répète que les vierges recueilleront au centuple le fruit de leurs mérites, les veuves soixante fois, les épouses trente. En attendant de jouer leur rôle de procréatrices, les femmes qui ne sont pas appelées à la vie religieuse doivent veiller sur leur intégrité avec un soin jaloux.

« Fille » écrit Furetière dans son *Dictionnaire* : « Se dit absolument de l'état de celle qui n'a point été mariée. » Suivent les exemples : « C'est dommage que cette personne veuille demeurer fille toute sa vie », puis : « une vieille fille fait une vilaine figure dans le monde ». L'état de « fille » se définit par rapport au mariage, seul état convenable après un certain âge pour celle qui n'est pas religieuse. A l'article « Jeune », Furetière précise indirectement à quel moment on encourt l'indésirable appellation de « vieille fille » : « Une femme, dit-il, n'est plus jeune passé trente-trente-cinq ans. » A la fin de l'article « Fille », il manifeste clairement la subordination de l'état de fille à la conservation du pucelage en donnant l'exemple des religieuses, seules filles à ne pas devenir des vieilles filles. Ce sont, dit-il, des personnes « consacrées à Dieu et qui ont fait vœu de virginité ».

Richelet, quelques années plus tôt, définit la fille comme « celle qu'on a mise au monde », donc par rapport à la mère, puis parle de petite fille, de fille naturelle, de belle-fille sans référence explicite au mariage. La « fillette » est ensuite définie comme une « jeune fille », avec ce seul exemple : « En matière d'amourette/-vive la simple fillette. » Il faut aller à l'article « Pucelle » pour trouver la connotation sexuelle du mot « fille » : « "Pucelle", écrit-il, vierge, fille qui a sa virginité. Celle qui a son pucelage. » Puis les exemples : « Une jolie, une charmante pucelle. Une pucelle de quinze ans est un friand morceau, mais ce morceau est un peu rare en ce siècle, où à quinze ans, nos filles sont des femmes faites. » La formulation est ambiguë. Faut-il comprendre que lorsqu'une fille est pleinement formée, elle n'a plus l'apparence et l'attrait d'une pucelle ou, malicieusement, qu'à ce stade de leur développement, les filles du temps auraient presque toutes cessé d'être vierges ?

Dans l'opinion commune, c'est la perte du pucelage ou sa conservation au-delà de la trentaine qui marque la fin de l'état de fille ou jeune fille. Mais quand débutait-il ? « Puberté », au XVIIe siècle, est un terme juridique. Il signifie, pour une personne de sexe féminin, qu'elle vient d'avoir douze ans, l'âge minimum pour contracter mariage d'après le concile de Trente (quatorze pour les garçons). Selon l'Eglise, cette puberté légale ne se confond pas avec la « pleine puberté », atteinte à dix-huit ans, qu'il est « décent » d'attendre avant la consommation. Aucune de ces pubertés ne coïncide avec les premières règles, qui apparaissaient en moyenne deux ans plus tard qu'aujourd'hui, autour de seize ans, avec de fortes variations selon les groupes sociaux, notamment en fonction des retards que les carences alimentaires causaient chez les pauvres. Cette puberté physiologique, marquée par l'apparition du flux menstruel et des signes sexuels secondaires, transforme la petite fille en jeune fille.

Les médecins rejoignent les gens d'Eglise pour condamner les mariages trop précoces, ou du moins leur consommation. Dès 1585, Jean Liébault souligne que, pour les filles trop jeunes, « les peines de la grossesse et angoisses de l'accouchement sont par trop fâcheuses, mêmement dangereuses de mort ». Il place entre dix-huit et vingt ans l'âge propice aux premières conjonctions charnelles. A son époque, la tendance est de les retarder sans accord général sur le meilleur moment. Ambroise Paré situait l'échéance dès quinze ou seize ans. Les « pâles couleurs » signifient que les filles sont « mûres » et commencent à ressentir de l'appétit sexuel. Pour les médecins, mieux vaut le satisfaire, car un trop abondant écoulement dans la matrice, ou au contraire sa rétention, risquerait de provoquer quantité d'accidents, parfois dangereux : rires, pleurs, battements de cœur, appétit dépravé, maux de cœur. Il faut, disent-ils, décider du mariage des filles en fonction du rythme de leur développement physiologique, fixé par la nature.

Des considérations morales vont dans le même sens : « Je ne veux pas qu'elles passent l'âge de vingt-cinq ans, écrit encore Liébault, pour le danger de deux, voire plusieurs inconvénients. L'un est que la fille qui a déjà atteint l'âge de vingt-cinq ans, qui est un âge conformé et constant de la femme, ne voudra qu'à grande difficulté recevoir aucun avertissement ni discipline de son mari, étant le naturel et coutume de la femme déjà âgée de commander et contredire plutôt que de vouloir être enseignée. » Le mari tardivement épousé sera ou trop vieux pour avoir le temps d'élever correctement ses enfants, ou du même âge que sa femme. Dans ce dernier cas, « elle ne le respectera ni ne lui portera révérence aucune, encore que la raison et l'honnêteté commandent que le mari, comme il est le soutien et le support de la maison soit aussi le maître, et que la femme dépende en tout de lui comme de son chef ». Point question, évidemment, que le mari soit plus jeune. Sortant inconsciemment de son domaine professionnel, le médecin exprime et justifie de toute son autorité scientifique les préjugés de son temps.

Dans sa spécialité aussi, à propos de phénomènes physiologiques qu'il connaît mal et ne maîtrise pas (les règles, la sexualité féminine), il reproduit les idées dominantes sur l'appétit sexuel des femmes, réputé beaucoup plus difficile à réfréner et à contenter que celui des hommes. Pour Antoine du Verdier par exemple, dès que la femme est réglée, sa matrice est une sorte de « gouffre », de « terre jamais rassasiée d'eau », de « feu jamais éteint ». Le discours médical et l'opinion populaire se rejoignent dans un même préjugé pseudo-scientifique : « Par l'accouplement du mâle, écrit le sieur de Cholières dans ses *Après-dînées*, la femelle reçoit un naturel accomplissement en tant que la partie naturelle qu'elle a vide (c'est la matrice) est toujours béante jusqu'à ce qu'elle soit remplie : la nature a horreur du vide. »

De l'instinct sexuel qui tend à la conjonction naturelle des sexes et pousse également mâles et femelles à l'accouplement, l'imagination masculine retient un désir féminin hypertrophié. On ne doute pas que les jeunes filles ne brûlent beaucoup plus tôt et beaucoup plus fort que les garçons d'un lancinant désir de connaître au plus vite les plaisirs de l'amour. L'Argan de Molière reprend l'idée commune dans *Le Malade imaginaire* : « Cela est plaisant ce mot de mariage : il n'y a rien de plus drôle pour les jeunes filles. Ah ! Nature ! Nature ! » Se fiant au préjugé commun, le père de la comédie fonde sur l'appétit naturel de toute fille pour le plaisir charnel sa certitude que la sienne se précipitera sur le mari qu'il lui proposera, le fils de Diafoirus, son médecin. D'où sa surprise devant la résistance que lui offre la jeune fille, qui subordonne l'acte sexuel au sentiment de l'amour.

Sur la foi de quelques exemples puisés dans les milieux aristocratiques, on a longtemps cru qu'en accord avec le conseil des médecins, les filles se mariaient tôt, voire très tôt. Mme de Rambouillet a été mariée à quatorze ans en 1600. Mme Acarie l'a été à dix-sept, Mme de Sévigné à dix-huit. Quand celle-ci marie sa fille à vingt-trois ans, elle était « lasse d'en faire les honneurs ». Le mariage plus ou moins précoce des filles de la haute société s'explique par le jeu des alliances matrimoniales : il ne fallait surtout pas laisser passer un bon parti. Cette précocité est un reste des temps féodaux où des unions pouvaient avoir été conclues dès le berceau. Si elle s'accorde à peu près avec l'avis des médecins, elle ne leur doit probablement rien. C'est l'Eglise qui a exigé, dans les milieux aisés, le recul progressif des mariages d'adolescentes, voire d'enfants, vers des mariages conclus à un âge raisonnable : on ne veut pas prendre le risque de les voir annulés pour avoir été conclus trop tôt.

Dans la grande majorité des cas, c'est-à-dire dans tous les milieux populaires, à la ville comme à la campagne, les filles du XVIIe siècle se mariaient tard, au moins à l'âge limite des médecins, à vingt-cinq en moyenne dans le Beauvaisis, à vingt-trois ans et demi à Aix en 1690. Elles attendent même de plus en plus longtemps. A Lyon, la moyenne (corrigée du remariage des veuves) est de vingt-sept ans et demi. Entre les débuts d'un appétit sexuel considéré comme très vif et son premier assouvissement dans une union légitime, s'étendent donc une dizaine d'années difficiles, en un temps où il est généralement admis qu'une femme doit conserver sa virginité jusqu'au mariage (ou du moins ne la perdre qu'avec son futur mari).

Les moralistes valorisent cet état en expliquant que les filles reçoivent de la nature une honnêteté spécifique, hors de laquelle il n'est point pour elles de salut dans le monde. « Il me semble, écrit Grenaille en tête de son traité de *L'Honnête Fille* (1639), que l'honnêteté appartient plus particulièrement aux filles et qu'elle est comme leur caractère, n'étant que l'ornement des autres personnes qui l'ont acquise. » Cette honnêteté-là se confond avec l'intégrité de leur pucelage. « Il n'est pas besoin de redire ici qu'une fille perdant son nom quand elle perd son honneur, il faut qu'elle change d'être et de qualité, ou qu'elle conserve soigneusement ce caractère. J'avoue donc en première instance que l'honneur étant l'âme de l'honnêteté, une fille débauchée ne peut non plus y prétendre qu'un cadavre au droit des hommes vivants. » Aucune défaillance n'est permise : « Celles qui, par une honteuse chute, se laissent dégrader en leur noblesse, ne peuvent plus passer pour honnêtes, s'étant elles-mêmes déshonorées. » Des deux gros tomes de *L'Honnête Fille*, plus de la moitié du second (deux cent cinq pages) porte sur cette façon très précise de définir « l'honneur des filles ». Une qualité en principe morale ou mondaine se trouve placée dans la dépendance d'un état physiologique.

Cette assimilation gêne Grenaille. Il rappelle l'exemple traditionnel de la fille physiquement violée, mais restée moralement vierge, et aussi le cas inverse : « selon l'opinion des casuistes, une seule pensée, suivie d'un simple consentement de la volonté, peut ravir aux vierges la guirlande qu'elles portent » et leur faire perdre leur pudicité moralement. N'empêche, dans le cas de la jeune fille, l'état du corps compte presque autant que celui de l'esprit : « Bien qu'à proprement parler, cet avantage des filles consiste plutôt dans l'âme que dans la chair, si est-ce que le corps y contribue presque autant qu'une forte résolution de l'esprit. »

L'honnêté est, en principe, une qualité de l'élite. « Quintessence de toutes les vertus », dit Grenaille, elle s'épanouit naturellement chez une demoiselle de bonne famille, « douce d'intelligence et de beauté ». Ou encore : « L'idée générale » d'honnête fille comprend « la bonne maison », les « bonnes intentions », l'excellence de l'esprit. Mais puisque chez les filles, l'honnêteté se confond avec leur intégrité physique, elle se trouve être aussi, ou plutôt d'abord, l'apanage de toutes les vierges. On peut la trouver « aussi bien dans un village que dans une cour », et « une personne peut être déclarée honnête, quoique absolument, elle n'ait pas toutes sortes de perfections ». Une fille aura « de l'ignorance sans encourir d'infamie, et la simplicité ne lui fera pas perdre absolument toute sa réputation ». A supposer « qu'une fille soit un peu laide, la beauté de son âme peut contrepeser la difformité de son corps ».

Prisonnier du lien qu'il a établi entre pucelage et honnêté, Grenaille est conduit malgré lui à dévaloriser les qualités aristocratiques qui la définissent d'ordinaire. Au lieu d'être le résultat d'un ensemble de qualités acquises dans un milieu choisi, elle peut se trouver « aussi bien dans un village que dans une cour ». Mieux encore, la cour, son milieu naturel, lui est dangereuse, car « l'innocence ne règne pas où il y a plus de pompe ». La pauvreté ne lui est pas moins néfaste, car au lieu de « se détacher des biens de la terre » et de « ne regarder que le Ciel », les filles sans fortune « cherchent bien souvent dans des conversations dangereuses ce qui manque à leur maison ». Elles « donnent ce qu'elles ont pour recevoir ce qu'elles n'ont pas ».

Grenaille rappelle à la vierge qu'elle doit défendre son honnêteté contre les séducteurs qui cherchent à la lui ravir. Défense difficile : « Son trésor est mal assuré parce qu'elle le porte dans un vase extrêmement fragile. » Traitant des devoirs des parents envers leurs enfants, Claude Maillard, dans son *Traité du bon mariage* (1643), insiste sur « l'obligation particulière » des mères de veiller comme des « dragons vaillants » sur leurs filles, qui ne doivent sortir de la maison qu'en cas de nécessité et toujours en bonne compagnie. Jusqu'à leur mariage, les jeunes filles doivent être à l'abri de toute tentation afin de demeurer « comme un vase scellé ». Les mettre au couvent est une solution commode, relativement fréquente et assez sûre pour ceux qui en ont les moyens. Pour les autres, les plus nombreuses, le moyen le plus efficace est de les persuader de ne pas se laisser entraîner par les pulsions de leur sexe. Elles s'en protégeront en fuyant les avances des hommes.

Au lieu d'être, comme chez les garçons, un idéal destiné à les stimuler à l'action et à la séduction, l'honnêteté se réduit chez les filles à la conservation d'un « trésor inestimable » loin des tentations du monde ou de l'argent. Elle les conduit à l'isolement et au repli. A l'exaltante activité masculine s'oppose une ennuyeuse passivité et une retenue liée à leur état de vierges. Elles n'ont pas à acquérir leurs mérites. Elles ont reçu un pucelage à conserver. Leur honneur n'est pas dans leurs actes, mais dans leur état. « Enfin, dit Grenaille, cette qualité se prenant encore en un sens plus précis pour le principal ornement des filles et pour leur virginité, il est bien évident qu'elles ne le peuvent mépriser sans encourir de la honte et que si elles perdent ce trésor, dans tous leurs autres biens, elles n'ont plus de richesses. » Alors que l'honneur et l'honnêteté consistent pour l'homme, et parfois pour la femme mariée, en gestes et en conduites, c'est-à-dire en actions, ils se réduisent, dans le cas de la fille, à l'inactivité sexuelle. A l'un, toutes les vertus brillantes de l'extériorité ; à l'autre celles, plus modestes et moins voyantes, d'une difficile et précaire intériorité. Il en résulte un conditionnement qui, bien au-delà des conduites se rapportant à la sexualité ou à l'art de vivre dans le monde, influe sur l'ensemble des comportements féminins, transformant en seconde nature les rôles distribués et justifiés par la société.

La virginité ne se perd qu'une fois. Si, après avoir failli, une fille se relève et « marche à grands pas sur le chemin de la vertu, on la pourra bien nommer chaste, mais non pas vierge. On l'appellera repentie, mais non pas exempte de toutes sortes de crimes ». Le pucelage est le bien le plus facile à perdre et le plus impossible à recouvrer. Quand une fille l'a perdu, la « Toute-Puissance même ne saurait relever sa virginité après sa chute », car Dieu ne saurait faire que ce qui a été n'ait point eu lieu. Un homme qui a perdu son honneur « peut laver sa honte par de glorieuses exécutions, mais une fille infâme ne peut être parfaitement glorieuse ». L'avenir s'ouvre toujours devant le premier pour recommencer une nouvelle vie et conquérir une nouvelle gloire. Selon les préjugés du temps, la vierge, par sa constitution physique, est condamnée à l'irréparable et à l'irréversible.

Les plus louables intentions peuvent avoir des conséquences inattendues. L'extrême valorisation idéologique de la virginité des filles conduit à lui donner, à côté de son irremplaçable valeur morale, une valeur marchande qui peut même se monnayer. « Les filles ne sont plus rares, écrit Grenaille, après qu'elles se sont une fois abandonnées. » Elles ont par conséquent moins de valeur. Dans la *Somme des péchés* (1630), le père Bauny a beau rappeler que la virginité n'a pas de prix, « étant d'un ordre plus haut et plus noble que tout ce dont on se sert aux négoces et trafics du monde », il lui est impossible, quand il descend dans la vie concrète, de la maintenir en dehors des biens négociables. Puisqu'il est entendu que le pucelage ne doit être abandonné que dans l'union conjugale, il en devient la condition essentielle, et se trouve par là même intégré dans le monde des échanges et de l'argent.

Après en avoir répété comme tout le monde le caractère irremplaçable, le père Bauny examine de façon très terre à terre comment celui qui a violenté une fille doit en conscience réparer sa faute s'il veut avoir l'absolution de son péché. Il devra l'épouser, affirme le casuiste, ou « lui augmenter sa dot jusqu'à la concurrence de la somme nécessaire à ce qu'elle trouve un parti tel qu'elle en eût trouvé un si elle n'eût été déflorée ». En mettant sur le même pied le mariage et l'indemnité capable d'assurer à la fille qui n'est plus vierge la possibilité de trouver « un parti convenable selon sa qualité », le père Bauny rend manifeste le point de jonction entre un état physiologique (la virginité) et une valeur morale inappréciable (l'honnêteté), qui se trouve cependant avoir à un moment de l'histoire, dans une civilisation donnée, un prix variable selon la place que la fille qui l'a perdue occupe dans la hiérarchie sociale.

Traitant de la valeur marchande du pucelage, le père Bauny concède que le séducteur n'est pas obligé à réparation si sa partenaire a pu, dans l'intervalle, se marier comme si de rien n'était.

En 1687, le médecin Nicolas Venette, dans *La Génération de l'homme ou Tableau de l'amour conjugal*, explique en effet à ses lecteurs que rien n'est plus difficile à prouver scientifiquement que cette virginité si vantée, qu'il refuse quant à lui de confondre avec le pucelage. On ne le perd qu'une fois, concède-t-il, et il est impossible de le recouvrer même par un miracle, mais on peut, sans beaucoup de difficultés, « faire une vierge masquée ». Les recettes pour y arriver sont nombreuses. Venette les énumère longuement.

« S'il se trouve, conclut-il, qu'une fille ait accouché secrètement et qu'elle veuille ensuite se marier sans que son mari puisse s'apercevoir de sa faiblesse passée, le meilleur remède que je lui puisse donner dans cette occasion, c'est qu'elle soit chaste et pudique quatre ou cinq ans avant son mariage, qu'elle ne s'échauffe point l'imagination d'amourettes par des danses, des conversations et des lectures impudiques, et qu'elle vive enfin dans la modestie qui est bienséante aux filles qui se repentent. Je lui promets que son mari la prendra pour pucelle et qu'il ne croira jamais avoir été trompé. » Les conseils d'un médecin réaliste rejoignent finalement ceux de l'Église qui prescrit à la jeune fille exactement la même conduite, mais avant, pour garder sa virginité. Souvent burlesques, tous les autres remèdes conseillés par Venette paraissent surtout destinés à rendre à la fille déflorée une sorte de virginité psychologique.

On croyait, avec les moralistes, avoir grâce au pucelage des filles une définition objective de leur honnêteté, et l'on s'aperçoit, avec les médecins, que l'on demeure tributaire de l'opinion. En définissant l'honneur comme « l'illustre connaissance » que l'on a des actions ou des qualités, Grenaille lui-même reconnaissait l'importance du regard d'autrui. C'est moins l'intégrité physiologique qui décide de la virginité que la réputation de la personne concernée. Pour être réputée honnête fille, il faut certes savoir se bien conduire, mais pas nécessairement selon les critères de la morale. Ce principe n'est pas vrai seulement pour les filles : Célimène, pour être coquette et imprudente, se perd où Arsinoé garde l'apparence de la vertu.

Parallèlement à la pensée religieuse et morale traditionnelles, se développe, au milieu du siècle, dans le milieu médical une pensée en quelque sorte laïque, qui tend à diminuer le prix de la virginité en la réduisant à l'idée qu'on s'en fait. Sur un point jusque-là considéré comme moralement et socialement essentiel, la médecine, une fois de plus, initie une nouvelle façon de penser, base de futurs renversements des valeurs et des comportements. En dehors du contexte religieux, qui gardera longtemps son prestige et son poids d'interdit, la virginité perd de sa valeur absolue pour ne valoir que ce que lui concède l'opinon. Dénoncée comme trompeuse, elle est appelée à perdre à terme la valeur qu'elle avait dans l'échange social, au moment du mariage.

Avec Venette et quelques autres médecins de son style, qui n'ont probablement pas eu concience du caractère subversif et de l'avenir de leurs vues, naît timidement, pour un nombre limité de lecteurs, une nouvelle idée de la femme, indépendante d'un avant et d'un après la défloration. Dans cette perspective, la virginité n'a de valeur (morale, sentimentale) que celle que lui donne (ou ne lui donne pas) la jeune fille, personnellement libre de s'en séparer (et non de la sacrifier) au moment et avec le partenaire de son choix. A elle, en ce cas, de décider de l'importance dans sa vie personnelle d'une échéance sur laquelle la religion et la société n'ont aucun droit de regard, encore moins de censure.

Les idées de Venette, comme celles de Grenaille, n'atteignaient qu'un public restreint. Pour savoir comment se comporter envers leurs pulsions, la masse des jeunes filles n'avaient que les leçons répétées du catéchisme et de la prédication sur les atouts de la continence pour mériter le ciel et sur la gravité des péchés de stupre et de fornication. Il ne faut pas minimiser la terreur que pouvait inspirer la menace d'un enfer où le pécheur était condamné aux supplices d'une damnation éternelle. La moindre église de village en montrait les horreurs dans la pierre.

Si ces peines pouvaient apparaître lointaines face au plaisir présent, les filles avaient une autre raison, bien immédiate, bien réelle et bien plus contraignante de garder leur virginité : la peur de l'enfant. Plus que toutes les considérations morales, les nécessités économiques leur imposaient le devoir, fortement intériorisé, de conserver leur virginité. Toute naissance survenant avant le mariage n'entraînait pas le déshonneur de celle qui l'avait conçu de son promis. Mais chacune savait d'expérience que prendre ce risque, c'était prendre celui d'être obligée de se marier et de fonder une famille où naîtraient de nouveaux enfants avant que le couple ait acquis le minimum de moyens nécessaires (logements, terres à louer, instruments de travail, pécule) pour avoir de quoi vivre. C'était se vouer pour toujours à l'indigence.

A se fier aux registres des naissances, on constate que 5 à 10 % seulement des filles se mariaient après avoir eu des rapports sexuels féconds, le plus souvent avec l'auteur de leur défloration. On en conclut d'ordinaire qu'en un temps où les procédés contraceptifs restaient mal connus et peu efficaces, les jeunes filles arrivaient presque toutes vierges à l'église le jour de leur mariage. Une telle continence suppose une révolution dans les mœurs, car la subordination des premiers rapports sexuels à la cérémonie du mariage sacramentel, prescrite par l'Eglise tridentine, s'opposait à d'anciennes pratiques, encore très ancrées dans la France du XVIe siècle. Les fiançailles ou même le simple échange de promesses entre la jeune fille et le jeune homme (le créantage) ont longtemps valu mariage et possibilité pour les jeunes gens de se livrer ensemble aux jeux de la sexualité. En plein XVIIe siècle, ces anciens usages résistaient. Dans la région des Pyrénées, par exemple au diocèse d'Oléron, les fiancés continuaient de cohabiter comme par le passé, considérant la bénédiction nuptiale comme une simple formalité qu'on pouvait repousser au moment de constituer une famille où naîtraient des enfants. Il en allait de même en Corse où n'avait pas non plus cessé la cohabitation des fiancés, unis par leur seule promesse. En Normandie au contraire, et dans les parties du royaume les mieux contrôlées par l'Eglise, les jeunes paysans liés par la parole du consentement mutuel auraient attendu patiemment et chastement le jour de leur mariage tardif.

On ne peut déduire l'existence d'une sexualité prénuptiale que de la comparaison, dans les registres paroissiaux, des dates des mariages et des baptêmes. Or, d'après les meilleures études, il n'y a pas de grandes variations géographiques dans le nombre d'enfants nés moins de neuf mois après l'union sacramentelle de leurs parents. En l'absence de moyens contraceptifs efficaces et connus, ce devrait pourtant être le cas si les rapports des jeunes fiancés, dans certaines régions résistant au concile, avaient été de même nature que ceux des couples mariés. Inversement, dans le cas habituel de mariages tardifs sans cohabitation habituelle préalable, on a du mal à croire que jeunes gens et jeunes filles aient pu vivre côte à côte au village, promis l'un à l'autre, et résister près de dix ans aux pulsions de la nature. On se demande si, dans les deux cas, la conservation de la virginité n'allait pas sans pratiques sexuelles de compensation.

13

Sacrement ou contrat de mariage ?

Au XVIIe siècle, sauf dans le cas restreint de celles qui se font religieuses, la vocation normale des femmes s'inscrit dans le mariage. Cet état, dans lequel se déroule la vie privée, doit désormais commencer par un acte public. « L'on disait jadis : "Boire, manger, coucher ensemble, c'est mariage ce me semble." Mais il faut que l'Eglise y passe », écrit Antoine Loysel dans ses *Institutions coutumières* parues en 1607. C'est alors en effet que la lutte séculaire de l'Eglise contre le mariage par concubinage aboutit en France à l'obligation et à l'implantation générale du mariage sacramentel. Mais l'Eglise n'y « passe » pas seule. L'Etat y intervient aussi. S'il reconnaît à la cérémonie religieuse valeur d'engagement civil, il entend jouer un rôle décisif dans l'établissement des conditions de validité d'un acte qui conditionne les rapports de ses membres et les alliances des familles qui le constituent. Dans le haut de la société, ces alliances ne dépendent pas, ou peu, de la volonté des individus, mais de celle des familles dont le contrôle est matérialisé dans un contrat, préalable à la cérémonie religieuse. De la pluralité des parties résultent tensions et conflits entre les prescriptions de l'Eglise, la réglementation de l'Etat, les pressions collectives et les aspirations de la vie privée.

Au XIIe siècle, contre les habitudes des grands seigneurs féodaux qui changeaient fréquemment de femme au gré d'intérêts fluctuants, l'Eglise avait réussi, non sans peine, à imposer l'indissolubilité d'un mariage devenu le septième sacrement. Quatre siècles plus tard, une nouvelle crise l'oblige à définir précisément sa doctrine en face d'une double contestation, celle des promoteurs de la Réforme qui, avec Luther, mettent en cause son caractère sacramentel ; celle de l'Etat qui oppose l'intérêt des familles et leur droit de contrôle à ce qui est pour l'Eglise le fondement du sacrement : la promesse et le libre consentement des époux. En 1563, ces questions donnent lieu, au concile, à de longs débats contradictoires, parfois houleux, qui aboutissent à la promulgation de décrets précis, peu après codifiés à l'intention des fidèles dans le *Catéchisme du concile* (1566). Fidèle à la doctrine constante de l'Eglise, il ne fait, sauf à propos de motifs accessoires, aucune différence entre les sexes et ne voit pas dans la sexualité, comme on le dit souvent, l'unique raison du mariage.

Une section intitulée « Du sacrement de mariage » y expose avec précision les « motifs qu'on doit et peut avoir en se mariant ». Le premier, dans l'ordre du texte, c'est la pulsion naturelle (*instinctus*) qui porte l'homme et la femme à former un couple solidaire. « Pour ce qui est des motifs qui doivent et peuvent porter à se marier, dit le *Catéchisme*, le premier est fondé sur l'instinct des deux sexes qui fait qu'ils désirent naturellement d'être unis dans l'espérance du secours qu'ils attendent l'un de l'autre. Ainsi la première vue que doivent avoir un homme et une femme en se mariant est de s'entre-secourir l'un l'autre afin qu'ils puissent plus aisément supporter les incommodités de la vie et se soutenir dans les faiblesses et les infirmités de la vieillesse. »

Pour placer avant toute autre raison le secours mutuel et durable que se rendront les époux, les pères conciliaires se sont évidemment fondés sur le récit de la création dans la Genèse. Dieu lui-même y décide de tirer l'homme de la solitude (« il n'est pas bon que l'homme soit seul ») en lui donnant une compagne, qui sera son aide (*auxilium*). Ce « motif » rappelle aux fidèles que l'institution du mariage a préexisté à la chute et au péché, que le couple est une sorte de nécessité naturelle voulue dès l'origine par le Créateur, bien avant la venue du Christ sur la terre et la fondation de l'Eglise. Sans craindre d'aller au-delà du sens littéral de la Genèse, les pères ne se placent pas du seul point de vue de l'homme, mais du couple, où chacun des deux membres doit apporter à l'autre aide et compagnie. La femme est en droit d'attendre du mariage les mêmes choses que son compagnon.

« Le second motif qui doit porter à se marier, continue le *Catéchisme*, est le désir d'avoir des enfants, non tant pour les avoir comme héritiers de ses biens et de ses richesses que pour les élever dans la vraie foi et dans la vraie religion. » Les pères reprennent l'invitation de Dieu au premier couple de croître et de multiplier afin que la Création célèbre sa puissance et sa gloire. Ils se souviennent aussi du commandement de l'ange Raphaël à Tobie, explicitement cité : « Vous prendrez donc Sara pour être votre femme dans la crainte du seigneur et avec le seul désir d'en avoir des enfants et non de satisfaire votre sensualité. » La multiplication de l'espèce a été le but du mariage « dès le commencement du monde ». Empêcher la conception ou la naissance des enfants par « des remèdes » ou par l'avortement est donc « le plus grand péché que puissent commettre des gens mariés ». Un tel crime « ne peut être que l'effet de gens dénaturés et homicides ». Sur ce point encore, dans la bonne comme dans la mauvaise conduite, hommes et femmes sont placés sur un pied d'égalité.

Le troisième motif de se marier est de moins bonne qualité, puisque, selon le *Catéchisme*, il « n'a eu lieu que depuis le péché du premier homme ». C'est de « chercher dans le mariage un remède contre les désirs de la chair qui se révolte contre l'esprit et la raison depuis la perte de la justice dans laquelle l'homme avait été créé. Ainsi celui qui connaît sa faiblesse, et qui ne veut pas entreprendre de combattre sa chair, doit avoir recours au mariage comme à un remède pour s'empêcher de tomber dans le péché d'impureté. D'où vient que Paul donne cet avis aux Corinthiens (I Co 7, 2) : "Que chaque homme vive avec sa femme et chaque femme avec son mari pour éviter la fornication" ». Comme la chute est commune à l'homme et à la femme, l'Eglise les met tous deux dans une situation de stricte égalité par rapport à la sexualité. Chacun doit à l'autre de le satisfaire quand la chair est plus forte que l'esprit, autrement dit quand il éprouve un irrépressible besoin d'union charnelle. C'est le *debitum conjugale*, la dette ou devoir conjugal, qui s'impose pareillement aux deux membres du couple.

A ces raisons de se marier, le concile en ajoute d'autres, subsidiaires, énoncées à la fin de l'article du *Catéchisme* du seul point de vue du futur mari, sans doute parce que l'initiative appartient traditionnellement à l'homme. « Mais outre ces motifs, un homme peut encore être porté à faire choix d'une femme et à la préférer à une autre pour d'autres considérations, comme peuvent être ou l'espérance d'en avoir des enfants plutôt que d'une autre, ou ses richesses, sa beauté, sa noblesse et la conformité de son humeur avec la sienne. Car toutes ces vues ne sont point blâmables, puisqu'elles ne sont point contraires à la sainteté et à la fin du mariage. Et nous ne voyons point que l'Ecriture sainte condamne le patriarche Jacob de ce que touché de la beauté de Rachel, il la préféra à Lia. » Le mariage est un engagement personnel, dans lequel interviennent des motivations dont l'Eglise reconnaît la diversité en citant des exemples pris dans des domaines d'ordres aussi différents que l'eugénisme, le rang social, l'attrait physique. Une fois posés en principes les trois « motifs » de se marier qu'elle juge intangibles, elle laisse leur place aux habitudes et aux valeurs du temps. A l'égalité affirmée des deux sexes devant les raisons majeures du mariage s'oppose la situation subalterne de la femme dans ses causes secondaires.

Si les pères du concile ont précisément défini les raisons du mariage, c'est qu'il était pour eux, sans discussion possible, du ressort de l'Eglise. En faisant de l'union de l'homme et de la femme un sacrement, elle lui avait conféré, au-delà des considérations sexuelles, morales, sociales qui y conduisaient, un statut religieux aussi noble qu'intangible. Ce statut comportait l'indissolubilité, dont le sacrement avait été le moyen. Contre Luther et les hommes qui, tel Henri VIII d'Angleterre, le contestaient en se plaignant de ne pouvoir avoir d'enfants de leur épouse légitime, le concile a maintenu le caractère sacramentel du mariage et le refus du divorce. Pour obtenir l'annulation d'un mariage, il n'y a que deux moyens. Prouver que le consentement a été extorqué, ce qui est difficile depuis que la loi de l'Eglise prescrit le consentement public des époux. Prouver que le mariage n'a pas été consommé, car il ne devient indissoluble qu'une fois accomplie une pleine et entière conjonction charnelle.

L'impossibilité peut venir de la femme, si le mari se heurte à une difformité physique à laquelle il est impossible de remédier. Ou bien, cas plus fréquent, la femme découvre l'impuissance de celui à qui elle vient d'être unie. Il ne lui suffit pas de l'affirmer. Elle doit en apporter la preuve. A l'encontre de la pudeur recommandée à son sexe, il lui faut accepter d'être examinée par des matrones. La perte de la virginité n'étant pas forcément due à un acte sexuel complet, cet examen n'est pas totalement concluant. En désespoir de cause, il reste, mise en place dans le cours du XVIe siècle, l'épreuve du « congrès ». Le mari accusé d'impuissance doit faire la preuve publique de sa capacité d'érection, de la « tension élastique » ou « mouvement naturel » de son membre, et même de ses possibilités d'éjaculation. Après quoi, il doit accomplir intégralement l'acte conjugal, en présence de témoins. Rares étaient ceux qui réussissaient cet exploit.

En plein milieu du siècle, pour faire taire les mauvaises langues et démontrer la mauvaise foi de sa femme qui l'accusait d'impuissance, un fort bel homme, le marquis de Langey, réclama d'être soumis au congrès. Sûr de faire la preuve de sa virilité, il « criait victoire ; vous eussiez dit qu'il était déjà dedans », raconte Tallemant des Réaux. Une matrone multiplie les allers-retours entre la chambre et la pièce où quinze experts attendent : « C'est grand-pitié, il ne nature point, leur dit-elle. » Après avoir enregistré l'échec de Langey en février 1659, le parlement de Paris déclare son mariage nul et lui interdit tout remariage. Il n'en épouse pas moins, peu après, une demoiselle de bonne famille, dont il aura sept enfants en sept ans... Cette affaire déclencha une polémique sur une procédure qui s'était avérée aussi inefficace qu'impudique. On l'abolit en 1677.

Le congrès n'était que la transposition publique de plus ou moins discrètes et traditionnelles vérifications familiales. Mme de Sévigné se souvient, pour les réprouver à un moment où elles sont en voie de disparition dans certains lieux et milieux, des questions posées sans ambages au lever des mariés, le lendemain des noces : « Etes-vous ma fille ? Etes-vous mon gendre ? » Dans la mesure où le mariage est un arrangement entre deux familles intéressées à sa validité, on a besoin d'être sûr que l'union charnelle des époux l'a effectivement rendu indissoluble. Capitale dans les familles où de grands intérêts financiers et parfois dynastiques sont en jeu, l'indissolubilité ne l'est pas moins entre gens du peuple, où les deux membres du nouveau couple mobilisent toutes les ressources qu'ils ont lentement, difficilement et péniblement acquises par un travail acharné pour avoir de quoi s'établir. Dans l'état d'infériorité pratique où elle se trouve presque toujours, la femme surtout a intérêt à ne pas voir son mariage mis en cause. L'impossibilité du divorce réaffirmée par le concile lui donne la meilleure assurance de conserver son rang, ou plus modestement de garder un toit et sa part des ressources du ménage. Pour une femme du peuple, tout vaut mieux que d'être arbitrairement livrée à la rue, à la misère et à la prostitution.

Autant l'Eglise était décidée à tout faire pour maintenir l'indissolubilité du mariage, objet d'un consensus désormais quasi général, même chez les réformés qui lui refusaient le caractère sacramentel, autant elle montrait peu d'empressement à faire du mariage une affaire de famille publiquement célébrée. Pour l'imposer comme sacrement, elle avait beaucoup lutté contre d'immémoriales traditions, comme l'accord des parties manifesté dans le concubinage ou une promesse mutuelle qui n'avait pas besoin d'un prêtre pour être valide. Ces pratiques avaient perduré longtemps dans les campagnes, où le clergé s'employait encore à les extirper au début du XVIIe siècle. Pour l'Eglise, l'important était d'obtenir que les relations charnelles soient toujours et partout précédées d'un libre consentement mutuel dûment constaté par un prêtre. Pour l'Etat au contraire, poussé par les grands et les riches qui voulaient empêcher les unions clandestines, ce consentement devait être public et subordonné à la volonté des familles. Tout mariage secret, tout mariage conclu sans l'accord exprès des parents devait être considéré comme nul et non avenu.

Certains pères conciliaires, notamment les Français conduits par le cardinal de Lorraine, se montraient favorables à ces nouveautés. « L'homme étant un être social, toutes ses actions devaient, soutenaient-ils, être subordonnées à l'autorité pour être dirigées vers le bien public. » Ou bien, comme pour les vocations religieuses, ils prétendaient que les enfants devant obéissance à leurs parents, ils ne pouvaient que leur obéir dans l'affaire la plus importante de leur vie. Les pères du parti contraire objectaient qu'à considérer l'intérêt des familles, plus soucieuses de richesses et d'influence que du désir des intéressés, on prenait le risque de les exposer à d'insolubles conflits entre leur souhait et leur devoir. Le mariage a deux fins, rappelaient-ils (oubliant celle qui est pourtant placée en premier dans *Le Catéchisme du concile*, le désir de ne pas vivre seul), la conservation de l'espèce et le remède contre l'incontinence. « Si la première est plus honnête, la seconde est plus nécessaire et plus commune. » Mieux vaut, dans l'impossibilité pour « la plupart des hommes » de rester continent, « laisser à la disposition de tous un remède facile et permettre, pour obvier à de secrets désordres, que l'on puisse s'unir par un lien secret ».

Contre le contrôle familial des mariages, l'évêque de Milan, Charles Borromée, porte-parole de la tradition, se montrait intransigeant. Ce contrôle, disait-il, est « contraire à la loi divine et humaine », puisque saint Paul a dit sans restriction : « Si l'homme ne peut garder la continence, qu'il prenne une épouse », et non « qu'il prenne une épouse à tel âge ou du consentement de ses parents ». Remède donné par Dieu à la concupiscence, le mariage ne peut être subordonné à « la permission d'autrui ». Le doyen de la Sorbonne allait encore plus loin en relevant que le « premier mariage entre Adam et Eve, le modèle de tous les autres, s'était fait sans témoin ». Selon le mot plaisant du général des jésuites, c'était un « mariage clandestin ». Conclusion : « Chacun étant tenu de pourvoir à son salut, il n'est pas en la puissance de l'Eglise d'interdire le mariage jusqu'à un certain âge ou de le faire dépendre de certaines formalités. » Le raisonnement vaut pour les deux sexes, mais il est significativement formé à propos de la concupiscence de l'homme. C'est lui qui y remédie en prenant femme, et non l'inverse.

Les mariages clandestins n'étaient pas sans poser de graves difficultés quand ils mettaient en cause de grands intérêts. Sous Henri II, un peu avant les décisions du concile, François de Montmorency, fils aîné du connétable, l'un des plus grands noms de France, avait épousé secrètement une fille d'honneur de la reine. Il n'avoua cette union qu'au moment d'un mariage que son père lui avait ménagé avec Diane de France, fille légitimée du roi et d'une dame entrée au couvent après sa naissance. Pour tirer le connétable d'affaire, comme il n'avait pas compétence pour déclarer la nullité d'un mariage — domaine réservé à l'Eglise —, le roi promulgua un édit portant rétroactivement sur tous les mariages faits, mais non encore consommés. Il stipulait que, jusqu'à trente ans pour les garçons et vingt-cinq pour les filles, le consentement des parents était requis préalablement à leur mariage sous peine d'exhérédation. Il précisait que tout mariage contraire à cette décision serait « une transgression de la loi et des commandements de Dieu », en quoi il empiétait sur les prérogatives de l'Eglise. Il ajoutait, ce qui était effectivement de son ressort, et donc plus dangereux pour les intéressés, qu'un tel mariage était « une offense contre le droit et l'honnêteté publique, inséparable d'avec l'utilité ». Intimidé par ces déclarations, le jeune Montmorency se résigna à déclarer (faussement) que son union n'avait pas été consommée. On put dès lors célébrer avec faste son mariage programmé avec Diane de France.

Six ans plus tard, dans le décret *Tametsi*, le concile adopte une solution de compromis. Contre les demandes des novateurs, il refuse de faire du consentement des parents une condition nécessaire à la validité des mariages. Tout en le déclarant hautement recommandable, et son absence une faute grave, il réaffirme que cette absence n'entraîne pas la nullité du consentement des époux, même mineurs. Il reconnaît préférable que ce consentement soit donné en présence du prêtre de la paroisse de l'un des époux et de deux témoins, après publication des bans pendant trois dimanches consécutifs, mais refuse de déclarer nuls les mariages qui seraient conclus sans ces formalités. Sans céder à l'Etat, puisqu'elle refuse de se prononcer pour l'annulation automatique dont il voudrait faire la règle, l'Eglise recommande, sans l'imposer absolument, la nouvelle procédure d'un mariage contrôlé par les familles déjà largement répandu dans les couches supérieures de la société.

En 1579, l'ordonnance de Blois adapte la législation royale aux décisions du concile. Elle rend légalement obligatoires ses recommandations sur la célébration publique des mariages, portant à quatre le nombre des témoins requis. Elle précise les mesures prises dans l'urgence en 1556, notamment sur le nécessaire consentement des parents à tout mariage de mineurs. Pour lutter contre les mariages clandestins, elle fait de l'enlèvement d'une personne, même en vue du mariage et avec son consentement, déclaré « rapt de séduction », un délit passible de la peine de mort comme le rapt de violence, assimilé à un viol. L'exécution légale du conjoint ravisseur pouvait devenir un moyen radical de rompre le mariage... Comme celle de l'exhérédation, cette menace excessive était surtout dissuasive. Les juges ne l'appliquèrent que dans des cas extrêmes, par exemple quand l'un des conjoints, en général la fille, était d'une jeunesse extrême, ou que la condition sociale du ravisseur était très inférieure à celle de la personne enlevée.

A la fin de 1631, chassé de France avec sa mère pour conspiration, Gaston d'Orléans se réfugie à Nancy, capitale de la Lorraine alors indépendante. Il s'y éprend de Marguerite, la fille du duc, qui est en guerre contre la France. Le 3 janvier 1632, il l'épouse en grand secret, devant un moine bénédictin, dans la chapelle d'un prieuré, devant quelques membres de la famille ducale et les Français Puylaurens et d'Elbœuf. Le 6, vaincu par les armées de Louis XIII, devenu son beau-frère sans le savoir, le duc de Lorraine doit signer un traité désavantageux. Gaston y perd son refuge. De peur d'être livré au roi son frère, il s'enfuit sans sa femme dans les Pays-Bas espagnols. Consommé, son mariage n'en est pas moins valide pour l'Eglise. Richelieu s'efforce d'obtenir son annulation d'un clergé de France complaisant. Le pape l'en empêche, mais c'est seulement en 1643, après la mort du ministre, que Louis XIII, sentant sa fin prochaine, consent enfin à reconnaître le mariage lorrain. Non sans avoir paradoxalement exigé une nouvelle cérémonie religieuse, pour que le mariage de son frère soit public.

Cette aventure, qui montrait, au plus haut niveau, les dangers des mariages clandestins, fut une des causes de la déclaration de Saint-Germain, en 1639. Afin de remédier à « la licence du siècle » et à la « dépravation des mœurs », elle organise avec encore plus de précision les conditions du mariage légitime selon l'Etat, protecteur de l'intérêt des familles, y compris de la famille royale, étendant au maximum le pouvoir des pères sur leurs enfants. Pour lutter contre les rapts commis avec violence, les pères conciliaires avaient déclaré qu'aussi longtemps que la victime d'un tel rapt serait sous la puissance de son ravisseur, tout mariage entre eux serait interdit, et nul celui qui aurait été contracté malgré l'interdiction. Les juristes français décidèrent que, même sans enlèvement, tout mariage conclu sans l'exprès consentement préalable des parents serait considéré comme un rapt de séduction, entraînant les mêmes conséquences que le rapt de violence.

Les édits royaux destinés à empêcher les unions désassorties et les idylles inconsidérées concernent également les garçons et les filles. En exigeant que le consentement des époux soit donné en public, ils tentent d'en garantir la liberté. Cette mesure est en principe surtout favorable à la femme, plus habituellement soumise à la contrainte de sa famille que l'homme. Mais, comme la fille destinée à se faire religieuse, la jeune fille à marier n'a guère de réelle possibilité de manifester son éventuel désaccord. En cas de rapt, seul moyen pour elle d'échapper à la pression de ses parents, elle risque moins que son complice, d'ordinaire seul considéré comme capable d'organiser une telle affaire, mais elle a beaucoup plus à y perdre. Comme les don Juan ne manquent pas, elle peut être victime d'un séducteur. Et s'il s'agit d'un ravisseur de bonne foi, en cas de procès suivi d'annulation, le scandale qui salit sa réputation lui ôte toute possibilité de mariage. Avec de grandes chances de se retrouver au couvent... A moins qu'une belle dot ne rachète tout.

Conséquence d'une lutte sourde entre l'Eglise et l'Etat, le statut du mariage est au XVIIe siècle en pleine évolution. La main-mise des juristes royaux sur ce qui relevait jusque-là des juges ecclésiastiques donne aux parents sur leurs enfants un pouvoir accru, pour ne pas dire absolu. Dès que des intérêts dynastiques ou financiers sont en jeu, les mariages deviennent des « pactes familiaux » où le contrat a plus d'importance que le sacrement. Sur ce point encore garçons et filles se retrouvent théoriquement dans une même dépendance, également incapables de choisir librement l'être avec lequel ils devront passer le reste de leur vie. Mais sur ce point aussi, mœurs et usages ne rendent pas leurs sorts égaux. Sauf exceptions, l'épouse, dans le mariage imposé, se trouve beaucoup moins libre que le mari d'aller chercher des plaisirs et des compensations en dehors du foyer.

L'infériorité de la femme est un fait de société, lié à des us et coutumes dans lesquels l'Eglise n'a pas de responsabilité directe. Dans leurs décrets et canons sur le mariage, les pères du concile de Trente ne manifestent aucune misogynie. La femme y est considérée à l'égal de l'homme, avec le même besoin de l'autre pour l'aider à vivre et à vieillir, avec la même concupiscence consécutive à la chute qui pousse les êtres des deux sexes à se réunir charnellement. Contrairement à toute une tradition cléricale et gauloise, il n'y est nulle part affirmé que la femme soit plus avide ou ait plus besoin de cette conjonction que l'homme. Dans le texte du *Catéchisme du concile*, quand leur cas n'est pas présenté comme exactement symétrique, c'est toujours chez l'homme qu'est montrée l'irrésistible impulsion de la chair qui doit le conduire à se marier pour avoir une femme qui lui servira de « remède ». Pour l'Eglise, le mariage concerne le couple. Au mieux et fondamentalement, parce qu'il est le moyen d'être deux pour supporter la vie. Au pis et surtout, parce qu'il est le moyen, pour la femme comme pour l'homme, de satisfaire sans péché une pulsion considérée comme irrépressible.

Les pères du concile n'accordent guère d'importance au mariage comme moyen d'avoir une descendance à laquelle transmettre des biens patrimoniaux. S'ils insistent sur l'importance du consentement mutuel, ce n'est pas pour favoriser ce que nous appelons le mariage d'amour, dont ils n'envisagent même pas l'éventualité, mais pour s'opposer aux unions conclues sous la contrainte. Ce sont au contraire ces deux finalités qu'envisage l'Etat, pour encourager la première et pour combattre la seconde.

14

Le sexe des femmes

« Sexe », « Absolument parlant, se dit des femmes », dit Furetière dans son *Dictionnaire*. Exemple : « Il faut avoir du respect pour le sexe, pour le beau sexe, pour les dames. » Dans l'entrée précédente, où il a défini le sens principal du mot comme la « partie du corps humain qui fait la différence du mâle et de la femelle », il l'a déjà pris en ce sens particulier dans un exemple : « Le sexe viril est le plus fort. On excuse la faiblesse du sexe. » Employé seul, le mot sexe peut en effet perdre son sens concret. « C'est un homme qui aime le sexe, c'est-à-dire les femmes », précise l'auteur. Spontanément, on ne donnerait pas aujourd'hui le même sens à l'expression « aimer le sexe ».

Chez Furetière, les mots qui servent à désigner les organes féminins se trouvent en partie à l'article « Matrice ». C'est, dit-il, un « terme de médecine, la partie des femelles des animaux où se fait la conception et la nourriture du fœtus ou des petits jusqu'à leur naissance. Aux femmes, elle est située en l'hypogastre ou bas-ventre, entre cette ample capacité des hanches qui est entre la vessie et l'intestin droit, et elle va jusqu'aux flancs quand elles sont enceintes ». Après en avoir décrit les membranes et les ligaments, il en dépeint « la figure, ronde et longue comme une grosse poire », puis en énumère les « quatre parties » : « L'une est le fond, qui est son propre corps ; la seconde, le col ; les autres sont l'orifice intérieur et l'extérieur. Les parties extérieures sont le pénil, la motte et les lèvres. Les cachées sont les ailes, les nymphes, les caroncules, le clitoris et l'hymen. » Furetière connaît les découvertes anatomiques de son temps et emploie un vocabulaire précis — plus précis que celui de la médecine galénique. Sur un sujet délicat, où il craint d'offenser la pudeur, il commence son article par une description technique.

Mais il n'oublie pas les Anciens. « Sa partie droite, dit-il de la matrice, s'appelle masculine, à cause que les mâles sont conçus du côté droit, et la gauche féminine, à cause que les filles y sont conçues, selon Hippocrate. » Reste de préjugés plus que millénaires, il y a un bon et un mauvais côté, celui des garçons et celui des filles. « Les Anciens, continue l'auteur, ont appelé la matrice *mitra*, c'est-à-dire *mère* ; d'où vient qu'on appelle encore maux de mère les maux de matrice, et *hystera* parce que c'est la dernière des entrailles selon la situation. On l'appelle aussi *physis* ou *nature* et *vulve* du latin *vulva*, comme qui dirait *volva*, *enveloppoir* ou *valva porte*. » Comme il arrive même chez les médecins du début du siècle, Furetière confond la matrice, qui est un organe intérieur, avec la vulve, qui est à l'extérieur. Il fait de même au mot « vulve », qu'il identifie à matrice.

Furetière continue l'article en rappelant, sans les adopter, les théories des Anciens qui fondent ce qu'on dit de l'hystérie : « Platon et Pythagore ont cru que [la matrice] était un animal distingué [distinct] qui était dans un autre animal. » Il termine sur des expériences modernes : « Paul Eginette dit qu'on peut ôter toute la matrice à une femme sans qu'elle en meure, et on en a vu depuis peu qui ont vécu longtemps après avoir perdu la matrice. On en a guéri quelques-unes en leur extirpant la matrice comment en témoignent Rhasis et Paré. On a fait voir à l'Académie des sciences en 1669 un enfant engendré hors la matrice, qui n'avait pas laissé de croître jusqu'à six pouces. » C'est à l'utérus plus qu'au sexe que s'intéressent par métier médecins, accoucheurs et matrones. Les dissections de femmes ont progressivement conduit à la création d'un vocabulaire approprié. Conscient des progrès de la médecine et de la chirurgie de son temps, Furetière en reproduit le vocabulaire, avec ses hésitations et ses confusions. Il se garde de parler de sexualité, terme qui n'existera que plus tard.

Mais comme il s'intéresse particulièrement aux termes des métiers, il n'oublie pas de donner à ses lecteurs un aperçu précis du vocabulaire des plus anciennes spécialistes des organes féminins, les matrones et sages-femmes. A l'article « Pucelage », il reprend mot à mot un passage du *Tableau de l'amour conjugal* de Nicolas Venette, qui y avait lui-même cité le rapport, daté du 23 octobre 1672, d'une sage-femme sur sa visite d'une « fille de trente ans, forcée et violée ». Chaque terme « technique » y est suivi de son équivalent dans un langage moins spécifique, qui mêle celui des médecins et celui des honnêtes gens. Un tel échantillon du jargon professionnel des matrones, sans doute issu des parlers populaires, paraîtra encore suffisamment caractéristique au XVIIIe siècle pour être repris tel quel à l'article « Rapports », sous la plume du chevalier de Jaucourt dans l'*Encyclopédie* de Diderot.

« Le tout visité au doigt et à l'œil, écrit la sage-femme, nous avons trouvé qu'elle a les toutons dévoyés, c'est-à-dire la gorge flétrie ; les barres froissés c'est-à-dire l'os pubis ; le lippion recoquillé c'est-à-dire le poil ; l'entrepet ridé c'est-à-dire la nature de la femme qui peut tout ; les balunaux pendants c'est-à-dire les lèvres ; le lippendis pelé c'est-à-dire le bord des lèvres ; les baboles abattues c'est-à-dire les nymphes ; les halerons démis c'est-à-dire les caroncules ; l'entrechenat retourné c'est-à-dire les membranes qui lient les caroncules les unes aux autres, le barbideau écorché c'est-à-dire le clitoris ; le bilboquet fendu c'est-à-dire le cou de la matrice ; le guillemard élargi c'est-à-dire le conduit de la pudeur ; la dame du milieu retirée c'est-à-dire l'hymen ; l'arrière-fosse ouverte c'est-à-dire l'orifice interne de la matrice. Le tout vu et visité feuillet par feuillet... » Manque le mot principal, qui n'a son entrée ni chez Furetière ni chez Richelet. Désigner tout crûment le sexe féminin par son nom n'a pourtant jamais fait peur à personne à quelque époque que ce soit. Tout est question de milieu et de circonstance.

D'origine médicale, les définitions de Furetière sont neutres. Publiées en 1640, *Les Curiosités françaises* d'un lexicographe français plus ancien, Antoine Oudin, trahissent au contraire l'image défavorable de la femme et de son sexe dans le langage courant. Sur plus de neuf mille cinq cents entrées, six cent trente-deux concernent le sexe et l'amour, cinquante-six pour le sexe de l'homme, toujours triomphant, et trente-deux celui de la femme, toujours malmené, et quatorze son derrière. On y trouve neuf jeux de mots sur *con*, et onze variations qui le qualifient de large ou de grand, signe de son avidité. Parmi les quinze entrées de mots qui servent à le nommer, on trouve entre autres le *bas*, le *calibistrix*, le *combien*, la *crevasse*, le *crispimin*, le *devant*, l'*écrevisse de muraille* (c'est-à-dire l'araignée), la *nature*. La femme est métaphoriquement assimilée à « une crevasse » ou à un « double trou ». C'est un « garçon fendu ». Dans un vocabulaire qui traduit les fantasmes masculins dévalorisants, les seins et les fesses sont surdimensionnés, comme les cuisses, qui cachent entre leurs masses un sexe vaste et glouton. Faire l'amour à une femme, c'est, entre autres, « bailler du foin à la mule », ou lui « donner le picotin », ce qui la rabaisse au niveau d'un animal familier, méprisé, exploité et indispensable.

Si Oudin cite « homme de bonne vie » et « homme de mauvaise vie », il ne connaît que « femme de mauvaise vie ». Pour sept « dames », une « sage-femme » et quatre « nourrices », il nomme quatre-vingt-quatorze « garces », au sens fort de prostituées, qui accordent accès, contre bonne monnaie, à leur « ratelier à testicules ». Les autres femmes sont plus généreuses, puisqu'elles se plaisent à accorder leur sexe gratuitement. Elles « en donnent aux chiens et aux chats, aux grands et aux petits ». Elles « donnent du fil à retordre ». « Cette femme, dit-on, n'est pas chiche, elle donne deux jambons pour une andouille. » Toute une constellation de métaphores sexuelles courantes tournent autour du travail de la chair par le boucher, qui sépare « le bon morceau » de la « pièce pourrie », « tâte la chair », fabrique « boudins » et « andouilles », fait « revenir la viande » (renouvelle l'érection), manie le « gibier » et la « venaison » (la prostituée), « remue le gigot », etc. Dans cette vision paillarde de l'amour, centrée sur le corps et particulièrement sur le sexe, presque rien ne reste du vocabulaire de la séduction (5 %), pas même celui de la beauté féminine. Reconnue dans son omniprésence et dans sa toute-puissance, la conjonction charnelle est réduite au contact de deux « viandes » où de triomphants membres masculins perdent leurs forces et leur vigueur à combler l'insatiable avidité des honteuses profondeurs féminines.

Cette vision dévalorisante et caricaturale de la femme et de son sexe est récurrente dans les poèmes paillards du début du siècle dont les auteurs, par provocation, s'amusent à célébrer lyriquement les organes de la génération. *Le Cabinet satirique* (1618) et les *Délices satiriques* (1620) le font avec une grande verdeur de langage, qui n'est censurée que si elle s'accompagne d'impiétés, comme dans *Le Parnasse des poètes satiriques* qui envoie Théophile en prison. Un con y est appelé un con, même s'il est le sujet de développements poétiques. L'amant s'y plaît à contempler dans l'intimité les beautés d'ordinaire cachées de celle avec laquelle il va faire l'amour. Il en donne tout d'abord une vision poétique : « O bocage à fils d'or, le séjour de Cypris,/ O petit mont jumeau d'où sourdent les délices,/Heureux port des amants et carrière des lices,/Où des douceurs d'amour l'on constate le prix. » Puis il en vient aux réalités : « Quel doux contentement voir une grosse fesse,/Une motte vermeille, un con audacieux,/Qui brûle de combattre, et d'un ris gracieux/Appelle un vit nerveux pour lui faire caresse. »

Dans *Le Nouveau Parnasse satirique*, l'auteur prétend donner la parole aux femmes, qui célèbrent gaillardement leur sexe : « Nos cons sont palais magnifiques,/Il n'y faut d'étroites boutiques./L'on y veut cour et grand verger,/Salle, cabinet et cuisine,/ Chambre et antichambre voisine ;/Un petit train n'y peut loger. » Il va de soi qu'un sexe aussi somptueux se montre exigeant : « Nous aimons les vits dont les râbles/Bouchent tout à plein nos étables. » Ecrits en fait par des hommes, ces développements imaginent les plaisirs et les appétits des femmes selon les fantasmes masculins. Transformé en « baume précieux », le sperme devient une « céleste rosée » dont, pour être « arrosées », elles seraient prêtes à abandonner leur part de paradis. Imbus des mentalités de leur temps, les écrivains libérés des *Parnasses satiriques* ne doutent pas de leur supériorité d'homme. Ce sont eux qui agissent, eux qui remportent « la victoire », eux dont « le foutre liquide » apporte le comble de la volupté en « comblant le vide » féminin, un vide qui les attire, où ils trouvent du plaisir, mais qui, en même temps, leur fait peur.

Car même chez les libertins, l'attrait du sexe féminin se double d'une certaine crainte, voire d'une répulsion. C'est pourquoi il leur arrive aussi d'en faire un portrait horrifique, dans le cas par exemple d'une vieille prostituée : « Son con vilain, baveux, suant,/Et plus que le retrait puant,/Est ciselé de cicatrices,/De chaude-pisse et de poulains,/Et de mille chancres malins/Qui percent jusqu'à la matrice. » Tant la femme et ses organes sexuels sont liés dans l'imaginaire à l'idée de débauche, de prostitution, de démesure et de maladies. Lieu de délices, le sexe de la femme est aussi, presque toujours, chez les auteurs paillards un lieu de perdition. S'adressant à des lecteurs qui ne se scandalisaient pas de voir traités comme des sujets littéraires les organes de la génération et plus généralement les plaisirs du sexe à une époque où la morale et la bienséance tendaient à les en écarter, les recueils « satiriques » veulent apporter un plaisir de transgression des nouveaux tabous. Rares étaient cependant les authentiques libertins, qui allaient jusqu'à vanter dans l'union charnelle des corps la fusion de deux êtres complémentaires retrouvant dans l'orgasme l'unité d'une nature perdue. Même dans la paillardise, ils restaient prisonniers des thèmes et des craintes traditionnels.

Malgré son caractère transgressif, la grossièreté du vocabulaire choquait ceux des libertins qui pensaient qu'elle nuisait à une authentique célébration de la sexualité. Dans son *Histoire comique de Francion*, contemporaine des recueils satiriques, Sorel condamne les mots crus dans sa description d'une orgie où hommes et femmes s'accouplent pêle-mêle, librement. Nulle pudibonderie chez l'auteur ni chez ses personnages. On vient de découvrir « une paire de fesses [féminines] des plus grosses et des mieux nourries du monde ». Toute la compagnie masculine les a baisées, et Francion y est même allé d'un éloquent hommage du cul. Des mots, on est passé aux actes. Les dames qui avaient « encore gardé leur pudeur » la laissent « échapper ». Alors le comte Raymond, l'ami et patron de Francion, qui a organisé la fête, ne cesse de « parler d'autre chose que de foutre ». Il soutient qu'il n'y a pas de mal « à prendre la hardiesse de parler des choses » que l'on prend « la hardiesse de faire ». « Il est certes permis, répond alors Francion, d'en discourir et de nommer toutes les parties sans scandale », mais il conviendrait que « ce fût par des noms plus beaux et moins communs » que les grossièretés de Raymond.

« Ne le faisons-nous pas tout de même que les paysans ? objecte celui-ci. Pourquoi aurions-nous d'autres termes qu'eux ? » Fausse ressemblance, réplique Francion, qui rejette l'animalité dans les classes populaires : « Nous le faisons de tout autre manière, nous usons de bien plus de caresses qu'eux, qui n'ont point d'autre envie que de saouler leur appétit stupide, qui ne diffère en rien de celui des brutes. Ils ne le font que du corps, et nous le faisons du corps et de l'âme tout ensemble, puisque faire il y a. » La sexualité de ceux qui ont une vie intellectuelle est supérieure à la sexualité de ceux qui n'en ont pas. Malgré une fin identique (« nous mettons tous à la fin nos chevilles dans un même trou »), les gestes de l'amour et surtout la façon de vivre la sexualité varient avec les participants. Les êtres frustes n'y « apportent pas les mêmes mignardises, les mêmes transports d'esprit ». La qualité d'une union charnelle ne dépend pas seulement du mouvement des corps, elle dépend aussi des mouvements intérieurs, de la façon dont l'esprit, à la fois intelligence et imagination, transforme une situation banale et enrichit la sensation. Faire l'amour, c'est engager tout son être physiquement et moralement dans un acte qui suppose à la fois une technique des corps et une certaine qualité d'âme. Point de sexualité réussie sans fantasmes et sans mignardises.

Il y faut également la médiatisation du langage. « Bien que notre corps fasse la même action » que ceux qui s'unissent bestialement, pour en parler « notre esprit doit faire paraître sa gentillesse, et il nous faut avoir des termes autres que les leurs ». A la qualité de l'action et à la qualité de sa sublimation par la pensée, doit correspondre la qualité de l'expression. Un plaisir énoncé dans un vocabulaire grossier ne peut être qu'un plaisir grossier. Le raffinement de la jouissance suppose le raffinement des termes qui l'anticipent ou la prolongent. La sexualité est aussi une affaire de mots. En la réduisant à des vulgarités, on l'empêche de s'épanouir. Plus d'une fois, au cours du roman, Francion apprendra aux autres comment faire l'amour, c'est-à-dire à la fois comment le pratiquer, comment le penser et comment le dire.

« Il y a, explique-t-il, bien de l'apparence que les plus braves hommes, quand ils veulent témoigner leur galantise, usent en ces matières-ci, la plus excellente de toutes, des propres termes qui sortent à chaque moment de la bouche des crocheteurs, des laquais et de tous les coquins du monde. Pour moi, j'enrage quand je vois quelquefois qu'un poète pense avoir fait un bon sonnet quand il a mis dedans ces mots de foutre, de vit et de con. » Beaux « embellissements » en vérité, et qui ne sont propres qu'« à rendre les esprits idiots » ! La grossièreté du vocabulaire doit être proscrite par ceux qui appartiennent à l'élite. En ce début du XVIIe siècle, la censure d'un vocabulaire sexuel cru ne vient pas seulement des puritains, mais aussi des libertins raffinés.

Les *Contes* de La Fontaine comme l'*Histoire amoureuse des Gaules* s'inscrivent dans ce programme où on suggère sans dire. On n'y trouve pas un mot grossier. D'où on peu inférer que les femmes du siècle n'ignoraient pas les noms de leurs parties intimes, mais que, dans la bonne société, elles ne pouvaient les prononcer que dans une stricte intimité, en secret, entre amies, ou les entendre prononcer dans les transports de l'amour. Pour le reste, on devait se contenter d'allusions, plus ou moins transparentes et plus ou moins réussies, exactement et dans la même mesure que pour les attributs masculins. La variété et le nombre des expressions de substitution employées sont le signe de l'omniprésence de la chose et de la nécessité de la désigner autrement que par son nom.

L'Ecole des filles, premier manuel connu d'initiation à l'amour charnel, est sans doute un des textes les plus instructifs sur la façon dont les libertins éclairés concevaient le langage de la sexualité. Il n'eut qu'un très petit nombre de lecteurs, les exemplaires en ayant presque tous été saisis pour immoralité, et l'auteur, Michel Millot, brûlé pour impiété en effigie place de Grève le 9 août 1655. Par l'absence de toute obscénité, par la clarté et la fraîcheur de l'expression, par la finesse et l'intelligence des développements sur une matière difficile, ce petit chef-d'œuvre d'initiation à la vie sexuelle à l'intention des jeunes filles ignorantes aurait mérité un meilleur sort.

Suzanne, cousine mariée et émancipée, y informe de l'essentiel, à l'exclusion de toute perversion, sa jeune cousine Fanchon qui va se marier à son tour. A celle-ci qui lui demande comment s'appelle « l'engin de la fille », elle répond tout crûment : « Je l'appelle con, et quelquefois il s'entend par le bas, la chose, le trou mignon, le trou velu, etc ». Mais, ajoute-t-elle, « garde-toi bien d'en parler devant le monde, car on dit que ce sont des vilains mots qui font rougir les filles quand on les leur prononce ». On ne peut les employer que « dans le feu de l'action ». Ce sont, continue-t-elle, « des mots hiéroglyphiques » pour traduire plus rapidement et plus fortement le plaisir et ce que « la fureur d'amour ne donne pas le temps d'énoncer ». Cette fureur « excuse tout, conclut la jeune femme, et il n'y a point de paroles sales à dire entre deux amants qui baisent et qui aiment à chevaucher l'un sur l'autre. Au contraire, toutes celles-là, ce sont de douceurs ».

En décrivant à Fanchon comment elle passe la nuit avec son amant, Suzanne fait une large place aux préparatifs de l'amour (elle fait mine de dormir et il la réveille en la caressant) et aux intermèdes (on fait la dînette tout nus en s'entrefrottant). Elle n'oublie pas les postures amoureuses ni les « petites coyonneries qui plaisent toujours et ne laissent pas de chatouiller un peu ». Selon Suzanne, « il y a cent mille délices en amour qui précèdent la conclusion, et lesquelles on ne peut autrement goûter que dans leur temps, avec loisir et attention, car autre chose est le baiser que l'attouchement, et le regard que la jouissance parfaite ». Celle-ci ne doit en effet venir qu'ensuite, dans son rang, la dernière. Car, « parmi tout cela, depuis le premier moment qu'on a commencé à baiser, regarder, toucher et enconner jusqu'à l'entier accomplissement de l'œuvre, il faut donner place et entremêler cent mille mignardises et agréments : jalousies et petits mots, lascivités, pudeurs, frétillements, douceurs, violences douces, querelles, demandes, réponses, remuements des fesses, coups de main, langueurs, plaintes, soupirs, fureurs, action, passion, gesticulation, souplesse de corps et d'amour, commandements, prières, obéissances, refus, et une infinité d'autres douceurs qui ne peuvent pas être pratiquées en un moment ».

Avec ses précisions et sa longue énumération finale, cette description valorise l'importance des paroles dans le jeu amoureux. Considéré comme un paroxysme, le plaisir final se prépare en enflammant d'abord l'imagination autant que les sens. Suzanne, comme Francion et presque dans les mêmes termes, explique à sa cousine l'importance du discours amoureux, même au fort de l'action. « Il faut que tu uses envers ton ami de petites afféteries de la voix, qui sont les vraies délices de l'amour... Il y a des certains "hélas" ou "ah" qui sont faits si à propos qu'ils percent l'âme de douceur à ceux qui nous les causent, car nous faisons ceci, penses-tu, non pas comme les bêtes, par brutalité et par nécessité, mais par amour et par connaissance de cause. » Le plaisir de l'union charnelle suppose, presque jusqu'au bout, non seulement une conscience en éveil mais un art de la communication.

C'est pourquoi *L'Ecole des filles* n'élude ni la question des protestations d'amour ni celle du vocabulaire amoureux. Comme Sorel dans le *Francion*, l'auteur avoue que les simagrées des amants ne sont que des préliminaires, tendant tous à la même satisfaction du désir. « Voilà, dit Suzanne, où se terminent tant de soupirs, tant de plaintes et tant de désirs, qui est de s'entrefrétiller les uns les autres. » Quand elles en sont venues au fait, les filles « reconnaissent que cet accouplement charnel et grossier est le feu qui les anime et qu'il est la source et la fin de toutes ces belles pensées et imaginations d'amours spirituelles et élevées qu'elles croyaient provenir d'ailleurs que de la matrice ». Mais cela ne condamne pas, au contraire, ces pensées et ces imaginations, puisqu'elles servent à prolonger et à enrichir l'acte amoureux. Le corps se sert des mouvements de l'âme pour arriver à ses fins et jouir davantage. Aux différentes phases du plaisir correspondent divers niveaux de langage. L'union sexuelle ne doit jamais être une simple conjonction des corps : elle s'accompagne et s'enrichit de la communication verbale entre deux êtres. Réduire l'amour aux paroles et nier la sexualité, c'est duperie, car le corps est là qui sait où il veut en venir, mais réduire la sexualité à la copulation, c'est bestialité, car l'homme a besoin de penser et de parler pour bien jouir. On ne fait l'amour parfaitement que si on le fait avec intelligence.

Aux imaginations de Sorel et aux théories de *L'Ecole des filles* correspondent, dans la vie, les pratiques et le succès d'une Ninon de Lenclos. Comme Francion, elle apprend aux hommes à ne pas confondre sexualité et grossièreté : « Elle se fait porter respect, dit Tallemant de la Ninon des années 1650, par tous ceux qui vont chez elle, et ne souffrirait pas que le plus huppé de la cour s'y moquât de qui que ce soit qui y fût. » Ne pas considérer la partenaire avec laquelle on couche comme un pur objet de plaisir, méprisable et muet, mais comme une personne intelligente et imaginative avec laquelle on peut communiquer sur plusieurs registres, c'est en fin de compte la valoriser et valoriser en même temps toutes les relations que l'on a avec elle, y compris la plus intime. La courtisane avait compris que les refus préconisés par certaines femmes (arbitrairement appelées précieuses) n'étaient pas le seul moyen de donner du prix à la femme : on peut conserver du prix en se donnant, et même l'accroître si on sait accompagner ce qu'il y a de banal dans le don de tout ce qui peut le rendre incomparable et irremplaçable.

Pour défendre sa féminité, Ninon ne refuse pas la sexualité ; elle l'enrichit des prestiges de l'esprit et de la parole. L'auteur des *Mémoires de Chavagnac* a excellemment défini, en 1699, ce qu'avait été son rôle : « Quand un courtisan avait un fils à dégourdir, il l'envoyait à son école. L'éducation qu'elle donnait était si excellente qu'on faisait bien la différence des jeunes gens qu'elle avait dressés. Elle leur apprenait la manière jolie de faire l'amour, la délicatesse de l'expression. Pour si peu de peine qu'elle se donnât et pourvu qu'elle trouvât un naturel docile, elle faisait en peu de temps un honnête homme. » Texte ambigu, en raison du sens double de la locution « faire l'amour ». Mais cette dualité reflète l'interdépendance, ainsi mise en valeur, des gestes de l'amour physique et du discours sur l'amour.

A défaut d'avoir été une honnête femme au sens des moralistes, Ninon de Lenclos a su cultiver un art d'aimer, puis un art de vivre qui lui a finalement valu une réputation d'« honnête homme ». La duchesse d'Orléans, dont la vertu est incontestable, en témoigne dans une lettre du 18 mai 1698 : « Depuis que Mlle de Lenclos est vieillie, elle mène une vie fort honnête. Mon fils [le duc de Chartres] est de ses amis. Elle l'aime beaucoup. Je voudrais qu'il l'allât voir plus souvent et la fréquentât de préférence à ses bons amis. Elle lui inspirerait de meilleurs sentiments et plus nobles que ceux-ci ne font. Elle s'y entend, paraît-il, car ceux qui sont de ses amis la vantent et ont coutume de dire : il n'y a point de plus honnête homme que Mlle de Lenclos. On prétend qu'elle est fort modeste dans ses manières et ses discours, ce que mon fils n'est point le moins du monde. » Ninon s'était comportée en homme en affirmant sa liberté sexuelle. Il est piquant de lui voir attribuer la qualité d'honnête homme maintenant que la vieillesse l'a rendue chaste.

« Mlle de Lenclos, écrit Méré dès 1674 : elle a bon air... Les femmes qui ont été galantes ne deviennent jamais pédantes. » Le libertinage des mœurs suppose une sociabilité et une souplesse d'esprit qui développent la subtilité et l'agilité intellectuelle. Conformément aux idées de Francion, la liberté sexuelle des gens d'esprit ne les conduit pas à la grossièreté, mais au raffinement. A plus de soixante-dix ans, Ninon exerce toujours son charme dans la société parce qu'elle a conservé cet art de la communication dont elle avait su entourer le plaisir physique. Entre « honnêteté » et sexualité, il n'y a donc pas, avec elle, exclusion mais complémentarité. Cela renverse la morale. Les « philosophes » du XVIIIe siècle l'ont compris, qui ont fait de Ninon un des leurs. Mais cela inversait du même coup les rôles distribués par la société entre les sexes. Notre temps en fait tous les jours l'expérience.

15

« Les désirs de la chair »

La pensée libertine encourage une sexualité dont la bestialité serait, chez l'homme, sublimée par l'esprit, seul capable d'entourer la conjonction des corps d'une communication amoureuse partagée dans un désirable plaisir commun. Selon la doctrine de l'Eglise, la sexualité est au contraire une révolte de la chair contre l'esprit ; il faut par conséquent s'en abstenir, ou, chez ceux qui en sont incapables, la surveiller étroitement au sein d'un mariage conçu, selon la formule du *Catéchisme du concile*, comme un « remède aux *désirs de la chair* ». Entre les audacieux tenants de la pensée libertine et ceux de la doctrine de l'Eglise tridentine, il n'y a pas d'accord possible. Pour les uns, l'union sexuelle est un plaisir à rechercher au gré de ses envies et avec des partenaires variés. Pour les autres, c'est un plaisir chichement concédé aux deux membres d'un couple indissoluble qui se sont jugés incapables d'une plus grande perfection, dont le Christ avait donné le chaste modèle.

Dans la France du XVIIe siècle, le premier discours est rare, étouffé par la censure et la crainte, accessible à une partie seulement de l'élite intellectuelle, concevable seulement sous la plume de marginaux ou de plaisantins, impossible à placer sans scandale dans la bouche d'une femme honnête. Le second est le discours officiel, celui de l'Eglise appuyée par l'Etat, diffusé par les sermons, les livres de piété et les traités de morale, qui constituent l'essentiel des bibliothèques. Dans le cas de la femme, la bienséance s'ajoute à toute autre raison pour rendre inconcevable l'idée d'une sexualité libérée. La doctrine de l'Eglise devrait donc en principe être quasi la seule base d'une sexualité confinée et réglée dans le mariage.

L'étonnant, c'est l'immense décalage entre cette doctrine, proclamée et reconnue, et les comportements des fidèles qui n'envisagent même pas, comme le concède l'Eglise et le conseille le discours médical, de donner sa juste place à l'instinct sexuel dans la conclusion des mariages. Dans le monde, le code social s'oppose à ce qu'on reconnaisse sa violence et même son existence. On marie l'aînée ou la plus jolie ; on met la cadette et les suivantes au couvent. On ne tient pas compte du plus ou moins grand désir de l'une et des autres pour les « désirs de la chair ». Telle fille attirée par la vie religieuse et son idéal de chasteté a bien du mal à le faire admettre par sa famille qui a prévu de la marier, et telle autre est mise au couvent sans qu'on s'inquiète de ses frustrations. On n'imagine même pas que des parents puissent décider et surtout expliquer le mariage de leur fille par la violence reconnue d'un appétit sexuel que les bienséances du temps ne lui permettent pas d'exprimer ni même peut-être d'identifier.

A la différence de l'instinct sexuel masculin, celui de la jeune fille n'est pas explicitement reconnu par la société. A peine ose-t-on en reconnaître l'existence, mais pour faire rire, dans la comédie. Il doit rester comme endormi jusqu'au jour où le mari saura l'éveiller le soir de ses noces. Car si l'interdit religieux porte pareillement sur les deux sexes, l'enjeu n'est pas le même pour le garçon et pour la fille. A l'un, qui se vante volontiers de ses prouesses, revient la gloire de son pouvoir de séduction ; à l'autre, qui doit impérativement cacher ses éventuelles faiblesses sous peine de perdre sa réputation et son prix, appartiendraient la honte de s'être abandonnée et l'inquiétude de dépendre du silence d'autrui. Sans parler du risque que la femme est seule à courir de se retrouver enceinte et déshonorée. Ce risque est loin d'être négligeable, vu la relativement grande probabilité des grossesses qui suivent un premier rapport sans précautions. Il fallait que l'appel des sens fût bien fort ou l'occasion bien pressante pour qu'une fille osât surmonter ces handicaps.

On manque d'études précises pour décider si la proportion des mariages après défloration était particulièrement faible dans la bonne société où les interdits étaient plus explicitement exprimés, et les filles en principe mieux gardées. Personne, pas même les libertins, n'y conteste ouvertement qu'elles doivent demeurer vierges jusqu'à leur mariage. C'est parce qu'elle va convoler en justes noces que Suzanne, dans *L'Ecole des filles*, explique à une Fanchon très ignorante les pratiques et les plaisirs de l'amour. Même dans une œuvre beaucoup plus osée, où ne manquent ni les plaisirs lesbiens ni les amours à plusieurs ni la sodomie, comme l'*Académie des dames* de Nicolas Chorier (1680), c'est seulement à la veille de son mariage que l'initiatrice apprend à son amie les plaisirs des caresses homosexuelles en lui contant sa propre initiation sexuelle, et une fois celui-ci consommé, qu'elle lui découvre tout le reste. La jeune fille de bonne famille, élevée au couvent ou dans une famille attentive à lui conserver sa valeur dans le grand marché du mariage, y arrivait le plus souvent non seulement vierge, mais innocente.

Et pourtant, malgré ces contraintes, des mariages ont été conclus en dehors des normes, entre des jeunes gens suffisamment attirés l'un par l'autre pour prendre les risques que comportait leur conduite. Le grand effort de l'Etat pour obtenir de l'Eglise la nullité des mariages conclus entre mineurs sans le consentement parental ne s'expliquerait guère si ces unions n'avaient pas été assez nombreuses pour être considérées comme un danger par les familles soucieuses d'empêcher mésalliances et pertes de prestige ou d'argent. Les « rapts de séduction » avec intervention d'un prêtre supposent entre les « coupables » une forte attirance réciproque. C'est seulement par bienséance qu'on parle à ce sujet d'amour ou de passion, au lieu d'y reconnaître tout bonnement, comme l'Eglise et les médecins, un désir commun de connaître les plaisirs de la chair. Même en ce genre d'affaires pourtant, la réciprocité n'est pas totale. C'est en général pour décider la jeune vierge qu'un homme déjà expérimenté consent à un mariage qui ôte le péché aux yeux de l'Eglise et sauve l'honneur devant les hommes. Ainsi procède don Juan pour arracher Elvire de son couvent. Moins prudente, la religieuse portugaise a eu le plaisir, puis le désespoir, sans le sacrement.

Mlle de Montpensier, Mme de Motteville et Saint-Simon ont conté un enlèvement célèbre et qui fit grand scandale en 1644. Grande, belle, intelligente, sans doute déjà sans grands scrupules, Isabelle de Montmorency-Boutteville avait plu à Gaspard de Coligny, comte de Châtillon, beau, bien fait et brave au dernier point. A moins que ce ne fût l'inverse. Ils appartenaient l'un et l'autre à deux des plus grandes familles de France, dont l'une, celle du jeune homme, était protestante, et l'autre catholique. La jeune fille était sans fortune, Gaspard devait hériter de grands biens. Pareillement opposés à ce mariage inégal, qui heurte leurs convictions religieuses, malgré une intervention de la reine en faveur des jeunes gens, les parents leur refusent leur consentement. Pour faire pression sur son fils, le père de Coligny ne lui donne plus de quoi tenir son rang dans le monde ni même pourvoir à son entretien. Il vit aux dépens du duc d'Enghien, le futur Grand Condé, son ami.

Loin de renoncer à son projet, Gaspard décide d'enlever Isabelle, qui habite chez sa sœur, Mme de Valençay. Elle y consent. Le 25 février, quand les deux sœurs rentrent en carrosse d'un bal donné par la reine régente en l'honneur de la reine d'Angleterre, des hommes armés sortent de l'hôtel où elles habitent, tuent le portier qui a tenté de résister, et enlèvent la jeune fille qui feint à peine de s'y opposer. Une voiture l'emporte à Château-Thierry. Gaspard l'y attend. Un prêtre est là, qui reçoit les consentements et donne la bénédiction nuptiale. Voilà Gaspard et Isabelle mariés, indissolublement mariés. Le soir même, Mme de Boutteville va au Louvre se plaindre à la reine, comme si sa fille, dit Mme de Motteville, avait été enlevée « par un voleur de grands chemins », dont elle aurait souffert « la plus grande violence du monde ». Anne d'Autriche et la mère du jeune homme ont du mal à tenir leur sérieux tant la connivence des jeunes gens est évidente.

L'affaire amuse tout le monde. On en parle dans les gazettes. On en fait des sonnets, des ballades et des rondeaux. Voiture envoie à Montmorency dix pages de vers où il célèbre l'événement : « Que cette nuit fut claire et belle/Quand la triomphante pucelle/En qui la nature et les dieux/Ont mis tout ce qu'ils ont de mieux/Fut par votre tendresse arrêtée. » Cependant, le père du jeune homme entame une procédure en annulation ; la mère de la jeune fille une autre pour rapt, réclamant la tête du coupable conformément à la loi. Les mariés restent prudemment à Stenay, place forte des Condé, qui les protège. Coligny, qui est entré dans sa vingt-cinquième année et n'a plus besoin de l'autorisation paternelle, y renouvelle publiquement son mariage avec constat devant notaire. Sur l'intervention de la reine, de Mazarin et du nonce, les parents finissent par donner leur accord. Le père de Coligny le subordonne à une nouvelle célébration publique et solennelle, à Paris. Ainsi fut fait. Mais malgré son triple mariage, Coligny est déjà attiré par d'autres amours. Devenue veuve en 1649, sa femme connaîtra elle aussi maintes aventures. Ces folies ne plaidaient pas pour les mariages conclus sans l'accord des parents.

En mars 1689, Mme de Sévigné conte une aventure à sa fille : « Ecoutez un peu ceci, ma bonne. Connaissez-vous M. de Béthune, le *berger extravagant* de Fontainebleau, autrement *Cassepot* ? Savez-vous comment il est fait ? Grand, maigre, un air de fou, sec, pâle... Tel que le voilà, il logeait à l'hôtel de Lyonne, avec le duc, la duchesse d'Estrées, Mme de Vaubrun, Mlle de Vaubrun. Cette dernière alla, il y a deux mois, à Sainte-Marie du faubourg Saint-Germain ; on crut que c'était le bonheur [la chance] de sa sœur qui faisait cette religieuse, et qu'elle aurait tout le bien. » On se trompait. « Savez-vous ce que faisait ce *Cassepot* à l'hôtel de Lyonne ? L'amour, ma bonne, l'amour avec Mlle de Vaubrun. Tel que je vous le figure, elle l'aimait. »

Autrement dit, Béthune, un veuf de cinquante-sept ans, a séduit la jeune fille qui en avait dix-sept.

« Et hier, continue la marquise, il alla avec cinq ou six gardes de M. de Gêvres enfoncer la grille du couvent avec une bûche et des coups redoublés. » C'est un enlèvement. « Il entre avec un homme à lui dans le couvent, trouve Mlle de Vaubrun qui l'attendait, la prend, l'emporte, la met dans un carrosse, la mène chez M. de Gêvres, fait un mariage sur la croix de l'épée [un mariage improvisé par consentement mutuel juré sur le manche de l'épée en forme de croix], couche avec elle, et le lendemain, ils sont disparus tous deux. » Tandis que la mère de la jeune fille demande la tête du coupable, la famille de Béthune fait « semblant de vouloir empêcher qu'on ne fasse le procès à leur sang ». On se demande ce que dira le roi. « Que dites-vous de l'amour ? commente l'épistolière. Je le méprise quand il s'amuse à de si vilaines gens. » Peu portée personnellement sur le sexe, la marquise est en général indulgente pour ses égarements. Encore faut-il que les héros de l'histoire soient jeunes et beaux comme dans ses chers romans.

L'affaire finit mal. Non pour Gêvres, gouverneur de Paris, le plus coupable, puisqu'il avait abusé de sa fonction. Le roi se contenta de le « gronder » pour son aide inconsidérée. Non pour les familles : le 11 avril, moins de trois semaines après l'enlèvement, les Béthune sont raccommodés avec les Gêvres. Elle finit mal pour les amoureux. On ramena la fille chez sa mère, « qui pensa crever en la revoyant. Elle dit qu'elle n'est point mariée ; elle a pourtant passé deux nuits avec ce vilain *Cassepot* ». Selon d'autres, non seulement « elle est mariée », mais il y aurait « quatre mois qu'elle l'a écrit au roi ». Finalement, écrit la marquise, elle « a tant dit qu'elle n'était point mariée et qu'elle voulait être religieuse qu'on l'a mise aux filles bleues de Saint-Denis ». Quant à Béthune, « si on le prenait et qu'on fît son procès, dit l'épistolière, homme vivant ne pourrait le sauver ». Elle ne s'en émeut guère : « Le monde a gagné à cela que *Cassepot* n'est plus en France. » Entre le temps de l'affaire Coligny et celle de Béthune, l'ordre social et moral avait fait de grands progrès.

A défaut de rapt de séduction, pour calmer leurs ardeurs amoureuses, les couples peuvent avoir recours au mariage de conscience. C'est un mariage célébré en secret devant un prêtre et des témoins choisis. Louis XIV y a eu recours, malgré les lois de son royaume qui l'interdisaient. Veuf à quarante-six ans, ne pouvant se passer de femme, soucieux d'assurer son salut et par conséquent décidé à ne plus avoir de maîtresses, en octobre 1683, trois mois après la mort de la reine, il épouse celle qui avait élevé ses enfants adultérins, la veuve Scarron, devenue marquise de Maintenon. Il était, a-t-on dit, plus sensuel que tendre ; elle était vraisemblablement plus tendre que sensuelle. Elle se plaindra dans sa vieillesse de sa tyrannie, probablement sexuelle. « Les hommes, dit-elle à Godet des Marais, son directeur, ne sont pas capables d'amitié comme les femmes. Il n'y en a pas de meilleur que le roi, mais il faut souffrir tout, et Dieu permet, pour mon salut, que je souffre beaucoup de lui. » Puisque le mariage est le remède de la concupiscence, l'union sexuelle est en effet un dû qu'on ne peut sans péché refuser d'accorder à son conjoint.

Le 19 juin 1681, entre onze heures et minuit, dans la chapelle du château de Lanty, en Bourgogne, Louise, fille aînée de Bussy, s'unit par le mariage, en l'absence de son père, à François de La Rivière devant le curé de la paroisse et quatre domestiques. Dans leur trouble, ils oublient de signer l'acte. Quand Bussy revient quatre jours plus tard, ils ont peur. Le marié quitte les lieux pour donner à sa femme le temps de prévenir son père. Ils ne se reverront que pour s'entredéchirer. La Rivière était un aventurier que Bussy avait amené chez lui en mai 1679. Il n'avait pas prévu la suite, l'attirance irrésistible ressentie par une veuve de trente-trois ans pour ce bel homme de trente-cinq, séduisant, beau parleur, bien vu de son père qu'il savait habilement flatter. Ils se plaisent. Ils s'aiment. Séparés, ils s'écrivent des lettres enflammées. En octobre, un jour qu'elle a été saignée, Louise envoie à François une promesse de mariage signée de son sang. On a peine à croire qu'ils aient ensuite attendu deux années pour coucher ensemble. Le mariage clandestin n'a peut-être été qu'une tardive régularisation, car Françoise est enceinte. Informé de la situation, Bussy a tôt fait de retourner sa fille contre son séducteur, dont il conteste la noblesse. Dès le 16 juillet, elle lui envoie une lettre de rupture. A la mi-mars suivant, elle accouche secrètement d'un enfant, qui disparaîtra.

Dans l'intervalle, Bussy et sa fille ont intenté contre La Rivière un procès en nullité de mariage. L'affaire déclenche un scandale. Les chansons n'hésitent pas à comparer Bussy au père Loth de la Bible. Mme de Sévigné s'en désole. « Pour moi, pauvre petite femme, écrit-elle, si j'avais fait une sottise, je n'y saurais pas d'autre invention que de la boire comme on faisait du temps de nos pères. » Maintenant que Louise et son mari se déchirent, les avocats vont se déchaîner. « Eh bien, continue-t-elle, nous avons aimé un homme ; cela est bien mal ! Et nous avons été si sotte que de l'épouser ; selon le monde, c'est ce qui est encore plus mal ! Nous écrivons des lettres brûlantes, c'est que nous avons le cœur brûlant aussi. Que peuvent-elles dire de plus que ce que nous avouons, qui est de l'avoir épousé ? C'est tout dire. C'est la grande et admirable sottise dont nous voulons nous tirer, puisque, par bonheur, en voulant faire le mariage du monde le plus sûr, nous avons fait le mariage le plus insoutenable. » Le mieux serait d'accommoder l'affaire.

On n'écouta pas la marquise. Un long procès s'ensuivit. La cour rendit son verdict le 13 juin 1684. Il enjoint à la fille de Bussy de reconnaître La Rivière pour son mari et de « retourner incessamment avec lui ». L'enfant né de leur mariage est un enfant légitime. Telle est la force du libre consentement de deux individus majeurs... Louise dut se résigner à un accommodement. La Rivière renonça à exiger la cohabitation. Elle lui céda en compensation la jouissance viagère de la terre de Lanty, naguère achetée pour cacher leurs amours. Pour narguer son beau-père, le mari rejeté se proclame partout « gendre de M. de Bussy ». Il fera plus tard figurer ce beau titre en tête d'un recueil de ses lettres. Commencée comme un roman d'amour, continuée dans l'allégresse et les craintes d'une passion où les sens ont à peine eu leur part, l'affaire se termine chez le notaire où l'épouse forcée achète la liberté de se retrouver comme avant en tête à tête avec un père abusif. Mme de Sévigné l'a bien vu : sa nièce a eu le tort d'être trop scrupuleuse et de vouloir se marier pour ôter le péché.

Malgré la pression de l'Eglise, malgré la surveillance des familles, malgré les risques encourus, il arrivait qu'une fille de bonne famille se laissât entraîner par un séducteur, qui l'abandonnait quand il apprenait qu'elle était enceinte. Plutôt que de recourir à l'avortement, dangereux et passible de la peine de mort, on cherchait d'urgence un mari pour servir de père à l'enfant à naître. « On disait donc, écrit Mme de Sévigné en prétendant par précaution qu'elle ne croit pas ce qu'elle raconte, que M*** [les éditeurs de la lettre n'ont gardé que cette initiale] avait un peu avancé les affaires, et qu'il y avait eu grand hâte de la marier. » Cela prit du temps. On ne put empêcher qu'« au bout de cinq mois, M. de C* ne se trouvât un héritier ». Comment faire ? « La question fut de faire passer pour une mauvaise couche la meilleure qui fût jamais, et un enfant qui se portait à merveille pour un petit enfant mort. Ce fut une grande habileté qui coûta de grands soins à ceux qui s'en mêlèrent. » Finalement, l'enfant mourut. « Heureusement », conclut l'épistolière.

De Champiré, en Anjou, où elle séjourne avec sa mère, Mlle de La Vergne se plaint, à la fin de novembre 1654, d'être malade pour la première fois de sa vie, elle qui rayonnait jusque-là de santé. Il lui faut rentrer à Paris. On décide de partir dans trois semaines pour y « trouver du secours ». On rentre encore plus tôt. La jeune fille est de retour dans la capitale dès le début de décembre. On lui applique le remède de Molière dans *L'Amour médecin* : on la marie. Le contrat est signé le 14 février 1655, la cérémonie religieuse célébrée le lendemain. Union bâclée d'une riche héritière de très petite et très récente noblesse avec le comte de La Fayette, qui possède un grand et ancien nom, mais n'est riche que de dettes et de procès. Aussitôt le mariage célébré, les deux époux, qui se sont rencontrés à la dernière minute, partent s'enterrer en Auvergne, à Espinasse, où le comte a un mauvais château. Tout Paris jase de ce mariage précipité.

Six mois plus tard, le 27 août, la nouvelle comtesse se plaint dans une lettre à Ménage que son amie, Mme de Sévigné, ne s'est pas inquiétée à la nouvelle qu'elle était « accouchée ». Fausse couche ? Peut-être. Plus probablement accouchement d'un enfant conçu dans un instant d'égarement par une jeune fille mal surveillée par ses parents empêtrés dans leurs efforts pour aider Retz à s'échapper du château de Nantes où le roi le tenait enfermé. Car comment expliquer, sinon, qu'une si jeune fille, connue et admirée dans le monde avant la Fronde, promise grâce à ses biens et à son esprit à un avenir brillant et à un mariage avantageux, ait soudain accepté, à vingt ans, d'épouser un veuf sans avenir qui a dix-huit ans de plus qu'elle ? Depuis longtemps retiré dans ses terres et décidé à y rester, le comte de La Fayette y retiendra sa femme trois ans, le temps d'en avoir deux héritiers, et ne passera ensuite que de brefs moments avec elle ou plutôt chez elle à Paris. De ce mariage, la comtesse ne se remettra jamais. Ses lettres d'Auvergne sont pleines de sa mauvaise santé. Ses maux ne la lâcheront plus. Destiné à céder sans péché aux désirs de la chair, le mariage peut devenir comme ici, avec un mari non désiré, un moyen d'expier les plaisirs qu'une jeune fille a pris en dehors de lui, par anticipation.

La sexualité et la conclusion d'une union légitime ont chacune des exigences qui s'accordent d'autant moins que l'on est situé plus haut dans la société. Longtemps, chez les nobles et les riches, les hommes avaient réglé cette contradiction par une sorte de polygamie : à leur femme s'ajoutaient une ou plusieurs concubines de condition inférieure. Loin de s'en cacher, ils élevaient ensemble, chez eux, leurs enfants légitimes et illégitimes. Au XVIe siècle, l'Eglise s'est efficacement employée à l'éradication de cette pratique. On en trouve encore des exemples dans la bonne société au début du XVIIe siècle. Ensuite, une telle conduite n'est plus possible qu'à un très haut niveau. C'est, au su de tout le monde, celle de Louis XIV à la cour de France.

Dans le peuple, la transformation des mœurs est totale. Au XVIe siècle, à Nantes et dans les villages voisins, 50 % des naissances hors mariage provenaient d'un concubinage qui montre le caractère subalterne de la femme et l'inégalité de son statut, puisqu'il n'était pas imaginable qu'elle puisse parallèlement installer un autre homme à son foyer. Un siècle plus tard, entre 1735 et 1750, la disparition du concubinage se mesure à celle du taux des naissances hors mariage, qui tombe à 6,5 %. En obtenant progressivement le respect de la monogamie domestique, l'Eglise confère à l'épouse la dignité qu'elle a attachée au caractère sacramentel du mariage religieux. L'instinct pouvait être le plus fort. Des maris n'en continuaient pas moins à coucher avec des servantes. Quand celles-ci en attendaient des enfants, on les chassait avec leurs bâtards. Elles se retrouvaient à la rue sans ressources, proies désignées pour la prostitution. Les enfants étaient abandonnés ou placés à l'asile. Beaucoup y mouraient. S'ils survivaient, ils vivaient parmi les mendiants, les mauvais garçons et les prostituées. C'était une nouvelle forme d'inégalité, mais elle était dissuasive.

En ce temps où la plus grande partie de la population est rurale (90 %), on se marie le plus souvent entre garçons et filles d'un même village (60 à 75 % d'endogamie) et pour les trois quarts du reste, à deux ou trois lieues à la ronde. On se marie dans son milieu, avec ses homologues pour le rang et surtout pour les biens. A partir du moment où, sous l'influence de l'Eglise tridentine, s'est imposée l'idée que toute conception en dehors du mariage était contraire aux bonnes mœurs et à la religion, surveillée comme elle l'était par l'ensemble de la communauté dans laquelle se trouvaient parents, futurs beaux-parents et le contingent des futurs maris possibles, toute jeune fille savait bien qu'en perdant sa virginité, elle se trouverait dévalorisée, et du même coup écartée du mariage légitime, seul moyen d'avoir un statut convenable dans sa communauté. Elle savait également que si d'aventure elle concevait un enfant de son promis, même s'il l'épousait, ne pas se conformer au modèle du mariage tardif, imposé par les conditions de l'économie du temps, mettrait en péril l'équilibre précaire des ressources présentes et à venir d'une famille prématurément constituée.

Tant de continence peut étonner aujourd'hui. Mais les jeunes filles du XVIIe siècle n'étaient pas constamment plongées dans une idéologie présentant avec insistance l'accomplissement de la sexualité comme l'épanouissement suprême. L'idéal développé et imposé par l'Eglise leur apprenait à placer la virginité et la chasteté bien au-dessus des « plaisirs de la chair », avec les images fortes de la Vierge Marie et de la Madeleine repentie. Si la nature parlait plus fort que le discours dominant, la peur de la grossesse, désormais contrôlée par des déclarations obligatoires, avait de quoi refroidir les plus brûlantes ardeurs. La naissance d'un enfant hors mariage comportait désormais un insupportable risque d'exclusion. Sur trente-neuf filles mères recensées entre 1681 et 1790 dans cinq paroisses de Haute-Marne, une est restée fille dans son village, douze ont réussi à se marier, les vingt-six autres ont dû partir, dont quatorze en abandonnant leur enfant.

Dans le cours du XVIIe siècle, l'Eglise mène à son terme l'évolution vers le modèle familial initié au XIIe siècle par l'institution du mariage sacramentel. Solidement ancré dans les esprits et dans les mœurs, ce modèle perdurera jusqu'à ce qu'il soit ruiné, au milieu du XXe siècle, par l'invention d'une contraception sûre dont les femmes auront à la fois la libre disposition et la maîtrise. Pour expliquer l'existence et la durée du modèle « classique », l'élément déterminant n'a pas été, comme on pourrait le croire, la soumission au commandement répété que les « désirs de la chair » ne devaient être satisfaits qu'après le sacrement. Ce qui a modifié la famille, c'est l'application, enfin obtenue des fidèles, du principe absolu de la monogamie et de l'indissolubilité du mariage. Dès lors, plus de familles élargies aux maîtresses du mari et à ses enfants illégitimes, plus de possibilités pour les filles mères et leurs enfants d'avoir le vivre et le couvert en servant dans la maison du maître de maison, qu'il soit leur amant, leur séducteur ou leur violeur. Pour toute femme qui veut mener une vie réglée, il n'y a plus d'autre issue que d'attendre l'heure du sacrement en préservant sa réputation et surtout en se gardant de tout risque d'avoir des enfants. A la règle d'abstinence sexuelle hors mariage, les jeunes filles ont très majoritairement obéi pendant trois siècles non pour se conformer à la loi de l'Eglise, mais pour une très simple et très évidente cause physiologique, greffée sur des raisons économiques.

Les femmes y ont gagné le prix moral que l'Eglise attribuait à la continence prénuptiale, et surtout, dans le mariage et grâce à lui, un statut quasi inconnu jusqu'alors, celui d'être la femme unique, l'épouse respectable, la compagne pour toujours d'un mari auquel sa prétendue supériorité ne conférait plus le droit de garder une autre qu'elle à la maison.

16

Stratégies matrimoniales

Si les pères conciliaires reconnaissent sans rechigner la nécessité de donner aux hommes (et aux femmes) un remède à leur sexualité par le moyen du mariage, ils se montrent beaucoup plus circonspects envers le mariage tel que l'envisagent, dans la bonne société, les parents et alliés des époux, et le plus souvent les époux eux-mêmes, l'union des intérêts de deux familles dans un établissement solide et profitable. Pour l'Eglise, le désir d'avoir des enfants afin d'en faire de bons chrétiens doit passer avant celui de « laisser des héritiers de ses biens et de ses richesses ». Et c'est seulement parmi les raisons subsidiaires du mariage qu'est notée la possibilité, pour un homme, de préférer une femme à une autre pour diverses raisons parmi lesquelles figurent, à titre d'exemples, « ses richesses » ou « sa noblesse ». S'il n'est pas condamné, le mariage comme établissement est loin d'être recommandé. Malgré toutes les pressions, le concile est resté ferme sur le principe d'un mariage conçu comme l'union de deux personnes choisissant librement de vivre ensemble jusqu'à la mort. Pour l'Eglise, ce n'est une affaire de famille qu'accessoirement.

Les nécessités politiques et les contraintes sociales sont plus fortes que les meilleurs principes. Au temps de Louis XIV, il n'y a aucune marge de liberté dans les familles royales. Racine a résumé la situation en un seul vers, à propos de Titus renonçant à la reine Bérénice : « Vous êtes empereur, seigneur, et vous pleurez. » Corneille avait avant lui montré l'infante d'Espagne renonçant à Rodrigue au profit de Chimène parce qu'une princesse royale n'épouse pas un simple gentilhomme. Dans la vie, et même dans la littérature, les princes n'épousent pas les bergères. Ils subissent des mariages imposés par la raison d'Etat.

A vingt ans, Louis XIV doit renoncer à l'amour de Marie Mancini, nièce de Mazarin. Il va à Lyon pour épouser Marguerite-

Yolande de Savoie, fille d'une sœur de Louis XIII, sa cousine germaine. On la mariera au duc de Parme deux ans plus tard. On a en effet décidé dans l'intervalle que le jeune roi épouserait Marie-Thérèse d'Autriche, également sa cousine, comme gage d'une paix durable avec l'Espagne. Pas question de consulter les sentiments en une affaire si importante. Dans leur sacrifice obligé pour une cause qui les dépasse, les destins des deux époux paraissent analogues. C'est une fausse symétrie. Marie-Thérèse, qui doit arriver vierge de corps et d'âme au mariage, n'aura pas le droit de trouver, ni même de chercher, la moindre compensation au vide affectif auquel elle est condamnée. Son mari, qui a déjà connu l'amour, se consolera ouvertement de son sort avec Mlle de La Vallière, puis avec Mme de Montespan, sans parler de maintes autres aventures.

Frère unique du roi, Philippe d'Orléans vit entouré de favoris masculins. Il a une liaison avec le chevalier de Lorraine qui durera presque jusqu'à sa mort. On le marie pourtant, en 1661, à Henriette, sa cousine germaine et donc celle du roi, pour resserrer les liens des deux royaumes après la mort de Cromwell et la restauration du frère de la mariée, Charles II, sur le trône d'Angleterre. Henriette et Philippe sont tous deux jeunes, indisciplinés et avides de plaisirs. Leurs rapports sont tumultueux. La princesse connaît des aventures, plus ou moins poussées. Avec le roi son beau-frère, mais la reine mère y met bon ordre. Puis avec Vardes et Guiche, séduisants gentilshommes. On les écarte de la cour. Malgré la protection de Louis XIV et du roi d'Angleterre, Henriette doit se ranger tandis que son mari continue de s'afficher avec ses mignons. Il l'a menacée du bâton, et peut-être frappée. Malgré ses préférences masculines, il lui a fait huit enfants en neuf ans parce qu'il veut avoir un fils. Epuisée par ses grossesses, malade des vexations que lui impose la surveillance jalouse de son mari, désespérée de sa vie sans avenir, elle meurt subitement en 1670, à 26 ans.

Comme Henriette ne lui a pas laissé l'héritier attendu, Philippe se remarie l'année suivante à une princesse allemande, Elisabeth-Charlotte de Bavière, dont Louis XIV lorgne les droits sur le Palatinat. La seconde épouse de Monsieur a dû abandonner sa religion, la religion réformée, pour le catholicisme, la seule possible pour la belle-sœur d'un roi de France. Transplantée dans une cour inconnue, elle y est sans appui ni soutien affectif, sauf sporadiquement celui du roi auquel son originalité et sa spontanéité plaisent d'abord. Il n'en rappelle pas moins, pour complaire à son frère, le chevalier de Lorraine, dont Henriette avait fini par obtenir l'exil. Malgré sa grande santé, son appétit de vie et son solide bon sens, Madame, auquel le roi refuse jusqu'au droit de se retirer dans un couvent, doit se résigner à la fréquentation d'un entourage hostile. Rien ne lui manquera, ni les vexations provenant des favoris de son mari, ni le chagrin de se voir supplantée dans les bonnes grâces du roi par la favorite qu'elle déteste, Mme de Maintenon. Dans ses deux unions successives, pareillement commandées par la raison d'Etat, le beau rôle revient à Philippe, le mauvais à ses deux épouses.

A la génération suivante, après avoir uni son fils à une princesse bavaroise, selon ce qu'il pense être l'intérêt du pays, Louis XIV entreprend d'établir ses bâtards. En 1680, il marie, à quatorze ans, une fille qu'il a eue de Mlle de La Vallière à Louis-Armand de Conti, neveu du Grand Condé. Puis il unit une de ses filles et de Mme de Montespan à un petit-fils du même Condé. En 1692, le fils de son frère et de Madame doit épouser Mlle de Blois, fruit de la même liaison. Il impose son préféré, le duc du Maine, né lui aussi de la Montespan, à une petite-fille de Condé. Au sommet de l'Etat, le roi donne l'exemple d'une famille où le père règne en maître absolu. Au mépris des lois de l'Eglise, il a imposé ses enfants illégitimes à la cour et leur a assuré des unions en principe interdites par d'évidentes consanguinités. Sauf peut-être celui de Mlle de Nantes, unie à l'héritier des Condé, ces mariages furent de cinglants échecs. Mais comme à la génération précédente, malgré l'indulgence du roi pour ses filles, leurs désordres durent toujours rester dans des bornes plus étroites que ceux de leurs maris.

A la cour, Mlle de Montpensier est l'exemple le plus éclatant de l'impasse dans laquelle conduit l'insubordination d'une princesse à la raison d'Etat. Petite-fille de Henri IV, très riche héritière des biens de sa mère, morte à sa naissance, cousine de Louis XIV, son cadet de onze ans, tout la désignait pour devenir l'épouse d'un grand prince ou même d'un souverain. La reine mère, qui l'élevait et l'aimait, la laissait appeler le jeune roi son « petit mari ». On mit bon ordre à ces espoirs prématurés et incongrus. Elle refusa le prince de Galles, futur Charles II, parce qu'il ne savait ou ne voulait lui dire des « douceurs, » et surtout parce que rien ne présageait sa restauration. Elle manigança elle-même un mariage avec l'empereur Ferdinand III. Comme on lui faisait remarquer qu'il n'était « ni jeune ni galant », elle répondit qu'elle « pensait plus à l'établissement qu'à la personne ». Elle aurait bien aimé épouser son cousin Condé, dont elle fit son héros.

Après cinq ans d'exil pour avoir dirigé les canons de la Bastille sur les troupes du roi pendant la Fronde, elle y retourne bientôt pour avoir refusé d'épouser le roi de Portugal, aussi malade d'esprit que de corps, dont Louis XIV recherche l'alliance. De retour à la cour, elle y remarque Lauzun, cadet sans biens d'une bonne famille de Guyenne, mais favori du roi. Elle s'éprend de lui et se persuade qu'il l'aime. Il ne la détrompe pas, car il pense qu'elle fera sa fortune. En 1669, elle refuse d'épouser Monsieur, qui vient de perdre Henriette. A la fin de 1670, elle se déclare à Lauzun, qui se garde de la repousser. Le roi consent à ce mariage inégal. Mais la princesse le veut éclatant. Dans le contrat qui le précède, elle fait de Lauzun, devenu duc de Montpensier, l'héritier de tous ses biens. « La reine, Monsieur et plusieurs barbons », dont le prince de Condé, s'opposent à une mésalliance, qui fait, disent-ils, « tort à sa réputation ». Mme de Sévigné a conté sa joie, puis ses larmes. En fait, on en voulait à son immense fortune.

L'année suivante, pour l'empêcher de conclure un mariage secret alors qu'elle peut encore avoir des enfants, on enferme Lauzun à Pignerol. Il y reste dix ans. La princesse achète sa sortie en donnant une large part de ses biens au duc du Maine, selon la volonté de Mme de Montespan. A Lauzun, elle cède le duché de Saint-Fargeau, la baronnie de Thiers, et dix mille livres de rentes. Elle le comble de cadeaux. Rien n'y fait. Il la dédaigne et la trompe ouvertement. En 1684, elle le chasse pour ne plus le revoir. On applique à son aventure « Le Héron » et « La Fille », deux fables de La Fontaine. Elles disent qu'à vouloir trop, on finit par être obligé se contenter d'un rien (un « limaçon », un « malotru »). Même très noble et très riche, une femme ne peut prétendre décider seule de sa propre vie. Prisonnière de son milieu, en aimant au-dessous de son rang, elle se condamne au mépris de tous, y compris de celui qu'elle aime. Mieux vaut un établissement régulier, dont les éventuels malheurs sont moins amers, puisqu'ils ont été ménagés par autrui au nom de la raison et de l'intérêt familial.

Furetière, dans son *Roman bourgeois*, s'est amusé à donner un « tarif ou évaluation des partis sortables pour faire facilement des mariages ». Il place dans une colonne le montant de la dot prévue pour une fille et en regard le statut social du mari correspondant. Au plus bas, « pour une fille qui a 2 000 livres en mariage ou environ, jusqu'à 6 000 livres », il faut, écrit-il, « un marchand du Palais, ou un petit commis, sergent ou solliciteur de procès ». Au plus haut, « pour celle qui a depuis 100 000 jusqu'à 200 000 écus » (600 000 livres), convient « un président au mortier, vrai marquis, surintendant, duc et pair ». Au cinquième rang, juste au milieu de son tableau, « pour celle qui a depuis 30 000 livres jusqu'à 45 000 livres », ce qui est déjà une belle somme, « un auditeur des comptes, trésorier de France, ou payeur des rentes ». Dans ce catalogue des mariages bourgeois, chacun et chacune restent dans sa condition, évaluée à l'aune du montant de la dot. Seule la jeune fille qui peut disposer d'une dot énorme, dix fois plus que celle du milieu du tableau, peut espérer sortir de la bourgeoisie pour épouser un noble d'épée.

« Il y en aura encore, continue Furetière, qui eussent souhaité que ce tarif eût été porté plus avant, mais cela ne s'est pu faire, n'y ayant au-delà que confusion, parce que les filles qui ont au-delà de 200 000 écus sont d'ordinaire des filles de financiers ou de gens d'affaires, qui sont venus de la lie du peuple et de condition servile. Or elles ne sont pas vendues à l'enchère comme les autres, mais délivrées au rabais. C'est-à-dire qu'au lieu qu'une autre fille qui aura 30 000 livres de bien est vendue à un homme qui aura un office qui en vaudra deux fois autant, celles-ci au contraire, qui auront 200 000 écus de bien, seront livrées à un homme qui en aura moitié moins, et elles seront encore trop heureuses de trouver un homme de naissance et de condition qui en veuille. » Furetière n'est pas un sociologue. Il ne donne pas le résultat d'une enquête. Il écrit un roman satirique, qui se moque des bourgeois de son temps, de leurs façons de faire, de leurs préjugés et de leurs ambitions. Mais sa satire est réaliste. Conscient de la part prépondérante prise par l'argent dans les mariages bourgeois, il les réduit à une vente, où la fille est traitée comme une marchandise.

Avocat, appartenant à la bourgeoisie traditionnelle, l'auteur déteste les « financiers » qui brassent de grosses sommes et gagnent beaucoup en peu de temps. Les historiens ont fait justice du mythe, propagé aussi par La Bruyère, du laquais devenu millionnaire. Mais pour ceux qui ont l'esprit d'entreprise et quelques fonds, d'ordinaire empruntés, il existe en effet, dans la collecte des impôts et les fournitures aux armées, des possibilités d'amasser relativement vite d'assez belles fortunes. Au scandale de l'ancienne bourgeoisie, ces nouveaux riches s'introduisent plus vite qu'elle dans la noblesse grâce aux dots qu'ils peuvent verser à leurs filles. On connaît le mot que Saint-Simon prête à Mme de Grignan, à propos du mariage de son fils, sur la nécessité de donner parfois du fumier aux meilleures terres.

En mai 1694, un cousin de Mme de Sévigné, Philippe-Emmanuel de Coulanges, l'interroge plaisamment : « Savez-vous qui se marie encore, s'il n'est déjà marié ? M. le marquis de Grignan, et l'on débite que c'est Mlle de Saint-Amans qu'il épouse ou qu'il a épousée. » Le 28 juin, le même Coulanges, qui se souvient sans honte qu'il est fils et petit-fils de financiers, s'adresse directement à la mère du jeune homme : « Voulez-vous mettre le public dans son tort ? Faites-vous donner une si bonne et grosse somme en argent comptant que vous vous mettiez à votre aise ; un gros mariage justifiera votre procédé. » Et d'ajouter, sans avoir peur des mots : « Consolez-vous d'une mésalliance et par le doux repos de n'avoir plus de créanciers dans le séjour des beaux, grands et magnifiques châteaux qui ne doivent rien à personne, et par la satisfaction de donner quelquefois dans le superflu, qui me paraît le plus grand bonheur de la vie. » En décembre, les Grignan se sont résignés. Mme de Sévigné annonce à une amie, Mme de Guitaut, le mariage de leur fils unique avec « la fille d'un fermier général nommé Saint-Amans ».

L'épistolière n'en cache pas les raisons : « Vous ne doutez pas qu'il ne soit fort riche ; il avait une commission à Marseille pour les vivres. Sa fille aînée a dix-huit ans, jolie, aimable, sage, bien élevée, raisonnable au dernier point. Il donne 400 000 francs comptant à cette personne, beaucoup plus dans l'avenir ; il n'a qu'une autre fille. On a cru qu'un tel parti serait bon pour soutenir les grandeurs de la maison, qui n'est pas sans dettes, principalement celles de Mme de Vibraye, fille du premier mariage, qui presse fort. » Déjà, en mars, la marquise liait l'union de son petit-fils aux exigences des Vibraye. Elle avait vu leur procuration : « Voilà la sauce, disait-elle à sa fille ; il ne faut plus que le poisson. » Dans son contrat de mariage, outre beaucoup d'espérances, car elle ne renonce pas à ses droits sur les héritages à venir, Anne-Marguerite de Saint-Amans, future marquise de Grignan, apporte comme prévu 400 000 livres de dot, dont 300 000 immédiatement affectés au paiement des dettes les plus urgentes de son beau-père, et 100 000 à verser après la mort de son grand-père paternel.

Le père de la mariée est arrivé de Paris, écrit encore Mme de Sévigné. Sa femme et sa fille sont venues de Montpellier. « Et enfin, Madame, après avoir vu et admiré pour plus de cinquante mille francs de linge, d'habits de dentelles et pierreries, qu'il [Saint-Amans] donne encore fort honnêtement, après huit ou dix jours de séjour ici pour faire connaissance, le marquis et cette fille seront mariés dimanche, deuxième jour de l'année 95. » Ainsi fut fait. Dans l'église collégiale située à la base du château, Louis de Grignan, évêque de Carcassonne, procède le jour dit à la cérémonie religieuse en présence d'une nombreuse compagnie. Dans ce mariage, où les époux n'ont eu que quelques jours pour faire connaissance, seule a compté pour les Grignan la nécessité d'éponger leurs plus pressantes dettes ; pour Saint-Amans, l'immense satisfaction de marier sa fille avec le fils d'une famille dont les ancêtres commandaient des armées pendant les croisades. Rien ne prouve que ce mariage, interrompu par la mort prématurée du marquis de Grignan, ait été plus malheureux qu'un autre.

Avec plus de faste et à plus grande échelle, ce scénario est une reprise de celui du mariage de l'arrière-grand-mère du marquis, Marie de Coulanges, mère de Mme de Sévigné. Celse-Bénigne de Rabutin avait de grosses dettes. Leur montant avait fait échouer son mariage avec la fille d'un parlementaire grenoblois. On lui cherche un plus riche parti. Il épouse la fille aînée d'un financier, Philippe de Coulanges, qui doit lui-même sa fortune à un mariage avantageux. Pour passer sur les dettes, les duels, et l'humeur fantasque de son futur gendre, celui-ci n'a qu'une simple et puissante raison : il achète son excellente noblesse. Marie de Coulanges devient la baronne de Chantal. Cette promotion sociale n'a pas de prix. Philippe ne doute pas qu'elle assure du même coup le bonheur de sa fille. Et la mère du marié, Jeanne de Chantal, pense elle aussi avoir agi dans l'intérêt de Celse-Bénigne, son fils unique, en saisissant cette excellente occasion. De son couvent d'Annecy, elle se réjouit de ce mariage, procuré par son frère, ancien archevêque de Bourges, avec l'aide des visitandines du tout nouveau couvent de la rue Saint-Antoine, où les Coulanges ont leurs entrées.

Quelques années plus tôt, elle a elle-même marié en Savoie sa fille aînée, Marie-Aimée, avec le frère cadet de François de Sales. Rien, sans doute, ne peut donner une meilleure idée d'un « bon mariage » au XVIIe siècle que cette union de la fille d'une future sainte avec le frère d'un futur saint, considéré de son temps et aujourd'hui encore par les meilleurs historiens comme l'apôtre des femmes, celui qui les a le plus et le mieux élevées en dignité spirituelle et morale. Jeanne de Chantal, qui a rencontré François à Dijon en 1604, a fait deux voyages à Annecy. Lors du second, en 1607, il lui a exposé son projet de fonder une nouvelle congrégation religieuse, dont elle prendrait la tête. La mère de François, Mme de Boisy, a de son côté exprimé le désir de voir son plus jeune fils, Bernard de Sales, épouser Marie-Aimée. Rentrée à Monthelon, en Bourgogne, Jeanne de Chantal lui fait le point de la situation.

« Voilà messieurs nos grands-pères, écrit-elle le 16 avril 1608, qui parlent, lesquels par la grâce de Dieu, ont un grand sentiment et désir de l'honneur de votre alliance. » Jeanne se réjouit de leur consentement, nécessaire au mariage de Marie-Aimée, orpheline de père. « Eh bien, ma chère mère, continue-t-elle, ne voilà-t-il pas, en votre désir et au mien, une assurance si assurée qu'il n'y a plus rien à regarder, par la grâce de notre bon Dieu ? Que me reste-t-il à faire pour maintenant, ma chère mère, sinon prier Dieu qu'il vous rende cette fille tout agréable, toute belle et vertueuse et digne d'un si grand honneur que celui d'entrer en votre bénite maison : être sœur d'hommes si précieux, oh ! quel bonheur ! Je ne veux point me laisser aller aux sentiments de ce contentement. » Dans cette lettre qui annonce l'accord des familles pour leur futur mariage, il n'y a pas un mot sur ce qu'en pensent les deux futurs époux.

Comment Marie-Aimée, qui n'a que neuf ans, aurait-elle pu avoir un avis ? Lui a-t-on seulement, à cet âge, annoncé qu'on projetait de la marier avec un homme de vingt-quatre ans ? L'affaire se conclut entre Mme de Boisy et François de Sales d'un côté, les grands-pères de Marie-Aimée et Jeanne de Chantal de l'autre. De ce projet de mariage hâtif et si peu conforme à l'esprit du concile, la future sainte ne retient qu'une raison : sa fille sera la belle-sœur de François de Sales et de ses frères. Elle entrera dans une famille « bénite ». En fait, pour elle, compte surtout l'aîné, devenu son directeur de conscience et son maître à penser. Au lien spirituel qui l'unit à lui, elle est infiniment heureuse d'avoir ajouté l'alliance de leurs deux familles.

S'ils ne sont pas la cause principale du mariage, les intérêts matériels ne sont pas oubliés. On procède, avant de le conclure, au partage des biens paternels. Contre tous les usages, François, qui est l'aîné, obtient de ses cinq cadets que Thorens, la maison paternelle, et le titre qu'elle comporte, reviennent à Bernard, le plus jeune de tous. Un des frères veut s'y opposer. Il doit céder. « Enfin, écrit François de Sales à Jeanne de Chantal, notre Marie bien aimée sera baronne de Thorens ! Mais tout cela s'est passé si paisiblement et si chrétiennement que j'en suis resté tout à fait édifié et consolé. » Le 3 janvier 1609, au château de Thoste, chez le grand-père paternel de la petite fille qui n'a pas encore ses onze ans, on signe le contrat de mariage. Le 13 octobre suivant, au château de Monthelon, chez son grand-père maternel, François de Sales unit chrétiennement Marie-Aimée à son frère. La petite fille, dont le mariage ne peut vu son âge être consommé, reste pour le moment en Bourgogne, près de sa mère. Elle l'accompagnera à Annecy au début de 1610, quand Jeanne de Chantal quittera définitivement la Bourgogne pour s'engager dans la vie religieuse. Elle restera un temps près d'elle dans la première ébauche du premier couvent de la Visitation.

On ne sait quand la baronne de Thorens commença à vivre avec son mari. Vers ses quinze ans, sans doute, car en mai 1617, lorsque le baron meurt, à l'armée, d'une épidémie, elle en attend son quatrième enfant. Il mourra à sa naissance, comme le précédent. Elle meurt elle-même, sans doute en accouchant, en septembre de la même année. Elle vient d'avoir dix-neuf ans. On ignore tout de ses sentiments. Peut-être, dans le conditionnement moral et religieux qui était le sien, a-t-elle vécu heureuse de suivre en toute confiance le chemin que Dieu lui indiquait par la voix de sa mère et de son beau-frère, l'évêque de Genève. A moins qu'elle n'ait connu le doute et la révolte que l'on prête volontiers à toutes celles que l'on est tenté de considérer aujourd'hui comme les malheureuses victimes d'arrangements familiaux, qui n'étaient pas seulement, cet exemple le montre, sordidement matériels.

On pourrait croire que les mariages décidés en fonction de l'intérêt familial, sans tenir principalement compte de ce qu'en pensent les futurs époux, et particulièrement les jeunes filles, sont d'autant plus rares que les familles sont moins élevées dans la hiérarchie sociale. Ce serait inexact. Les choix matrimoniaux constituant l'élément essentiel d'une stratégie qui concerne le maintien, ou mieux l'élévation, du rang ou du niveau de vie de deux familles, peu importe qu'il s'agisse de dizaines, de centaines ou de milliers de livres, puisque la somme en cause est pareillement décisive, à des niveaux différents. En principe destinée à assurer l'entretien de la future épouse, la dot est au XVIIe siècle une sorte d'investissement. C'est avec elle, grâce à elle, dans la haute société, que le futur mari s'acquitte des dettes qu'il a héritées de sa famille, qu'il achète une charge de guerre plus ou moins prestigieuse. C'est grâce à elle que, à un niveau moins élevé, il acquiert un office lucratif dans les eaux et forêts, quelque greffe de justice dans un petit bailliage. Elle lui est encore plus indispensable, tout en bas de la société, pour avoir de quoi louer le petit coin de terre qui donnera aux époux de quoi vivre ou survivre.

Dans la grande masse de la population française, l'âge tardif des mariages s'explique par des nécessités socio-économiques. A la campagne, avant de former un nouveau couple, les jeunes doivent souvent attendre que la mort des aînés laisse vacantes des terres à louer ou à posséder, et une maison, si modeste soit-elle. « Dans la plus grande partie de la France, a-t-on écrit, s'épouser, c'était souvent partir, partir hors des demeures paternelles, à moins que l'une fût libre à la suite d'un (ou deux) décès, circonstance qui accélérait presque toujours le mariage. De toute manière, c'était, au sens fort, fonder un foyer, et le foyer, c'était alors le feu de la cheminée, symbole de vie et âme (semi-païenne ?) de la maison. En même temps, c'était reprendre un fermage, une métairie, une closerie, une *borde*, l'exploitation en propre des parents parfois... » Dans tous les cas, la famille a son mot à dire. Si l'on s'élève tant soit peu dans la société et que l'on ait affaire au mariage d'une fille dont le père a de quoi payer une dot, si faible soit-elle, il en subordonne forcément le don au respect de son choix.

A la campagne, comme à la ville, on se marie dans son « état », nous dirions dans son milieu. Les actes de mariage le montrent, les unions se concluent principalement entre enfants de manouvriers ou « brassiers », entre enfants de gros fermiers ou de laboureurs ayant des terres de même valeur, entre enfants de vignerons par exemple. Chez ceux-ci, où les intérêts sont plus grands, l'endogamie atteint le chiffre record de 90 %. On unit des vignes à d'autres vignes autant et plus qu'un jeune homme et une jeune fille. Dans les dispenses qu'il faut demander à l'Eglise, car on unit souvent des cousins assez proches qui tombent sous le coup d'interdictions de consanguinité, on avoue plus d'une fois sans fard les raisons toutes économiques d'un projet qui permet de regrouper des parcelles et de maintenir ou de développer la qualité et la compétitivité de l'exploitation. Partout, dans les campagnes françaises, ce sont les familles qui négocient des mariages qui unissent des champs à des prés, des chevaux ou des bovins à d'autres chevaux et bovins.

Les sentiments, s'ils ont une place, ne sont considérés qu'après. Les garçons, sur ce point, sont dans la même situation que les filles. Peut-être ont-ils, en qualité d'hommes, plus de poids et plus voix au chapitre dans les discussions préliminaires. Mais les filles peuvent compter sur leurs mères, qui savent en général infléchir les volontés paternelles. Les parents n'étaient pas forcément tyranniques. Quand il y avait plusieurs stratégies possibles, on ne voit pas pourquoi on n'aurait pas tenu compte des inclinations des jeunes gens, qui, de leur côté, étaient habituellement conditionnés comme souhaité par les circonstances de lieux, de familles, de voisinage et aussi, pourquoi pas, d'intérêt. Puisqu'il s'agissait de mariages tardifs, entre gens qui n'avaient pas cédé jusqu'alors aux impulsions de la nature ni aux entraînements de la passion, ou qui les avaient dominés ou dépassés ou refoulés, il est probable que la plupart de ces mariages avaient lieu raisonnablement, sans drame, avec le plein consentement des parties.

Même en bas de la société, chez les pauvres, quand l'absence de tout bien libère les jeunes gens des contraintes familiales, ce n'est pas d'ordinaire l'amour qui décide des mariages, mais l'intérêt. Dans un monde de pénurie et de violence, la jeune fille isolée et sans protection devient facilement une proie que l'on viole et que l'on prostitue ; indissoluble, le mariage est pour elle le meilleur moyen de s'assurer un avenir stable. Elle sait que pour y parvenir, elle doit préalablement acquérir un certain apport, nécessaire à la fondation et à la bonne marche du couple, autrement dit une dot. Si les filles pauvres se marient tardivement, c'est qu'elles doivent d'abord travailler, comme filles de ferme ou, à la ville, comme domestiques, pour amasser le mince pécule qui leur permettra d'apporter à leurs futurs maris, qui auront épargné de leur côté, le complément indispensable pour prendre à bail un cabaret ou un lopin de terre. Plus que sa beauté, souvent déjà fanée par le travail, ce qui décidera un garçon à épouser telle fille de préférence à une autre, ce sera l'argent de son épargne et sa robustesse, qui en feront une associée, une solide épouse et une bonne mère.

Entre une femme et un homme qui ont tous deux autour de vingt-cinq ans et l'expérience des difficultés de la vie, le mariage n'est point la conclusion d'une idylle, mais le début d'un établissement stable. C'est la phase finale d'un projet que la femme atteint avec plus de difficultés que l'homme, car les filles à marier sont plus nombreuses que leurs possibles compagnons, et de leur seul côté sont tous les risques encourus avant le mariage. Un projet auquel elles sont aussi plus attachées, parce qu'elles espèrent y trouver aide et secours contre les agressions extérieures. La meilleure preuve que le mariage est pour elles un établissement recherché et souhaitable, ce sont les procès que certaines intentent contre ceux de leur milieu qui refusent de tenir leur promesse de les épouser. Elles ne leur réclament pas une indemnité, mais de respecter leur engagement, et donc une cohabitation dont on peut supposer le caractère conflictuel. Quand elles obtiennent satisfaction, ce qui n'est pas rare, elles préfèrent une difficile vie en commun aux dangers de la solitude.

Au XVIIe siècle, dans l'immense majorité des cas, ce sont les parents qui décident de marier leurs enfants dans l'intérêt commun de deux familles. Au fil du siècle pourtant, renforcée par les recommandations du concile, s'amorce et s'accélère une évolution en faveur de la liberté du choix des enfants. Il y a, surtout dans sa seconde moitié, des prédicateurs qui dénoncent en chaire les père avares ou ambitieux qui donnent leurs malheureuses filles à des maris dont elles ne veulent pas. Mais c'est seulement au XVIIIe siècle que les moralistes catholiques contesteront majoritairement le droit des parents à décider du mariage de leurs enfants. Les puritains et les anglicans le faisaient, eux, depuis déjà un siècle.

17

Les délices de l'amour tendre

Dans le premier volume de *Clélie*, long roman de Mlle de Scudéry publié avec grand succès de 1654 à 1660, une conversation s'engage à propos de deux mariages. L'un des mariés, qui avait aimé sa future femme « dès le premier instant qu'il l'avait vue », a tout de suite cessé de l'aimer. L'autre, qui n'aimait pas sa future épouse, l'a au contraire aimée « aussitôt après ses noces ». On s'attend à un débat sur les rapports de l'amour et du mariage. Il n'a pas lieu. La romancière se borne à en rappeler la possibilité. Contrairement à ce qu'on pourrait croire, ce n'est pas un sujet éculé, mais l'objet d'un débat relativement récent et qui est encore loin d'être tranché en faveur de l'amour. Le faux parallèle dont se sert la romancière pour présenter deux mariages porte en soi la condamnation de celui qui a été conclu sur un coup de foudre et qui n'a pas été durable. Tout le monde se rappelait le cas récent de la duchesse de Châtillon. « Il s'est marié par amour, c'est-à-dire désavantageusement et par l'emportement d'une aveugle passion », écrit encore Furetière à la fin du siècle, dans son *Dictionnaire*. C'est seulement dans l'édition de 1772 de l'*Encyclopédie* que le mariage d'amour sera présenté comme un bien.

La doctrine de l'Eglise est aussi claire qu'ancienne. L'amour vient, ou plutôt doit venir, après le mariage. « Maris, aimez vos femmes », ordonne saint Paul. L'amour n'est pas un accord sentimental préalable, mais un devoir réciproque des époux, un attachement consécutif à leur union, que rend possible sinon facile la grâce que Dieu a attachée à son caractère sacramentel. Parce qu'elle croit dans la force du sacrement pour aider les conjoints dans leur vie commune, l'Eglise catholique se défie des perturbations d'un mariage où l'amour prétend remplacer la grâce. Comme le rappelle François de Sales, « ce fut Dieu qui amena Eve à notre premier père et la lui donna à femme ; c'est aussi

Dieu, mes amis, qui de sa main invisible a fait le nœud du sacré lien de votre mariage et qui vous a donnés les uns aux autres. Pourquoi ne vous chérissez-vous pas d'un amour tout saint, tout sacré, tout divin ? ». L'union des corps, permise par le mariage, doit s'accompagner de « l'union du cœur, de l'affection et de l'amour ». Voulue par Dieu quels qu'aient été les moyens humains de sa conclusion, cette sainte union ne devrait théoriquement pas susciter de conflits entre les sentiments des mariés et les décisions des familles.

Ces idées rejoignent, en les justifiant sur un plan spirituel, les idées que défendent les moralistes, qui recommandent pareillement aux maris d'aimer (raisonnablement) les femmes qu'ils ont épousées selon les recommandations de leurs proches, sans y être poussés par un sentiment préalable. Quand il s'agit de mariage, écrit par exemple Montaigne, « l'alliance, les moyens y pèsent par raison autant ou plus que les grâces et la beauté. On ne se marie pas pour soi, quoi qu'on dise ; on se marie autant ou plus pour sa postérité, pour sa famille. L'usage et intérêt du mariage touchent notre race bien au-delà de nous ». C'est pourquoi il est bon « qu'on le conduise plutôt par mains tierces que par les siennes propres et par le sens d'autrui que par le sien ».

C'est dans le mariage que les époux éprouveront ce que l'Eglise, comme Montaigne, préfère appeler « amitié ». « Un bon mariage, s'il en est, refuse, dit-il, la compagnie et conditions de l'amour », mais « tâche à représenter celles de l'amitié. C'est une douce société de vie, pleine de constance, de fiance et d'un nombre infini d'utiles et solides offices et obligations mutuelles ». On y trouve « un plaisir plat, mais plus universel » que dans l'amour, récompense d'un effort commun de bonne entente, car « c'est trahison de se marier sans s'épouser ». Aux antipodes des jouissances puisées dans les dérèglements de la sexualité et de la passion, le mariage doit apporter aux sages le calme bonheur que donnent un attachement durable et une douce société.

Les médecins vont dans le même sens, car ils sont persuadés que l'amour conjugal naît du plaisir sexuel attaché à la vie conjugale. « Si ce devoir manque du côté du mari, écrit Nicolas Venette dans son *Tableau de l'amour conjugal*, la femme devient de mauvaise humeur et lui fait adroitement connaître le chagrin qu'elle conçoit de ne pas être aimée, si bien qu'on peut dire que les caresses conjugales sont les nœuds de l'amour dans le mariage et qu'elles en sont véritablement l'essence. » Si l'on admet en effet, comme l'affirment aussi les libertins, que la pulsion sexuelle est ce qui unit le plus étroitement et le plus irrésistiblement l'homme et la femme, dans une société où les rapports charnels ne sont permis pour les deux sexes, et raisonnablement possibles, pour la plupart des femmes, que dans le mariage, l'amour conjugal, au sens strict, et les gratifications sensuelles et affectives qu'il comporte ne peuvent exister qu'après le mariage.

Que celui-ci ait été ou non arrangé importe finalement assez peu. « Il n'y a, dit Etienne Pasquier, femme si belle soit-elle qui ne soit indifférente à un homme quand ils ont couché ensemble un an, ni laideur modérée qui ne se rende aussi tolérable avec le temps. » Le médecin Jacques Ferrand va encore plus loin : « Si les époux, dit-il, reconnaissent quelque antipathie entre eux, ils ne resteront pas pour cela de faire semblant de s'aimer, afin qu'avec le temps, cet amour feint se change en vrai amour. » De même que pour Pascal la foi vient en faisant les gestes du croyant, pour le médecin et pour le moraliste l'amour conjugal finit par s'installer entre le mari et la femme dès lors qu'ils adoptent entre eux le comportement naturel d'un couple. Entre l'homme et la femme, il y a en principe parfaite symétrie à l'égard d'un amour qui doit couronner leur mariage et non le précéder.

Pour les pères du concile de Trente, l'amour se confond avec l'instinct sexuel. C'est pourquoi ils n'emploient pas le mot « amour » ni celui d'« amitié » dans les vingt-deux canons et dans les dix chapitres du « décret de réformation » de la session consacrée au mariage. Ces mots ne figurent pas non plus explicitement dans le *Catéchisme* parmi les « motifs » de se marier. Les idées qu'ils renferment sont en effet comprises dans ce qui est dit de la sexualité et de ses pulsions (deuxième « motif »). Comme il s'agit d'un instinct général, l'Eglise ne le relie pas à une personne précise comme le ferait l'amour. Elle concède à la faiblesse des êtres humains la possibilité d'assouvir légitimement cet instinct avec un être du sexe opposé y ayant librement consenti devant témoins. Elle ne l'individualise que très indirectement, en plaçant la beauté parmi les raisons accessoires d'un homme, au même titre que la richesse ou la noblesse, d'épouser telle femme plutôt que telle autre. Dans l'inventaire des raisons de se marier dressé au XIIe siècle par Pierre Lombard, dont les écrits font toujours autorité en la matière, celle qui tient à « la beauté de l'homme ou de la femme » se trouve à la fin, parmi « les moins honnêtes ».

L'Eglise juge que l'amour est trop instable pour qu'on puise fonder sur cette pulsion (*impetus*) une union indissoluble. Elle n'accepte les mariages d'amour qu'à titre de moindre mal. Sachant d'expérience qu'un homme et une femme emportés l'un vers l'autre par un attrait sexuel, qu'ils appellent de l'amour, s'uniront charnellement s'ils le peuvent, mariés ou pas, elle préfère les unir chrétiennement pour leur ôter le risque de pécher gravement, et permettre à la grâce du sacrement d'affermir leur union téméraire. Pour presque tous les auteurs ecclésiastiques du XVIe et du XVIIe siècle, comme pour les auteurs des édits royaux sur les conditions du mariage légitime, tout amour préalable à l'accord des familles et à l'échange des consentements est une folie qui ne peut rien donner de bon.

Même à la fin du siècle, l'amour qui précède le mariage n'a pas bonne presse dans l'opinion commune. « L'amour est une passion de l'âme qui nous fait aimer quelque personne ou quelque chose », dit d'abord Furetière dans une définition générale, qu'illustrent les exemples de l'amour de la patrie et de l'amour de Dieu, de l'amour paternel et de l'amour conjugal, de l'amour des richesses et de l'amour de la gloire. Suit une nouvelle entrée : « Amour se dit principalement de cette violente passion que la nature inspire aux jeunes gens de divers sexes pour se joindre afin de perpétuer l'espèce. » Pour l'auteur du *Dictionnaire*, le mot amour, dans son emploi le plus habituel, s'identifie à l'instinct sexuel. « On dit, continue-t-il, qu'un jeune homme fait l'amour à une fille quand il la recherche en mariage... On le dit aussi odieusement quand il tâche de la suborner. » Puis après le rappel du pernicieux mariage d'amour, « on dit qu'une femme fait l'amour quand elle se laisse emporter à quelque galanterie illicite... On dit aussi des animaux qui sont en chaleur qu'ils entrent en amour lorsqu'ils recherchent leur femelle ». Cette phrase, qui finit l'article, identifie l'amour à la sexualité. L'initiative revient au mâle.

« Passion, écrit Furetière à l'article consacré à ce mot, se dit par excellence de l'amour. On appelle une belle passion une amour fidèle, constante et honnête qu'on a pour une personne de grande vertu et de grand mérite, sans aucune relation à la brutalité. Et au contraire, on appelle passion sale, aveugle, brutale, déréglée, emportée, celle qui a pour but les plaisirs corporels. » Aux emportements de la sexualité, l'auteur oppose cette fois un sentiment (passion ou amour) qui en est totalement détaché. Contraire en un sens à la conclusion d'un bon mariage à cause de ces « emportements », l'amour, en cet autre sens, se révèle pareillement incompatible avec lui, puisqu'il se veut exempt de toute « brutalité », pur attachement des âmes indépendant de tout attrait physique. Face au matérialisme de ceux qui, comme l'Eglise ou les médecins, voient dans le mariage un remède nécessaire à la sexualité s'élève l'idéalisme de ceux qui, s'inspirant du néo-platonisme et des romans courtois, transforment la femme en objet d'une toute spirituelle adoration.

Ces idées ont traversé le siècle. On les trouve déjà dans

L'*Astrée*, publiée de 1607 à 1627, à l'occasion des aventures sentimentales de bergers et de bergères, « anciens nobles » retirés du monde. « On peut aimer en deux sortes, écrit Honoré d'Urfé : l'une est selon la raison, l'autre selon le désir. Celle qui a pour règle la raison, on l'a nommée amitié honnête et vertueuse, et celle qui se laisse emporter à ses désirs, amour. Par la première, nous aimons nos parents, notre patrie et en général et en particulier tous ceux en qui quelque vertu reluit ; par l'autre, ceux qui en sont atteints sont transportés comme d'une fièvre ardente et commettent tant de fautes que le nom en est aussi diffamé parmi les personnes d'honneur que l'autre est estimable et honoré. » Dans ses exemples de bonne « amitié », à la différence de ce que fera Furetière, d'Urfé ne cite pas l'affection conjugale...

Il n'ignore pas les « maximes d'état » de son temps, c'est-à-dire l'opinion générale, pour laquelle « aimer et jouir de la chose aimée doivent être des accidents inséparables ; languir longuement dans le sein d'une même dame, c'est en vouloir tirer l'amertume après en avoir eu toute la douceur ; aimer en divers lieux, c'est être amant avisé et prévoyant ». C'est à l'encontre de ces pernicieux principes que Céladon, le héros du roman, reçoit les « douze tables de la loi d'amour ». Elles ordonnent au parfait amant de n'aimer qu'un seul objet, infiniment, en bornant son ambition à lui plaire, sans espérer d'en avoir contentement. L'amour, qu'il faut distinguer du désir, est ce qui donne la force de transcender la sexualité. Vouloir posséder la femme que l'on aime, c'est attenter à l'amour, puisque, en général, il s'éteint dès qu'il est comblé.

Comme tous les ouvrages d'inspiration néo-platonicienne, ce roman utopique prend le contre-pied de la tradition gauloise, où les dames sont aussi friandes de sexe que les hommes, sinon plus. Il néglige les préceptes des médecins pour lesquels l'exercice de la sexualité est pour les filles une sorte d'hygiène nécessaire à partir de leurs premières « purgations ». Contre la tradition cléricale, qui en fait des tentatrices et des séductrices, il dépeint des femmes à l'abri de tout désir, proposant à des hommes, qui s'efforcent à grand peine de l'atteindre, un idéal de pureté physique qui leur est comme naturel. Du contraste effectif entre la chasteté imposée à la femme par les contraintes du temps et la relative liberté sexuelle des hommes qui n'ont pas les mêmes risques, il tire une sorte d'image idéale. On y voit un monde à l'envers, où les femmes, délivrées de l'obligation d'assurer la survie de l'espèce et de donner des héritiers aux familles, règnent souverainement sur des amoureux aussi soumis à leur volonté qu'elles le sont dans la vie à leurs pères ou à leurs maris.

Un demi-siècle plus tard, dans le premier volume de sa *Clélie*,

Mlle de Scudéry transpose cette utopie dans la vie en société de son temps. De la question qui a été posée sur la place de l'amour avant ou après le mariage, on passe brusquement à celle du rapport entre l'amour et l'admiration ou adoration : « Pour moi, dit un des personnages, entre ces deux sentiments, j'aimerais mieux celui qui convient à une maîtresse que celui qui n'appartient qu'à une déesse, et la *tendresse* du cœur est si préférable à l'admiration de l'esprit que je ne mets nulle comparaison entre ces deux choses. » *Tendresse* : le mot surprend l'auditoire, et devient le principal sujet de la conversation. C'est « une qualité si nécessaire en toutes sortes d'affections, enchérit Sozonisbe, qu'elles ne peuvent être ni agréables ni parfaites si elle ne s'y rencontre ». L'auteur pose impérativement la suprématie d'une « qualité », la tendresse, seule capable de vivifier l'affectivité, qui relève tout entière de son domaine.

Elle doit donc, idée insolite, régner aussi sur l'amour. « Je comprends bien, réplique Clélie, qu'on peut dire une amitié tendre ; et qu'il y a même une notable différence entre une amitié ordinaire et une tendre amitié ; mais Sozonisbe, je n'ai jamais entendu dire un tendre amour, et je me suis toujours figurée que ce terme affectueux et significatif était consacré à la parfaite amitié et que c'était seulement en parlant d'elle qu'on pouvait employer à propos le mot tendre. » En calquant un inhabituel « tendre amour » sur un banal « tendre amitié », Mlle de Scudéry prétend lancer une expression nouvelle. Elle cherche à redonner du prix et du poids à un mot dévalorisé. « Tant de gens s'en servent aujourd'hui, dit Célère, qu'on ne saura bientôt plus sa véritable signification. »

Clélie, qui déclare avoir « l'âme tendre », se charge de le définir dans le registre de l'amitié. A l'amitié « ordinaire », qui est « tranquille » et « ne donne ni de grandes douceurs ni de grandes inquiétudes », elle oppose l'*amitié tendre,* qui est « constante et violente » tout ensemble, fondée sur le partage des émotions. « Pour bien définir la tendresse, je pense pouvoir dire que c'est une certaine sensibilité de cœur qui ne se trouve jamais souverainement qu'en des personnes qui ont l'âme noble, les inclinations vertueuses et l'esprit bien tourné, et qui fait que lorsqu'elles ont de l'amitié, elles l'ont sincère et ardente et qu'elles sentent si vivement toutes les douleurs et toutes les joies de ceux qu'elles aiment qu'elles ne sentent pas tant les leurs propres. » Au contraire de l'amour-propre, dont elle est le meilleur remède, l'amitié tendre fait constamment sortir de soi pour se placer du point de vue de l'autre.

Aronce, le héros masculin du roman, se charge d'appliquer la tendresse à l'amour. « Cette tendresse amoureuse qui met de la différence entre les amants » est, dit-il d'emblée, « encore plus nécessaire à l'amour qu'à l'amitié », car elle seule peut mettre un peu d'ordre dans le désordre de sentiments sur lesquels la raison n'a pas de pouvoir. « Un amour sans tendresse n'a que des désirs impétueux, qui n'ont ni bornes ni retenue, et l'amant qui porte une semblable passion dans l'âme ne considère que sa propre satisfaction, sans considérer la gloire de la personne aimée, car un des principaux effets de la tendresse, c'est qu'elle fait qu'on pense beaucoup plus à l'intérêt de ce qu'on aime qu'au sien propre. » Comme l'amitié tendre, le tendre amour est à l'opposé de l'amour-propre.

Cet amour entraîne une conduite opposée à celle des « amants fiers », qui ne songent qu'à satisfaire leur passion. « Ils croient que la plus grande marque d'amour qu'on puisse donner soit seulement de souhaiter d'être tout à fait heureux, car sans cela ils ne connaissent ni faveurs ni grâces. Ils comptent pour rien de favorables regards, de douces paroles et toutes ces petites choses qui donnent de si sensibles plaisirs à ceux qui ont l'âme tendre. » Ils ignorent tout ce qui fait le charme de la tendresse. « Ce sont de ces amants qui ne lisent qu'une fois les lettres de leur maîtresse, de qui le cœur n'a nulle agitation quand ils la rencontrent, qui ne savent ni rêver ni soupirer agréablement, qui ne connaissent point une certaine mélancolie douce qui naît de la tendresse d'un cœur amoureux, et qui l'occupe parfois plus doucement que la joie le pourrait faire. »

Horace, amoureux de Clélie, qui personnifie dans le roman l'amant passionné et incapable de tendresse, s'insurge contre la distinction d'Aronce. Il ne sait point, dit-il, « discerner la tendresse d'avec l'amour », car la violence de cette passion « occupe si fort ceux dont elle s'empare que toutes les qualités de leur âme deviennent ce qu'elle est ». Aronce, qui incarne le parfait amant, lui accorde qu'il est « vrai que l'amour occupe entièrement le cœur » de quiconque aime vraiment. Mais celui qui a « le cœur naturellement tendre », affirme-t-il, aime « plus tendrement » que celui qui est d'un « tempérament plus fier et plus rude ». « Ainsi je soutiens que, pour bien aimer, il faut qu'un amant ait de la tendresse naturelle devant que d'avoir de l'amour, et cette précieuse et rare qualité qui est si nécessaire à bien aimer a même cet avantage qu'elle ne s'acquiert point, et que c'est véritablement un présent des dieux dont ils ne sont jamais prodigues. » On peut acquérir de l'esprit et se corriger de ses vices. « On ne peut jamais acquérir de la tendresse. »

Celle-ci est la pierre de touche de la qualité de l'amour. « Toutes les paroles, tous les regards, tous les soins et toutes les actions d'un amant qui n'a point le cœur tendre sont entièrement différentes de celles d'un amant qui a de la tendresse, car il a quelquefois du respect sans avoir d'une espèce de soumission douce qui plaît beaucoup davantage ; de la civilité sans agrément ; de l'obéissance sans douceur, et de l'amour même sans une certaine sensibilité délicate qui seule fait tous les supplices et toutes les félicités de ceux qui aiment et qui est enfin la plus véritable marque d'une amour parfaite. » Entre les deux sortes d'amour, la distinction est si importante qu'elle marque la limite du bien et du mal. « Je pose même pour fondement, conclut Aronce, qu'un amant tendre ne saurait être ni infidèle, ni fourbe, ni vain, ni insolent, ni indiscret, et que pour n'être point trompé ni en amour ni en amitié, il faut autant examiner si un amant ou un ami ont de la tendresse que s'ils ont de l'amour ou de l'amitié. » La tendresse est un préalable absolu.

L'arrivée de deux personnages interrompt brusquement cette conversation, dont les conclusions sont d'autant plus nettes que les propos de Clélie et d'Aronce n'ont pas le temps d'être discutés. Signe du caractère tranché des convictions de l'auteur, le rôle de la tendresse n'est pas défini, comme il arrive le plus souvent pour d'autres sujets, dans un débat contradictoire. On est tendre ou on ne l'est pas. Ou plutôt, on naît tendre ou incapable de l'être. La tendresse est un état. Clélie et Aronce sont tendres par nature et en toutes circonstances. Horace, malgré tout son amour, ne le sera jamais. Comme on appartient ou non à la noblesse par la naissance, on est ou non digne d'entrer au Royaume de Tendre selon qu'on a ou non reçu la tendresse parmi ses dons naturels. C'est une question de « tempérament ». Le mot est employé, par contraste, pour ceux qui, étant d'un « tempérament plus fier et plus rude », sont incapables d'avoir le cœur tendre.

L'amour tendre n'intervient pas dans la suite de *Clélie*. La conception de l'amour qu'il englobe est sans doute le fondement des rapports d'Aronce et de Clélie, et son contraire, l'amour-passion, à la base des actions d'Horace. Mais l'expression n'est plus employée après la fameuse Carte, dont les chemins ne sont nullement explicatifs des actions et progrès à venir des divers personnages du roman. A partir du moment où les jeunes gens découvrent qu'ils s'aiment, l'amour tendre est très vite absorbé dans des mouvements intérieurs plus violents. Et c'est le mot passion ou simplement celui d'amour qu'utilise désormais l'auteur. Car même si Aronce aime tendrement, il ne saurait se contenter de l'amour tendre, et Clélie finira elle aussi par aller plus loin que la tendre amitié... Tout finira à Tendre-sur-Mariage, que l'auteur avait exclu de sa Carte.

Comme Honoré d'Urfé au début du XVIIe siècle, comme Furetière à la fin, Mlle de Scudéry maintient en théorie, dans la conversation sur l'amour tendre, le cloisonnement entre l'amour idéal et l'instinct sexuel qui pousse au mariage. Elle ne le maintient pas à la fin de l'intrigue. L'exigence d'un dénouement heureux impose paradoxalement au romancier de terminer sur ce mariage d'amour que refusent à la fois les réalistes, parce qu'il ne saurait fonder une union solide, et les idéalistes, parce que l'amour ne peut prospérer que dans l'abstinence. En décrivant l'amitié tendre, Mlle de Scudéry n'en a pas moins imposé à ses contemporains une vision d'un amour délicat, provisoirement délivré des pulsions de la sexualité. Sans l'avoir voulu et même probablement à l'encontre de son projet, la romancière a offert à l'amour une souhaitable troisième voie : sociabiliser l'amour et faire de l'union des héros le couronnement d'une recherche sentimentale qui discipline la sexualité sans l'exclure définitivement. L'expérience d'une tendresse préalable pourrait se prolonger en tendresse conjugale partagée.

Mariage ou pas, sous l'influence du roman de Mlle de Scudéry, de ses admirateurs et de ses détracteurs, « tendre » et « tendresse » ont envahi le vocabulaire courant, signe d'une évidente inflexion de l'idée, au demeurant confuse, qu'on se faisait jusque-là de l'amour. « Tendresse », écrit Furetière, « sensibilité du cœur et de l'âme. La délicatesse du siècle a renfermé ce mot dans l'amour et dans l'amitié. Les amants ne parlent que de *tendresse de cœur*, soit en prose, soit en vers, et même ce mot signifie le plus souvent *amour* ; et quand on dit : J'ai de la *tendresse* pour vous, c'est à dire "J'ai beaucoup d'amour". » Un amour qui ne se confond plus entièrement avec le désir et qui suppose connaissance et complicité entre les partenaires. Comme l'adjectif « tendre », le mot « tendresse » est encore nouveau dans ce sens à l'époque du *Dictionnaire* de Furetière.

De ce qui était présenté comme une aimable pratique sociale destinée à faciliter la naissance de sentiments d'amitié durables (en principe à l'exclusion de l'amour et du mariage), Molière a fait la caricature dans ses *Précieuses ridicules*. On connaît la tirade de Magdelon : « Le mariage ne doit jamais arriver qu'après les autres aventures. Il faut qu'un amant, pour être agréable, sache débiter les beaux sentiments, pousser le doux, le tendre et le passionné, et que sa recherche soit dans les formes... » On sait aussi la réplique de Cathos : « Le moyen de bien recevoir des gens qui sont tout à fait incongrus en galanterie ? Je m'en vais gager qu'ils n'ont jamais vu la carte de Tendre, et que Billets-Doux, Petits-Soins et Billets-Galants sont des terres inconnues pour eux... » C'est que Molière préfère l'instinct qui porte irrésistiblement Agnès vers Horace au lent cheminement vers Tendre proposé par Mlle de Scudéry. Dans *L'Ecole des maris*, il reconnaîtra pourtant, peu après, la possibilité d'un bon mariage fondé sur la « tendresse ». Des théories utopiques de Mlle de Scudéry, le mot est en effet passé dans la description de la réalité du couple, contribuant fortement à modifier en profondeur le modèle de la relation conjugale, au plus grand profit de l'épouse.

Dans l'introduction au chapitre du « sacrement de mariage » de son *Rituel*, un évêque de Toulon, au début du XVIIIe siècle, fait un exposé complet des finalités du mariage. Négligeant comme presque tous ses pareils l'entraide des époux mentionnée en premier dans le *Catéchisme du concile de Trente*, il y reprend les deux autres « motifs » de l'union chrétienne. Insistant sur la prudence qui doit présider au choix du conjoint, il rappelle combien sont nécessaires les égalités d'âge, de condition, de biens, sans oublier l'accord des humeurs et des inclinations. Exposant au curé les conseils à donner au mari avant la célébration, il faut, écrit-il, lui « apprendre quelles sont ses obligations à l'égard de sa femme ». Elles sont multiples. « Il doit l'aimer, avoir pour elle une *tendresse* et une bonté compatissante... supporter ses défauts, la traiter avec douceur, écouter ses avis, lui témoigner de la complaisance, prendre garde à ne s'en pas laisser dominer... Il l'avertira... d'avoir pour lui *une affection pleine de tendresse*, accompagnée de modestie, d'humilité et de soumission, de la gagner à Jésus-Christ par la patience et le bon exemple. » Si l'homme continue d'exercer dans le couple l'autorité et la prééminence traditionnellement reconnues à son sexe, elles s'inscrivent désormais dans un tout nouveau climat de *tendresse*.

En 1764, dans les *Devoirs des gens du monde*, le lazariste Pierre Collet propose entre les égarements des sens et les exigences familiales une solution équilibrée. « S'il est vrai, écrit-il, que les parents doivent écarter les indignes alliances dont la seule passion donne l'idée, qui déshonorent une famille..., il n'est pas moins vrai que les mariages forcés ont des suites funestes et qu'ainsi le goût de ceux qui pensent à s'y engager doit être compté pour quelque chose quand il n'a rien de déraisonnable. » A la « seule passion » qui ressemble à ce que Furetière appelait l'amour, s'oppose ici « le goût », attirance partagée de deux êtres qui se sentent portés l'un vers l'autre par un mouvement modéré. Bien des parents du XVIIe siècle ont dû tenir compte de ce « goût » lorsqu'il pouvait être concilié sans trop de difficultés avec les calculs matrimoniaux des familles, ou quand les intérêts en jeu étaient suffisamment faibles pour lui laisser quasi libre cours. Comme la « tendresse » décrite par Mlle de Scudéry et mentionnée par l'évêque de Toulon, ce « goût » supposait entre les intéressés, au-delà d'un instinct sexuel provisoirement refoulé, une certaine envie de partager ensemble une agréable sociabilité. Une sociabilité qui exigeait entre les époux non pas l'utopique soumission de l'amoureux à la femme aimée, mais la tendre concorde dans une certaine égalité.

18

La confusion des sentiments

La littérature privilégie le mariage d'amour, mais sans nier l'existence des stratégies matrimoniales ni l'importance de l'intérêt. « Une veuve aimable et qui m'aime tendrement me tend les bras. Irai-je faire le héros de roman et refuserai-je 40 000 livres de rente qu'elle me jette à la tête ? » interroge le héros du *Chevalier à la mode* de Dancourt. Fût-ce dans l'imaginaire, on n'a pas le courage de refuser un mariage qui permet de se tirer durablement du besoin.

Même chez Molière, l'argent reprend soudain sa place, à la fin de la comédie. Quand les jeunes premiers se sont accordés entre eux et ont bien berné leurs parents pour conclure leur mariage d'amour, quelque *deus ex machina* survient qui leur apporte miraculeusement le consentement paternel et l'argent qui l'accompagne. C'est le cas, par exemple, dans *L'Ecole des femmes* où l'amour qui a uni Horace et Agnès s'accorde soudain au projet du père du jeune homme opportunément survenu. Dans *L'Avare*, le seigneur Anselme, trop heureux d'avoir retrouvé son fils et sa fille, s'empresse d'accéder aux vœux de ses enfants. Il est assez riche pour que Valère puisse épouser Marianne « sans dot ».

La fin des *Femmes savantes* est encore plus significative. Quand le subterfuge d'Ariste a persuadé tout le monde que les parents d'Henriette sont ruinés, Clitandre s'empresse de proposer généreusement d'épouser quand même la jeune fille. Celle-ci refuse sagement :

> L'amour, dans ses transports, parle toujours ainsi.
> Des retours importuns, évitons le souci :
> Rien n'use tant l'ardeur de ce nœud qui nous lie
> Que les fâcheux besoins des choses de la vie ;
> Et l'on en vient souvent à s'accuser tous deux
> De tous les noirs chagrins qui suivent de tels feux.

Pendant toute la comédie, c'est le monde à l'envers. L'amour prime tout. Les jeunes écervelés bernent les vieux expérimentés. Au dénouement, la sagesse reprend ses droits. L'amour, il faut en convenir, ne résiste pas aux « besoins des choses de la vie ». Il ne survit jamais à une chute du rang social ou à une baisse des moyens du mieux loti des deux époux.

Lorsque Molière écrit *L'Ecole des Maris*, il est lui-même sur le point de faire comme l'Ariste de sa pièce un mariage de raison — et d'argent. Refusant les sévérités bornées de son frère Sganarelle, ce personnage laisse toute liberté à Léonor, sa pupille, dans sa conduite et pour son mariage : « Un ordre paternel l'oblige à m'épouser, rappelle-t-il, Mais mon dessein n'est pas de la tyranniser. » Sensiblement plus âgé qu'elle, il lui laisse la liberté de choisir :

> Si quatre mille écus de rente bien venants,
> Une grande tendresse et des soins complaisants
> Peuvent, à son avis, pour un tel mariage,
> Réparer de nos ans l'inégalité d'âge,
> Elle peut m'épouser ; sinon choisir ailleurs.

De l'amour, Ariste choisit la variante paisible, celle que venait de définir Mlle de Scudéry à propos d'Aronce et de Clélie, la tendresse opposée à la passion incontrôlée et dévastatrice d'Horace, cause de tous les crimes.

L'amour-passion est incontrôlable. On ne peut pas fonder sur lui quelque chose qui doit être stable et solide, un mariage destiné à durer toute une vie, un mariage structurellement indissoluble. L'amour-tendresse, au contraire, fait partie du confort. Avec les « petits soins » qui l'accompagnent, on peut le placer sans difficulté sur le même plan que l'argent, ou plutôt que la sécurité donnée par des revenus réguliers, seuls capables d'assurer durablement d'agréables conditions de vie. Si Lisette, obligée de fuir la tyrannie de Sganarelle, se précipite allègrement dans l'aventure de l'amour-passion avec Valère, un inconnu dont on ne sait rien, Léonor choisira librement de lier son destin avec le sage Ariste. Des deux pupilles de la pièce, c'est elle qui a le plus de chance d'avoir fait un bon mariage. A condition qu'elle ne soit pas un jour envahie, comme la princesse de Clèves, d'une passion aussi soudaine qu'imprévisible qui détruirait tous les calculs et tous les équilibres de la sagesse.

Du mariage sans amour préalablement partagé, le roman de Mme de La Fayette, personnellement mariée par pur calcul (son argent contre la noblesse de son mari), offre un exemple aussi complexe qu'instructif. Mlle de Chartres est « une des plus grandes héritières de France », dit l'auteur en présentant son personnage. Malgré son « extrême jeunesse » (elle a seize ans), on lui a « déjà proposé plusieurs mariages », que sa mère a refusés, parce qu'elle était « extrêmement glorieuse » et qu'elle ne trouvait presque « rien digne de sa fille ». Et en effet, celle-ci n'est pas seulement riche, elle appartient à la meilleure noblesse. « Cette héritière, précise Mme de La Fayette, était alors un des plus grands partis qu'il y eût en France. » Cette situation ne facilite pas son établissement, au contraire, car elle en fait quasi une affaire d'Etat.

Au début, les prétendants ne manquent pas, car au bien et à la qualité s'ajoute la beauté de Mlle de Chartres. Elle a tout. Le père du prince de Clèves rejette pourtant le ferme projet de son fils de l'épouser, parce qu'il est, à la cour, dans le camp opposé à celui du vidame de Chartres, oncle de la jeune fille. Le cardinal de Lorraine décourage Guise, son neveu, qui, de toute façon, n'a « pas assez de bien pour soutenir son rang » et devra donc rester célibataire. Quand Mme de Chartres pense marier sa fille avec le fils du duc de Montpensier, la duchesse de Valentinois, maîtresse en titre du roi, fait échouer cet établissement par hostilité pour la lignée du jeune homme.

A un certain niveau, ce qui décide, ce sont les rapports de force entre les familles. Au bout du compte, « personne n'osait plus penser à Mlle de Chartres, dit Mme de La Fayette, par la crainte de déplaire au roi, ou par la pensée de ne pas réussir auprès d'une personne qui avait espéré un prince du sang ». Dans les trois cas, il n'a servi de rien à Mlle de Chartres d'avoir de l'argent et de susciter de l'amour : son mariage ressortit à celui des mariages princiers, où il n'y a de place ni pour l'argent ni pour l'amour. Dans les trois cas, on n'a pas même évoqué les sentiments de la jeune fille.

Une circonstance fortuite, la mort du père du prince de Clèves, dénoue la situation en mettant celui-ci « dans l'entière liberté de suivre son inclination ». Cessant d'être dans le champ des luttes politiques, le mariage de Mlle de Chartres redevient un mariage ordinaire. Un mariage ordinaire qui présente cependant la particularité qu'on est au-dessus des arrangements financiers. Riche héritière, Mlle de Chartres a le bien convenant au plus grand mariage. Bien que cadet, le prince de Clèves appartient, a-t-on précédemment appris, à une maison si grande qu'il demeure un parti acceptable. La question de son bien, supposé suffisant, n'est pas même soulevée.

On est donc dans le cas, rare à ce niveau social, d'un mariage où, du côté du prétendant, l'amour est le seul mobile. Informée la première, et directement par le prince, de son désir de la prendre pour femme (ce que Clèves doit à sa liberté d'orphelin et de cadet, et surtout à une audace de la romancière), Mlle de Chartres en réfère aussitôt à sa mère, qui y « consentirait avec joie », dit-elle, si sa fille « sentait son inclination à l'épouser ». La jeune fille répond sans détour « qu'elle l'épouserait avec moins de répugnance qu'un autre, mais qu'elle n'a aucune inclination particulière pour sa personne ». C'est seulement après que le prince s'est déclaré qu'intervient, pour la première fois, une mention des sentiments de la jeune fille.

Le lendemain, le prince de Clèves déclare ses intentions à Mme de Chartres, qui « reçut la proposition qu'on lui faisait ». Acceptation immédiate et en toute bonne conscience, car, souligne Mme de La Fayette, « elle ne craignit point de donner à sa fille un mari qu'elle ne pût aimer en lui donnant le prince de Clèves ». Autrement dit, car il ne faut pas mal interpréter cette phrase, Mme de Chartres, mère exemplaire et dont on a souligné la sagesse, n'éprouve aucune crainte au sujet de l'avenir de sa fille, tant elle est sûre de lui donner un mari aimable, et donc, selon les idées du temps, un mari que celle-ci a toutes les chances d'aimer.

Transgressant l'interdit jeté par son père avant de mourir, le prince de Clèves ose choisir de faire un mariage d'amour. Comme la jeune fille n'a que seize ans, et que son mari est jeune, plus jeune même que Nemours (on l'oublie souvent), beau (le mieux fait après Nemours), riche (au point que la question ne se pose pas) et aimable (la jeune fille l'a expressément reconnu), l'amour tendre (Tendre-sur-Reconnaissance), à défaut de l'amour fou, devrait sans difficulté prendre sa juste place dans le mariage. C'est ce que croit Mme de Chartres. On sait la suite. La comédie et le roman fourmillent d'exemples qui montrent que ni l'argent ni l'amour ne suffisent à conclure les mariages, encore moins à les rendre heureux.

Et dans la vie ? Le 12 juin 1620, Antoine de Toulongeon, qui a quarante-cinq ans, épouse Françoise de Rabutin, qui en a vingt et un. Il appartient à une noble famille bourguignonne et a d'excellents états de service dans l'armée. Elle est la fille de Jeanne de Chantal. Toulongeon a aperçu Françoise à Dijon où il s'est rendu pour la voir ; elle ne l'a guère remarqué. « Il s'est déclaré avec tant d'honneur et de respect que rien plus, écrit la future sainte à la supérieure d'un de ses couvents, la mère de Bréchard ; il est bien brave homme et franc. N'en dites rien encore, mais, ma mie, priez pour cela, car je crains l'irrésolution de ma fille : cependant, elle me sert d'épine. » Il n'est pas toujours facile de décider quelqu'un à prendre le mari qu'on lui a choisi. Françoise a récemment refusé pendant plus d'un an un autre parti que lui proposait sa mère, soutenue par François de Sales.

Pour combattre ce qu'elle appelle l'irrésolution de sa fille, Jeanne de Chantal choisit de décider à sa place. Elle lui envoie le prétendant avec une lettre impérative : « Tenez, ma chère fille, voilà M. de Toulongeon qui, se voyant huit jours de libres, s'en va vous trouver en poste pour savoir de vous si vous ne le trouverez pas trop noir, car pour son humeur, il espère qu'il ne vous déplaira pas. Pour moi, je vous le dis en vérité, je ne trouve non seulement rien à redire à ce parti, mais je n'y trouve rien à désirer, et Notre-Seigneur me donne une telle satisfaction en cette rencontre que je ne me souviens pas d'en avoir eu, dans ma vie, une pareille pour les choses de la terre. » Plus que pour sa naissance et pour le bien qu'il apportera en abondance, continue Jeanne de Chantal, Toulongeon est à épouser pour « son humeur, sa franchise, sa sagesse, sa probité, sa réputation ». C'est une aubaine dont il faut remercier le ciel : « Enfin, ma chère Françon, bénissons Dieu d'une telle rencontre. » Bref, Toulongeon n'est pas beau (il est « noir »), mais il a du bien, et il est aimable ; Françoise doit donc l'aimer.

L'aimer sur la simple parole de sa mère. « Certes, continue celle-ci, je suis bien contente que ce soient vos parents et moi qui ayons fait ce mariage sans vous. C'est ainsi que se gouvernent les sages, et que je veux, ma chère fille, être toujours de votre conseil... M. de Toulongeon, il est vrai, a quelque quinze ans de plus que vous [en fait vingt-cinq]. Mais, mon enfant, vous serez bien plus heureuse avec lui que d'avoir un jeune fou étourdi, débauché comme sont les jeunes gens d'aujourd'hui. Vous épouserez un homme qui n'a rien de tout cela, qui n'est point joueur, qui a passé sa vie avec honneur à la cour et à la guerre, qui a de grands appointements du roi. » La mère de Chantal a beau dire qu'elle a surtout considéré les qualités morales du prétendant, elle finit sur la sécurité financière qu'un tel mariage apporterait à sa fille, à laquelle elle ne peut donner qu'une dot modeste et difficilement payée. Si Françoise appartient à une famille de grande et ancienne noblesse, les Rabutin n'ont maintenant guère de biens, et l'on cherche, dans le même temps, pour son frère, Celse-Bénigne, une fille bien dotée pour la renflouer. Voilà pour l'argent.

Et l'amour ? Nul doute que Toulongeon apportera à Françoise les mêmes soins complaisants qu'Ariste à Eléonor. Le portrait que Jeanne de Chantal fait du prétendant est l'équivalent de celui que le personnage de Molière fait de lui-même à son frère. Et celui du jeune homme écervelé, qu'il faut éviter, doit convenir à Valère, le séducteur d'Isabelle. Pour les sentiments de Françoise,

Dieu y pourvoira : « Soyez assurée, conclut Jeanne de Chantal, que Dieu a pensé à vous et y pensera encore si vous vous jetez tendrement entre ses bras, car il conduit ceux qui se confient en lui. » Etonnant transfert de sentiments. Se jeter « tendrement » dans les bras de Dieu, c'est en fait, pour Françoise, se jeter tendrement dans les bras de celui que sa mère lui recommande et qu'elle ne connaît pas. Trois mois plus tard, c'est chose faite. Françoise de Rabutin a épousé Antoine de Toulongeon. A en juger par les lettres de sa mère, ce mariage aurait été heureux. Il fut interrompu treize ans plus tard par la mort du mari.

Dans cette affaire nettement décidée par la mère pour sa fille, nul essai de déguiser les apparences : l'amour ne tient aucune place dans la conclusion d'un mariage dont le but est d'assurer à Françoise, qui a décidé de rester dans le monde, un train de vie que sa part des biens patrimoniaux ne lui permettrait pas d'avoir. Quand on a une belle dot, on ne peut pas toujours choisir, à plus forte raison lorsqu'elle est médiocre. Sans être la règle, le cas du mariage de la fille de Jeanne de Chantal n'est sûrement pas une exception. Ce qui le rend particulier, c'est la façon dont la fondatrice de la Visitation substitue l'amour de Dieu à une absence d'amour humain supposée provisoire. La mère de Chantal a toute confiance en un Dieu qui a fourni l'opportunité du mariage de sa fille avec Toulongeon, qui l'a par conséquent voulu, et qui devra en assurer d'une façon ou d'une autre le succès en ce monde (elle fait confiance au sacrement et à la grâce qu'il renferme), ou à défaut, dans l'autre... Quand on parle du mariage au XVIIe siècle, il ne faut pas mésestimer le nombre de familles profondément chrétiennes où on devait penser de même.

Le 6 octobre 1668, le comte de Brancas, futur original de Ménalque, le fameux distrait de La Bruyère, tient la plume sous les regards attentifs de Françoise-Marguerite de Sévigné et de François de Grignan, de Mme de Sévigné et de son oncle, l'abbé de Coulanges, de Mme de La Fayette et de Guillaume d'Harouys, trésorier des Etats de Bretagne, qui signeront avec lui un document qui commence en ces termes : « M. de Grignan, ayant toute l'estime imaginable pour Mlle de Sévigné et désirant passionnément de l'épouser, s'il se rencontre assez de bien pour être heureux, m'a choisi comme un de ses meilleurs amis pour me confier le secret de son cœur et pour savoir son bien et les intentions de sa mère sur les siennes. »

L'intéressant de cet accord insolite, ce sont les contradictions que Brancas note, en quelque sorte sur le vif, dans un document privé qui n'était évidemment pas destiné à être mis sous des yeux étrangers. Pour Grignan, ce mariage est un mariage d'argent, de beaucoup d'argent même, puisque le montant de la dot, fixé dans la suite du texte, s'élève à une somme énorme : 400 000 livres, qu'on réduira à 300 000 dans le contrat de mariage définitif, dont 200 000 payées comptant. François de Grignan épouse Françoise-Marguerite pour sa dot, parce que sa mère a pu lui prouver qu'elle a effectivement de quoi la lui payer. Il a en effet d'énormes charges et de lourdes dettes. Il a absolument besoin d'une telle dot pour y faire face.

Cette situation est habituelle. C'était celle de Celse-Bénigne de Rabutin, père de Mme de Sévigné, épousant la fille d'un partisan. Ce sera celle de Louis-Provence de Grignan, son arrière-petit-fils, épousant lui aussi la fille d'un riche financier. On ne compte pas les mariages où le choix de l'épouse est principalement (sinon entièrement) déterminé par le montant de la dot qu'elle apporte, cause de nombreuses mésalliances. Mais à la différence de sa grand-mère Coulanges et de Marguerite de Saint-Amans, sa belle-fille, Françoise-Marguerite de Sévigné n'est pas une fille de financier. Son père Sévigné (mort en duel) et sa mère Rabutin, sans être très titrés, sont tous deux d'une excellente et incontestable noblesse, qui se perd dans la nuit des temps. C'est, pour le comte, un mariage d'argent. Mais il n'y a pas de mésalliance. Cela change tout. La future épouse ne se trouve pas en état d'infériorité par rapport à son futur époux.

La meilleure preuve, c'est qu'elle a pu choisir. Mme de Sévigné le rappellera à son gendre dans une lettre du 9 août 1671 : « Il n'y avait que vous, mon cher comte, qui puissiez me résoudre à la donner à un provincial, mais, dans la vérité, cela est ainsi. J'en prends à témoins Caderousse et Mérinville [prétendants éconduits], car si j'avais trouvé autant de facilité et de disposition dans le cœur de ma fille pour ce dernier que j'en ai trouvé pour vous, et que je n'eusse pas été la reine des incidents par la peur que j'avais de conclure, c'en était fait. » Avant d'accepter d'épouser Grignan, Françoise-Marguerite a refusé plusieurs propositions, trois au moins, car elle a aussi éconduit, à ce qu'on sait, un certain comte d'Etauges.

Si elle a accepté Grignan, dont elle n'ignore pas les prétentions financières, puisqu'elle signera le document rédigé par Brancas, c'est qu'elle a dans son « cœur » (c'est le mot employé par sa mère), de la « facilité » et de la « disposition » envers lui. Autrement dit, il lui plaît, ou du moins, il ne lui déplaît pas. Comme la mère de la princesse de Clèves, Mme de Sévigné a pris la précaution de donner à sa fille un mari aimable, mieux encore : un mari qu'elle était disposée à aimer. Et Françoise-Marguerite n'épouse pas Grignan pour assurer la promotion sociale de sa famille grâce à l'argent sale de la finance, mais pour se donner à elle-même, à l'aide d'un bien patrimonial, un statut digne de sa noblesse et de sa beauté de « plus jolie fille de France », comme l'appelait son cousin Bussy-Rabutin.

Ariste compensait son âge par ses rentes, ses soins et de la tendresse. Bien que Grignan ait quatorze ans de plus que Françoise de Sévigné, qu'il soit deux fois veuf, qu'il ait deux filles d'un de ses précédents mariages, beaucoup de dettes avouées et d'autres qu'on devine sans vouloir trop approfondir sa situation, car la marquise et sa fille tiennent au mariage, il n'a pas de handicap à compenser par des revenus assurés. Il suffit qu'il soit désormais, depuis peu, par la mort de son père, le chef d'une importante famille, illustre dès le temps des croisades, solidement implantée en Provence où ses membres ont exercé et exercent des charges civiles et religieuses importantes. Ce qui compte dans le futur marié, c'est sa noblesse, son titre de comte de Grignan, la grandeur de sa « maison », symbolisée par la majesté du château dont il porte le nom, l'éclat de sa charge de lieutenant général en Languedoc, remplacée peu après le mariage par celle de lieutenant général en Provence.

François de Grignan épouse Françoise-Marguerite parce qu'il a besoin d'argent. Chacun le sait. Mais cet argent, qui lui est nécessaire pour conserver ses terres, son château et sa charge, est aussi un investissement pour celle qui le lui apporte en dot, et qui jouira, grâce à cet apport, de la gloire et de l'éclat de son mari. Si le mariage dépend de la dot, cette dot apporte à la maison de Grignan, en la personne de son aîné, l'argent nécessaire à la conservation d'un statut social dont profiteront les deux époux et leur famille. Brancas le note naïvement : Mme de Sévigné doit fournir à sa fille une dot qui leur garantisse « assez de bien pour être heureux ».

A la jeune fille, Grignan apporte de l'estime, une estime qui n'est pas située à Tendre-sur-Estime, mais qu'il doit à sa double lignée. S'il se dit « passionné », ce n'est pas pour elle, mais pour un mariage subordonné à l'existence d'une dot suffisante. Il ne dit pas éprouver un sentiment aveugle qui le pousserait inexorablement vers sa future femme, mais un grand désir de conclure un mariage qui lui permettra de continuer à mener un train de vie digne de ses aïeux. De ce point de vue, le mariage sera un succès. Les Grignan feront grande figure pendant plus de trente ans, jusqu'à la mort de la comtesse, et même quarante, jusqu'à la mort du comte à la fin de 1714. Après quoi, tout s'écroulera.

De cette importance de l'argent, chacun est au courant. Sauf Brancas, tous les présents ont des intérêts financiers dans l'affaire : l'abbé de Coulanges gère les biens de Mme de Sévigné, sa nièce ; Mme de La Fayette, son amie, est une de ses créancières, qui fournira une partie de la dot ; Guillaume d'Harouys, veuf d'une des tantes de la marquise, en prêtera l'essentiel. L'étonnant, ce n'est donc pas que Brancas se dise mandaté « pour savoir le bien » de la possible épouse, mais qu'il se dise aussi, dans un parallèle savoureux, choisi par Grignan pour lui « confier le secret de son cœur ». Comme si Grignan était un amoureux transi qui n'oserait pas dire lui-même à l'objet de sa flamme une passion cachée.

La raison de cette « confidence » ? Ménager la susceptibilité de Mme de Sévigné et de sa fille, dont la noblesse exige une estime affirmée d'emblée, et surtout prendre en compte une préférence accordée par une « facilité » et une « disposition » venues du « cœur », qui demandent de la part de son bénéficiaire des dispositions analogues. Peut-être aussi a-t-on voulu, signe intéressant de l'évolution des mœurs, sacrifier à la mentalité du temps qui impose peu à peu, sous l'influence des romans et de certains champions des femmes, l'idée que le mariage doit faire une place au sentiment.

Mariage d'argent ? Mariage d'argent maladroitement maquillé en mariage d'amour ? Mariage d'argent destiné à devenir un mariage d'amour ? Les trois questions appellent toutes une réponse positive. Car si Grignan est « aimable » aux yeux de la demoiselle de Sévigné, celle-ci a aussi de quoi l'être aux yeux de Grignan. Si tout se passe bien, l'amour viendra après le mariage, avec le sacrement et ses grâces, dit l'Eglise, avec les plaisirs partagés de la sexualité conjugale, espèrent les médecins, dans la nécessaire complicité de deux êtres intelligents qui devront s'accorder pour soutenir ensemble une grande « maison », pensent ceux qui placent l'intérêt au centre des actions et des passions humaines. A moins que ce ne soit le hasard qui en décide, selon l'opinion de ceux qui pensent, avec certaines « précieuses » d'un roman de l'abbé de Pure, que tout mariage est en soi condamné à l'échec, et que la raison qui gouverne les mariages de convenance ou d'argent n'est pas moins aveugle que la passion qui conduit aux mariages d'amour.

Dans le cas de Françoise-Marguerite, le mariage a bien réussi. En témoignent ses quelques lettres à son mari conservées. Elle y dit son regret d'être séparée de lui, le plaisir qu'elle aura à le retrouver. Elle voudrait, lui dit-elle, satisfaire sa mère en restant auprès d'elle à Paris. « Mais quand il faut choisir, je ne balance pas à suivre mon cher comte, que j'aime et que j'embrasse de tout mon cœur. » On doit à cette préférence les lettres de Mme de Sévigné, qui y regrette plus d'une fois un amour qui la sépare de sa trop aimée fille.

Même au XVIIe siècle, le mariage est une aventure particulière.

Il n'y a pas de rapport fixe et prédéfini entre sa conclusion, l'amour et l'argent, qui ne sont du reste pas les seuls facteurs dont on tient compte dans les unions conjugales. A la différence de l'argent, l'amour n'en est pas une condition, mais une suite considérée comme naturelle et habituelle. Cet amour, le seul qui paraisse viable dans un mariage durable, n'est pas la passion, mais l'amour d'Ariste, la tendresse, invention toute récente, une nouveauté du siècle qui se définit, se précise et se répand à mesure qu'il avance.

Pour qu'il puisse naître, sauf exception (notamment lorsqu'il s'agit de mariages mettant en cause des équilibres politiques), au moment d'en venir à l'ultime étape de la conclusion, on consulte les intéressés, principalement les jeunes filles, pour s'assurer qu'à défaut d'inclination préalable, elles n'ont du moins pas d'antipathie pour le mari qu'on leur destine. C'est alors qu'elles disposent d'une certaine marge de liberté, celle du refus, marge fort étroite dont elles ne peuvent user qu'une ou deux fois, et dans la mesure où elles savent que leur beauté ou leur dot, ou les deux, pourront leur attirer de nouveaux prétendants. Dans ce contexte, les surprenantes expressions de Brancas montrent que le mariage est en pleine mutation. Sans cacher l'importance primordiale de l'argent, conformément au modèle ancien, le confident du comte se croit pourtant obligé de faire place à deux idées de grand avenir : l'amour et le bonheur. Se marier selon le « secret de son cœur », se marier pour être « heureux », c'est se marier selon un modèle moderne, un modèle qui a survécu jusqu'à nos jours.

19

La bonne épouse

En 1643, le jésuite Claude Maillard s'inspire d'une longue tradition dans son livre, *Le Bon Mariage ou les moyens d'être heureux et de faire son salut en l'état de mariage*. Le mari, explique-t-il à la suite de saint Paul, témoigne son amour en se montrant condescendant et plein d'égards envers sa compagne. La femme lui témoignera en revanche de la docilité, de la douceur, de la bonté, et surtout une soumission sans murmure. Car l'homme ayant sur son épouse le même pouvoir que le Christ a sur lui, absolu et sans limites, elle doit lui obéir en tout, même s'il se montre injuste, car « ce faisant, tant s'en faut qu'il y ait du mal, au contraire, il y a du mérite ». Il ne vient pas à l'esprit de l'auteur que l'injustice est contraire à l'amour exigé de la part du mari.

Maillard est si persuadé de l'infériorité naturelle de la femme qu'il se demande seulement si cette infériorité a été voulue par Dieu dès l'origine, ou si elle est un des résultats de la chute. Avec saint Augustin, il répond qu'elle lui est antérieure et que la subordination n'est pas une sanction du péché, mais un élément du dessein primitif de Dieu. La seule différence, c'est qu'à cause de la chute, la femme supporte impatiemment sa condition subalterne alors que, sans la chute, elle l'aurait acceptée avec joie et amour. « C'est une grande peine et punition à la femme que d'être sujette à son mari, d'autant plus grande qu'à cause de cette corruption, elle est souvent légère, inconstante, vaine, superbe, impatiente, désireuse de liberté, sujette à ses passions, moins capable de raison. »

Le pasteur Amyrault aboutit aux mêmes conclusions que le théologien catholique dans ses *Considérations sur les droits par lesquels la nature a réglé les mariages* (1648). Même avant le péché originel, dit-il, « la droite raison » se refuse à « supposer que le sexe de la femme eût été capable d'une aussi grande perfection que celui de l'homme », car « il faut avouer que chacun d'eux ayant la perfection qui lui convenait, celle de l'homme eût été plus grande à proportion de la plus grande noblesse et excellence de son sexe ». L'écart est encore plus justifié après la chute : « Il est sans doute que le péché a mis la femme en quelque degré plus bas d'infériorité et dans quelque plus grande dépendance à l'égard de son mari. » Maillard et Amyrault ne sont pas seuls de leur avis. Ils expriment l'opinion commune des théoriciens de l'Eglise romaine et des tenants de la Réforme.

Il ne manque pas de moralistes pour soutenir les mêmes idées. En 1674, Antoine Courtin les reprend dans son *Traité de la jalousie*. L'expérience, dit-il, montre, et « le sentiment de tous les philosophes » confirme, que « l'habitude du corps passe à l'âme » et que la « qualité » de l'un passe à l'autre en raison de « la liaison étroite » de ces deux éléments. Il en résulte « que comme le corps de la femme est faible, l'esprit est faible aussi ». Cette faiblesse fonde sa subordination, car le bon sens veut que « le moindre cède au plus grand et le plus imparfait au plus parfait ». Contre « ceux qui disent que ce n'est qu'une coutume qui s'est insensiblement introduite dans le monde », il prétend établir que « la subordination de la femme est une coutume naturelle ou qui s'est établie sur le droit naturel ». Elle fait, dit-il, tellement partie de sa nature qu'elle préexiste au mariage : « Puisque Dieu veut la femme soumise ou inégale à l'homme en qualité de mariée, elle l'est en qualité de femme puisqu'elle n'est femme que pour être mariée. »

Aux trois quarts du XVIIe siècle, alors que s'est depuis plus d'une centaine d'années développée et exprimée une pensée moderne qui va dans le sens de l'égalité des sexes, Antoine Courtin continue de soutenir fermement et sans nuances l'opinion traditionnelle. Ceux qui refusent comme lui de s'ouvrir à une nouvelle façon de considérer les femmes, justifiée notamment par les récents progrès de la médecine, se scandalisent que l'on ose contester des idées qui ont pour elles leur ancienneté, l'autorité de l'Eglise, un prétendu sens commun, l'usage et le droit. Ils sont probablement les plus nombreux, tant sont ancrées dans les esprits des idées qui remontent à la nuit des temps, et dans les mœurs des usages invétérés. Si certaines femmes jouissent alors d'une certaine liberté, c'est seulement en vertu de privilèges récents, accordés ou arrachés sur un vieux fond de surveillance, de contrainte et d'inégalité. Ce qui est surprenant, ce n'est pas la permanence des idées et des façons de faire traditionnelles, mais qu'elles commencent, si peu que ce soit, à changer à ce moment-là.

C'est en effet au cours du XVIIe siècle que la conviction que l'homme doit être un maître absolu pour sa femme commence à perdre de sa force. On le voit dans l'évolution des dictons populaires comme dans celle des recommandations pratiques des moralistes chrétiens. Au siècle précédent, la certitude du droit du mari à l'autorité absolue est si forte que celui qu'on soupçonne d'y renoncer mérite, dans l'opinion, d'être publiquement puni. « Les maris qui se laissent battre par leurs femmes, disent d'anciennes coutumes, seront contraints et condamnés à chevaucher un âne, le visage par devers la queue de l'âne. » Officiellement aboli, cet usage s'est longtemps conservé dans les campagnes malgré les défenses. Il symbolise une idée reçue de tous, même des épouses qui ne s'y conforment pas : à l'homme de commander, à la femme d'obéir. « Ne souffre à ta femme pour rien, dit un dicton en vers du XVIe siècle,/De mettre son pied sur le tien./Car lendemain, la pute bête/Le voudrait mettre sur ta tête. »

Les manuels destinés à éclairer les confesseurs sur ce qu'ils doivent exiger de leurs pénitents reflètent le même état d'esprit. En 1584, Benedicti affirme que la femme doit une totale obéissance à son mari « en ce qui concerne le gouvernement de la famille et de la maison et en ce qui concerne les vertus et bonnes mœurs ». Ce serait pour elle une faute grave de s'y dérober, « car elle est obligée de faire le commandement de son mari ». Si une femme « enflée d'orgueil, de son bon esprit, de sa beauté, de ses biens, de son parentage », méprise son mari et refuse de lui obéir, elle « résiste, dit le même manuel, à la sentence de Dieu, qui veut que la femme soit sujette au mari, lequel est plus noble et plus excellent que sa femme attendu qu'il est à l'image de Dieu, et la femme n'est seulement que l'image de l'homme ». Au début du XVIIe siècle, Tolet et Fernandes de Moure disent plus brièvement : « Vouloir en méprisant son mari gouverner, c'est péché mortel. » Ne pas laisser l'homme exercer une autorité qui lui revient de droit n'est pas seulement renverser l'ordre religieux, social et moral, c'est contester qu'il en soit digne, et par conséquent commettre une faute personnelle à son égard en lui signifiant du mépris.

Longtemps, dans les mêmes manuels, l'homme a été considéré comme responsable des mauvaises mœurs de sa femme. « Si le mari lâche la bride à sa femme, la laissant faire le mal, se farder pour plaire aux hommes et orner outre la décence de son état, et faire autres excès sans la reprendre, il pèche à tout le moins véniellement, car il est tenu de la corriger, attendu que selon l'Ecriture, le mari est le chef de la femme. Et si elle vient à tomber en quelque péché mortel par faute qu'il ne lui tient pas la bride, il participe à son péché » (Benedicti). Tolet et Fernandes disent de même. En 1640, Richelieu, qui s'est intéressé aux rapports conjugaux dans son *Instruction du chrétien*, s'en prend lui aussi aux maris trop « indulgents », qui « autorisent » par leur tolérance « la licence que leurs femmes prennent de mal faire ». L'autorité, pour l'homme, n'est pas seulement un droit ; c'est un devoir.

C'est pourquoi, pour se faire obéir, le mari peut et doit recourir à tous les moyens, y compris à la force. « Bon cheval, mauvais cheval veut l'éperon,/Bonne femme, mauvaise femme veut le bâton », dit un dicton de la même époque. Les anciennes coutumes permettaient aux maris de frapper les épouses récalcitrantes. Les casuistes ne le leur interdisent pas. Ils se contentent de leur défendre de les battre « sévèrement », « atrocement », « avec cruauté », en passant « les bornes de modestie et de raison » (Benedicti), de les « frapper extraordinairement » (Tolet), « de les châtier hors les termes de la correction » (Fernandes de Moure). On ne doit pas les frapper jusqu'au sang. Autrement dit, une violence modérée est permise à l'homme si elle n'a pas sa fin en soi, mais se propose de « corriger » l'épouse de ses défauts. Elle se trouve, sur ce point, à peu près dans la même situation que les enfants.

A la fin du XVIIe siècle, les manuels condamnent unanimement les violences, y compris sous leur forme bénigne. « Il faut être le compagnon et non le maître de sa femme », affirme à présent le proverbe. Malgré son infériorité, disent les casuistes, rejoints par les juristes, la femme n'est ni l'esclave, ni la servante, ni la chambrière de celui qui l'a épousée. Le mari n'a pas le droit d'oublier qu'elle est de la même condition que lui. En 1713, dans l'examen de conscience qu'il propose à ses lecteurs, Antoine Blanchard pose encore à l'épouse une question qui rappelle sa soumission : « N'avez-vous point méprisé les avis de votre mari et les remontrances qu'il vous a faites ? » Mais il lui demande aussi : « Avez-vous obéi à votre mari *dans les choses justes et raisonnables* ? » Signe de la liberté d'appréciation qui lui est maintenant laissée. L'homme garde le droit d'ordonner et un droit de contrôle ; il n'a plus la responsabilité des bonnes mœurs de son épouse, encore moins le devoir de lui imposer son autorité par la force. Au moins dans les milieux aisés, plus sensibles aux idées nouvelles, la femme se dégage en partie de la tutelle maritale.

Lancée par François de Sales et ses émules, reprise et amplifiée par les gens de Port-Royal, la direction de conscience par des confesseurs ou des « directeurs » qualifiés se développe à la même époque. « Voulez-vous à bon escient vous acheminer à la dévotion ? demande à Philothée l'auteur de l'*Introduction à la vie dévote*. Cherchez quelque homme de bien qui vous guide et vous conduise ; c'est ici l'avertissement des avertissements. » L'exhortation s'adresse à tous les fidèles, hommes et femmes, mais en pratique, la majorité des dirigés de l'évêque de Genève étaient des dirigées. « En aucun siècle, a-t-on écrit, la direction des consciences féminines n'a autant occupé les ecclésiastiques. Les membres les plus éminents du clergé, les lumières de l'Eglise, les maîtres en vie spirituelle ne dédaignent pas de diriger les femmes et même s'y complaisent. » Au point que leur omniprésence suscitera la satire bien connue d'un La Bruyère qui croit en constater l'inefficacité.

Les spécialistes des âmes fondent la nécessaire soumission du « sexe infirme » à un directeur sur son incapacité naturelle à se conduire sans aide. A la supérieure d'un couvent, François de Sales répond en 1603 qu'elle doit absolument « prendre l'assistance de quelques personnes spirituelles », dont il ne manque pas à Paris. « Votre sexe, lui dit-il, doit être conduit et jamais, en aucune entreprise, il ne réussit que par la soumission ; non que bien souvent il n'ait autant de lumières que l'autre, mais parce que Dieu l'a ainsi établi. » Quelle que soit sa capacité, l'obéissance fait partie du statut de la femme dans l'ordre de la Création. A la différence des clercs misogynes, l'évêque de Genève ne dit pas cela par mépris, mais parce que, selon lui, le sexe féminin, malgré ses handicaps, est si riche de possibilités qu'il mérite d'être aidé. D'autres diront la même chose après lui avec moins de nuances. « Les femmes sont semblables à la vigne, écrit le janséniste Nicole ; elles ne sauraient se tenir debout par elles-mêmes ; elles ont besoin d'appui. » Les deux sexes ont besoin d'être conduits vers le salut par les clercs, mais la femme a particulièrement besoin d'une direction qui remédie à ses défauts spécifiques : « Rien ne peut, comme l'obéissance, écrit le jésuite Guilloré, fixer et arrêter les inconstances qui lui sont naturelles dans toutes les résolutions qu'elle fait. »

A considérer les principes qui fondent, pour les femmes, la nécessité de recourir à un directeur, il peut paraître paradoxal d'affirmer que cette pratique, qui les soumet au pouvoir absolu d'un homme doté d'une autorité venue de Dieu, a largement contribué à leur libération. Tel n'était évidemment pas le but recherché par ceux qui ne cessaient, même dans de bonnes intentions, de leur rappeler leur faiblesse et leur incapacité. La (relative) libération dont certaines d'entre elles ont bénéficié s'est produite de façon inattendue, par un effet pervers d'une entreprise de direction qui visait au contraire à les soumettre davantage à une autorité supérieure à celle de maris qui, selon l'Eglise, n'exerçaient pas la leur correctement.

L'influence involontairement libératrice de l'existence d'un directeur sur une excellente chrétienne se découvre particulièrement dans le « Règlement donné par une dame de haute qualité à M***, sa petite-fille, pour sa conduite et celle de sa maison, avec un autre règlement que cette dame avait dressé pour elle-même ». Il est de la main de Jeanne de Schomberg, épouse de Roger du Plessis, duc de La Roche-Guyon en 1643, plus tard duc de Liancourt, dédicataire de la « Seconde lettre à un duc et pair » d'Arnauld, qui a suscité la polémique dont les *Provinciales* de Pascal sont le chef-d'œuvre. Elle l'a écrit pour sa petite-fille en 1665, sous l'impulsion, dit-elle, d'une « personne qui a pouvoir » sur elle, probablement son directeur de conscience, Charles Picoté, vicaire de Saint-Sulpice. Premier signe de l'existence auprès d'elle d'une autorité extérieure à celle de son mari et de sa famille.

Jeanne de Schomberg offre le parfait exemple de l'épouse fidèle, entièrement soumise pendant les vingt premières années de son mariage à un mari volage et libertin, qui ne la mérite pas. Conformément au modèle proposé par l'Eglise, elle s'emploie à le convertir par sa sagesse et sa soumission. Par son habileté aussi : elle le « sépare du monde », explique l'abbé Boileau, préfacier du « Règlement » en utilisant son goût pour la campagne et pour les bonnes compagnies. « Elle se résolut, note-t-il, de se servir de toutes ces inclinations ou indifférentes ou louables pour lui tendre un piège qu'elle crut innocent, aussi bien que les personnes de piété qu'elle consulta. » Il y a donc auprès de cette femme exemplaire des « personnes » étrangères au foyer qui l'aident à influencer pieusement son mari. Pour l'attirer, elle embellit sa maison de campagne, elle installe jets d'eau et fontaines dans le jardin. Elle attache à sa maison « des gens d'esprit, savants, d'humeur et de conversation agréable ». Qu'importait la dépense ? « Cette vertueuse dame, dit Boileau, était résolue d'acheter à quelque prix que ce pût être le salut de son époux. » Elle s'en fit scrupule dans la suite, à ce qu'elle raconte. Mais après avoir obtenu l'essentiel : « tirer peu à peu de la cour celui que Dieu lui avait donné pour le sanctifier ».

Assurer le salut de son mari est pour l'épouse un devoir sacré. Jeanne de Schomberg le dit à sa petite-fille en lui rappelant ses obligations, et notamment la soumission qu'elle lui doit en tout ce qui n'offense pas Dieu. C'est, dit-elle, un des moyens de « maintenir l'amitié et la confiance entre gens mariés ». Il n'exclut pas les silences et les ruses. Tout n'est pas bon à dire aux maris. « Ce n'est pas que l'on ne doive leur celer beaucoup de choses. » Il y a « le secret que l'on doit à autrui », et surtout il faut leur cacher « ce qui les peut fâcher ou faire emporter, pourvu qu'en leur taisant ces sortes de choses qui les touchent, l'on y donne ordre avec l'avis de gens capables et qu'ils consulteraient eux-mêmes en de pareilles occasions s'ils en étaient avertis ». Entre les membres du couple interviennent des personnes qualifiées qui aident la femme à manipuler le mari. Sage et pieuse manipulation, pour l'empêcher de pécher par colère ou par aveuglement. Manipulation consciente cependant, garantie par des conseillers qui partagent une autorité qui ne devrait en principe appartenir qu'au chef de famille.

L'influence, et parfois l'intrusion, à l'intérieur des ménages, de tiers qui par la nature même de leurs fonctions n'en ignoraient aucun secret, dut souvent être désagréable à ceux qui se voyaient ainsi dépossédés de leurs prérogatives spirituelles et morales au profit d'hommes comme eux, mais revêtus du prestige qu'ils tiraient de leur appartenance à l'Eglise. Les directeurs exerçaient de plein droit sur les femmes un pouvoir extérieur au ménage, ôtant sa plénitude à celui des maris. En divisant l'autorité, leur intervention donnait nécessairement une certaine liberté à l'épouse. Si leur direction s'exerçait régulièrement, et même fréquemment, elle n'était pas constante comme l'était l'autorité conjugale. Elle laissait entre les conversations et les confessions de larges intervalles où la femme se trouvait seule face à sa conscience, s'interrogeant sur la manière d'appliquer les conseils et les directives reçus. Cette situation aussi favorisait la réflexion, le retour sur soi, et finalement l'autonomie.

Cette modification inattendue du statut moral de la femme s'est faite avec plus ou moins de facilité selon le degré de résistance des maris à leur perte d'autorité, qui dépendait de leur caractère et surtout de leur milieu. Ce ne furent évidemment pas les curés de village qui contribuèrent le plus à l'émancipation féminine. Ils avaient souvent du mal à obtenir, même des femmes, l'obligatoire confession annuelle en vue de la communion pascale. Les rapports des époux y étaient solidement fondés sur la nécessité de maintenir en bon état la communauté de vie et de travail qu'ils avaient, non sans peine, créée en se mariant. Il était entendu que les maris y étaient les maîtres et que les femmes devaient obéir. Si les habitudes, les coutumes locales, les surveillances familiales, les éventuelles affections apportaient dans chaque couple les souplesses et les adaptations indispensables à sa survie, c'était à l'intérieur du modèle traditionnel.

Le changement est venu d'en haut. C'est là d'abord que des dames de l'aristocratie se sont, comme leurs maris, jugées audessus des lois et des usages. C'est là surtout, chez les nobles d'épée ou de robe et dans la bonne bourgeoisie, qu'ont pénétré les idées nouvelles, dans des couples où les femmes recevaient favorablement un enseignement de l'Eglise valorisant. Désormais capables de lire, ces femmes prolongeaient par leurs lectures, fussent-elles pieuses, la réflexion commencée avec leurs confesseurs ou leurs directeurs sur leur condition de chrétiennes ayant droit à une vie spirituelle et sur leur rôle de mère et d'épouse au sein de la communauté familiale. Elles atteignaient ainsi, de plus en plus nombreuses, un niveau intellectuel suffisant pour qu'il soit impossible à leurs maris d'exiger d'elles une obéissance sans réplique. Le jour viendra où ces pionnières serviront d'exemples et de modèles dans toutes les couches de la société.

Il n'est cependant jamais question d'une révolution féministe. Tous les ouvrages rappellent aux femmes mariées que leur vocation est de vivre dans leur famille pour remplir leurs devoirs d'épouses et de mères en exerçant des vertus purement privées : la chasteté, la pudeur et la modestie y compris dans le mariage, l'humilité, le silence, l'obéissance, la fidélité, la dévotion, la charité, le soin du ménage, l'éducation des enfants. Des livres spécifiques (*Les Bons Mariages*) insistent sur « les moyens d'entretenir la paix dans le mariage », sur « les moyens d'y vivre heureux », ou même sur « les moyens infaillibles de faire un mariage heureux d'un qui serait malheureux ». Dans tous les cas, comme dans les romans de Camus, c'est à l'épouse de convertir l'époux, avec la grâce de Dieu, par sa patience, son application, sa sérénité. Avoir un mari tyrannique auquel elle réussit à se soumettre comme l'exige son devoir est, pour la femme, une épreuve qui lui permet de mesurer et de montrer sa force d'âme, un chemin privilégié vers le salut. Ces traités valorisent l'épouse en la présentant comme un modèle de bonne conduite conjugale face aux injustices et aux violences du sexe masculin.

Mieux encore, depuis François de Sales, avec le père Caussin et le père Cordier, les jésuites s'appliquent à revaloriser l'état du mariage chrétien. Pour cela, non contents de lutter contre le traditionnel mépris de la femme, ils insistent sur le fait que chacun des deux époux a sa place dans la famille, que l'un n'y est pas moins nécessaire ni moins digne que l'autre. Les « bons mariages » doivent reposer sur le partage des responsabilités au sein du couple, sur l'exaltation du rôle de la femme comme mère et comme éducatrice. Ce partage ne conteste pas l'organisation patriarcale de la famille, car le rôle des maris reste prépondérant. Par rapport au modèle antérieur, où ils avaient seuls tous les droits, il n'en offre pas moins aux femmes l'espoir et la possibilité d'un progrès.

Si les gens d'Eglise justifient un nouvel équilibre à l'intérieur des couples, c'est sans doute parce que les femmes des milieux aisés y avaient déjà acquis une plus grande liberté. Un mouvement était créé, que leur enseignement allait accentuer, accélérer et répandre parmi les gens cultivés. Il faudra beaucoup de temps pour qu'il atteigne de proche en proche le reste de la population.

20

Un corset juridique

Si le droit contribue avec la religion à fixer le sort de l'épouse du XVIIe siècle, son influence est infiniment moindre. Alors que l'une impose des obligations analogues et des croyances semblables à tous les fidèles, l'autre connaît d'importantes variations selon les lieux. Dans *Le Malade imaginaire*, le notaire Bonnefoy explique à Argan qu'il ne peut rien laisser à sa femme par testament. « La coutume y résiste, lui dit-il. Si vous étiez en pays de droit écrit, cela se pourrait faire, mais à Paris et dans les pays de droit coutumier, au moins dans la plupart, c'est ce qui ne se peut, et la disposition serait nulle. » En 1673 encore, malgré les efforts d'unification du royaume, subsiste la grande distinction du Sud, où règne le droit romain, et du Nord, où domine le droit coutumier. De nombreuses distinctions subsidiaires, dues aux us et coutumes des provinces, viennent compliquer la situation. Défini par des contrats de mariage relevant de régimes juridiques différents, le statut de l'épouse varie notablement selon l'endroit où se trouvent ses biens et celui où elle s'est mariée.

Dans tous les cas, par suite de la faiblesse de son sexe (*imbecilitas sexus*, disent les spécialistes), la femme est, du point de vue juridique, très fortement handicapée. « Les femmes sont incapables, par la seule raison de leur sexe, de plusieurs sortes d'engagements et de fonction », écrit Domat à la fin du siècle dans son traité *Les Lois civiles dans leur ordre naturel.* Si elles ne sont ni veuves ni filles majeures célibataires de plus de vingt-cinq ans, elles sont considérées comme des mineures qui doivent être protégées, y compris contre elles-mêmes, par leurs parents (le père ou le tuteur) ou leur mari. Cardin Le Bret l'exprime crûment en 1632 dans son *Traité de la souveraineté du roi, de son domaine et de sa couronne* : « L'exclusion des filles et des mâles issus des filles est conforme à la loi de la nature, laquelle ayant créé la femme imparfaite, faible et débile, tant du corps que de l'esprit, l'a soumise à la puissance de l'homme. » En droit comme en médecine et en théologie, pèse l'ancien préjugé hérité des païens et confirmé par les circonstances du péché originel, de la faiblesse, voire de la perversité de la femme.

On n'en finirait pas d'énumérer les exclusions juridiques dont est frappée la femme mariée, qui augmentent à mesure que le droit écrit, issu du droit romain, gagne du terrain sur le droit coutumier. Elle ne peut en principe postuler en justice ni être témoin « instrumentaire », fût-ce d'un contrat ou d'un testament. Elle ne peut ouvrir d'elle-même les instances civiles qui la concernent. Elle ne peut passer un contrat. Tant que dure le mariage, elle ne peut disposer à sa guise d'aucun de ses biens patrimoniaux alors que son mari use comme il lui plaît de ce qui figure dans la communauté. Il a un droit de « bail et de gouvernement » qui lui permet d'administrer les immeubles propres de sa femme, d'en percevoir les revenus et de recevoir les honneurs féodaux qui y sont attachés. Même si elle a obtenu en justice d'être séparée de biens, elle ne peut aliéner ses immeubles sans permission. Bref, pour tout ce qui concerne son patrimoine, la femme, du point de vue juridique, est presque entièrement dépendante de la volonté d'autrui. Elle peut cependant tester librement, et possède sur les propres de son mari de solides hypothèques en raison de sa dot.

En contrepartie de sa dépendance, le droit protège en effet sa dot et ses héritages propres, qui ne peuvent en aucun cas passer à son conjoint et qu'elle récupère en cas de veuvage comme créancière, classée à la date de son mariage. Sauf accord contraire rarissime, elle n'est pas responsable des dettes contractées antérieurement par celui qu'elle épouse. Si sa dot sert à en payer tout ou partie, elle prend le rang du créancier qu'elle remplace. Suite à un sénatus-consulte du Ier siècle après Jésus-Christ, renouvelé par le droit de Justinien, elle n'a longtemps pas eu le droit de se porter garante de l'engagement d'un tiers, et spécialement de son mari. Cette mesure la garantissait des pressions extérieures et particulièrement de celles d'un conjoint qui en aurait voulu à ses biens. En 1606, un édit royal lève cette immémoriale interdiction. Cette liberté est à double tranchant. Persuadés que la faiblesse des femmes a besoin d'être protégée contre les violences physiques ou morales de maris prêts à en abuser, plusieurs parlements provinciaux, surtout dans les anciens pays de droit écrit, refusent d'enregistrer pareille nouveauté.

La fin de l'article IV du « Règlement » donné par Jeanne de Schomberg à sa petite-fille contient un paragraphe qui l'encourage à résister aux pressions qu'elle pourrait subir en raison de l'édit contesté. « Encore que les femmes doivent avoir tous ces égards pour leurs maris, il ne faut pas, écrit-elle, qu'elles se relâchent envers eux, non seulement dans des choses où Dieu serait offensé directement ou indirectement, mais aussi en ce qui concerne la ruine de leur famille, comme de signer à des ventes ou à des achats déraisonnables quand elles les connaissent tels de l'avis de gens capables et vertueux, ni à des dettes où ils s'engagent pour leurs plaisirs ou pour leur vanité. Car quand ils auront consommé leur bien, ils seront bien heureux de vivre de celui de leurs femmes, et d'y trouver de quoi faire subsister leurs enfants. Souvenez-vous que vous devez cette justice à vous-même, à votre mari, à vos enfants, de conserver votre bien et de ne le point engager par des complaisances ou des espérances vaines. » Malgré toutes les restrictions dont on entoure sa prétendue faiblesse, la femme reste en fin de compte maîtresse de ce qui lui appartient en propre.

Si le mari est censé la protéger contre les sottises qu'elle pourrait faire puisqu'elle ne peut agir sans son consentement, elle est de son côté protégée contre sa convoitise et les erreurs qu'il pourrait commettre. A condition que la situation soit saine au moment de son mariage (c'est à sa famille de la vérifier à ce moment-là), elle est sûre que, sauf initiative contraire de sa part, et encore contenue dans des bornes étroites, le montant de sa dot et les éventuels héritages survenus depuis lui seront conservés jusqu'à sa mort et passeront à ses enfants. Rien de plus impossible alors que de manger, comme on dit, la dot de sa femme. Deux fois veuf, le comte de Grignan rembourse la dot de sa deuxième femme avec une part de celle de la troisième. De la première, Angélique-Claire d'Angennes, fille cadette de Mme de Rambouillet, morte en décembre 1664, il avait eu deux filles. Leurs droits comme héritières de leur mère avaient été fixés en 1666 par un accord passé entre lui et leur oncle Montausier, qui était leur tuteur. En attendant de pouvoir leur rembourser le principal, Grignan doit leur verser 6 045 livres d'intérêts annuels. Comme il ne le fait pas, leur tuteur obtient sa condamnation en justice.

Profitant d'une clause de son contrat de mariage, Grignan avait d'autre part effectué avec la caution de sa première femme des emprunts s'élevant à 148 150 livres. Comme ses filles du premier lit en étaient coresponsables en qualité d'héritières de leur mère, « ces dettes communes, dit Montausier, les tenaient dans une crainte continuelle que les biens les plus liquides dont jouissent les demoiselles mineures ne fussent saisis et vendus » à la requête des créanciers. Pour prévenir cette éventualité, leur père doit leur accorder « quittance et décharge absolue » des dettes cautionnées par leur mère. Grignan convient de tout, mais ajoute que pour s'acquitter, il n'a qu'un moyen : vendre sa charge de lieutenant général du roi en Provence, « ce qui serait extraordinairement désavantageux à sa famille, cette charge lui donnant de la considération et un rang dont lui, la dame son épouse et messieurs leurs proches ne peuvent se résoudre d'être privés ».

Sa troisième femme, Françoise-Marguerite de Sévigné, lui permet de sortir de cette impasse. En mai 1675, au moment de repartir avec lui pour la Provence, elle accepte de figurer à son désavantage dans une transaction avec le tuteur de ses filles. Elle y renonce aux droits qu'elle a sur leurs biens pour la part de sa dot qui a servi à rembourser des dettes cautionnées par leur mère. Mieux encore, pour la part de ces dettes non encore remboursée, elle accepte d'en garantir à leur place le paiement aux créanciers. Elle les libère ainsi du risque de les voir se retourner contre elles en cas de défaillance de leur père. Elle fait plus. Elle cautionne sur ses propres biens le paiement du capital que celuici leur doit et des intérêts correspondants. Bref, elle prend sur elle toutes les obligations de son mari envers ses filles du premier lit. En échange, elle ne reçoit que les hypothèques dont Montausier dénonçait justement l'insuffisance.

Elle n'a pas signé sans savoir. Son sacrifice était le seul moyen de conserver à son mari la charge dont il tirait sa « grandeur », autrement dit son prestige social. Elle l'a fait, selon les termes de la transaction, « pour donner des marques de son affection à Monseigneur le comte son mari et pour la considération de sa maison ». En cette affaire où le sens aristocratique de la gloire s'opposait au souci bourgeois de la sécurité financière, Mme de Sévigné, qui s'était pourtant lourdement engagée pour son mari vingt-cinq ans plus tôt (avec, il est vrai, de meilleures garanties), s'était prononcée, comme l'abbé de Coulanges et le cardinal de Retz, membres influents de sa famille, contre cette « héroïque signature ». Mme de Grignan a décidé de passer outre. Sa mère l'approuve après coup : « N'êtes-vous pas plus aise de ne devoir qu'à vous une si belle résolution ? » Cela relève la valeur de son geste : « Si vous n'eussiez point signé, vous faisiez comme tout le monde aurait fait ; et en signant, vous faisiez au-delà de tout le monde. » Chacun a eu raison du point de vue qui était le sien, car « les amis font leur devoir de ne point commettre les intérêts de ceux qu'ils aiment ».

Si l'épouse est en droit mineure et incapable de rien décider, tout se passe en pratique comme si elle ne dépendait que d'ellemême. Mme de Grignan décide librement d'aider son mari contre l'avis de sa famille. A l'occasion d'une transaction passée devant notaire, dans laquelle interviennent et signent parents et amis, elle peut parfaitement s'appuyer sur des avis autorisés pour refuser d'engager ses biens. Rien ne la force, au contraire, à prendre la décision qu'elle prend, sauf, comme le dit le document, l'amour conjugal et le fait, ainsi que l'écrira un jour sa mère, qu'elle est devenue « toute Grignan », qu'elle confond désormais son intérêt avec celui de la maison dans laquelle elle est entrée par son mariage. Elle fait partie de « l'entreprise Grignan ». Elle en prend les risques et les avantages. Elle choisit d'être solidaire de son mari dans ses dettes comme dans la gloire que lui apportent le nom qu'elle porte et la prestigieuse charge qu'il exerce et qu'il faudrait vendre si elle ne se portait pas à son secours.

Le paradoxe, c'est qu'elle n'a pu sacrifier les avantages garantis par son contrat de mariage qu'avec l'autorisation de son mari, expressément mentionnée dans la transaction. Les femmes n'ont pas le droit de passer des contrats, mais les registres des notaires regorgent de signatures féminines. Il suffit en effet, pour tourner la difficulté, que les maris donnent à leurs femmes autorisation ou procuration de passer tel ou tel acte, ou mieux encore qu'ils leur donnent une procuration générale. A Paris ou à Grignan, le comte en a donné un grand nombre à sa femme, renouvelées autant que de besoin. Aux rigidités du droit, s'opposent d'amples délégations de pouvoir qui rendent en pratique à la femme à peu près tout ce qui lui est théoriquement refusé.

Incapables d'intenter des procès en leur propre nom, les femmes mariées en mènent, qui sont parfois longs et difficiles, au nom de leurs maris. En 1557, cinq générations avant le gendre de Mme de Sévigné, Louis Adhémar de Grignan, mort sans enfants, avait institué François de Guise son héritier universel en récompense de la protection qu'il lui avait accordée lorsqu'il avait été accusé de haute trahison. Il avait d'autre part légué aux aïeux de Guichard d'Urre de Cornillon, seigneur d'Aiguebonne une terre importante. Il n'en avait pas le droit, son père, Gaucher, ne lui ayant légué ses biens qu'à charge de substitutions. Destinée à conserver les biens dans la famille, cette procédure permettait au père d'instituer pour héritier en même temps qu'un de ses enfants celui qui lui succéderait, en général son fils aîné, puis le fils de celui-ci, ou à défaut son second fils, ou le fils de son second fils et ainsi de suite de génération en génération. A l'image du reste du droit, les substitutions favorisaient les mâles.

Sans exclure totalement les filles. Car en ce cas, le testateur indiquait d'ordinaire que s'il n'y avait pas de successeur mâle à l'une quelconque des générations à venir, l'aînée des filles, s'il y en avait, succéderait par défaut. A ce titre, Gaspard de Castellane, fils de Blanche Adhémar de Grignan, sœur du Louis qui avait testé en faveur de Guise, s'opposa à l'exécution du testament de son oncle et obtint gain de cause au parlement de Toulouse. Les droits de la lignée primant sur l'incapacité de la femme, grâce à Blanche, Grignan demeura à la descendance de Gaucher. Pour la même raison, la sœur de Blanche, mariée à Claude d'Urre, ne put prendre possession de la terre que Louis lui avait léguée. Elle gardait seulement, en qualité d'héritière, le droit à une part des biens propres de son oncle. Cette situation entraîna une cascade de procès, en principe clos en 1631 par une transaction entre les parties. Mais un quart de siècle plus tard, Guichard d'Aiguebonne trouve les moyens de reprendre l'affaire devant le parlement de Grenoble. A la fin de l'année 1682, les Grignan réussissent à la faire évoquer au parlement de Paris.

L'affaire traîne. C'est seulement le 13 août 1688 que Mme de Sévigné peut écrire à son cousin Bussy : « Ma fille a gagné son procès tout d'une voix [à l'unanimité], avec tous les dépens. Cela est remarquable. Voilà un grand fardeau hors de dessus les épaules de toute cette famille ; c'était un *dragon* qui les persécutait depuis six ans. » C'est en effet la comtesse, demeurée à Paris pour un procès dont l'issue importait au plus haut point aux finances et à la gloire de la maison de Grignan, qui pendant tout ce temps, aidée d'hommes de loi qualifiés, a suivi l'affaire au nom de son mari, retenu en Provence par sa charge. La femme mariée, malgré sa dépendance, supplée le chef de famille absent chaque fois qu'est mis en cause l'intérêt familial.

L'exemple le plus parfait d'une totale et constante délégation de pouvoir d'un mari à sa femme est sans doute celui de Mme de La Fayette. Après l'avoir gardée près de lui en Auvergne le temps d'en avoir deux garçons, le comte la laisse rejoindre Paris et s'y établir dans sa maison de la rue de Vaugirard, tout en continuant de vivre lui-même en Auvergne dans ses terres d'Espinasse et de Nades. Avec les conseils de son ami Ménage, qui est avocat sans en avoir fait son métier, la comtesse se révèle une remarquable femme d'affaires. Elle l'emporte dans plusieurs causes qui paraissaient désespérées. A la mort de son mari en 1683, elle a reconstitué, pour elle et ses enfants, l'intégralité du patrimoine foncier des La Fayette, compromis depuis plusieurs générations.

Son cas n'est pas exceptionnel. A Saint-Cyr, à la fin du siècle, Mme de Maintenon donne à jouer aux jeunes filles qui y sont instruites une petite pièce de sa façon intitulée *Les femmes font et défont les maisons*. Un nobliau de province y explique à une amie comment son patrimoine a été rétabli grâce à sa femme. « Dès le lendemain de nos noces, explique-t-il, je la priai de conduire notre petite maison et lui montrai l'état de nos affaires qui n'étaient pas trop bonnes ; elle me demanda si je lui donnais tout pouvoir, et je l'en assurai... » Si le mari confie volontiers à sa jeune femme le soin de restaurer les affaires de sa maison, et si celle-ci y réussit, c'est qu'au contraire des garçons qui ne recevaient dans les collèges aucun enseignement sur la façon de gérer leurs biens, les jeunes filles instruites par les ursulines et dans les institutions qui, comme Saint-Cyr, s'inspiraient de leur programme, apprenaient d'utiles rudiments d'économie domestique.

Il est en effet généralement admis que sous l'autorité du mari, seul maître de l'ensemble des biens, la gestion quotidienne des ressources du ménage revient à l'épouse. Les clés du foyer, dont elle est d'ordinaire la détentrice, sont le symbole de ce pouvoir. Au Moyen Age, lors du décès de son mari, pour montrer qu'elle renonçait à une communauté qu'elle jugeait déficitaire, l'épouse les jetait dans la fosse où on enterrait le défunt. Cette délégation de larges pouvoirs financiers sur les affaires courantes est tellement ancrée dans les mœurs que dans les archives de l'officialité de Cambrai, parmi les causes de « divorces » accordées par les juges compétents, revient souvent le refus du mari d'en accorder la moindre partie à une épouse qui considère cela comme un affront. Dans le rituel de Toulon, le curé ne doit pas oublier de rappeler à la future épouse que cette fonction est un devoir. « Il l'avertira, lit-on en tête du texte qui la concerne, de régler sa famille, de gouverner sa maison. » Dans son *Directeur des confesseurs*, paru en 1634 et qui connut maintes réimpressions jusqu'en 1692, Bertin Bertaut, prêtre du diocèse de Coutances et curé d'Alleaume, place parmi les devoirs de la femme celui de « conserver fidèlement les biens et provisions de la maison qui lui sont baillés en charge par son mari ». A défaut du droit, l'usage, fortement appuyé par l'enseignement de l'Eglise, reconnaît aux épouses une place prépondérante dans la gestion quotidienne des biens de la communauté.

Parce qu'ils considèrent la femme comme un être faible qu'il faut protéger contre soi-même, les casuistes n'en fixent pas moins d'étroites limites à ses initiatives. Elle ne peut par exemple utiliser sans permission les fonds de la communauté pour faire des cadeaux importants, s'acheter des habits luxueux ou jouer. Ces dépenses seraient des larcins. Elle n'a pas le droit d'augmenter sans l'accord de son mari la dot d'une de ses filles, qui voudrait se faire religieuse, même si cette augmentation peut se faire sans dommage pour le niveau de vie du couple. En principe, elle ne peut même pas faire l'aumône à l'insu de son mari, encore moins contre sa défense. Sauf, précise le casuiste, si la nécessité du pauvre est extrême, car l'homme se trouverait lui-même obligé de le secourir. Ce sont là des cas théoriques, puisque d'habitude le mari laisse sa femme maîtresse d'une certaine somme, quand il ne lui confie pas le gouvernement total de la maison. Ses aumônes sont alors considérées comme approuvées d'avance. Les maris « qui ont de la vertu, dit le lazariste Collet, seront charmés de voir une sage et sainte libéralité dans leurs femmes ». L'étroitesse du contrôle est un droit des maris, qu'ils n'exercent qu'exceptionnnellement.

La mère de Chaugy, qui avait été sa compagne et son amie, a conté comment le mari de Jeanne de Chantal pressa sa femme de s'occuper de sa maison : « Il lui fâchait beaucoup, dit-elle, de sacrifier sa liberté innocente aux tracas embarrassants du soin d'un ménage. Le baron, qui avait l'esprit fort sage, lui dit un jour fort sérieusement qu'il fallait qu'elle se résolût de porter ce fardeau, que la femme sage édifie sa maison, que celles qui méprisent ce soin détruisent les plus riches. » Pour l'encourager à s'y résoudre, « il lui donna l'exemple de feu la baronne de Chantal, sa mère, femme d'incomparable vertu ». La jeune épouse se conforma à ce modèle. « Elle s'accoutuma à se lever de grand matin ; elle avait déjà mis ordre au ménage et envoyé ses gens au labeur quand son mari se levait ; elle ordonna aussitôt que tous les grangiers, sujets, receveurs et autres avec lesquels elle aurait à traiter s'adresseraient directement à elle pour toutes les affaires. » En adoptant cette attitude exemplaire, Jeanne a pris en main non seulement les affaires du ménage, mais la gestion de l'ensemble du patrimoine familial. Elle y a fait son apprentissage de femme d'affaires, plus tard capable de veiller à la création et à la bonne marche des multiples couvents de la Visitation.

Le récit de la mère de Chaugy, qui est hagiographique, donne de la vie d'épouse de la future collaboratrice de François de Sales une image qui convient parfaitement à la valorisation de la femme voulue par l'auteur de l'*Introduction à la vie dévote.* Cette image s'accorde avec le modèle permanent de l'épouse chrétienne, la femme forte de l'Ecriture. Les clercs qui dénoncent la faiblesse naturelle de la femme ne cessent en même temps d'affirmer qu'elle peut la surmonter avec la grâce de Dieu, et devenir la base solide sur laquelle repose la famille chrétienne. Depuis qu'elle compte sur les femmes pour christianiser les foyers, l'Eglise les encourage à tenir ce rôle, apportant sans le vouloir une aide inattendue à une évolution qui leur confère dans le couple, en fait sinon en droit, une influence prépondérante.

Plusieurs sous-titres du « Règlement » de Jeanne de Schomberg sont significatifs : « De l'usage du temps et du travail », « De l'usage du bien », « Sur la manière de vivre avec les domestiques », « Pour les affaires », « Pour les affaires qui regardent l'économie », « Pour l'ordre des comptes », « De l'ordre pour les terres », « Pour les affaires que la charité et la justice mettent entre vos mains », « Ce qu'il faut observer pour les bons offices ». Si le souci essentiel de la duchesse de Liancourt est d'ordre spirituel, son activité principale, d'ordre tout pratique, est de diriger sa maison. Retenu auprès de Louis XIII par sa charge de premier écuyer, entraîné dans le tourbillon de ses galanteries, le jeune duc ne s'en souciait guère. Une vingtaine d'années après Jeanne de Chantal, la jeune femme s'est trouvée elle aussi, dès le début de son mariage, obligée de se comporter comme la femme forte de l'Ecriture.

Un demi-siècle après la parution de la *Vie* de sa grand-mère, Mme de Sévigné applique le même modèle à sa fille, qui consacre beaucoup de temps et d'énergie aux affaires des Grignan. « Il y a longtemps, ma bonne, que je vous observe et que je vous admire, écrit la marquise en mai 1690. Je vous vois la femme forte, toute sacrifiée à tous vos devoirs, et faisant un usage admirable de la bonté et de l'étendue de votre esprit... Que ne faites-vous point ? d'emprunter pour payer des choses importantes, d'apaiser même vos petites dettes importunes, enfin depuis le sceptre jusqu'à la houlette, vous suffisez à tout. Vous avez une capacité sur les affaires qui me surprend. On peut avoir beaucoup d'esprit sans en avoir de cette sorte. Je l'admire d'autant plus qu'il est cent piques au-dessus de ma tête. Enfin, vous en avez de toutes les façons. Remerciez-en Dieu, car assurément, ce n'est pas de vous que viennent tous ces dons. Quand une belle et aimable femme les a reçus du ciel comme vous, c'est une merveille. »

C'est en effet Mme de Grignan qui, avec l'aide d'intendants ou d'hommes d'affaires, gère l'ensemble des affaires de la maison. Elle tient le compte des dettes et des rentrées dans des livres écrits de sa main. Elle signe beaucoup plus souvent que son mari les emprunts et les baux des fermes, à moins qu'elle ne donne à son tour procuration à un tiers chargé de telle affaire particulière. Sous réserve de ratifier elle-même les contrats qu'ils ont signés en son nom et d'obtenir elle-même ratification des actes qu'elle a passés en lieu et place de son mari. Elle emprunte ou rembourse selon les besoins et les opportunités. Elle dirige une armée de domestiques dans un château où on est seul, dit sa mère, lorsqu'il n'y a que quatre-vingts personnes. Celle qui dansait avec le roi dans les ballets de cour est à la tête d'une sorte d'entreprise qu'elle gouverne à la place de son mari.

On peut dans l'exercice de ces activités ne voir qu'un nouvel avatar, chez la femme, d'une infériorité que maintient un partage des tâches demeurant profondément patriarcal : au mari la responsabilité générale du patrimoine et les tâches nobles de la guerre ou des charges de cour ; à la femme le rôle subalterne et ingrat de tenir les comptes, de faire rentrer l'argent et de le dépenser au mieux de l'intérêt du ménage. Cette vision n'est pas fausse. Mais, dans les grandes familles ou chez les riches bourgeois, le maniement de sommes importantes et la direction d'un personnel nombreux n'en transforment pas moins les épouses en véritables femmes d'affaires, ayant en pratique le commandement de la maison, et par là le moyen de conquérir une autorité qui s'impose au mari lui-même.

Cette situation est loin d'être générale. Elle n'existe que dans le haut de la société, quand il y a des terres à affermer, de l'argent à gérer et des gens à diriger. Elle n'en est pas moins paradoxale. Celles dont les théoriciens de la morale et du droit continuent de dénoncer l'infériorité et l'imbécillité peuvent se révéler en pratique, quand on leur en donne l'occasion, des sortes de fondés de pouvoirs qui jouissent de la pleine confiance des hommes qui les leur donnent. Même si les idées anciennes ont la vie dure, de nouvelles façons de faire se répandent ainsi peu à peu, entraînant chez des couples « modèles », à défaut d'une égalité qui est encore loin d'être acquise, de nouveaux équilibres susceptibles d'y mener un jour.

21

L'instinct maternel

A la fin du XVIIe siècle, Mme de Grignan dont la maladie avait raréfié, puis interrompu prématurément les grossesses (à moins que ce ne soient ses grossesses rapprochées qui l'aient rendue malade), écrit à sa fille : « On n'obtiendra jamais ma compassion par quelque chose d'aussi désirable à mes yeux que la fécondité. » C'est l'opinion commune, fortement ancrée dans les mentalités, greffée sur les anciens cultes de la fécondité et de la « grande mère » originelle. La femme, c'est d'abord Eve, mère de tous les humains. C'est aussi la Vierge Marie, mère du sauveur de l'humanité. L'accomplissement de la femme est dans la maternité. Dans la société toute rurale de l'époque, qui n'est pas encore délivrée des famines, la fertilité de l'épouse est vécue sur le modèle de celle de la terre. Une bonne terre est celle qui donne une récolte abondante. Une bonne femme est celle qui donne beaucoup d'enfants. Les naissances, chez les gens mariés, sont vécues comme un phénomène naturel, la reproduction, mais aussi comme l'effet d'une puissance extérieure analogue à ce qui assure le renouvellement des saisons. Dans cette optique, appartient à la femme le don fondamental : transmettre la vie, plus importante que les biens. Venue de la nuit des temps, cette croyance n'a pas encore été battue en brèche par les contraintes des réalités économiques. A tort ou à raison, dans l'enfant qui naît, on voit des bras qui travailleront plutôt qu'une bouche à nourrir.

Cette conviction n'est pas fausse. Statistiquement, dans les conditions de vie et d'hygiène du temps, il est nécessaire pour assurer la survie de l'espèce que les femmes aient autant d'enfants qu'elles peuvent en avoir de leur mariage tardif (vingt-cinq ans en moyenne) à leur ménopause (ou à leur mort prématurée). On l'a calculé et vérifié à partir des registres paroissiaux : pour les masses rurales, qui forment 90 % de la population, à l'intérieur d'un couple dont les deux membres vivent constamment ensemble, dans le cas d'une fécondité normale, il naît statistiquement huit enfants (un tous les deux ans). C'est un chiffre maximum, qui n'est pas atteint quand survient la mort, relativement fréquente, de l'un des conjoints, la femme surtout à cause des accouchements. Telle qu'on l'a objectivement établie, la moyenne de la fécondité effective des couples est de cinq enfants. Deux disparaissent dès leurs premiers mois, et autant avant d'avoir atteint l'âge de se marier et d'avoir des enfants à leur tour. Compte tenu d'un taux de célibat féminin évalué à 15 %, le taux de remplacement des générations est donc très faible (1,03), soit une progression de 10 à 12 % seulement en un siècle.

Les paysans du temps ne connaissent pas ces chiffres, mais ils voient leurs enfants mourir, et ne s'inquiètent pas d'en avoir autant que la nature leur en donne comme ils le feraient sans doute si tous leurs enfants vivaient. Contrairement à ce qu'on pourrait croire, leur grande peur n'est donc pas celle d'avoir des enfants, mais de ne pas en avoir. Ce n'est pas de contraception que se soucient les médecins, qui voient dans la maternité l'accomplissement biologique de la femme ; c'est de mener les grossesses à terme et de soigner la stérilité. L'Eglise va dans le même sens en proclamant qu'avoir des enfants est un don du Ciel, un privilège dont certains sont exclus. « Après l'usage et la consommation du saint mariage viennent ses précieux fruits, qui sont les enfants, écrit encore le curé de Combloux en 1733. Les personnes mariées, après avoir reçu cette grâce de fécondité que Dieu n'accorde pas à tous, doivent lui en rendre de très humbles actions de grâces à chaque fois qu'il naît un enfant de leur mariage. »

Aujourd'hui encore, la stérilité frappe statistiquement 6 % des couples, à cause de l'homme ou de la femme ou de la mauvaise conjonction des deux. La proportion était un peu plus forte au XVIIe siècle où l'on ne savait pas la soigner. Des médecins et des chirurgiens s'intéressent à celle de l'homme dans des traités savants à propos de l'impuissance. Ambroise Paré l'attribue à une particularité anatomique ou à une physiologie déréglée. A moins, dit-il, qu'il ne s'agisse d'un maléfice... Plutôt que d'attribuer à un homme une défaillance considérée comme infamante, l'opinion générale penche vers le « nouement d'aiguillette ». Venue de l'extérieur, d'un ennemi du couple qui a eu recours à des pratiques magiques, voire à l'intervention d'une sorcière, cette sorte d'empêchement a le mérite de dégager la responsabilité du mari.

Hors ce cas, l'opinion attribue la stérilité à la femme. En 1626, dans un livre intitulé *La Nature, causes, signes et curation des empêchements de la conception et de la stérilité des femmes*, Louis de Serres rappelle ce préjugé, partagé par beaucoup de ses confrères. Les hommes, dit-il, incriminent toujours leurs femmes quand ils n'ont pas d'enfants dans un délai raisonnable (neuf à quinze mois). Ils s'empressent de croire ceux qui leur expliquent que c'est la femme qui, tel un champ humide et froid, gâte la semence prolifique de l'homme. Pis encore, certains vont jusqu'à interpréter cette défectuosité féminine comme une juste punition du Ciel. « Il semble, disent ceux-là, que Dieu ait voulu particulièrement assujettir les femmes à un tel mal pour abattre leur orgueil et pour faire voir qu'elles sont beaucoup plus imparfaites que l'homme. » Tout est bon aux détracteurs des femmes pour leur attribuer la stérilité dans un couple. Chez celles qui sont laides, cette stérilité est la preuve du vice de leur tempérament. Mais la beauté aussi en est souvent la cause... Après Laurent Joubert, Louis de Serres soutient que la nature l'a partagée entre les deux sexes. Mais le moyen, alors, d'en apporter la preuve ?

Même les femmes sont persuadées du contraire. La sage-femme Louise Boursier critique celles qui attribuent leur stérilité à leur mari, car, écrit-elle, « cela n'est ordinairement si souvent la faute des hommes comme celle des femmes ». La croyance populaire veut qu'une matrice trop chaude brûle la semence comme le ferait une terre desséchée par un soleil intense. « Ce défaut est assez ordinaire aux femmes lubriques et insatiables », dit un médecin de la fin du siècle. Le mieux est dans leur cas de prendre des bains d'eau fraîche. Mais une matrice trop froide n'est pas non plus propice à la germination. Les femmes stériles doivent « corriger leur nature en plus ou en moins », avec des herbes appropriées. On cueillait à cette fin l'armoise femelle, l'herbe d'Artémise, l'*agnus castus*, les « herbes chaudes de la Saint-Jean », qui passaient « pour rendre ou entretenir fécondes, déplore Laurent Joubert, même étant mises par-dessus la robe ».

A ces remèdes s'ajoutaient la prière et des pratiques païennes plus ou moins christianisées. Signe que les femmes sont seules coupables de la stérilité du couple, il n'y a pas de saints pour guérir l'impuissance des maris, mais il y en a pour elles toute une collection : saint Nicolas, sainte Marguerite, les plus connus, mais aussi saint Greluchon, saint Paterne, saint Guignolet, saint Phallier et même saint Foutin. Pour les ruraux enracinés dans leurs traditions, seuls les éléments primordiaux, la pierre, l'arbre, l'eau, le vent (os, muscles, sang, respiration de la Terre Mère), peuvent venir à bout d'une stérilité considérée comme un dérèglement de la nature. D'où tant de rites d'origine païenne, contre lesquels l'Eglise lutte vainement. Leur but est de mettre la femme, et particulièrement ses parties génitales, en contact avec tel ou tel de ces éléments, variables selon les traditions et les rites locaux. D'où aussi tant de lieux de pèlerinage, avatars christianisés d'anciens sites de cérémonies magiques. Le premier souci de la femme qui se marie en milieu rural, ce n'est pas d'avoir un enfant, c'est qu'il tarde à venir. Rien de pire que d'être « bréhaigne ».

Si une grossesse survient, c'est la joie, une joie collective, car chacun sait, dans le village, la date du mariage et le temps probable de sa première annonce. L'épouse n'est pleinement femme qu'à partir du moment où elle sait et on sait qu'elle porte un premier enfant. Selon Ambroise Paré, elle le sent la première, bien avant de pouvoir l'annoncer comme une chose certaine : « un petit frisson et horripilation ou hérissonnement en tout le corps » l'avertirait du mélange fécond des semences. Elle doit dès lors se montrer prudente, car on est encore persuadé que ce mélange ne devient définitif que six jours après la conception. Malgré l'avis des médecins éclairés, on croit aussi que le fœtus n'est pas animé tout de suite : il y faudrait trente jours pour les garçons, quarante-cinq pour les filles, plus lentes. Alors commencent, pour la femme enceinte, mille précautions préconisées par les dames expérimentées, les almanachs et les médecins sous prétexte d'anciennes traditions ou de prétendues connaissances.

Certains médecins dénoncent les superstitions. Mauriceau se montre incrédule envers l'histoire d'une mère qui attribuait à un tableau représentant un renard situé à la tête de son lit le fait d'avoir accouché d'un enfant particulièrement velu. Il se moque des femmes qui contemplent la nuit leur mari endormi pour imprimer son image dans le fœtus et avoir un enfant ressemblant. A propos des taches rouges, dites taches de vin, qui marquent la peau des enfants et parfois leur visage, « on dit ordinairement (toutefois sans raison), écrit-il, que cela vient de l'envie qu'ont eue leurs mères de boire du vin ». Contre l'idée reçue, il remarque que de telles taches existent aussi en Anjou, où on ne boit pourtant que du vin blanc. Mais la nouvelle science médicale, souvent elle-même entachée d'erreurs, n'atteint, par le livre ou la parole, que les couches les plus cultivées de la population. Elle a d'autant plus de mal à faire son chemin que beaucoup de médecins continuent de partager les anciens préjugés.

Malgré son bonheur d'être fertile, la femme « grosse » doit affronter un tel réseau de superstitions et de peurs qu'il lui faudrait beaucoup de courage ou d'inconscience pour oser transgresser les interdits dont on l'entoure. Chacune s'arrange avec ses craintes et les coutumes de sa province, de son pays, voire de son village. Presque partout, elle doit redouter la lessive, se méfier de la lune, éviter tout ce qui la sortirait de la routine. Si sa grossesse s'inscrit dans une joie collective, c'est aussi une responsabilité personnelle, vécue comme une aventure semée d'embûches (réelles et plus encore imaginaires), sous le regard intéressé, inquisiteur et sans indulgence de la communauté des femmes.

Dans le peuple surtout, nécessité fait loi. Qu'importent à la paysanne les conseils de ceux qui invitent la femme enceinte à manger sans excès de la bonne viande, du pain blanc, du poisson bien frais, à dormir huit à dix heures, à ne pas se coiffer elle-même, à ne pas trop hausser le bras, à ne pas porter de trop pesants fardeaux, à aller en chaise ou en litière plutôt qu'en coche ou à cheval ? Sagement, les mêmes conseillers disent aussi que si on a l'habitude de travailler, il faut continuer. Telle est la dure et ordinaire réalité : la femme des campagnes a trop à faire pour ne pas s'activer jusqu'au bout. Les fausses couches qui résultent de la dureté de son existence (on parle d'accidents ou de blessures) font partie de sa vie quotidienne. Elles sont presque aussitôt suivies de nouvelles conceptions, dont la plupart vont normalement à terme.

Pour prédire le sexe de l'enfant à naître, on interprète un certain nombre de signes. Hérités des théories d'Hippocrate, ils témoignent surtout de la vision péjorative du sexe féminin qui les sous-tend. Ce qui est droit, solide, bien portant, présage un garçon. Ce qui est à gauche, faible, de couleur pâle, annonce une fille. Mauriceau, qui ne croit pas à l'opinion commune, rapporte, pour s'en moquer, le portrait-robot de la femme enceinte d'un garçon : « Elle est plus gaillarde et plus réjouie, se porte beaucoup mieux, n'est pas si dégoûtée, le sent remuer plus tôt, a le pouls de la main droite plus élevé, plus fort et plus fréquent que celui de la main gauche. La main droite grossit devant la gauche, est plus ferme, le bout des deux [mains] est plus relevé et regarde vers le haut. Enfin, toutes les parties droites du corps sont plus robustes et plus promptes dans le mouvement. » Pour certains, c'est d'après la marche de la femme que l'on sait le sexe du futur bébé : elle aura un garçon si elle la commence du pied droit.

On ne manque pas de recettes pour que l'enfant soit un mâle. La plus simple consiste à faire en sorte que la conception ait lieu à la lune montante (mais on ignore la période féconde du rythme menstruel). Une autre vient de la croyance, héritée des Anciens, que la semence du testicule droit donne des garçons et celle du testicule gauche des filles. On opérera donc sur le futur père la ligature appropriée. « Cette ligature, dit Mauriceau, lui serait fort incommode et très douloureuse, outre qu'elle lui serait entièrement inutile. » A ces pratiques inconsidérées, le médecin oppose la sagesse de Dieu, qui n'a pas donné aux hommes la possibilité de choisir, assurant par là même la continuité de la race humaine que les parents, sinon, interrompraient en choisissant toujours des garçons. Tant est fort le préjugé en leur faveur, conforté par l'organisation de la société. Quand lui naît son fils Charles, Mme de Sévigné se moque de son cousin Bussy, « le beau faiseur de filles ». A peine accouchée de Marie-Blanche, Mme de Grignan s'excuse de n'avoir pas donné au comte le fils qu'il attendait pour assurer la continuité de son nom.

D'anciennes superstitions prétendent qu'au moment de la naissance, la sage-femme ne doit pas révéler à la mère le sexe de l'enfant dès qu'elle le voit. Cette annonce risquerait, dit-on, d'entraver le retrait du placenta. Louise Boursier justifie le même silence par des considérations prétendument plus rationnelles. Il serait, dit-elle, dangereux « à une femme venant d'accoucher d'avoir joie ni déplaisir qu'elle fût bien délivrée, la joie et la tristesse ayant un même effet qui serait capable d'empêcher une femme de délivrer ». Quand elle accouche Marie de Médicis du futur Louis XIII, elle se tait donc, cachant le sexe de l'enfant jusqu'à ce qu'il ait été d'abord montré au roi.

L'épreuve de l'accouchement surmontée, vient le temps des réjouissances collectives. Les *Caquets de l'accouchée* content, en s'en moquant, les comportements et les conversations des femmes qui viennent, pendant huit jours, rendre visite à la mère et au petit enfant, au grand dam du père qui s'inquiète de la dépense. C'est l'heure de gloire de l'épouse qui doit, selon l'usage conforté par l'avis des médecins, garder le lit le plus longtemps possible. En fait, le temps de repos varie selon les ressources du couple. Il peut durer plusieurs semaines dans la noblesse et la bourgeoisie aisée. Dans le peuple, ou même chez des femmes qui exercent un métier, il ne manque pas d'exemples où la femme se lève presque tout de suite pour aller au travail. A cause de la forte mortalité des nouveau-nés, l'Eglise exige qu'on les baptise dans l'église de la paroisse le plus tôt possible, le jour de leur naissance ou le lendemain. La mère ne peut donc participer ni à la cérémonie religieuse ni aux réjouissances qui l'entourent.

Le grand moment pour elle, ce sont les relevailles. « On dit qu'une femme relève de couches, explique Furetière, quand elle commence à sortir, et qu'un prêtre la relève quand il va la recevoir à la porte de l'église avec de l'eau bénite la première fois qu'elle y entre. » Cette cérémonie vient d'une pratique juive. Selon les Ecritures, Marie s'est rendue au Temple le 2 février, quarante jours après la naissance de Jésus, pour se purifier. Dans

Françoise-Marguerite de Sévigné, comtesse de Grignan,
dont « les attraits servent aux grâces de modèle »,
dit La Fontaine dans *Le Lion amoureux*. Pour son cousin Bussy,
c'est sans nul doute la « plus jolie fille de France ».
Huile dur toile de Pierre Mignard, 1646. © Nimatallah / AKG Images

Après le temps de la coiffure hurluberlu, aux boucles descendantes, vient celui des hautes « machines » décorées qui s'élancent au-dessus du visage. Les filles de Louis XIV et de Mme de Montespan ont succombé à la dernière mode. Huile sur toile de Claude-François Vignon, deux détails, Châteaux de Versailles et de Trianon. © RMN – G. Blot

Cautionné par la découverte de la statuaire de l'Antiquité, le nu est la grande reconquête des artistes de la Renaissance. La représentation des déesses (ici Vénus tendant la pomme à Pâris) a permis l'avènement d'un nu féminin où s'affirment les formes épanouies d'une féminité accomplie, selon les nouveaux canons en vogue de la beauté. Huile sur toile de Bartholomeus Van der Helst, musée des Beaux-Arts de Lille. © RMN – Quecq d'Henripret

Le fard est essentiel dans une civilisation de cour fondée sur le paraître. Maîtresse en titre du roi Louis XIV, Françoise Athénaïs de Rochechouart, marquise de Montespan, en suit l'usage. Seules les dévotes qui se contentent des couleurs que Dieu leur a données ont le visage pâle.
Huile sur bois du XVIIe siècle, détail. © Nimatallah / AKG Images

A la fin du XVIIe siècle, la somptuosité des habits féminins rattrape et parfois dépasse celle des habits masculins. Comme les femmes de son temps, la marquise de Belfonds aime les ramages, les dentelles de prix, qui chamarrent les corsages et les jupes, dont celle du dessus, la volante, est largement rejetée en arrière.
Gravure aquarellée du XVIIe siècle, Châteaux de Versailles et Trianon. © RMN – H. Lewandowski

Aux femmes sont dévolus les soins domestiques, selon un partage des tâches que presque personne ne songe à contester. La maîtresse de maison y concourt avec la domestique dans ce tableau où on fait la lessive. Huile sur toile du XVIIe siècle, musée Bonnat de Bayonne. © RMN – R. G. Ojeda

A l'épouse revient, selon son rang social, la surveillance ou la confection des repas. *La Peleuse de pommes* de Gabriel Metsu (XVIIe siècle) représente une bourgeoise à l'ouvrage. Musée du Louvre. © RMN – Arnaudet ; J. Schormans

Hormis chez les plus nobles et les plus riches, les femmes qui travaillent sont la règle et non l'exception. Elles tiennent souvent de petits commerces, comme cette épicière de village. Peinture attribuée à Gerard Dou (XVIIe siècle). Musée du Louvre. © RMN – J. Schormans

Comme la Perrette de La Fontaine se rend à la ville dans l'espoir d'y vendre son lait, les paysannes vont au marché vendre les produits de la ferme. Louise Moïllon (XVIIe siècle) dépeint l'une d'elles face à sa cliente. Nulle solidarité féminine n'y compense la distance sociale. Musée du Louvre © RMN – Arnaudet

« *Saignare et purgare* », dit Molière. Malgré leurs « purgations naturelles », les femmes n'échappent pas à la saignée, pratiquée en toutes circonstances. Il s'agit ici d'une saignée de routine sur une femme en robe de chambre. Gravure de Nicolas Arnoult (XVIIe siècle), bibliothèque des Arts décoratifs de Paris. © Archives Charmet

Avoir une nourrice à domicile fut longtemps un usage réservé aux enfants des membres de la plus haute société, et d'abord aux enfants royaux, comme Louis XIV, ici dans les bras de la dame de Giraudière. Peinture d'Henri Beaubrun (XVIIe siècle). Au fil du siècle, cette pratique se répandit chez les riches, puis se pervertit dans la funeste mise en nourrice chez de pauvres campagnards. Châteaux de Versailles et de Trianon. © RMN

En élevant avec amour les enfants illégitimes qu'il avait eues de ses maîtresses, Françoise d'Aubigné (ici avec sa nièce la future duchesse de Noailles), attira l'attention de Louis XIV. Il en fit la marquise de Maintenon et son épouse secrète. Cela lui permit la difficile expérience pédagogique de Saint-Cyr. Huile sur toile de Ferdinand le Jeune, Châteaux de Versailles et de Trianon. © RMN – G. Blot

Au XVIIe siècle, rares sont les « autrices » – ce terme est parfois employé au XVIIe siècle.
Seules Mme de La Fayette, qui n'a jamais officiellement reconnu ses romans, et Mme de Sévigné, dont les lettres n'ont été publiées qu'au siècle suivant, longtemps après sa mort, restent lues de nos jours.
Huile sur toile du XVIIe siècle, Châteaux de Versailles et de Trianon.

la religion catholique, l'accouchement n'est pas une souillure, comme le rappelle par exemple Massillon (« les couches d'une femme chrétienne ne sont accompagnées d'aucune faute »). Il n'y a donc pas lieu à relevailles. « Il n'y a aucune loi de l'Eglise, explique le même auteur, qui oblige les femmes à s'abstenir de l'entrée de l'église jusqu'à ce qu'elles aient reçu la bénédiction du prêtre pour les purifier. » La coutume subsiste cependant, ancrée dans les mœurs. Massillon l'encourage en en changeant la signification. « C'est, conclut-il, une coutume louable... que les femmes se rendent à l'église pour remercier Dieu qu'il les a rendues mères. » Les préjugés sont souvent les plus forts. On se dit que la femme doit au moins se prémunir des souillures que pourraient à l'avenir lui causer les emportements de la chair. Elle suit pendant la messe tout un rituel destiné à l'y aider.

L'allaitement est le premier devoir de la mère. Médecins, moralistes, casuistes le lui rappellent à l'envi. S'y soustraire est considéré comme un péché mortel au début du XVIIe siècle par Benedicti, qui n'est pas particulièrement sévère. « La nature et la raison demandent que la mère, si faire se peut, allaite son enfant, écrit aussi le père Maillard dans *Le Bon Mariage* (1643), et c'est à cet effet que la nature donne des mamelles et le lait aux mères. Aussi voyons-nous cela pratiqué même des bêtes qui n'ont aucun instinct que la nature qui leur enseigne de nourrir leurs petits avec tant de soin et d'amour. » Ambroise Paré encourage les femmes à allaiter leurs enfants en leur expliquant qu'elles y trouveront du plaisir, « les tétins ayant affinité avec les parties qui servent à la génération ». Laurent Joubert et bien d'autres le redisent après lui. Représentations populaires et textes savants insistent depuis l'Antiquité sur la continuité du lien charnel qui unit la mère à l'enfant pendant la grossesse et que seul permet de poursuivre l'allaitement maternel.

Dans le peuple, toutes les femmes emploient ce moyen naturel de nourrir leur enfant, le seul dont disposent les moins riches, et de toute façon le moins cher. C'est seulement par nécessité, dans le cas de la mort de la mère ou d'une déficience de sa part, qu'on recourt à une autre femme, en général une parente, ou très exceptionnellement, en dernier recours, au lait de chèvre plutôt qu'au lait de vache. On ne met jamais le nouveau-né au sein dès sa naissance. En attendant la montée du lait, on le purge de son *méconium* avec du vin sucré, de l'huile d'amande douce, du sirop de chicorée ou de l'eau miellée. Le plus souvent, on ne le nourrit pas avant le baptême, de peur qu'il ne suce quelque maléfice avec le lait. Les tétés ont ensuite lieu sans horaires fixes, à la demande. Sur ce point, les conseils des médecins s'accordent avec les pratiques populaires. On nourrit l'enfant longuement, jusqu'à deux ans. C'est alors que généralement naissait un nouveau bébé ou qu'apparaissaient les signes d'une nouvelle grossesse.

Le statut des femmes de la bonne société veut qu'elles ne sacrifient ni leur beauté ni leur façon de vivre aux servitudes de l'allaitement. « Les femmes s'excusent sur leur mari, écrit Laurent Joubert, auxquels elles sont (comme doivent être) sujettes. Car il y a plusieurs maris qui ne veulent ouïr et endurer le bruit et le tintamarre que donnent souvent les enfants. Donc, il faut faire chambre à part, et les bonnes femmes ne consentent pas volontiers d'être séparées de leurs maris. Il y en a aussi qui ne veulent permettre à leur femme de nourrir, afin que leurs tétins demeurent plus jolis et qu'ils se plaisent à manier, non pas des tétins mols. » Comme si leurs seins ne leur avaient pas été donnés pour allaiter ! « Car de croire, écrit le médecin Hecquet en 1708, que les mamelles ont été faites pour orner un sexe que la pudeur et la modestie seules peuvent véritablement orner, ce serait adopter une opinion qui ne trouverait même pas de place dans l'esprit des païens. » C'est pourtant ce que pensent beaucoup de femmes.

Contre les nourrices, Laurent Joubert avance un argument inattendu. « Il y a d'autres maris, continue-t-il, qui haïssent la senteur du lait au sein des femmes. Les voilà bien délicats ! Et la plupart de ceux qui parlent ainsi font plus souvent l'amour à la nourrice qu'à leur femme... Si les bonnes femmes sont bien avisées, elles garderont honnêtement leurs maris de ce péché mortel en n'acceptant aucune nourrice ni dans leurs maisons, ni ailleurs, ains [mais] faisant elles-mêmes ce devoir de nature. Et Dieu bénira leur labeur. » D'autres rappellent les dangers d'un lait étranger sur le tempérament de l'enfant, car on croit encore fermement à une telle communication. A preuve l'exemple de Caligula, cité par le père Maillard : « Il était de père et mère fort doux et humains, mais on avait cherché à dessein une nourrice virile, barbue comme un homme, qui tirait à l'arc, courait la bague, piquait un cheval, méchante et cruelle. On fit choix de cette nourrice amazone pour le rendre martial, et elle mettait du sang sur le papillon de sa mamelle pour faire sucer la cruauté à l'enfant avec le lait, et la chose réussit si bien qu'elle en fit un tigre plutôt qu'un homme. » Comme presque toujours, se mêlent sur un sujet considéré d'importance des impératifs religieux et moraux, des considérations terre à terre, une science médicale en cours d'élaboration et tous les anciens préjugés.

Les mœurs sont les plus fortes. Malgré l'avis des médecins, des moralistes et des prédicateurs, l'usage de prendre chez soi une nourrice se répand au fil du XVIIe siècle. Très restreint au siècle précédent, il ne touchait que la haute aristocratie. Les mères de la grande bourgeoisie parlementaire allaitaient encore leurs enfants. Elles cessent les premières de le faire. Puis le phénomène se répand de proche en proche. Avoir une nourrice devient, pour ceux qui en ont les moyens, une façon de se rapprocher des façons de faire des privilégiés, une marque de distinction sociale. A la fin du siècle, toutes les femmes qui se croient un peu au-dessus du commun considèrent qu'il serait au-dessous de leur dignité d'allaiter. Avoir une nourrice chez soi est devenu une sorte de mode, à laquelle un moraliste sévère comme Collet avoue ne pouvoir s'opposer.

Une nouvelle étape est franchie vers la fin du XVIIe siècle et au début du suivant quand les femmes qui n'ont pas les moyens de prendre une nourrice chez elles se mettent à placer leur enfant à la campagne. C'est le cas de beaucoup de couples de commerçants ou d'artisans qui n'ont guère de temps libre. Puis, plus bas dans l'échelle sociale, c'est l'effet de l'urbanisation croissante et des débuts de l'industrialisation. Devenue une nécessité, la mise en nourrice se fait dans des conditions sanitaires qui laissent d'autant plus à désirer que la pension est moins élevée. Les nourrices les moins chères sont de pauvres paysannes qui accueillent les enfants de couples travaillant en ville pour de maigres salaires dans les premières manufactures. A la fin du XVIIIe siècle, la mise en nourrice est devenue un phénomène général, qui touche toutes les couches de la population. En 1780, sur 21 000 enfants qui naissent annuellement à Paris, moins de 1 000 sont allaités par leurs mères et 1 000 par une nourrice logée à domicile ; tous les autres sont envoyés en banlieue, en Ile-de-France mais aussi en Normandie, Picardie et Bourgogne, jusqu'à deux cents kilomètres de la capitale, distance énorme pour l'époque. Cette pratique se révèle désastreuse, accroissant de près de la moitié le taux de mortalité des nourrissons.

Alors que seuls quelques privilégiés ont recours à des nourrices qui vivent dans leur foyer, les esprits éclairés déconseillent cette pratique pour ses conséquences affectives : « Les nourrices n'aiment les enfants d'autrui que d'un amour supposé et pour un loyer mercenaire, remarque Ambroise Paré, mais les mères les nourrissent par une amitié et grande affection naturelles. Par quoi [c'est pourquoi] elles nourriront elles-mêmes si elles le peuvent et que leurs maris le veulent souffrir. » Laurent Joubert souligne la gravité de la séparation entraînée par le recours à une étrangère au couple : « Retranchés ce lien et colle d'amitié, de laquelle nature conjoint les pères et les mères avec leurs enfants, l'ardente vigueur de l'affection maternelle s'éteint peu à peu et tout le bruit du souci très impatient qu'elle en avait est mis au silence. » L'instinct maternel et l'affection naturelle des parents pour leurs enfants sont nécessairement atténués, et même finalement anéantis, si les enfants ne sont pas « nourris » par leurs parents.

Au siècle suivant, la mise en nourrice, qui suppose d'ôter le bébé à sa mère dès sa naissance, avec le risque élevé et connu de ne plus jamais le revoir, soulèvera la question de l'instinct maternel avec beaucoup plus d'acuité. Aux causes économiques qui y poussent les femmes des milieux urbains obligées de travailler, aux motifs écologiques (l'air de la campagne meilleur que celui de la ville pour le nourrisson) qui ont pu servir à d'autres pour soulager leur conscience, s'ajoutent les exigences de la sexualité. Le savoir médical du temps prétend qu'avec ou sans nouvelle conception, les rapports sexuels risquent de tarir le lait ou, en tout cas, de le corrompre. Cette erreur pose aux couples un problème grave, qui préoccupe les casuistes. Vers 1607, Thomas Sanchez donne la priorité au devoir conjugal. Il ne condamne pas le mari d'une femme allaitant son enfant qui exigerait d'elle qu'elle le remplît. Eteindre la concupiscence étant l'un des motifs du mariage, il voit dans le besoin du mari « une cause légitime d'exposer l'enfant afin de ne pas être astreint à une aussi longue abstinence avec tant de difficultés, ou plutôt une impossibilité morale ». La force de la pulsion sexuelle est si forte qu'il est permis de prendre des risques pour la satisfaire à condition que ce soit dans le mariage et sans entraver la venue éventuelle d'un nouvel enfant.

A mesure qu'on avance dans le siècle, signe d'un progressif changement en faveur de la liberté à l'épouse, le devoir de la mère d'assurer la survie de son enfant tend chez les casuistes à l'emporter sur la « dette conjugale ». Paru au début du XVIIIe siècle, l'*Abrégé du Dictionnaire des cas de conscience* est formel. Si une femme « connaît par expérience qu'en rendant le devoir dans ce temps-là, son lait se corrompt et devient totalement dommageable à son enfant, ou qu'elle cesse d'en avoir suffisamment pour le nourrir, elle peut sans péché refuser le devoir à son mari », et celui-ci ne peut sans péché le lui demander. « Néanmoins, continue Collet, si le mari se trouve dans le péril d'incontinence, la femme doit, si elle peut, mettre son enfant en nourrice afin de pourvoir à l'infirmité [*sic*] de son mari. Que si à cause de sa pauvreté, elle ne peut le faire nourrir par une autre, elle peut refuser le devoir à son mari, parce qu'il n'a pas le droit de l'exiger aux dépens de la vie ou de la santé de son enfant. »

Ainsi apparaît une hiérarchie dans les devoirs selon la condition sociale que n'avait pas prévue Sanchez. Elle différencie sans état d'âme une sexualité permise sans péché pour ceux qui peuvent payer une nourrice d'une sexualité impossible pour les autres. On comprend, dans ces conditions, que chez tous ceux qui en avaient si peu que ce soit les moyens, est survenue et s'est accélérée une tendance générale à se décharger du (nouveau) devoir d'abstinence sur plus pauvres qu'eux par la généralisation de la mise en nourrice... Supposé insurmontable chez les hommes, le besoin sexuel n'était pas forcément moins fort chez leurs épouses, qui acceptaient sans résistance une pratique dont la responsabilité morale incombait à leurs maris.

Ces questions ne se posaient qu'aux femmes des villes. Les mères de la campagne — presque toutes les mères — n'avaient d'autres conditionnements que les us et coutumes de leur village et de leurs proches. Imbues des préjugés qui les conduisaient par exemple à laisser leurs enfants macérer dans leurs saletés, elles ne se déchargeaient sur personne du soin de s'occuper de leurs petits. Elles les nourrissaient. Elles les élevaient. Elles transmettaient leur savoir à leurs filles. Sans se décourager des morts, si nombreuses, qui rendaient trop souvent leurs peines inutiles. Certains en ont conclu qu'elles n'avaient pas le temps de s'y attacher, qu'elles ne pouvaient s'investir affectivement sur des êtres si passagers. La présence de la mort possible, probable même, aurait fait obstacle à l'amour. Ce n'est pas sûr. On donne souvent à l'enfant suivant le prénom de l'enfant précédemment disparu. Signe d'une volonté de continuité. Signe aussi d'un transfert. Dans la continuité répétitive des naissances, l'amour passe des morts aux vivants.

Il y a plus. Dans cette société profondément chrétienne, on croit à la communauté des saints, à l'immense chaîne ininterrompue des vivants et des morts. S'il a été baptisé, l'enfant n'est pas vraiment perdu. C'est un ange dans le Ciel, qui veille sur sa famille, qui prie pour elle. Quand la mère de la future Mme de Sévigné perd un premier enfant, un garçon, Jeanne de Chantal, sa belle-mère, lui écrit : « C'est une bénédiction que les prémices de votre mariage soient au Ciel. Il vous impétrera des bénédictions, et Dieu vous en donnera bien d'autres. » Jeanne de Chantal savait de quoi elle parlait : elle avait eu six enfants dont deux sont morts en bas âge et dont deux seulement ont dépassé quinze ans. Si le but du mariage est de mettre au monde des « petites créatures de Dieu » destinées à célébrer sa grandeur et sa gloire, comme l'ont rappelé les pères du concile de Trente, la mort d'un nourrisson n'est pas une affliction décourageante pour l'amour maternel, mais un encouragement à donner de nouveau la vie sans tarder. Considérer la survie de l'enfant comme une chance est un sentiment humain, trop humain. L'essentiel est qu'il soit baptisé pour qu'il jouisse du salut éternel. « Si on m'avait demandé mon avis, écrit Mme de Sévigné à quarante-six ans, j'aurais bien aimé à mourir entre les bras de ma nourrice ; cela m'aurait ôté bien des ennuis et m'aurait donné le Ciel bien sûrement et bien aisément. »

22

Le plaisir féminin

Bien que naturelle et instinctive, l'union charnelle est, chez les humains, réglementée par divers interdits d'ordre moral et religieux. Par les grossesses et les naissances qui s'ensuivent, elle relève de la médecine. Au XVIIe siècle, médecins, théologiens et casuistes s'accordent pour voir dans le plaisir qu'elle procure un moyen, plus ou moins recommandable, d'assurer la continuité de l'espèce.

Solidement ancrée sur les théories d'Aristote, la médecine s'est longtemps appuyée sur des arguments « scientifiques » pour réduire à presque rien, contre toute évidence, le rôle des femmes dans la procréation. Alors que l'homme produit du sperme grâce à sa chaleur, la femme, qui en manque, ne peut émettre qu'un résidu mal élaboré, les règles. Sorte de mâle stérile, « la femelle est caractérisée par une impuissance, celle où elle se trouve d'opérer une coction de sperme à partir de la nourriture élaborée, en raison de la froideur de sa nature ». On en arrive à cet absurde paradoxe, considéré longtemps comme une vérité établie, que la femme, dans la génération, n'a aucun rôle actif. Elle n'est qu'un réceptacle, une sorte de vase où germe et se développe la semence masculine.

Il n'est donc pas besoin qu'une femme ait joui pour concevoir. « Ce qui indique aussi que la femelle n'émet pas de sperme comme le mâle, écrit Aristote dans son traité *De la génération des animaux*, et que le produit n'est pas formé du mélange des deux spermes comme certains l'affirment, c'est que souvent la femme conçoit sans avoir éprouvé de plaisir pendant le coït, et quand au contraire, son plaisir n'a pas été moindre, et que le mâle et la femelle ont marché du même pas, il n'y a pas de génération si l'écoulement de ce qu'on appelle les menstrues ne se produit pas convenablement. » A tous les hommes persuadés d'avance de l'infériorité féminine, Aristote a fourni pour des siècles (à partir d'un élément vrai sur l'absence de rapport entre jouissance et fécondité) une preuve essentielle de leur supériorité. Dans un système où tout doit avoir une fin, il ôte à la jouissance féminine toute noble nécessité. Son plaisir n'est que l'aléatoire satisfaction de l'incontrôlable appétit de sa matrice.

Contre Aristote et ses tenants, Galien et ses disciples ont maintenu la tradition plus ancienne des deux semences, qui venait d'Hippocrate. Au XVIe siècle, cette théorie prend le dessus grâce aux progrès de l'anatomie et à l'observation directe des « vaisseaux spermatiques » et des « testicules mâles et femelles ». Au siècle suivant, elle profite du déclin du maître du Lycée, contesté par les nouvelles philosophies qui se développent autour de Gassendi et de Descartes. Il n'est plus désormais « scientifiquement » possible de penser que la femme n'a qu'un rôle passif dans la génération. La théorie des deux semences a beau reposer sur une description erronée du mécanisme de la conception, elle fonde et répand une vérité : la participation à égalité des deux sexes dans la génération de l'enfant. Son adoption par les meilleurs savants marque un important progrès dans l'histoire de la place de la femme dans la génération. Comme ce progrès s'oppose à l'un des fondements essentiels de l'idée péjorative que l'on se fait du sexe féminin, il n'empêche pas une partie des autorités de continuer à suivre Aristote, et l'opinion commune de s'en tenir aux anciens préjugés.

Dans son *Traité de la génération*, Ambroise Paré décrit les étapes de l'acte sexuel selon la nouvelle doctrine. Le désir provoque une excrétion humide, qui vient principalement du cerveau. Suit une érection des parties génitales, qui procède d'esprits vitaux issus du cœur. Arrive enfin l'éjaculation des semences, déclenchée par la concupiscence et la volupté. Ce processus est identique dans les deux sexes, ou du moins il doit l'être pour que l'acte soit fécond. La mère ayant dans la génération autant d'importance que le père, il faut, explique Paré, que « l'objet plaise et soit désiré tant de la part de l'homme que de la femme ». Pour lui, la conception est en effet (faussement) subordonnée à cet accord. « L'action et utilité de la matrice, dit le même auteur, est de concevoir et engendrer avec un extrême désir. » Elle a aussi « vertu et puissance d'attirer à soi l'humeur spermatique de toutes les parties du corps, et recevoir en soi avec avidité la semence virile et la conserver avec la sienne, et icelles mêlées ensemble en procréer un individu, c'est-à-dire une petite créature de Dieu ».

La chaleur reste une des clés de la conception, mais cette fois associée à l'intensité d'un plaisir commun. Comme la femme est d'un naturel plus froid et plus réservé, c'est à l'homme de l'y entraîner. « L'homme étant couché avec sa compagne et épouse, écrit encore Paré, la doit mignarder, chatouiller, caresser et émouvoir s'il trouvait qu'elle fût dure à l'éperon. Et le cultivateur n'entrera dans le champ de la nature humaine à l'étourdie, sans que premièrement n'ait fait ses approches qui se feront en la baisant et lui parlant du jeu des dames rebattues, aussi en maniant ses parties génitales et petits mamelons afin qu'elle soit aiguillonnée et titillée, tant qu'elle soit éprise du désir du mâle (qui est lorsque sa matrice lui frétille) afin qu'elle prenne volonté et appétit d'habiter [copuler] et faire une petite créature de Dieu, et que les deux semences se puissent rencontrer ensemble, car aucunes [certaines] femmes ne sont pas si promptes à ce jeu que les hommes. »

Dans le sillage du chirurgien Ambroise Paré, quelques médecins éclairés osent comme lui écrire ces idées nouvelles en français, avec l'idée de les répandre, au-delà des membres de leur profession et de ceux qui connaissent le latin, jusque dans le cercle encore étroit de ceux et celles qui savent lire. Non sans susciter la réprobation des moralistes, horrifiés à l'idée que de tels textes puissent être lus par des femmes. Désireux, disent-ils, de concourir à la fertilité des couples à l'intérieur du mariage chrétien, persuadés que cette fertilité est liée au plaisir, des novateurs dépeignent sans vergogne les étapes de l'union conjugale et prodiguent les conseils pour la rendre féconde.

S'inspirant de Platon et de Paracelse, Jacques Duval donne en 1612 une description fantasmatique de l'action des parties génitales de la femme, transformées en une sorte d'animal affamé et glouton. Dans l'union charnelle, « la bouche de la matrice, écrit-il, s'avance tant proportionnément jusqu'au bout du membre viril pour sucer la suave liqueur dont elle est fort friande comme de son vrai baume naturel. Cette bouche s'ouvre aisément, librement et voluptueusement quand il est question de recevoir le sperme viril dont elle est friande et avide merveilleusement. Occasion pour laquelle l'homme la sent au coït voltigeant comme un papillon ou mouvant comme une tanche pour lui venir par intervalles baiser et sucer l'extrémité du balanus, prétendant avoir son baume naturel ». Pour Duval, cette avidité instinctive est nécessaire à la conjonction des sexes et à l'indispensable mélange des semences.

A la fin du siècle, Nicolas Venette s'inscrit dans la même tradition en publiant un ouvrage à succès (une dizaine d'éditions), *Le Tableau de l'amour en l'état de mariage ou de la génération de l'homme.* Prétendant offrir au public un ouvrage respectueux de l'orthodoxie catholique, il se présente en défenseur de la morale : « On ne peut pas dire véritablement, écrit-il, que j'apprends dans ce livre les excès de l'amour ni que j'enseigne la souplesse de cette passion pour en abuser. Si je les expose aux yeux de tout le monde, je ne le fais que pour décrier les voluptés illicites, pour les fuir et pour les abhorrer en même temps comme les causes de la perte de notre santé et de la perpétuité de notre espèce. » L'argument est à double tranchant. Le sûr est qu'un tel livre a pu donner, chez ceux du moins qui savaient lire, l'idée de développer une sexualité épanouie, presque sans tabous, où l'harmonie des relations conjugales cesse d'apparaître comme une simple condition d'une obligatoire procréation.

Dans la pensée libertine, comme chez les médecins où elle prend sur ce point sa source, les plaisirs féminins de l'amour sont largement conçus sur le modèle de l'expérience masculine. Au milieu du XVIIe siècle, la Suzanne de *L'Ecole des filles* ne distingue pas son propre cheminement de celui de son partenaire dans le récit qu'elle en fait à sa cousine, Fanchon, pour lui apprendre comment on fait l'amour. « Enfin, lui dit-elle, à force de frotter et de remuer le cul de part et d'autre, il arrive que tous deux viennent à s'échauffer d'aise par une petite démangeaison et chatouillement qui leur vient le long de leurs conduits. Le garçon en avertit la fille et elle le garçon. Cela les oblige à frotter plus fort et à remuer plus vite les fesses. Le chatouillement alors s'augmente toujours, et par conséquent le plaisir, lequel devient enfin si grand que, petit à petit, ils en soupirent d'aise et ne peuvent parler que par élans. Ils clignotent des yeux et semblent expirer en s'embrassant de plus en plus fort. Alors le chatouillement les saisit de telles sortes qu'on les voit pâmer d'aise, et à petites secousses, à mesure qu'ils viennent à décharger par le conduit ce qui les chatouillait si fort, qui est une liqueur blanche et épaisse comme une bouillie, qu'ils rendent tous deux l'un dans l'autre avec une jouissance qui ne se peut exprimer. »

Le paroxysme de la jouissance féminine est décrit à l'image de celui de l'homme, comme le produit d'un écoulement. « Je coule, je coule », ne peut s'empêcher de crier, dans une autre scène du même livre, l'une des cousines au comble de son plaisir. Médecins et spécialistes du sexe prennent tous pour de la « semence » la sécrétion humorale dont la présence chez les femmes traduit à la fois le désir et un plaisir que personne, à l'époque, ne sait concevoir et décrire dans sa spécificité. A cause de l'état de la science, mais aussi en raison des mentalités qui excluent les femmes de la médecine et largement de l'écriture. *L'Ecole des filles* est l'œuvre d'un homme qui imagine sur le modèle du sien le plaisir de sa partenaire. Quand une femme, de surcroît non mariée, Mlle Desjardins, ose elle-même vanter le sien dans un sonnet intitulé *Jouissance* qui fait scandale, elle n'évoque qu'en termes généraux la pâmoison, les transports et la perte de conscience qui l'ont remplie d'aise.

La découverte du clitoris ne change rien à la vision traditionnelle. Duval, qui en reconnaît l'existence, n'y voit qu'un moyen de conduire la femme à la vraie jouissance : « Les plus pudiques des femmes et filles, écrit-il, quand elles ont donné permission de porter le bout du doigt sur cette partie, elles sont facilement soumises à la volonté de celui qui les touche, leur causant l'attraction à la volonté d'icelle une si grande titillation qu'elles en sont amorcées et ravies, voire forcées au déduit vénérien. » Encore faut-il n'user de cette pratique qu'avec modération, car elle risque de libérer chez la femme une sorte de frénésie sexuelle, « donnant l'exact sentiment de cette partie, pour petite qu'elle soit, une tant violente amorce au prurit et ardeur libidineux qu'étant la raison surmontée, les femelles prennent tellement le frein aux dents qu'elles donnent du cul à terre, faute de se tenir ferme sur les arçons ».

L'absence de témoignages féminins directs n'empêche pas les médecins et les philosophes d'évoquer l'inévitable question de savoir qui de l'homme ou de la femme éprouve le plus de plaisir à faire l'amour. Pour beaucoup, cette affaire reste indiscutablement et définitivement résolue par le témoignage mythique de Tirésias : ayant eu le privilège d'appartenir successivement aux deux sexes, il a opté en connaissance de cause pour la supériorité du plaisir féminin. Le médecin Riolan y ajoute un argument qui lui paraît de bon sens : « l'homme se vide et la femme s'emplit, et ressent du plaisir tant par l'émission que par la réception : l'utérus se délecte comme un ventre affamé se délecte de nourriture ». Elle a donc un double plaisir. Jacques Ferrand, spécialiste des maladies psychologiques, explique la chose plus subtilement, à partir de l'infériorité féminine. Dénuée de raison et de force, la femme ne peut que se laisser emporter par l'amour, mouvement de l'âme, auquel elle n'a guère de moyen de résister. Emportement utile à l'espèce humaine, juste compensation « aux peines que son sexe endure pendant la grossesse ». Scipion Dupleix part de la froideur de son tempérament, signe de son imperfection, pour expliquer qu'elle met plus de passion dans l'acte amoureux. Pour lui aussi, sans ce « désir effréné », elle reculerait devant les « angoisses de la génération ».

Cette vision, qui s'accorde avec les idées largement répandues sur la lubricité des femmes, ne fait pas l'unanimité. Pour beaucoup de médecins, il paraît difficile d'admettre que la femme, d'un tempérament humide et froid, puisse éprouver des plaisirs plus ardents que ceux de l'homme, chaud et sec. Cette supériorité irait contre la hiérarchie des sexes. « Il est certain que les hommes ont plus de plaisir que les femmes dans le coït, écrit Jean Fernel. Sans doute leur appétit vénérien est-il plus grand, mais leur jouissance est de moindre intensité. » Bien avant lui, Mario Equicola, dans son livre *De la nature de l'amour*, avait objecté que l'expérience montrait que c'étaient les hommes qui recherchaient les femmes et non l'inverse. « L'homme, conclut-il, se délecte le plus en en la volupté intensive et la femme se délecte le plus en l'extensive. J'appelle la volupté intensive la dernière et extrême à mettre dehors la semence génitale ; j'entends extensive celle laquelle se prend devant que la semence sorte, au remuement. » L'opposition de la durée et de l'intensité des plaisirs féminin et masculin était déjà chez Hippocrate. Séparée de ses considérations physiologiques, cette opinion deviendra la plus commune, au point d'être la réponse ordinaire des gens du monde quand ils abordaient ce sujet en jouant aux « questions d'amour ».

Selon l'Eglise, la sexualité n'est l'affaire des médecins qu'accessoirement, pour aider à la génération. Elle se réserve d'en fixer les règles. Le mariage, explique-t-elle, en fait un devoir réciproque. Présentée par saint Paul dans une épître aux Corinthiens, cette réciprocité est une idée audacieuse et neuve : « Le corps de la femme ne lui appartient pas, mais appartient au mari ; de même le corps du mari ne lui appartient pas, mais à sa femme. » Contre l'opinion commune de son temps, l'apôtre affirme hautement l'égalité des droits de la femme en matière de sexualité. Puisque la conjonction charnelle est un remède contre la concupiscence, les deux époux ont le même droit d'y recourir. Depuis l'institution du mariage sacramentel, l'Eglise insiste sur l'attention que l'homme doit apporter au désir d'une épouse que la pudeur obligée de son sexe l'empêche d'exprimer trop évidemment. Casuistes et confesseurs rappellent cette obligation aux maris. Mais aucun d'eux ne tient compte du frein que peut constituer chez la femme le risque de concevoir un nouvel enfant et d'en accoucher dangereusement.

Tallemant des Réaux conte plaisamment les élans amoureux nocturnes de Robert Arnauld d'Andilly, le frère d'Arnauld, le docteur de Sorbonne dont l'exclusion suscitera les *Provinciales* de Pascal. « Cet homme, dit-il, était l'un des plus grands abatteurs de bois qu'on pût trouver, mais il faisait cela de la façon la plus incommode du monde. Il la poussait la nuit : "Cataut ! Cataut !", la réveillait en lui disant : "C'est pour l'acquis de ma conscience." Puis, entre les cuisses de sa femme, il faisait une prière à Dieu, le vit roide, pour sanctifier l'œuvre de chair, et cela lui prenait quelquefois six ou sept fois en une nuit. » Mariée en 1613, Catherine de La Boderie mourut encore jeune, en 1637, après avoir donné assez d'enfants (quinze) à ce mari exigeant pour qu'on en compte une dizaine qui aient vécu jusqu'à leur majorité et au-delà. Il survécut à sa femme jusqu'en 1674. On n'imagine guère que Cataut ait aussi réveillé son mari pour le prier pareillement...

Les casuistes sont d'abord formels. Puisqu'il s'agit d'empêcher l'autre de pécher en allant éteindre sa concupiscence ailleurs (ou en se masturbant), il n'est pas question de lui refuser la « dette » pour quelque raison que ce soit. Au XVIe siècle, et encore au début du XVIIe siècle, on juge prioritaire la nécessité de ne pas mettre celui ou celle qui brûle dans le cas de se damner en lui refusant l'aide à laquelle il a droit. C'est un devoir de charité inscrit dans les obligations du mariage. Rien ne peut donc en dispenser la femme quand bien même une nouvelle grossesse la mettrait en péril de sa vie. La mort physique est en effet moins grave pour les théologiens que la mort spirituelle entraînée par un péché mortel. Quelles qu'en soient les raisons, le refus de la « copulation matrimoniale » n'est pas alors considéré comme un signe de chasteté, mais comme une manifestation d'indépendance, une désobéissance qui ne peut être que coupable.

En avançant dans le siècle, on considère davantage l'intérêt de l'épouse. Ainsi Bertin Bertaut excuse-t-il la femme enceinte que son état détourne provisoirement de son mari (ou rend au contraire échauffée et provocatrice), et dispense toute femme du devoir conjugal « si elle a ses purgations pour les inconvénients qui en arriveraient au fruit » (on croit généralement qu'elle peut, en ce cas, concevoir un lépreux, ou un rouquin), ou si elle ne peut le rendre « sans un détriment de sa santé, comme si elle relevait de la maladie », ou encore si le mari est « gâté de quelque sale maladie acquise par ses débordements ». Au début du XVIIIe siècle, la même façon de voir prévaut dans le *Dictionnaire des cas de conscience* de Pontas. « Junia a un mari qui est naturellement fort lubrique, et qui veut l'obliger à rendre le devoir quoiqu'elle soit notablement malade. Est-elle obligée, sous peine de péché mortel de lui obéir en cela, au préjudice de sa propre santé, de peur qu'il tombe dans l'incontinence ? » Réponse : « Junia n'est tenue ni par justice ni par charité de rendre le devoir à son mari, l'intérêt de sa santé étant préférable aux raisons qu'a celui-ci de l'exiger. » Il en va de même, à certaines conditions, pour « une jeune accouchée ». Au fil du temps, résultat de l'évolution générale des mentalités, la femme n'est plus soumise aveuglément aux pulsions de son mari, ni par devoir d'obéissance ni à cause de la « dette conjugale ». Comme souvent, c'est de sa « faiblesse », en l'occurrence physique, qu'elle tire une certaine liberté.

L'Eglise soumet la vie sexuelle à maintes restrictions. Paul avait affirmé la nécessité de ménager dans la vie conjugale des pauses consacrées à la prière. « Il faut, dit le *Catéchisme du concile*, que les gens mariés s'abstiennent de temps en temps de l'usage du mariage pour y vaquer, et particulièrement qu'ils s'en abstiennent au moins trois jours avant de s'approcher de l'Eucharistie, et même encore plus souvent pendant les jeûnes solennels de carême. » Plus conciliants, théologiens et casuistes du XVIIe siècle ne voient plus dans cette abstinence, très répandue au Moyen Age, qu'une marque de respect envers le sacrement. Ils ne trouvent dans l'union conjugale sans contraception ni péché grave ni empêchement absolu à la communion. A la charnière des deux siècles, Thomas Sanchez, spécialiste des cas de conscience liés au mariage, en explique savamment et précisément les raisons dans un chapitre entier de son *De matrimonio*.

Très au courant des connaissances anatomiques et physiologiques de son temps, Sanchez étudie à leur lumière les diverses formes de l'accomplissement, permis ou interdit, de l'union charnelle. Il condamne les positions amoureuses « *quando vir succubat* », celles où l'homme se trouve dessous la femme. La raison ? c'est, dit-il, s'appuyant sur la science, parce que la semence, en ce cas, ne pénètre pas convenablement dans la matrice. A quoi s'ajoute une autre raison (la vraie), plus traditionnelle, qu'on trouve déjà chez les moralistes de l'Antiquité : « Non seulement la position, mais la condition des personnes s'en trouve modifiée, car alors, c'est la femme qui agit et l'homme qui subit, ce qui est contraire à la nature. » La mission de l'homme étant de toujours dominer la femme, une telle posture est une dangereuse « déviation » puisqu'elle bouleverse la hiérarchie des sexes. Sont finalement condamnées, pour des raisons analogues, toutes les positions autres que celle où l'homme et la femme se trouvent tous deux dans la position horizontale, la femme dos contre la terre (ou le lit), l'homme la surmontant vis-à-vis. Non seulement, elle est, dit-on, la plus favorable à la procréation, mais encore l'homme y affirme la domination qui lui revient.

En matière d'union conjugale, l'enseignement de l'Eglise traite en principe mari et femme à égalité. Dans le détail, à travers conseils et défenses, il s'agit d'une sexualité dont les hommes ont et doivent conserver la maîtrise. Dans l'inconscient collectif, hérité de la nuit des temps et relayé par la vision aristotélicienne de la femme, simple réceptacle de la semence du mâle, milieu humide où elle germe, grandit et mûrit avant de sortir à la lumière, domine l'idée du mari actif, qui laboure et féconde le sillon d'une épouse passive, comme le paysan travaille et ensemence le sillon qu'il creuse dans une terre inerte. Dans cette façon de voir, longtemps la plus répandue, on est bien obligé de convenir que la nature (et donc celui qui l'a créée) a voulu que la génération n'ait pas lieu sans un plaisir partagé. On ne peut donc l'interdire, mais seul celui de l'homme, qui émet la semence, a une finalité qui l'anoblit. Donné par l'époux, qui arrose son champ pour que pousse la graine, celui de la femme n'est qu'une concession temporaire à l'avidité de sa matrice.

Sur ce fond traditionnel d'ignorances et de préjugés, les idées des médecins et même de l'Eglise évoluent lentement dans un sens favorable à la dignité de la femme. Dès lors que les casuistes lui accordent le droit de refuser en certains cas la dette conjugale, elle cesse d'être l'objet obligé des plaisirs de l'autre pour devenir une personne, dont compte au moins l'état de santé. C'est un début d'autonomie. Par son apport supposé de « semence », contre ceux qui la lui refusaient, elle devient l'égale de l'homme en attendant qu'à la fin du siècle, la découverte, encore mal interprétée, des ovules, ne confirme scientifiquement la stricte égalité des deux parents dans l'acte de reproduction.

23

Le couple

Si l'union charnelle n'est pas nécessaire à la validité du mariage, elle l'est pour qu'il soit indissoluble. Le mariage étant destiné à remédier à la faiblesse de l'homme ou de la femme, également incapables de chasteté totale, on ne peut obliger les deux membres d'un couple à vivre ensemble si l'un d'eux se révèle incapable d'apporter à l'autre le « remède » prévu par la nature. Si l'homme ne peut consommer le mariage par impuissance ou par malformation définitive de son épouse, leur union peut être dissoute. En revanche, contrairement à l'usage constant des autres religions, l'homme ne peut pas répudier celle dont il n'a pas pu avoir d'enfants, ni même prendre une seconde épouse. C'est un apport essentiel du christianisme à la condition féminine. Mieux encore, l'union charnelle des couples stériles reste permise sans péché, du moment qu'elle se déroule sans entraves. En vertu du même principe, l'Eglise n'interdit pas aux couples de continuer à faire l'amour quand la femme n'est plus en âge de procréer. Elle ne défend pas non plus de se marier avec une veuve précédemment stérile, ou qui aurait dépassé l'âge d'avoir des enfants. La Bible offre en effet des exemples montrant qu'avec la grâce de Dieu, il est possible d'engendrer et même de concevoir à tout âge.

Pour l'Eglise, l'obligation première est de ne pas entraver les suites naturelles de l'union charnelle. Dans *La Conduite des confesseurs*, parue en 1739 et plusieurs fois rééditée sous le patronage de Charles Borromée et de François de Sales, Roger Daon, directeur du séminaire de Lisieux, rappelle que l'entente conjugale ne peut être fondée sur des pratiques interdites : « La mauvaise paix, écrit-il, est celle qui est fondée sur le vice lorsque deux époux s'entraiment parce qu'ils s'abandonnent aux mêmes péchés, à la volupté. » La limitation des naissances n'est légitime que si elle résulte de la continence des époux : « Il est important de les avertir, écrit l'auteur, de se résigner à la volonté de Dieu et de ne jamais faire la moindre chose pour empêcher qu'il ne vienne des enfants... Que s'ils ne veulent pas en avoir sitôt après ceux qui naîtront, il leur est permis de se séparer de lit pendant un temps. » A condition, bien sûr, que les deux époux soient d'accord pour se dispenser mutuellement du « devoir ».

Cette doctrine est généralement acceptée sans difficulté. Car avoir des enfants, pour la plupart des fidèles, n'est pas une obligation imposée de l'extérieur, mais une conséquence naturelle et généralement souhaitée de l'union conjugale. Les paysans des villages savent d'expérience qu'il faut avoir beaucoup d'enfants pour assurer, malgré les morts, l'œuvre des aïeux dans une continuité familiale vécue comme essentielle en un temps où tout repose, comme dans la nature, sur des cycles réguliers. Venues de la nuit des temps, héritées du culte des morts chez les païens, de l'obligation faite aux citoyens romains d'avoir une descendance, ces façons de penser sont enracinées dans les mentalités. Alors qu'il existe quantité de saints et de pratiques plus ou moins magiques destinés à favoriser les naissances, il n'existe rien de pareil pour les entraver. La nécessité démographique de la fécondité est profondément intégrée dans l'inconscient collectif. Un certain nombre de femmes du peuple, meurtries par des accouchements difficiles ou particulièrement surchargées d'enfants, ont certainement redouté et, dans la mesure du possible, refusé le devoir conjugal. Mais pendant tout le siècle, l'idée de contraception reste absente de la culture populaire.

Elle ne l'est pas de celle des confesseurs. Elle apparaît, dès le Moyen Age, dans les pénitentiels qui l'assimilent à l'infanticide. Les procédés en sont décrits avec précision dans les manuels de cas de conscience, qui en suivent avec précision les variations au fil du temps. En l'absence du condom (ou capote anglaise), inventé au XVIIIe siècle et longtemps peu fiable, dans l'ignorance où l'on sera encore longtemps des période stériles ou fécondes (on croit à tort que les jours qui suivent immédiatement les règles sont les plus féconds), les pratiques anticonceptionnelles se réduisaient à cinq ou six, dont deux seulement étaient vraiment susceptibles d'efficacité. Les médecins dénoncent à juste titre l'inutilité des astringents, censés fermer l'orifice de l'utérus. Les mouvements violents de la femme après l'union charnelle pour faire descendre et sortir la semence ne pouvaient aussi qu'être sans effet, comme les ablutions à l'eau claire. Les breuvages à base d'herbes étaient d'un emploi facile, mais anodin, sauf s'il s'agissait d'abortifs, toujours très dangereux. Seuls étaient efficaces les tampons vaginaux, à condition d'être imprégnés de substance véritablement spermicide, et le *coïtus interruptus*, qui dépendait de la maîtrise et de la bonne volonté du partenaire masculin.

Déclarés mortels pour l'âme par l'Eglise et mauvais pour la santé par les médecins, ces procédés n'avaient pas bonne presse dans le public, notamment chez les femmes « honnêtes ». Les astringents, d'après les médecins, servaient surtout à réparer les pucelages perdus. Les tampons vaginaux étaient considérés comme l'apanage des courtisanes, auxquelles ils n'épargnaient d'ailleurs pas les accidents. Cet usage leur donnait une réputation d'immoralité qui en détournait les (rares) couples légitimes qui en connaissaient l'emploi, d'ailleurs dangereux en raison des brûlures, et même des lésions qu'entraînait leur utilisation. Restait ce que les manuels des confesseurs et les ouvrages de théorie morale appellent le péché d'Onan. Après l'avoir condamné au XIVe siècle, ils s'en préoccupent de plus en plus du XVIe au XVIIIe siècle, signe que cette forme de contraception se répand. Peut-être héritée des pratiques de l'amour courtois, où elle aurait selon certains été de règle, elle se serait d'abord instaurée dans les rapports adultères, par souci de ne pas introduire de bâtards dans les familles.

Publiées seulement en 1666, les *Dames galantes* de Brantôme décrivent crûment les mœurs légères d'un certain nombre de dames de la bonne société de la fin du siècle précédent. Ces femmes, à l'en croire, permettaient tout à condition que l'heureux élu prenne garde « d'épier le temps du mascaret ». Indulgent pour les galanteries, l'auteur ne plaisante pas sur les devoirs du mariage. Il s'indigne que la même pratique puisse avoir lieu entre mari et femme. Sans être totalement inconnu des couples légitimes, le *coïtus interruptus* n'y est encore qu'exceptionnellement pratiqué, même chez les nobles et chez les riches. C'est chez eux cependant qu'il va se répandre à la fin du XVIIe siècle.

C'est en effet dans cette élite, et parmi elle seulement, que commence alors à se poser avec une certaine acuité la question du surnombre des enfants. Comme les femmes des milieux aisés ne nourrissent jamais elles-mêmes leurs enfants, elles ne connaissaient pas la « trêve conjugale » liée à l'allaitement. Il leur arrive donc fréquemment de se retrouver enceintes dans les deux ou trois mois qui suivent leur accouchement. Bien nourries, elles risquent moins que les femmes du peuple d'avoir des fausses couches et mènent le plus souvent leurs grossesses à terme. Pourvus d'une bonne nourrice à domicile, les nourrissons y survivent davantage. Elevés dans de bonnes conditions, ils parviennent proportionnellement plus nombreux à l'âge d'homme. Cette abondance a longtemps paru un bien. Elle permettait d'utiles alliances, et l'Eglise était là pour absorber le surcroît de garçons et de filles, offrant même aux cadets, dans les meilleurs cas, de substantiels revenus dont pouvait profiter la famille. En réglant les vocations, le concile a restreint sinon empêché ces pratiques. Les grandes familles ont désormais intérêt à réduire leur descendance pour avoir moins d'enfants à établir et diminuer le poids des dots et des « légitimes » (les parts d'héritage des garçons) à prendre sur des patrimoines fonciers qui se dévaluent.

On a constaté une forte baisse des naissances, dès le début du XVIIIe siècle, dans les familles des ducs et pairs de France. On l'attribue à l'adoption, dans ce milieu privilégié, de la pratique régulière du *coïtus interruptus*. Après n'avoir concerné qu'un groupe social limité, cette pratique va gagner de proche en proche les autres couches de la population pour se banaliser à la fin du siècle et pendant tout le suivant. Au XVIIe siècle, elle n'est utilisée que par exception, insuffisamment pour entraîner une diminution significative de la moyenne des naissances. Quand un couple n'a pas ou guère d'enfants à cette époque, cela s'explique par une abstinence volontaire et concertée des époux. C'est ainsi que Mme de Sévigné n'est pas fâchée de voir son mari se tourner vers Ninon après en avoir eu une fille et un garçon, et que Mme de La Fayette se réfugie dans les délices de l'amour tendre avec Ménage après avoir eu deux garçons d'un mari qui vit désormais en Auvergne tandis qu'elle habite Paris. A l'inverse, Mme de Grignan qui souhaite assurer la postérité des Grignan, et n'a pas la « glace » de sa mère pour les plaisirs de la chair, donne le jour à cinq enfants en six ans, jusqu'à ce que son mauvais état de santé interrompe la série.

D'après les manuels de confesseurs, c'est toujours l'homme qui veut imposer le *coïtus interruptus* à une femme qui s'en défend. Il en est ainsi dans le *De matrimonio* de Sanchez, paru à un moment où ce péché est encore très rare chez les gens mariés. Il en va de même, plus d'un siècle après, dans un traité de Daon : « Une femme vertueuse, écrit-il, qui a lieu de croire que son mari, en usant du mariage, commettra le crime d'Onan, ne peut en conscience s'y prêter. L'horreur qu'elle aurait de ce crime n'empêcherait pas qu'elle y eût part et que la faute en retombât sur elle si elle s'y prêtait tant soit peu. » Elle doit donc tout faire pour en détourner son mari. Persiste-t-il ? Elle n'est plus responsable. « Elle n'est pas obligée de lui désobéir. » Elle acceptera l'acte sans y adhérer. A la femme qui préférerait, pour espacer les naissances, l'interruption plus ou moins prolongée, ou même la cessation des rapports conjugaux, s'opposera désormais, pendant près de deux siècles, l'homme qui reste le maître de la sexualité conjugale et ne craint pas de s'adonner au péché.

L'évolution des manuels des casuistes, qui citent de plus en plus de cas où les épouses peuvent sans faute refuser la dette conjugale, montre qu'on libère progressivement les femmes de l'autorité sexuelle des maris. Dans cette évolution qui leur est favorable, un certain nombre d'épouses des milieux les plus cultivés ont pu, sous l'influence de leurs directeurs de conscience, préférer l'abstinence sexuelle aux risques des maternités répétées et au péché mortel de la contraception. Que si le mari insistait et prenait sur lui le péché, elles se réfugiaient dans une pernicieuse restriction mentale. Ainsi se préparaient des refoulements et des hystéries qui se multiplieront au XIXe siècle.

Mais le stéréotype de la femme facile à détourner des plaisirs du sexe et de l'homme incapable de s'en passer n'est pas forcément toujours vrai. L'idée de l'indifférence des femmes pour les joies du sexe véhiculée par les casuistes à propos du péché d'Onan est en contradiction avec la tradition de la littérature gauloise des fabliaux, des contes à rire et des satires. Elle ne s'accorde pas non plus avec la représentation de la femme dans des œuvres qui prétendent être des peintures des mœurs, comme *Les Dames galantes* de Brantôme, les *Historiettes* de Tallemant des Réaux, l'*Histoire amoureuse des Gaules* de Bussy et ses suites. Religion à part, les épouses n'avaient pas de raisons de refuser les plaisirs de l'union conjugale si ceux-ci n'étaient pas automatiquement suivis de naissances répétées. Beaucoup de femmes durent se rendre compte qu'elles étaient les premières bénéficiaires d'une pratique contraceptive sans danger pour leur santé. Si bien qu'on peut se demander si cette pratique, incommode aux maris, ne leur a pas été imposée par des épouses qui avaient pris sur eux assez d'autorité pour les persuader de leur donner du plaisir à la manière des amants, sans les condamner à d'incessantes grossesses. Pratiqués dans quelques couples de la haute société, ces ménagements se répandront lentement de proche en proche.

A la fin du XVIIe siècle, on n'est encore qu'au début de cette toute nouvelle évolution. Que pouvaient en effet savoir les paysannes d'une contraception dont on ne parlait qu'en cachette (si on en parlait) ? Les femmes se passaient-elles de mère en fille des recettes d'herbes sans grande efficacité ? Allaient-elles en chercher chez la sorcière du village ? Sporadiquement peut-être, mais sûrement pas de façon générale. Comment aurait-on connu et utilisé dans les campagnes le tampon vaginal enduit de substances spermicides ? On n'y avait pas les moyens matériels de se les procurer. Si les femmes, principales pénalisées des grossesses et des accouchements répétés, avaient voulu les utiliser, les maris les y auraient-ils autorisées ? N'auraient-ils pas reculé devant la dépense et la peur de la nouveauté ? Malgré l'égalité de principe posée par l'Eglise entre l'homme et la femme, la sexualité féminine reste dans ces milieux dépendante de la bonne volonté des hommes.

Pendant tout le siècle, alors que pénètre partout l'enseignement du concile, les habitants des campagnes ne savent sur les rapports conjugaux que ce que leur en dit leur curé. Désireux de gagner le ciel où ils connaîtront une éternité bienheureuse, craignant l'enfer et ses horribles tourments, ils se satisfont d'entendre une voix autorisée leur affirmer qu'ils peuvent, au sein du mariage, assouvir leurs pulsions sexuelles sans péché mortel. Habitués à obéir aux prescriptions de l'Eglise sous l'œil attentif des autres membres de la communauté dans quantité d'autres domaines (rythme de la journée, repos hebdomadaire, aumônes, comportement domestique), les fidèles font spontanément de même dans celui de la sexualité. On le constate à la raréfaction des naissances neuf mois après le carême où les relations conjugales sont simplement déconseillées. « Aucun système, a-t-on dit, n'a poussé aussi loin et avec tant de succès le contrôle des pulsions sexuelles. » Les statistiques le montrent : le nombre et le rythme des naissances dans les couples populaires qui ont vécu sans interruption le temps d'une sexualité conjugale complète exclut tout recours habituel à la contraception.

L'Eglise condamne aussi ce qu'elle appelle, comme les médecins, les positions « contre nature » (différentes de la sodomie) : elles donneraient des plaisirs excessifs. Théologiens, casuistes et moralistes citent saint Paul : « Que le mariage soit honorable et la couche sans tache. » Ce n'est pas une concupiscence débridée, mais le devoir ou une sainte amitié qui doit pousser les époux à s'unir charnellement. Sinon, selon Benedicti, il y a non seulement péché mortel, mais des risques tangibles : « D'où procèdent, je vous demande, les monstres, les fruits contrefaits, les avortons, les maladies, les stérilités et infinis autres accidents qui arrivent aux mères et aux pauvres enfants sinon pour la débordée incontinence des pères et mères ? C'est pourquoi il ne faut pas que l'homme use de sa femme comme d'une putain ni que la femme se porte envers son mari comme avec un amoureux, car ce saint sacrement de mariage se doit traiter avec toute honnêteté et révérence. »

Même ceux qui valorisent le mariage chrétien réduisent l'union charnelle à la portion congrue dans la vie physique et morale du couple. « L'éléphant n'est qu'une grosse bête, écrit François de Sales, mais la plus digne qui vive sur la terre et qui a le plus de sens. Je vous veux dire un trait de son honnêteté : il ne change jamais de femelle et aime tendrement celle qu'il a choisie, avec laquelle néanmoins il ne parie que de trois ans en trois ans et cela pour cinq jours seulement, et si secrètement que jamais il n'est vu en cet acte. » On ne le retrouve que le sixième jour, quand il va se purifier en se lavant dans la rivière. « Ne sont-ce pas de belles et honnêtes humeurs d'un tel animal, par lesquelles il invite les mariés à ne point demeurer engagés d'affection aux sensualités et voluptés que selon leur vocation, ils auront exercées, mais icelles passées, de s'en laver le cœur et l'affection et de s'en purifier au plus tôt, pour par après avec toute liberté d'esprit pratiquer les autres actions plus pures et relevées ? » Il faut, comme dit saint Paul, « que ceux qui ont des femmes soient comme n'en ayant point », c'est-à-dire, selon l'interprétation de saint Grégoire, que celui qui a une femme doit « prendre tellement les consolations corporelles avec elle que pour cela, il n'est point détourné des spirituelles ». L'obligation vaut pour les deux époux : « Ce qui se dit du mari s'entend réciproquement de la femme. »

Il est nécessaire de manger pour vivre, écrit François de Sales, recourant à cette métaphore pour parler honnêtement de la sexualité. Il est juste et honnête de manger « pour conserver la mutuelle conversation et condescendance que nous nous devons les uns aux autres ». C'est ainsi que le devoir attaché au mariage est si grand qu'aucune des parties ne peut « s'en exempter sans le libre et volontaire consentement de l'autre » et qu'on ne peut légitimement le refuser « pour de capricieuses prétentions de vertu ou pour des colères ou dédains ». Il faut manger en témoignant de l'appétit, « comme si c'était avec espérance de production des enfants, encore que pour quelque occasion, on n'eût pas telle espérance ». Manger seulement « pour contenter l'appétit », c'est « chose supportable », mais non « louable », car « le simple plaisir de l'appétit sensuel ne peut être un objet suffisant pour rendre une action louable ». On ne doit jamais manger avec excès, ce qui n'est pas seulement une question de quantité, mais de façon et de manière. On ne doit surtout pas penser à la mangeaille avant et encore moins après le repas. Bref, il ne faut pas se saouler de plaisir.

Se référant à saint Ambroise, François de Sales demande aux maris : « Avec quel front voulez-vous exiger la pudicité de vos femmes si vous-mêmes vivez en impudicité ? Comment leur demandez-vous ce que vous ne leur donnez pas ? » Plus avant dans le siècle, l'auteur anonyme des *Règles chrétiennes pour vivre saintement dans le mariage* rappelle que, selon le même saint, « celui qui ne sait pas se contenir dans l'usage des voluptés que le mariage lui permet et lui fournit est en quelque sorte adultère ». A prendre trop de plaisir dans l'union conjugale, l'homme commet le même péché que s'il forniquait avec une maîtresse. Il peut tromper son épouse dans les propres bras de cette épouse. En ce cas, il lui donne un mauvais exemple. « Si vous-mêmes leur apprenez les friponneries, dit encore l'évêque de Genève, ce n'est pas merveille que vous ayez du déshonneur en leur perte. » Dans tous ces conseils, malgré l'affirmation de principe de l'égalité des époux devant l'appétit sexuel, il est bien évident que c'est à l'homme de diriger et contrôler les plaisirs du couple dans le sens d'une honnête modération.

L'Eglise, sur ce point, n'innove pas. Elle reprend des idées répandues chez les Anciens, principalement sous l'Empire par les stoïciens. L'exemple de la chasteté de l'éléphant vient de Pline. Sénèque s'en prend à l'épouse qui bouleverse la hiérarchie naturelle des sexes en chevauchant son mari. Et c'est aussi dans un passage de cet auteur, conservé seulement dans une citation de saint Jérôme, qu'on trouve cette exhortation, sans cesse reprise par les théologiens, les casuistes et les moralistes : « L'homme sage doit aimer sa femme avec jugement et non avec passion. Qu'il maîtrise l'emportement de la volupté et ne se laisse pas entraîner à la copulation. Rien n'est plus infâme que d'aimer une épouse comme une maîtresse. » Quand l'Eglise se défie des emportements de l'amour, même conjugal, et détourne par suite les maris de les manifester à leurs épouses, elle reprend une idée païenne christianisée par saint Jérôme.

Non par peur du péché, mais par prudence, les stoïciens aussi invitaient les maris à ne pas déclencher chez leurs femmes de trop grandes jouissances sexuelles de peur de ne pouvoir les contrôler. Brantôme est leur digne successeur en les incitant pareillement à ne pas leur révéler, par leurs pratiques, des plaisirs qu'elles risqueraient d'aller partager avec d'autres. La méfiance de l'Eglise envers la sexualité, même conjugale, vient de loin puisqu'elle remonte à la « sagesse » antique. Elle est particulièrement forte envers le plaisir féminin : comment n'emporterait-il pas au-delà de toutes bornes des êtres depuis toujours réputés faibles et déraisonnables ?

De la faible proportion des naissances illégitimes, on peut inférer la normalisation de la sexualité, devenue au XVIIe siècle principalement conjugale selon les orientations du concile. On peut conclure du rythme des naissances dans les couples à la quasi-absence de procédés contraceptifs. On n'a aucun moyen de mesurer le nombre des conjonctions charnelles et l'intensité des plaisirs partagés par les époux. On peut seulement déduire de l'observation des règles de l'Eglise sur les deux premiers points une probable influence sur le troisième. A moins qu'ayant cédé sur ce qui était le plus visible, les fidèles ne se rattrapassent sur le reste, difficilement contrôlable et quantifiable. La pudeur détourne d'ordinaire hommes et surtout femmes d'évoquer clairement leurs ébats, même dans leurs mémoires. C'est par exception que Mme de La Guette, mariée par amour contre la volonté de son père qui mit des années à lui pardonner, mentionne sans fard qu'elle aimait faire l'amour avec son mari tant qu'il a vécu.

Veuf deux fois, remarié le 27 août 1564, Gaspard de Saillans conduit à Valence sa nouvelle femme, qui a vingt-cinq ans de moins que lui. Obligé de se rendre à Grenoble, il lui écrit et elle lui répond. Le 30 septembre, elle lui annonce qu'elle attend un enfant. « Je prie Dieu, ajoute-t-elle, de lui donner la grâce (l'ayant fait parvenir en l'âge de l'instable jeunesse), de participer en votre bonté et vertus [*sic*]. Ce que j'estimerais le plus grand bien qui lui pourrait advenir. Parquoi [c'est pourquoi] je vous supplie de le venir visiter après avoir diligenté vos affaires, et combien que [malgré le fait que] vous le trouverez bien enclos, toutefois vous aurez tout pouvoir et autorité d'ouvrir la porte de son étroite clôture comme maître et seigneur que vous êtes de toute son habitation. » Point question de chômer pendant la grossesse. La réponse du mari, du 8 octobre, tourne presque entièrement sur leurs plaisirs passés et futurs.

Jouant sur la présence d'un intrus dans le ventre de sa femme, « je retrancherai grande partie de mon voyage, écrit Gaspard, pour lui aller faire la guerre, car je me doute que lui, voulant être jaloux de moi m'approchant de vous, il voudra me frapper de sa tête ou de son poing ou de son talon, si je ne me conduis par bonne ruse et fine cautelle que je veux bien que vous sachiez : c'est que quand je voudrai entre nous deux rire et prendre passetemps, je le ferai gentiment et sans faire gros tabutement ni sonner, à l'heure que me direz qu'il dormira afin qu'il ne s'en aperçoive, dont j'en reçois déjà en mon esprit si grand plaisir que cela me fait tomber ma plume de la main ». Dans la lettre suivante, la femme continue le jeu. Ce mariage de raison, car c'en est un, entre deux bons chrétiens, car ce ne sont pas des paillards libertins, s'épanouit en un amour conjugal partagé, qui ne fait pas mystère d'intégrer une sexualité aussi heureuse que réglée.

A défaut de l'amour fou et des plaisirs « contre nature » que commençaient à se permettre les puissants et les riches, l'Eglise invite les époux à partager une certaine affection, dans laquelle les partenaires qu'avait liés l'intérêt, l'occasion, leur famille ou quelque autre nécessité pouvaient mutuellement trouver secours et réconfort. Cet « amour conjugal », car l'expression existe au XVIIe siècle, était une forme de cette « tendresse » que Mlle de Scudéry avait définie entre amis dans les milieux aisés. En féminisant les rapports à l'intérieur du couple, cet amour contribuait à diminuer la violence qui y régnait souvent. Enseigner à l'homme qu'il devait n'avoir qu'une seule femme, et de plus qu'il devait l'aimer comme une égale, capable de lui apporter de l'aide (*auxilium*), n'était pas sans contribuer beaucoup à la valorisation d'un être jusque-là aussi décrié que la femme.

24

La femme adultère

Tout chrétien connaît, dans l'Evangile, l'épisode de la femme adultère, que la foule s'apprête à lapider, selon l'usage. « Que celui qui n'a jamais péché lui lance la première pierre », dit Jésus. Chacun s'écarte. « Va, et ne pèche plus », ordonne le Christ, resté seul à ses côtés. Son indulgence n'enlève rien à la gravité d'une faute dont il invite la coupable à prendre conscience et à se repentir. Pour lui, l'adultère est d'autant plus répréhensible qu'il entache la sainteté d'une union des époux définie sur le modèle de sa propre union avec son Eglise. Ce péché contre la chair est aussi un péché contre l'esprit. Cela change tout. La gravité de l'adultère dépendait traditionnellement du sexe. On considérait l'adultère de la femme comme une faute contre son mari, une atteinte à son droit sur un corps devenu sa propriété par le mariage, ou, pis encore, comme une agression contre sa famille à cause de la possible intrusion d'un sang étranger dans le lignage. L'adultère du mari, qui ne comportait rien de tel, ne pouvait être aussi grave. Il le devient dès lors qu'on y dénonce un manquement à une obligation réciproque de fidélité, nouveau fondement de la vie conjugale.

Sur ce point, où la religion et l'Etat eurent souvent peine à s'entendre, les Pères de l'Eglise ont établi dès l'origine la différence entre « la loi de César » et celle du Christ. Pour l'Eglise, contre l'usage reçu, l'adultère de l'un des conjoints, quel qu'il soit, n'entraîne pas la dissolution du mariage. Elle ne permet que leur séparation. Elle n'admet pas la possibilité de remariage, même pour celui des époux qui n'a pas commis de faute. Au XVIe siècle, les réformés, qui refusaient de considérer le mariage comme un sacrement, admirent sans difficulté la possibilité du divorce. Après d'amples débats, les pères du concile de Trente la refusèrent, s'en tenant à la doctrine traditionnelle. Dans la France catholique du XVIIe siècle, tout mariage consommé suppose entre les deux époux une fidélité absolue gardée jusqu'à la mort.

En théorie, l'adultère masculin est aussi coupable que l'adultère féminin. Brantôme, dans ses *Dames galantes*, le rappelle d'après saint Augustin : « L'homme adultère est aussi punissable que sa femme, et c'est une grande folie à un mari de requérir chasteté à sa femme, lui étant plongé au bourbier de paillardise. » En condamnant l'adultère dans *La Cour sainte*, le père Caussin prend soin de préciser pareillement : « Je n'accuse pas seulement les femmes, mais les hommes charnels, qui se laissent appâter et amorcer par de folles amours, et foulant aux pieds le respect de Dieu, la présence du ciel et des anges, le lit conjugal et la foi promise à leur partie, se vautrent dans ces adultères exécrables, qui remplissent les familles d'opprobre, de confusion et de tragédies. » En elle-même, la faute est la même chez les deux sexes.

Sous la pression de l'opinion, certains théologiens ont pourtant infléchi cette égalité. Dans le *Supplément à la Somme théologique*, les disciples de saint Thomas concèdent que l'adultère de la femme est différent de celui du mari. En raison de ses conséquences. Charron le redit après eux : « Tout ainsi qu'au mariage, bien que le mari et la femme soient également obligés à la loyauté et fidélité et l'aient tous deux promis par mêmes mots, cérémonies et solennités, si est-ce que les inconvénients sortent sans comparaison plus grands de la faute et adultère de la femme que du mari. » Dans son *Tableau de l'inconstance et instabilité de toutes choses*, de Lancre tient le même raisonnement.

Quelle que soit la violence de leur appétit sexuel, disent les moralistes, les femmes ont comme les hommes l'obligation de s'en tenir à l'exercice légitime de la conjonction charnelle dans le mariage. Mais elles ont de plus un devoir supplémentaire de fidélité. Car si elles proviennent d'une famille noble, il leur revient de garder la pureté de la lignée (on dit volontiers en ce sens de la race), et donc de ne pas prendre le risque d'y introduire un sang étranger. Et c'est toujours une faute grave pour une épouse de mêler des membres illégitimes à la communauté fondée par le mariage. Comme l'exprime le père Binet en termes crus : par l'adultère, la femme « conçoit des créatures étrangères, qui, à guise de chiens, mangent le pain des enfants légitimes et succèdent au bien qui ne leur est pas dû ». Les bourgeois et les gens du petit peuple ne craignent pas moins que les gens de qualité ce partage indû des ressources du foyer.

S'y ajoutait plus ou moins selon les milieux sociaux une question d'honneur. Celui des hommes, père ou mari, est toujours lié dans l'opinion à la vertu des femmes, filles ou épouses, constamment confondue avec leur virginité, puis avec leur chasteté ou du moins leur fidélité. Tourné vers l'aventure, l'homme fait vanité de ses conquêtes, y compris féminines. Gardienne du foyer, destinée à la mise au monde d'enfants légitimes, soigneusement enclos en son sein, la femme doit se garder de toute intrusion étrangère. Dans l'aristocratie, tout manquement sur ce point obligeait traditionnellement les hommes à tirer des coupables une vengeance éclatante. Et, de fait, les maris trompés se sont longtemps comportés avec une extrême cruauté envers leurs épouses infidèles.

Brantôme, dans ses *Dames galantes*, accumule les horreurs. Le raffinement suprême, quand des maris surprennent des amants en flagrant délit, c'est de tuer l'homme sous les yeux de la femme avant de la tuer à son tour. Il est, disent ces maris, « plus beau et plus plaisant de tuer le taureau devant et la vache après ». Le droit français interdisait ces vengeances personnelles, mais l'usage était le plus fort. Tout homme d'un certain rang devait, selon ses pairs, « venger son honneur ». La pression sociale a, sur ce point, longtemps été si forte que le meurtrier finissait toujours par obtenir des lettres de rémission d'un pouvoir royal qui ne se sentait pas en mesure de s'y opposer. Seule la famille à laquelle appartenait l'épouse pouvait éventuellement dissuader le mari de se venger par peur des représaillles, à moins qu'elle ne prît elle-même parti contre celle qui avait failli.

Ces vengeances subsistent au début du XVIIe siècle. Tallemant des Réaux en conte encore d'affreuses. Celle par exemple du maréchal de Gramont. « Sur quelque soupçon » qu'il avait de sa femme, écrit-il, « il la mit dans une chambre où le plancher s'enfonçait, et on tombait en un endroit profond. Elle y tomba et se rompit une cuisse, dont elle mourut ». Dans une lettre d'avril 1610, Guez de Balzac donne des précisions : « Le comte de Gramont, gouverneur de Bayonne, ayant trouvé Marfizian, son écuyer, en quelque action déshonnête avec sa femme, il l'a envoyé jouir en l'autre monde. On y ajoute qu'après l'avoir tué, il lui a fait faire son procès et fait trancher la tête. » Balzac ignore si Gramont a vraiment tué sa femme. Pierre de l'Etoile affirme qu'elle mourut empoisonnée, « en grande misère et langueur ». Elle ne survécut en effet que huit mois à la mort de son amant. Personne ne s'émut de l'exécution de l'un ni de la probable vengeance du mari contre l'autre.

En juillet 1616, le baron de Reniez, qui soupçonne son épouse, fait « semblant de partir pour un assez long voyage ». Puis, conte Tallemant, revenant sur ses pas, il entre dans la chambre de sa femme et trouve le vicomte de Paulin dans son lit. Il le tue de sa propre main, non sans quelque résistance, car l'amant a pris son épée. Mais le mari a deux valets avec lui. Accouru aux cris de sa sœur, le baron de Panat, qui couchait dans une pièce située à l'étage au-dessus, est tué à la porte de la chambre. « La femme se cacha sous le lit, tenant entre ses bras une fille de trois ou quatre ans qu'elle avait eue du baron son mari. Il lui fit arracher cet enfant et après la fit tuer par ses valets. Elle se défendit du mieux qu'elle put et eut les doigts tout coupés. » Rien ne manque pour faire de ces meurtres, qui englobent un beau-frère innocent, des crimes prémédités. « Le baron eut son abolition », note simplement Tallemant. Cette grâce royale s'accordait aux crimes avérés et sans circonstances atténuantes. La fin de la baronne de Reniez, d'une bonne maison de Languedoc, a fourni à Rosset le sujet d'une de ses célèbres *Histoires tragiques*. Sa punition y est présentée comme exemplaire.

Bautru, d'une bonne famille d'Angers, conseiller au Grand Conseil, avait épousé la fille d'un maître des comptes. Cette femme ne sortait guère. « Oh ! la bonne ménagère », disait-on, rapporte Tallemant. « On la donnait pour exemple aux autres. Enfin, il se trouva qu'elle ne sortait point parce qu'elle avait son galant chez elle ; c'était le valet de chambre de son mari. Bautru fit mourir ce galant à force de lui faire dégoûter de la cire d'Espagne sur la partie peccante. » Magnanime, il ne tua point sa femme. Il l'exila en Anjou où il avait une terre. « Elle y vécut de carottes » afin d'« épargner quelque chose » pour le fils dont elle accoucha peu après. Bautru refusa de le reconnaître. C'était en 1621. Il finit cependant par le faire lorsque l'enfant eut dix-huit ans, et même par le doter richement lors de son mariage. Séparé de corps sans possibilité de se remarier, Bautru n'avait pas d'autre enfant légitime que ce probable bâtard.

A mesure qu'on progresse dans le siècle, les vengeances personnelles disparaissent sous l'effet d'un pouvoir décidé à faire respecter la loi par tout le monde, y compris les plus grands. Conformément à l'opinion et à la tradition, le droit français considère l'adultère du mari comme bénin, et il ne le sanctionne pas pénalement. Il le prive seulement du droit de poursuivre sa femme si elle a commis la même faute. En revanche, même en cas d'adultère du mari, on conteste à l'épouse le droit de demander la séparation de corps. Les tribunaux ne l'accordent qu'en cas de circonstances aggravantes. « L'adultère se punit en la personne de la femme et non en celle du mari », écrit encore en 1670 un juriste appointé par Colbert. Juridiquement, la gravité de l'adultère de la femme est surtout d'ordre économique : « Il donne lieu de douter si ses enfants proviennent du mari et ôte souvent ses biens à ses légitimes héritiers. » Vestige du temps passé, le texte ajoute que l'honneur du mari « semble être taché par l'impudicité de sa femme ».

A l'inverse des maris, les épouses convaincues d'adultère encourent des peines sévères. « Si elles sont de basse condition, dit un manuel de droit du début du XVIIIe siècle, elles sont condamnées au fouet. Si elles sont d'une condition relevée, elles sont recluses dans un monastère pour y demeurer en habit séculier, deux ans. Si son mari [*sic*], dans les deux ans, ne la veut pas reprendre, elle doit être rasée et voilée pour demeurer toute sa vie dans le monastère, privée de dot et de toutes les conventions matrimoniales. » Ces mesures n'étaient pas nouvelles. Elles venaient de la législation justinienne. Elles étaient de moins en moins appliquées. A la veille de la Révolution, elles ne l'étaient plus. Le XVIIe siècle, où on les appliqua quelquefois, surtout au début, apparaît, sur ce point encore, comme une période de transition.

En fait, plutôt qu'à un procédure longue, coûteuse et voyante, les maris préfèrent, s'ils le peuvent, recourir à des méthodes plus rapides et plus efficaces. Ils courcircuitent les tribunaux en demandant une lettre de cachet. C'est ainsi qu'un Jean de Proust du Plan « supplie humblement » le roi de lui « accorder une lettre du petit cachet pour faire renfermer demoiselle Marie Dupont, son épouse, dans un des lieux où l'on enferme les libertines et les débauchées ». En ce cas, le mari peut reprendre son épouse à tout moment. Certaines femmes préféraient demeurer enfermées. Conscients de la possibilité d'accusations mensongères, ne serait-ce que par des maris désireux de s'emparer de la dot de l'accusée, les services du roi étaient loin d'accueillir favorablement toutes les requêtes. Elles n'en présentaient pas moins pour les femmes une menace inconnue des hommes.

Chez les gens de la bonne société, le mari décidait souvent seul de la punition de l'adultère, sans recourir aux juges ni au roi. C'est ce qu'a fait Bautru, exilant sa femme en Anjou. C'est ce que fait aussi, avant 1638, un conseiller au parlement nommé Saulnier. Dans l'ignorance de son passé équivoque, il avait épousé une prétendue dévote en la prenant pour une vertu. Elle s'éprit, comme beaucoup d'autres femmes, d'un certain Zaga-Christ, un imposteur qui se disait roi d'Ethiopie. Un chanoine, qui jalousait le séducteur parce qu'il lui avait volé sa maîtresse, s'en vengea en dénonçant les amours de la Saulnier à son mari qui, en bon magistrat, fait informer sur les « déportements de sa femme ». Les amants cherchent à s'enfuir. On les arrête à Saint-Denis. Circonstance aggravante, ils avaient, dit Tallemant, pris ce qu'ils avaient pu emporter. La femme fut enfermée au couvent, où elle conclut une transaction avec son mari. Elle disait

« qu'elle aimait mieux quatre mille écus dans son buffet qu'un sot à son chevet ». Question de milieu et d'époque, on s'arrange avec de l'argent.

Le mieux est désormais de ne pas faire de bruit. Tallemant blâme Villemontée, intendant du Poitou, d'en avoir fait lorsqu'il apprit que son épouse le trompait avec un gentilhomme de La Rochelle. Il s'en était pourtant tenu à des mesures privées, enfermant dans son château la domestique qui avait favorisé les amours de sa femme, et celle-ci dans un couvent. Puis il la relégua dans une de ses terres. En novembre 1638, Villemontée et sa femme (ils ont respectivement quarante et trente-trois ans) concluent une transaction, passée devant notaire. Ils cantonnent l'adultère dans leur vie privée. Bien des années plus tard, en juin 1652, comme ils sont toujours mari et femme, ils passent un nouvel accord devant le protonotaire apostolique, official et vicaire apostolique de Paris. La femme y est domiciliée avec une de ses filles (elle en avait eu deux et un garçon au moment des faits) au couvent des Hospitalières de Paris. Villemontée y fait vœu de continence et de chasteté perpétuelles. Son épouse prononce le même vœu, déclarant son intention de « se retirer du siècle si la dévotion l'y porte et si Dieu l'y appelle ». Grâce à cette déclaration commune, Villemontée peut entrer dans les ordres. En 1660, il devient évêque de Saint-Malo. Sa femme demeure au couvent sans devenir religieuse. Il lui verse une pension de trois mille livres...

Les vengeances immédiates et les cas traités par les tribunaux ont beau devenir rares, voire exceptionnels à mesure qu'on avance dans le siècle, les femmes n'en continuent pas moins à risquer gros à tromper leur mari, ou simplement à en donner le soupçon. En 1671 encore, Condé punit lui-même l'adultère prétendu de sa femme par un internement à vie dans un de ses châteaux. Les époux ne s'entendaient pas. Malgré l'appui efficace que la princesse lui avait apporté pendant la Fronde, le prince n'avait jamais accepté son union avec Claire-Clémence de Maillé-Brézé, nièce de Richelieu, imposée par son père qui voulait conquérir les bonnes grâces du ministre. Il la délaissait volontiers pour vaquer à ses propres plaisirs. Mme de Sévigné a conté à sa fille l'événement qui lui permit de s'en débarrasser. « Madame la Princesse ayant pris, il y a quelque temps, de l'affection pour un de ses valets de pied nommé Duval, celui-ci fut assez fou pour souffrir impatiemment l'amitié qu'elle témoignait aussi pour le jeune Rabutin, qui avait été son page. Un jour qu'ils se trouvaient tous les deux dans sa chambre, Duval ayant dit quelque chose qui manquait de respect à la princesse, Rabutin mit l'épée à la main pour l'en châtier. Duval tira aussi la sienne, et la princesse se mettant entre eux pour les séparer, elle fut blessée légèrement à la gorge. » Rabutin réussit à s'enfuir et fit une belle carrière en Allemagne. Duval fut arrêté. Condamné aux galères, il mourut empoisonné avant d'arriver à Marseille.

Dans l'aristocratie, tout dépend du mari, et du rapport de force entre les époux. A la vengeance exercée sur sa femme par Condé s'oppose, un quart de siècle plus tôt, la complaisance du duc de Longueville, le mari de sa sœur, Anne-Geneviève de Bourbon-Condé. Pendant la Fronde, ses amours avec La Rochefoucauld sont notoires. Un fils leur naît à l'hôtel de ville de Paris au plus fort de la révolte contre Mazarin. Le duc de Longueville n'en reste pas moins fidèle à Condé et au parti des princes. Il ne cherche ni à se venger, ni à intenter de procès, ni à enfermer sa femme. Il sait qu'elle est au-dessus des lois.

Sa double aventure politique et amoureuse terminée, la princesse rejoint son vieux mari, le soigne avec dévouement. Il meurt. Elle s'est, dans l'intervalle, convertie à la cause et à la dévotion jansénistes. Son aîné et fils légitime, duc de Longueville après la mort de son père, est débile de corps et d'esprit. Le cadet né de La Rochefoucauld, dit le comte de Saint-Paul, est beau, bien fait, intelligent, séduisant. Un cas de conscience se pose. La duchesse est troublée. Elle hésite. La famille tranche. L'aîné entrera dans les ordres. Considéré comme légitime, le cadet devient duc de Longueville. Par malheur, il est tué peu de temps après lors du passage du Rhin, au début de la guerre de Hollande.

L'adultère le plus célèbre du siècle se situe au plus haut de la hiérarchie. C'est celui du roi et de sa maîtresse en titre pendant des années, Athénaïs de Rochechouart, comtesse de Montespan. Mariée en 1663, à vingt-trois ans, elle a un fils et une fille de son mari. En 1667, elle devient la maîtresse du roi. Comble de l'injustice, le mari qui proteste contre l'adultère de sa femme est ridiculisé et contraint de s'exiler dans ses terres. Elle a des enfants de son royal amant. La future Maintenon les élève. En 1675, Louis XIV les introduit à la cour. Ils vivent près de lui avec ses enfants légitimes. Plusieurs de ses prédécesseurs s'étaient conduits de même. C'était, il n'y avait pas si longtemps, la conduite habituelle des nobles ou des grands bourgeois envers leurs enfants illégitimes.

Telle était l'injustice aussi énorme à nos yeux que banale en son temps. On fondait la gravité de l'adultère des femmes sur le risque d'introduire des bâtards dans la famille, et on permettait aux maris d'élever dans leurs foyers, à côté de leurs enfants légitimes, parfois plus nombreux qu'eux, les fruits de leurs liaisons illégitimes et même les femmes dont ils les avaient eus. Cet usage était si répandu que, dans la noblesse, les fils nés de ces unions, s'ils étaient reconnus par leurs pères, étaient réputés nobles. Louis XIV a suivi cet usage en légitimant les enfants qu'il avait eus de Mlle de La Vallière et de Mme de Montespan. Au moment même où on n'osait plus le faire.

Depuis un siècle, l'Eglise avait entrepris de lutter contre la bâtardise, s'en prenant en tout premier lieu à celle qui résultait du concubinage des prêtres. Un siècle après, elle n'existait presque plus. Pour le reste, on rappelle que le concile de Trente a fermement condamné tous les adultères, ceux des hommes comme ceux des femmes. En 1600, un édit royal accentue le mouvement en prenant des mesures fiscales. Pour diminuer les exemptions, il prive les enfants illégitimes des nobles de leurs titre et qualité de gentilshommes « s'ils n'obtiennent des lettres d'annoblissements fondées sur quelque grande considération de leurs mérites ou de celui de leurs pères ». Les naissances de bâtards nés de pères nobles baissent considérablement dans les registres paroissiaux, plus peut-être parce que la sacralisation du mariage et l'évolution des mœurs empêchent les hommes de recueillir chez eux mères et enfants illégitimes que parce qu'ont effectivement diminué les adultères masculins. Il en va de même dans les familles bourgeoises, où l'on chasse désormais la servante qui a « fauté » sans se soucier des pressions qu'elle a pu subir de la part du maître de maison qui a causé le mal.

Dans la lutte de l'Eglise contre l'adultère, l'exemple que donne le roi est du plus mauvais effet. Sa liaison avec Louis XIV mise à part, Mme de Montespan mène une vie de parfaite chrétienne, respectant notamment les prescriptions du carême et l'obligation de la communion pascale. En 1675, le 10 avril, jour du mardi saint, elle veut se confesser à l'église de Versailles. Le vicaire lui refuse l'absolution. Le curé donne raison à son vicaire. Bossuet consulté confirme l'impossibilité d'administrer les sacrements de pénitence et d'eucharistie à deux pécheurs publics. Le roi et sa maîtresse doivent préalablement consentir à « une séparation entière et absolue ». Les intéressés se soumettent. Mme de Montespan se retire à Clagny. Les amants restent un temps séparés. Trop optimiste ou trop complaisant, le père Lachaise, nouveau confesseur du roi, autorise le retour de Mme de Montespan à la cour pendant que le roi est à l'armée. A son retour en juillet, ils se retrouvent, et, sauf une brève séparation pendant le jubilé de 1676, tout recommence comme avant. L'offensive des dévots a échoué. Pour séparer le roi de sa maîtresse, il faudra l'affaire des Poisons...

Tallemant, qui consacre deux sections de ses *Historiettes* aux « maris cocus par leurs fautes » et aux « cocus prudents ou insensibles », ne cesse d'y conter des aventures galantes des deux sexes. Il n'est pas le seul. En 1654, pour se distraire pendant une campagne en Catalogne, Bussy s'amuse avec le prince de Conti à établir une « Carte du pays de Braquerie », qui met en cause la vertu d'un certain nombre de femmes. Il récidive bientôt dans sa célèbre *Histoire amoureuse des Gaules*, publiée malgré lui en 1665. A l'en croire, l'une des moins vertueuses femmes de son temps, la comtesse d'Olonne, contait par le menu à son mari sa liaison avec le beau Candale et lui détaillait même les particularités des « jouissances » qu'il lui avait fait éprouver. Mais les récits de Bussy, qui lui vaudront l'exil, ne sont pas des reportages ; ce sont des romans, des romans satiriques, destinés au divertissement de quelques amies et particulièrement de sa maîtresse notoire, Mme de Montglas. D'autres romans du même genre suivront, nombreux, qui témoignent du goût de l'élite qui sait lire pour les récits des aventures galantes des gens de la meilleure société.

Ces récits, qui brodent autour de vérités connues, montrent qu'au moment où l'Eglise réussit à imposer le sacrement du mariage à l'ensemble de la France et y prêche constamment ses valeurs de fidélité et de chasteté conjugales, se développe, dans le haut de la hiérarchie sociale, une large tolérance envers un certain nombre de maris plus ou moins aveugles et d'épouses plus ou moins dévergondées. Quand le roi, après avoir arrêté son ministre Foucquet, ouvrit les cassettes pleines de billets galants qui lui avaient été adressés par de belles intéressées, la rumeur publique prononça beaucoup de noms de femmes mariées. Personne ne s'en étonna. Comme l'a dit Boileau : « Jamais surintendant ne trouva de cruelle. » Un beau garçon favori du roi non plus. Quand Louis XIV emprisonne Lauzun une dizaine d'années plus tard, on découvre pareillement chez lui maints souvenirs de ses galanteries. « On a trouvé, dit-on, mille belles merveilles dans ses cassettes, écrit Mme de Sévigné : des portraits sans compte et sans nombre, des nudités, une sans tête, une autre les yeux crevés..., des cheveux grands et petits, des étiquettes pour éviter la confusion... Ainsi mille gentillesses, mais je n'en voudrais pas jurer, car vous savez comme on invente dans ces occasions. »

Autant que de la réalité des faits, les bruits qui courent en ces occasions témoignent d'un état d'esprit prompt à douter de la vertu d'un certain nombre de femmes de la haute société. L'opinion publique est persuadée que bon nombre d'entre elles échappent aux contraintes du modèle imposé par l'Eglise, l'Etat et la famille sans encourir de punitions, sans même être victimes d'une réprobation générale de leur milieu. Cette liberté n'est en effet possible (du moins ouvertement) que dans la meilleure noblesse, d'épée ou de robe, celle qui a les moyens de ne pas se soucier de l'idéologie dominante. Elle n'est pas une pratique générale, mais le fait d'invidualités fortes qui osent préférer leur plaisir à l'idéal de chasteté et de fidélité en passe d'être majoritairement imposé aux époux par l'Eglise. Le rang de ces femmes d'exception les met au-dessus des lois dans ce qui est désormais considéré autour d'elles comme une affaire privée, ne dépendant que de leur volonté et de l'équilibre de leur couple. On peut à volonté les considérer comme des dévergondées, sapant les bons principes d'une société dont elles sont les heureuses bénéficiaires, ou comme des sortes d'audacieux prototypes d'un modèle qui s'est longtemps après peu à peu répandu dans toutes les couches de la société : la femme libérée, décidant librement du choix de ses partenaires sexuels.

Tout se passe comme si le point d'honneur avait, en ce domaine, perdu la force qui obligeait impérativement le mari à intervenir, qu'il en ait ou non envie. Tout se passe aussi comme si n'existait plus le risque d'introduire des bâtards dans la lignée. Mme de Montglas n'a pas d'enfants de Bussy, non plus que Mme d'Olonne de ses divers amants. S'il en survient d'aventure, comme cela serait arrivé à la maréchale de La Ferté, sœur de Mme d'Olonne, on considère l'affaire comme un accident, que l'on arrange au mieux. Fondement d'une certaine tolérance envers l'adultère féminin, il est admis que les amants ont acquis cette maîtrise qui selon Brantôme faisait déjà partie en son temps du pacte des amours illégitimes. Sans doute est-ce à partir des pratiques adultères des amants de la haute société que s'est répandu dans le lit conjugal ce *coïtus interruptus* qui gagnera plus tard de proche en proche la majorité des couples mariés.

Rien de tel, au XVIIe siècle, dans le peuple, où l'obéissance et la fidélité des femmes à leurs maris restent deux obligations soigneusement contrôlées par la communauté et sévèrement réprimées par des rituels publics comme ces chevauchées tumultueuses ridiculisant les cocus, qui persitent malgré les interdictions réitérées des autorités. Plus qu'une offense à la morale, l'adultère de la femme y est en effet ressenti comme une atteinte à l'ordre des choses, fondement de la bonne marche de la société. A la différence du bâtard de bonne famille, traditionnellement reconnu par son géniteur, l'enfant illégitime a toujours été dans le peuple le symbole du déshonneur, un enfant sans père, pratiquement privé de tous droits, condamné à vivre en marge de la communauté. C'est pourquoi jusqu'à la fin du siècle les naissances d'enfants non reconnus sont demeurées peu nombreuses à la campagne, de l'ordre de 1 à 2 % seulement. Il ne faisait pas bon d'être une fille mère dans une société où, même en dehors de toute référence à la morale chrétienne tridentine, la mentalité populaire n'admettait la naissance et la présence d'un enfant que dans un couple disposant de quoi vivre.

Au thème sérieux de l'adultère féminin, développé notamment dans les *Histoires tragiques* de Rosset, correspond le thème comique du cocu, plus ancien et plus prolifique. A la sévérité des principes et des mentalités s'oppose dans l'imaginaire, des fabliaux à Molière, la sympathie des lecteurs et des spectateurs envers les femmes assez rusées pour réussir à berner leurs maris, surtout s'il s'agit de jaloux. A la différence de ceux qui tuent leurs épouses trouvées couchées dans les bras de leur amant, le Joconde de La Fontaine décide de faire comme s'il n'avait rien vu et de partir, selon son projet, remplir le livre où il notera ses conquêtes. A son retour, forts de l'expérience acquise, les deux membres du couple formeront un excellent ménage. Au début de *L'Ecole des femmes*, Molière fait un plaisant éloge du cocuage des hommes, autrement dit de l'adultère féminin. C'est un vieux procédé comique. C'est aussi un thème favori des libertins, favorables à la liberté sexuelle, qui rejettent les liens et servitudes du mariage. Ces jeux ne dépeignent pas la réalité des choses. Ils ne représentent pas le monde, même à l'envers. Ils témoignent seulement que chacun est conscient de la force de la pulsion sexuelle qui est prête à emporter la victime d'un mariage où le corps ne trouve pas son compte. Il ne dépeint pas l'adultère comme une perversion, encore moins comme un péché, mais comme une juste vengeance.

25

Veuves sous surveillance

A la cour comme à la ville, le moment du veuvage est particulièrement critique dans une société du paraître. Chacun épie la nouvelle veuve, évalue la sincérité de ses larmes et se demande si elle va ou non demeurer dans le monde. Son mari tué au combat, Mme de Vaubrun est « entièrement désespérée ». Retirée dans un des couvents de la Visitation Sainte-Marie, « elle est comme folle, écrit Mme de Sévigné, et se moque du père de Sainte-Marthe, son confesseur. Elle a fait venir dans l'église le corps de son mari. On lui a fait un service plus magnifique que celui de M. de Turenne à Saint-Denis. Elle a son cœur sur une petite crédence, qu'elle voit et qu'elle touche ; elle a deux bougies devant. Elle y passe des journées entières du dîner au souper, et quand on vient l'avertir qu'il y a sept heures qu'elle est là, elle ne croit pas qu'il y ait une demi-heure ; personne ne peut la gouverner, et l'on craint tout de bon que son esprit ne se tourne ».

Cette douleur théâtrale n'est pas une douleur chrétienne, mais elle y conduit en invitant à la retraite. « La pauvre Vaubrun, écrit encore l'épistolière, est toujours dans l'abîme de la douleur. Je suis bien de votre sentiment, il y a de certaines douleurs dont on ne doit pas se consoler, ni revoir le monde ; mais il faut tirer les verrous sur soi. » La sagesse du monde rejoint celle des prédicateurs. Elle y conduit même parfois puisque, selon Saint-Simon, cette Mme de Vaubrun « était une sainte ». Elle garda toujours son personnage de veuve tragique. Elle et sa tante, Mme de Nogent, « passèrent, précise-t-il, leur très longue vie dans le premier grand deuil de leur viduité. Elles ne furent pas suivies, puisque les femmes de leur temps abandonnèrent de plus en plus même le simple bandeau de veuve. Mme de Navailles fut la dernière à le porter toute sa vie ». C'est au XVIIe siècle que les signes extérieurs du veuvage commencent à se réduire en importance et en durée.

La douleur de Mme de Rochefort n'est pas moins grande que celle de Mme de Vaubrun, au moins en apparence. « Inconsolable », elle manifeste un chagrin qui la change « à n'être pas connaissable » et lui donne « une bonne fièvre double-tierce ». « Très affligée, très malade, très changée », le 2 septembre 1676, trois mois après la mort de son mari, elle n'a toujours pas mangé de viande. Elle aussi se retire dans un couvent, tandis que l'on marie sa fille, et pourtant « elle n'a pas vingt-neuf ans ». Elle garde cependant l'esprit alerte, à en croire Mme de Coulanges : « Elle dit que Mme de Rochefort, dans le plus fort de sa douleur, a conservé une tendresse extrême pour Mme de Montespan, et m'a contrefait ses sanglots, au travers desquels elle lui disait qu'elle l'avait aimée toute sa vie d'une inclination toute particulière. » On la trouvera bientôt dame d'atour de la Dauphine, oubliant définitivement son chagrin grâce à la faveur de la cour. Mme de Langeron fit de même à Chantilly ou à Versailles. La douleur n'est pas un état convenable pour qui vit près des grands.

Le mariage peut avoir été si mauvais que les marques de chagrin doivent rester modérées. Quand Sévigné est tué en duel, « sa femme parut inconsolable de sa mort, écrit Bussy. Les sujets de le haïr étant connus de tout le monde, on crut que sa douleur n'était que grimace ». Plus sagement, Mme de Guiche fait « fort bien » : « Elle pleure quand on lui conte les honnêtetés et les excuses que son mari lui a faites en mourant ; elle dit : “Il était aimable ; je l'aurais aimé passionnément s'il m'avait un peu aimée. J'ai souffert ses mépris avec douleur. Sa mort me touche et me fait pitié. J'espérais toujours qu'il changerait de sentiment pour moi.” Voilà qui est vrai, il n'y a point là de comédie. » La veuve de Guiche a su jouer son rôle avec toute la discrétion convenable.

Tout veuvage entraîne, pour la femme de la haute société, une suite d'attitudes théâtrales qui sont rapportées, commentées et jugées. Le deuil, surtout celui qui accompagne la perte d'un mari, n'appartient pas à la seule vie privée : c'est un événement public, avec son cérémonial et ses signes extérieurs. Quand on reste sans nouvelles du comte de Sanzei après la défaite de Consarbrück, il faut bien conclure à sa mort : « On dispose sa femme à cette triste nouvelle, écrit Mme de Sévigné, sa cousine, sans pourtant oser encore lui faire prendre le deuil. » Puis : « Elle est fort affligée, et pleure de bon cœur. On ne voulait pas qu'elle prît le deuil ; j'ai ri de ces visions... Quelle folie de douter de sa mort ! Et au bout du compte, s'il revenait, on ôterait le bandeau, et on deviendrait grosse ; pourvu qu'on ne se marie pas, on est toujours en état de recevoir son mari. » Le bandeau désigne extérieurement la veuve aux regards d'autrui et l'oblige à garder un temps une conduite en accord avec son état sous peine d'encourir le blâme. Les larmes, elles, sont censées exprimer les sentiments intérieurs. Mais la pression sociale les rend encore plus nécessaires que le bandeau. On peut seulement se demander si elles sont ou non versées « de bon cœur ».

Dans *La Mort de Pompée*, Corneille précise que Cornélie s'adresse sous nos yeux aux cendres de son mari en « tenant une petite urne en sa main ». Ce n'est pas, comme Mme de Vaubrun, pour nourrir sa douleur, mais pour affermir son désir de vengeance. Rejetant la pitié de César, elle fait de sa douleur le support de sa haine : « O vous à ma douleur objet terrible et tendre, dit-elle,/Eternel entretien de haine et de pitié,/Restes du grand Pompée, écoute sa moitié./N'attendez point de moi de regrets ni de larmes ;/Un grand cœur à ses maux applique d'autres charmes. » Le chagrin de Cornélie est tout orienté vers l'action : « O cendres, mon espoir aussi bien que ma peine », s'écrie-t-elle, précisant que la perte qu'elle a subie fonde ses actions à venir. Modèle d'énergie cornélienne, elle veut être digne du héros qui ne vit désormais qu'en elle et par elle. Au-delà de la mort, elle prolonge théâtralement l'existence solidaire du couple.

Du veuvage, Racine a retenu l'élément pathétique. « Captive, toujours triste, importune à [soi]-même », Andromaque s'affirme « condamnée à des pleurs éternels ». Elle quitte la scène, à la fin de l'acte III, pour aller « sur son tombeau consulter [son] époux ». Elle aussi continue de maintenir l'existence du couple au-delà de la mort. Dans l'opéra de Quinault et Lully, imité de la tragédie d'Euripide, Alceste fait mieux encore : elle donne sa vie pour sauver son mari. « Alceste si jeune et si belle, chante un personnage,/Court se précipiter dans la nuit éternelle./Pour sauver ce qu'elle aime, elle a perdu le jour. » Et le chœur de répondre : « O trop parfait modèle/D'une épouse fidèle !/O trop parfait modèle/D'un véritable amour ! » Orphée va chercher Eurydice aux Enfers, mais il ne viendrait à l'idée de personne qu'il donne sa vie, lui, pour la ramener au jour. La tragédie repose sur les plus anciens archétypes. C'est sur l'homme que repose l'existence du couple. Par le veuvage, il perd sa femme. Elle perd tout...

La société reste en profondeur hostile au remariage des veuves, perçu comme une trahison à l'égard du mort, seul légitime possesseur de celle qu'il a épousée. Ce n'est pas sans une pointe d'envie que Furetière, à la fin de l'article « Veuve » de son *Dictionnaire*, rapporte une coutume qui tient compte de cette fondamentale conviction masculine : « Aux Indes, les veuves ne se remarient jamais et passent leur vie dans la tristesse et le mépris, mais les jeunes qui ont de l'honneur se brûlent toutes vives et se jettent dans le bûcher de leur mari. C'est une coutume encore en usage dans l'île de Bali, proche de Java. » A défaut de cet usage barbare, il y a au XVIIe siècle d'autres formes de sacrifice pour les femmes qui ont perdu leur mari. La meilleure est de consacrer à Dieu le reste de leur vie. Cette solution a la préférence de l'Eglise, qui la recommande sans l'imposer. Pour elle, tout remariage, celui de l'homme comme de la femme, est un pis-aller.

Contre les hérétiques qui prétendent le contraire, elle soutient cependant que ce pis-aller est licite, et parfois nécessaire, en raison du principe énoncé par saint Paul qu'il « vaut mieux se marier que brûler ». C'est le cas des jeunes veuves, qui risquent de se retrouver incapables de la continence qu'elles auraient imprudemment juré de garder à la mort de leur mari. « Dès que les désirs indignes du Christ les assaillent, elles veulent se remarier, méritant ainsi d'être condamnées pour avoir manqué à leur premier engagement. Avec cela, n'ayant rien à faire, elles apprennent à courir les maisons... pour bavarder, s'occuper de ce qui ne les regarde pas, parler à tort et à travers. Je veux donc que les jeunes veuves se remarient, qu'elles aient des enfants, gouvernent leur maison, et ne donnent au diable aucune occasion d'insulte. » Saint Paul l'a dit : mieux vaut que les veuves se remarient « à un âge qui puisse les excuser de cette faiblesse ». Cette solution de prudence reste la base de la doctrine de l'Eglise catholique en la matière.

Les quelques moralistes et théologiens du XVIIe siècle qui traitent du veuvage n'oublient pas de la rappeler. François de Sales, qui consacre un chapitre à la veuve dans son *Introduction à la vie dévote*, le termine en affirmant « que la vraie veuve ne doit jamais ni blâmer ni censurer celles qui passent aux secondes et même troisièmes et quatrièmes noces, car en certains cas, Dieu en dispose ainsi pour sa plus grande gloire ». Il rappelle « cette doctrine des Anciens, que ni la viduité ni la virginité n'ont point de rang au Ciel que celui qui leur est assigné par l'humilité ». Mais ces phrases rassurantes sont démenties par tout ce qu'il a écrit juste avant cette concession. Si Dieu seul donne « le rang dans le Ciel » selon le double principe de sa plus grande gloire et de l'humilité de ses créatures, les hommes d'Eglise, dans leur enseignement, hiérarchisent les divers états. Le père Caussin le fait dans *La Cour sainte* : « On ne défend pas pour cela les secondes noces, mais on avertit toutes les veuves qu'il y faut procéder avec grande discrétion et que, selon le conseil de l'Apôtre, la plus grande perfection est de demeurer dans la viduité. » Si la veuve qui se remarie peut échapper à la damnation devant Dieu, ce n'est pas sans avoir été culpabilisée devant les hommes.

« Les vraies veuves, écrit le père Caussin, sont en l'Eglise comme l'horizon du mariage et de la religion ; elles participent aux deux conditions, lorsqu'elles demeurent dans le monde pour l'exemple du monde, pour la conduite de leurs enfants et de leur maison, mais elles prennent aussi part à la vie des religieuses lorsqu'elles ont déjà le cœur tout à Dieu. » La mort du mari n'est qu'un accident qui donne à la veuve le moyen d'atteindre une plus grande perfection et de s'élever de la terre vers le ciel. Elle permet même de réaliser un secret dessein : « O combien de fois vous disiez dans ce lien du mariage, continue Caussin, que si Dieu retirait une fois votre mari, vous seriez tout à lui ; ce devoir conjugal et ce tracas du monde étaient votre barrière et votre obstacle. Maintenant que Dieu l'a levé, fondez votre cœur dans le sien. » François de Sales avait pareillement cité « l'ancien et docte Origène », qui « conseille aux femmes mariées de se vouer et destiner à la chasteté viduale en cas que leur mari vienne à trépasser devant elle, afin qu'entre les plaisirs sensuels qu'elles pourront avoir en leur mariage, elles puissent néanmoins jouir du mérite d'une chaste viduité par le moyen de cette promesse anticipée ».

L'Eglise met l'accent sur la transformation que le veuvage peut (et devrait) apporter dans la vie sexuelle de la femme en lui permettant de retrouver la chasteté, vertu première et principal mérite qu'elle soit capable d'offrir à Dieu. Aussi, « pour se garantir de toute faiblesse », aura-t-elle intérêt à en faire vœu : « Que si la vraie veuve, écrit encore François de Sales, pour se confirmer en l'état de viduité, veut offrir à Dieu son corps et sa chasteté, elle ajoutera un grand ornement à sa viduité et mettra en grande assurance sa résolution. » La chasteté est la seule valeur sûre, et le remariage une faiblesse.

La chasteté pourtant n'est pas tout. Elle est le signe d'une offrande à Dieu que l'on reconnaît à d'autres marques. « L'exercice des vertus propres à la sainte veuve, écrit François de Sales, sont la parfaite modestie, le renoncement aux honneurs, aux rangs, aux assemblées, aux titres et à telles sortes de vanités, le service des pauvres et des malades, la consolation des affligés, l'introduction des filles à la vie dévote et de se rendre un parfait exemplaire de toutes vertus aux jeunes femmes. La netteté et la simplicité sont les deux ornements de leurs habits, l'humilité et la charité les deux ornements de leurs actions, l'honnêteté et débonnaireté les deux ornements de leur langage, la modestie et la pudicité l'ornement de leurs yeux, et Jésus-Christ crucifié l'unique amour de leur cœur. » Et le père Caussin pareillement : « Mais surtout faites que cette viduité ne soit point oisive, que vos enfants vous expérimentent une vraie mère, les églises une dévote perpétuelle, les vierges une protectrice, les pauvres une miséricordieuse nourrice, les monastères une bonne amie, les orphelins une tutrice, la maison une solitaire, les compagnies un exemple de bonne odeur, et Dieu surtout une fidèle servante. » Fuyant l'embarras des procès, ayant l'oraison pour « continuel exercice », la veuve doit vivre dans le monde comme une religieuse.

Cette sorte de femme est en effet d'autant plus dangereuse qu'elle connaît la faiblesse masculine. « La veuve, dit François de Sales, ayant fait essai de la façon avec laquelle les femmes peuvent plaire aux hommes, jette de plus dangereuses amorces dedans leurs esprits. » S'il faut lui donner un idéal de vie très austère, c'est que, seule parmi les femmes, elle a la liberté de déployer toute la séduction féminine. Ni mère ni mari n'ont le pouvoir de l'en empêcher. Puisque la censure de ses actions est désormais essentiellement morale, il faut lui donner mauvaise conscience devant les tentations du monde. « La veuve qui vit en délices, continue François de Sales, citant saint Paul, est morte en vivant. » Et encore : « Vouloir être veuve, et se plaire néanmoins d'être muguetée, caressée, cajolée, se vouloir trouver aux bals, aux danses et aux festins ; vouloir être parfumée, attifée et mignardée, c'est être une veuve vivante quant au corps, mais morte quant à l'âme. » Car, précise-t-il plus loin, « Tout le temps qu'une telle femme n'a plus l'obligation de consacrer à son mari, elle le doit à Dieu ».

En 1697, Girard de Villethierry, le seul à avoir consacré aux veuves un livre entier, est encore plus sévère que ses prédécesseurs. Leur modèle devrait être sainte Paule qui, après avoir pleuré quelque temps son mari, « s'appliqua avec tant de zèle à la pratique de la vertu qu'on eût quasi pu croire qu'elle n'était pas fâchée de l'avoir perdu afin d'être plus en état de servir Dieu ». L'auteur vante aussi la fille de la sainte, veuve après sept mois de mariage, qui « était encore plus affligée de n'avoir pas conservé sa virginité que de se voir privée de la présence de son mari ». Sans vouloir considérer que le mariage peut aussi être une « société » pour partager les aléas de la vie comme l'avaient rappelé les pères du concile de Trente, sans considérer la solitude et le désarroi que peut entraîner le veuvage, les moralistes chrétiens le présentent comme un privilège accordé à la femme pour se libérer de la sexualité, une occasion de renoncer au monde et de se rapprocher de Dieu, en somme une chance à saisir.

Comme François de Sales, comme Caussin, Villethierry invite la « vraie veuve » à se conduire quasi en religieuse. Elle doit dompter ses passions et oublier les plaisirs ressentis lorsqu'elle était mariée. Elle doit vivre dans l'austérité, jeûner et se mortifier, faire la guerre à son corps « et le réduire en servitude ». Elle doit « s'étudier uniquement à plaire à Jésus-Christ », se priver des « joies et des plaisirs mondains », et particulièrement se garder de la comédie et des spectacles. Un chapitre, le plus long du livre, porte sur leurs dangers. Les veuves doivent mener une vie d'affliction : « Jésus-Christ, qu'elles auront désormais pour époux, affirme Villethierry, a donné sa malédiction à ceux qui rient parce qu'il a dit : "Heureux ceux qui pleurent." » Soixante ans plus tôt, dans le climat de l'humanisme dévot, le sacrifice de la veuve était compensé par un enthousiasme et une générosité joyeuse dont elle est désormais privée.

Rien d'étonnant si, en fait, c'est surtout au début du siècle que des veuves, souvent très jeunes, ont entendu l'appel de l'Eglise et se sont engagées dans des œuvres charitables, parfois même dans les ordres, dont plusieurs ont été fondatrices. L'exemple le plus frappant est peut-être celui de Marie Bonneau. Mariée en 1645, à seize ans, à Jean-Jacques de Miramion, elle devient veuve au bout de six mois. Après deux ans de deuil et de retraite, elle se retire à la Visitation, puis chez les sœurs grises de Vincent de Paul, où elle fait vœu de chasteté. Elle se consacre aux bonnes œuvres, crée un orphelinat, un « refuge », anime l'association des dames de la charité, crée la communauté de la Sainte-Famille, qui se propose d'instruire les filles pauvres et de soigner les malades sans ressources. Quand cette communauté fusionne en 1665 avec celle des filles de sainte Geneviève, elle devient supérieure à vie de celles qu'on appelle les « miramiones ». Le roi, Mme de Maintenon, l'archevêque de Paris la soutiennent dans son entreprise. En 1687, elle créera une maison pour accueillir des femmes désireuses de faire de pieuses retraites (cent places pour six sessions par an). On la qualifie de « mère de l'Eglise ».

Parmi celles qui ont eu des conduites analogues, on trouve Madeleine Lhuillier, veuve à dix-neuf ans après trois ans de mariage, fondatrice des ursulines de Paris, Marie Guyard, mariée à dix-sept, veuve à dix-neuf, fondatrice des ursulines du Canada, Jeanne de Chantal, mariée à vingt ans, veuve à trente, Louise de Marillac, mariée à vingt-deux ans, veuve à trente-quatre, ou, modèle plus exceptionnel, Barbe Avrillot, plus connue sous le nom de Mme Acarie, mariée à seize ans, veuve à quarante-sept, fondatrice du carmel en France. D'autres veuves se contentent de vivre à l'ombre des couvents qui reçoivent des pensionnaires, comme ceux de l'ordre de la Visitation. D'autres, comme Mme de Sablé, habitent une maison contiguë au couvent de leur choix, en l'occurrence Port-Royal de Paris, et mènent une vie mi-mondaine, mi-laïque. D'autres enfin mènent une vie exemplaire, qui contraste avec leurs aventures passées, telle

Mme de Longueville, ou continuent après la mort de leur mari une conversion dont il leur avait donné l'exemple, comme la princesse de Conti. Aux deux dernières aussi, selon Mme de Sévigné, revient pour leur fin exemplaire, le titre de « mère de l'Eglise ». Dans tous ces cas, il s'agit de veuves riches, seules capables de profiter de l'enseignement et surtout seules à disposer des moyens matériels pour réaliser l'idéal que leur offrait l'Eglise.

Confiné dans la littérature hagiographique et les œuvres d'édification, le modèle de la veuve chrétienne, si important dans la vie, n'a pas eu de prolongement littéraire. Seule l'héroïne de *La Princesse de Clèves* semble le réaliser comme un pis-aller, dans un climat qui manque d'enthousiasme. Elle « passait, dit l'auteur, une partie de l'année dans une maison religieuse et l'autre chez elle, mais dans une retraite et dans des occupations plus saintes que celles des couvents les plus austères... Sa vie, qui fut assez courte, laissa des exemples de vertu inimitables ». Comme les veuves qui ont suivi l'enseignement de François de Sales ou du père Caussin. Le roman de Mme de La Fayette exprime sur un autre registre leur défiance envers la nature féminine, incapable de soutenir ses résolutions sans appui extérieur : « Comme elle connaissait, commente l'auteur, ce que peuvent les occasions sur les résolutions les plus sages, elle ne voulut pas s'exposer à détruire les siennes, ni revenir dans le lieu où était ce qu'elle avait aimé. Elle se retira, sur le prétexte de changer d'air, dans une maison religieuse. »

Cette retraite, bien que la princesse ne fasse pas « paraître un dessein arrêté de renoncer à la cour », est l'équivalent du renoncement aux plaisirs de la vie dont les moralistes chrétiens souhaitent alors que les veuves soutiennent leur faiblesse. Comme elles, Mme de Clèves a « renoncé pour jamais » aux choses du monde. Elle fait même dire à Nemours « qu'elle ne pensait plus qu'à celles de l'autre vie ». En situant son comportement dans la perspective du salut, ce tardif recours au christianisme fonde après coup les valeurs qui expliquent la conduite passée de la princesse : épouse fidèle et veuve chaste, elle se conforme en action à l'idéal chrétien. Ce qui lui manque, c'est l'élan de charité qui donnerait une signification positive à ses refus et la sauverait du dépérissement. Opérée par amour-propre, sa conversion manque d'amour, et elle en meurt. La « vraie » veuve chrétienne ne peut survivre que si ses gestes sont appelés par l'amour de Dieu et non pas commandés par la haute idée que l'on a de soi. Elle ne doit pas être fidèle par devoir ou refuser un remariage pour son repos, mais dans l'adhésion de tout son être à l'ordre voulu par Dieu.

26

Une difficile indépendance

Pour la majorité des femmes qui perdent leur mari, le grand risque, c'est la misère. On évalue à 14 % de la population le nombre des veuves non remariées. Pour des raisons économiques, non pour des raisons religieuses. Entre vingt et trente ans, les femmes se remarient dans la proportion de 67 % contre 80 % pour les hommes ; entre quarante et cinquante ans, la proportion n'est plus que de 20 % contre 52 %. Les hommes se remarient très vite, plus de la moitié moins d'un an après leur veuvage. Il est admis qu'ils ont besoin d'une femme pour tenir leur maison et élever les enfants qu'ils ont eus de la morte. A moins d'être toutes jeunes ou d'avoir du bien, les veuves sont au contraire des laissées-pour-compte. A Lille, les locataires des caves et des logements insalubres sont principalement des veuves sans fortune avec plusieurs enfants. Placées dès l'origine sous la protection des évêques, les veuves pauvres continuent au XVIIe siècle d'être une de leurs grandes préoccupations du point de vue matériel. En fait foi leur place importante dans les listes des personnes assistées par les paroisses et des pensionnaires des hospices. On a remarqué que l'Eglise se montrait particulièrement généreuse dans les dérogations accordées pour mariages consanguins dès lors qu'il s'agissait de veuves. Il y a la doctrine, défavorable aux remariages, mais il y a aussi la « faiblesse » humaine, celle de la chair, surtout chez les jeunes, et celle de la misère, la plus contraignante, chez les veuves sans ressources et chargées d'enfants.

La comédie insiste sur les suites matérielles du veuvage. Bien des femmes en effet n'ont pris époux que pour avoir de quoi subsister honorablement. La Béline du *Malade imaginaire* ne prodigue ses tendresses que pour figurer sur le testament d'Argan. Son seul souci, quand elle le croit mort, est de s'approprier le plus de biens possible : « Tenons cette mort cachée, dit-elle à

Toinette, jusqu'à ce que j'aie fait mon affaire. Il y a des papiers, il y a de l'argent dont je me veux saisir, et il n'est pas juste que j'aie passé sans fruit auprès de lui mes plus belles années. » Quand on a épousé et soigné sans aimer, le veuvage marque l'heure de la récompense. Scarron, dans son *Roman comique*, dépeint sur le mode comique la dernière dispute d'un couple au lit de mort du mari, à propos du linceul sur lequel le mourant aurait voulu encore économiser : « Parce qu'elle le voyait en état de ne la pouvoir battre, elle soutint son opinion plus vigoureusement qu'elle n'avait jamais fait avec lui, sans pourtant sortir du respect qu'une honnête femme doit à un mari, fâcheux ou non. » Cette scène, en provoquant le rire du frère du curé, déclenche une bagarre qui ôte tout reste de tragique à un veuvage présenté comme une délivrance.

Dans *La Veuve à la mode* de Donneau de Visé, Miris pleure fort devant le public, mais comme Béline, ne songe qu'à ses intérêts lorsqu'elle est seule avec sa suivante. Toute la pièce montre son souci d'avoir de quoi bien vivre : « Et j'aimerais autant, dit-elle, mourir dès aujourd'hui/Que de vivre sans biens avecque tant d'ennui. » Point question pour elle de songer à autre chose qu'à assurer son avenir, puisque son mari est mort subitement et sans lui avoir rien laissé. Son premier soin est de mettre de côté cassette et bijoux. « Porte donc chez Damon, ce voisin obligeant,/ Un service complet de vaisselle d'argent ;/J'enverrai ma cassette, après, chez certain homme,/Où j'ai mis, de louis, une assez bonne somme ;/Et de mes diamants, que dessus moi j'ai mis,/ A Lucile, par moi, le soin sera commis ;/Puis, je ferai porter chez quelques gens fidèles/Quelques hardes de prix, avecque des dentelles. » Relativement nombreux, les complices de ces « précautions » ne les trouvent pas répréhensibles. Temps des larmes et souvent de la feinte, le veuvage est en fait pour la femme l'heure de la vérité. Selon la situation financière du défunt et les dispositions qu'il a ou non prises en sa faveur, elle y perd son établissement ou elle y trouve sa liberté.

Dans la vie, l'affliction de Mme d'Hamilton « fait pitié à tout le monde, écrit Mme de Sévigné, car elle demeure avec six enfants sans aucun bien ». Mme de Coligny, qui perd son mari huit mois après son mariage, sera au contraire « l'heureuse veuve ». « Ma nièce de Bussy, c'est-à-dire de Coligny, est veuve : son mari est mort à l'armée de M. de Schomberg d'une horrible fièvre... Cette affligée ne l'est point du tout ; elle dit qu'elle ne le connaissait point et qu'elle avait toujours souhaité d'être veuve. Il lui laisse tout son bien, de sorte que cette femme aura quinze ou seize mille livres de rentes. » Chagrin ou absence de chagrin, biens ou absence de biens se trouvent placés sur le même plan.

Un mariage d'intérêt, que nulle intimité n'est venue confirmer avec le temps, a pour conséquence un veuvage sans douleur. Celui-ci est « heureux » dès lors qu'il apporte à la femme, avec la sécurité financière, une liberté dont elle ne jouirait ni comme fille ni comme épouse.

« Je suis veuve, Dieu merci », déclare Mme Patin à son beau-frère dans *Le Chevalier à la mode* de Dancourt. « Je ne dépends de personne que de moi-même. Vous venez ici me morigéner comme si vous aviez quelque droit sur ma conduite, et c'est tout ce que je pourrais souffrir à un mari. » Champagne rappelle à Laurette, dans *La Mère coquette* de Quinault, ce que sa maîtresse lui a dit quand on lui avait confié le soin d'aller chercher son mari disparu : « Elle te fit entendre/Quels maux de mon voyage elle devait attendre ;/Que j'allais lui chercher un époux irrité/D'avoir langui longtemps dans la captivité ;/Qu'elle allait à son tour, entrer dans l'esclavage ;/Enfin qu'après sept ans d'espoir d'un doux veuvage,/Un vieux mari chagrin viendrait troubler le cours/De ses plus doux plaisirs et de ses plus beaux jours. » La veuve de comédie aime la liberté de son veuvage.

La veuve est astreinte par la loi à une année de viduité, pour le cas où naîtrait du défunt un enfant posthume. Mais pour tout le reste, situation exceptionnelle pour une femme, elle est juridiquement libre. N'étant plus sous l'autorité de son père depuis son mariage, n'étant plus sous celle de son mari par son veuvage, à condition d'être majeure, autrement dit d'avoir vingt-cinq ans, elle acquiert une plénitude de droits qu'elle n'a jusqu'alors jamais eue. Elle peut même se remarier ou non, selon sa propre volonté, et choisir elle-même son mari. Par rapport à la condition habituelle de la femme, celle de la veuve est une anomalie, et pour l'opinion, une anomalie d'autant plus regrettable qu'elle n'est pas rare. Une fois sur quatre, la mort d'un des conjoints dissout prématurément des couples qui ne durent en moyenne que vingt ans. Au XVIe et au XVIIe siècle, à Lyon et à Bordeaux, un tiers des jeunes apprentis et la moitié des jeunes filles n'ont plus de père à leur mariage.

La liberté des veuves résulte d'un acquit relativement ancien, codifié en 1510 et en 1580, mais qui remonte au XIIIe siècle à propos des femmes de la noblesse. Jusqu'alors, il était à peu près impossible à une veuve ayant un peu de bien de ne pas se remarier, surtout si elle était encore jeune. Elle avait besoin de protection dans un monde où prédominait la violence, et ce qu'elle représentait ou possédait était un enjeu que sa famille entendait utiliser dans l'intérêt général du lignage. Pour refuser le remariage, elle n'avait qu'une possibilité : décider de s'enfermer dans un couvent et d'y vivre dans la chasteté, sous la protection de l'Eglise. Seule cette institution était capable de s'opposer à la volonté familiale, et de donner à la veuve la liberté de distribuer des aumônes et d'instituer de pieuses fondations au détriment de sa part du patrimoine. Le droit des veuves de gérer personnellement leurs biens s'était progressivement enraciné dans celui de les employer au profit des œuvres de l'Eglise en dehors de toute tutelle masculine. Sur ce droit s'était ensuite greffé celui de les administrer même si elles restaient dans le siècle, de remplacer le père de famille auprès de leurs enfants, et d'être délivrées de la coutume qui les plaçait jusque-là sous la tutelle de leurs fils quand ils étaient majeurs.

Comme la mort relativement prochaine de l'un des membres du couple est inscrite dans tout mariage, les conséquences juridiques et financières du décès qui arrivera le premier sont soigneusement prévues dans le contrat de mariage par ceux qui l'ont négocié. La veuve dispose en ce cas, dans certaines régions, d'un augment de dot, « avantage que le mari fait à sa femme, en cas qu'elle survive, à prendre sur ses biens », valant entre le tiers et la moitié de la dot. Comme il est formellement établi que l'essentiel des biens ne doit pas passer d'un lignage à l'autre, la veuve n'en a habituellement que l'usufruit. Ailleurs, cet augment de dot est un douaire, une rente annuelle, fixée d'avance dans son contrat, à prendre sur les revenus de la succession. Dans le cas des familles nobles, qui ont terres et châteaux, l'un d'eux est en général attribué à la veuve pour sa résidence. C'est ainsi que Mme de Sévigné, à la mort de son mari, dispose de six mille livres de douaire à prendre sur le fermier de la terre du Buron, près de Nantes, où elle a son habitation. A la différence de l'épouse, la veuve peut disposer sans contrôle de ses biens propres, notamment de sa dot, et même de son douaire.

La veuve majeure peut recevoir la tutelle de ses enfants mineurs, comprenant la gestion des biens qu'ils héritent de leur père, autrement dit de l'ensemble des biens, mobiliers et immobiliers, de son défunt mari. On la lui confie presque toujours. A l'occasion d'un « règlement des tutelles arrêté par le parlement de Rouen, le 7 mars 1673 », Cauvet, un avocat, souligne le caractère exceptionnel d'une mesure qu'excluait formellement le droit romain et que les juristes français ont accordée « en considération de la tendresse qu'une mère a pour ses enfants ». Domat parle de « l'autorité que la nature » donne aux mères et de « l'affection qu'elles ont pour leur intérêt ». Une veuve de la noblesse ou de la grande bourgeoisie se trouve donc fréquemment à la tête d'un important patrimoine à gérer. Certaines en avaient l'habitude, ayant déjà reçu de leur mari une large délégation en ce domaine. D'autres s'en trouvaient brusquement chargées sans apprentissage préalable.

Ce fut le cas de Mme de Sévigné, veuve à tout juste vingt-cinq ans, auquel le conseil de famille confia sans réserve la tutelle de ses enfants et la gestion des biens de leur père. C'était un important ensemble de terres, toutes situées en Bretagne, qu'elle réussit à transmettre à son fils malgré ses prodigalités et ses caprices et la belle dot attribuée à sa sœur. Elle commença par éponger les charges et « gagner les procès » hérités de son mari. Elle y parvint grâce à l'aide de sa famille. Ses trois oncles Coulanges et Olivier d'Ormesson, son oncle par alliance, la conseillent et cautionnent ses opérations financières. Ils les surveillent aussi. En 1657, l'abbé de Coulanges l'empêche de consentir à son cousin Bussy un emprunt qui ne lui paraît pas suffisamment garanti. Il s'en venge dans son *Histoire amoureuse des Gaules* en rappelant la récente ascension sociale des Coulanges, ces gens « qui savent encore ce que c'est que la faim »... A Paris comme en Bretagne, Mme de Sévigné ne vit pas seule. Sa tante La Trousse, une sœur de sa mère, vit avec elle et lui sert de chaperon. Au Marais, elles louent une maison à frais communs.

Longtemps après, à la mort de son oncle l'abbé (1687), la marquise se souvient du début de son veuvage comme d'une époque particulièrement heureuse : « Je lui devais, écrit-elle à Bussy, la douceur et le repos de ma vie ; c'est à lui à qui vous devez la joie que j'apportais dans votre société. Sans lui, nous n'aurions jamais ri ensemble ; vous lui devez toute ma gaieté, ma belle humeur, ma vivacité, le don que j'avais de vous bien entendre, l'intelligence qui me faisait comprendre ce que vous aviez dit et deviner ce que vous alliez dire, en un mot, le bon Abbé, en me retirant des abîmes où M. de Sévigné m'avait laissée, m'a rendue telle que j'étais, telle que vous m'avez vue, et digne de votre estime et de votre amitié. » Grâce à l'aisance financière apportée par une gestion désormais saine, grâce aussi à la protection familiale, Mme de Sévigné a pu vivre à peu près à sa guise. Pour beaucoup de femmes plus ou moins bien mariées, le veuvage est libération. C'est l'épistolière qui l'écrit, parlant d'expérience à propos de sa nièce Coligny. « Le nom de veuve emporte [c'est-à-dire comporte] celui de liberté. »

Comme la sienne, cette liberté est pourtant rarement totale, car la plupart des veuves continuent, comme elle, de vivre sous la surveillance de leur famille. Tallemant des Réaux, en rapportant ses amours de jeunesse, note parmi les éléments favorables à ses intrigues que le veuvage de deux des femmes qu'il a séduites relâchait (et non supprimait) la surveillance de leur milieu. « L'heure du berger, note malicieusement Bussy à propos de sa cousine, qui ne se rencontre d'ordinaire que tête à tête avec les autres femmes, se trouve plutôt, avec celle-ci, au milieu de sa famille. » La formule, qui est jolie, ne veut pas dire que l'entourage de Mme de Sévigné ne la surveille pas, mais que sa présence ne gêne pas la jeune veuve dans l'exercice d'une coquetterie qui n'a pas à déjouer de surveillance puisqu'elle trouve en elle-même sa propre fin.

A supposer la surveillance familiale peu sévère ou même que la veuve y échappe complètement, il lui reste à tenir compte de la censure d'autrui. Elle risque gros en étant seulement coquette. Mme de Sévigné en a fait la cruelle expérience. « Elle aime l'encens, écrit Bussy dans l'*Histoire amoureuse des Gaules*, elle aime d'être aimée et, pour cela, elle sème beaucoup, elle donne des louanges pour en recevoir, et aime généralement tous les hommes quelque âge, quelque naissance, quelque mérite qu'ils aient, et de quelque profession qu'ils soient : tout lui est bon, depuis le manteau royal jusqu'à la soutane. Entre les hommes, elle aime mieux un amant qu'un mari, et parmi les amants, les gais que les tristes ; le mélancolique flattant sa vanité, et les éveillés son inclination, elle se divertit avec ceux-ci, et se flatte de l'opinion qu'elle a bien du mérite d'avoir pu causer de la langueur à ceux-là. » Résultat : on se bat dans sa ruelle, et elle doit s'exiler un temps en Bretagne. On trouve de ses lettres dans les cassettes de Foucquet, et elle est obligée de mettre ses amis en campagne pour défendre sa réputation...

Jeune veuve, la Célimène de Molière a fait de sa maison un centre de vie mondaine, un lieu où se rencontrent en liberté des gens d'esprit, principalement des hommes. Courtisée à la fois d'un atrabilaire, d'un vaniteux et de deux marquis éveillés, elle aussi « aime d'être aimée ». Comme Mme de Sévigné encore, elle « entre juste » dans ce qu'on lui dit, et mène parfois l'interlocuteur « plus loin » qu'il ne pensait aller, rendant les médisances avec usure. Mais Célimène, comme toutes les veuves, reste soumise à l'opinion. C'est le sens de la visite d'Arsinoé (autre veuve, bien que Molière n'en dise rien). Aux griseries de la parole en liberté suscitées par les flatteries masculines s'oppose la feinte retenue des hypocrites protestations de service. Célimène éprouve les limites de sa liberté. Elle ne peut empêcher autrui de jaser. Nul homme pour imposer silence, au besoin en tirant l'épée. Même volage, même indigne, le mari reste le défenseur naturel, voire le gardien, de la réputation de sa femme. Livrée à elle-même, la veuve n'a que sa bonne conduite pour protection. Il lui suffit d'un peu d'imprudence pour tout perdre. Célimène refuse de suivre Alceste au désert. Elle devra donc fermer un temps son salon, victime de ses imprudences. La liberté de la veuve doit demeurer dans les étroites bornes de la bienséance.

Cela ne veut pas dire qu'elle ne cède pas en cachette aux tentations de la chair. Plus expérimentée, plus éveillée aussi, elle apparaît plus facile et plus fragile que la jeune fille, moins surveillée que la femme mariée. Bussy l'a rapporté dans ses *Mémoires*. « Il y avait alors à Guise une jeune femme de qualité, veuve du gouverneur..., brune, fort belle, et cinq ou six filles de la ville, très jolies. Si j'avais été bien conseillé, je me serais d'abord attaché à la veuve, mais ma jeunesse [il avait vingt ans] et ma timidité me la faisaient craindre, de sorte que j'aimais mieux faire le galant auprès de l'une des filles de la ville. » La timidité réciproque l'empêche d'avancer ses affaires. En désespoir de cause, il se hasarde enfin à « lever les yeux jusqu'à la veuve de qualité ».

Bien lui en prit : « Celle-ci, qui n'était pas si honteuse que la petite bourgeoise, me rendit aussi plus hardi. » Instruite par l'expérience et désireuse de plaisirs qu'elle regrette, la veuve aura de l'audace pour deux. « Je faisais pourtant, continue Bussy, comme ces gens qui ont peur de se brûler en touchant quelque chose de trop chaud ; j'avançais la main tout doucement et, comme j'étais auprès, je la retirais aussitôt bien vite, et puis je regardais la dame en tremblant, pour voir ce qu'elle dirait de mon insolence. La voyant rouge alors comme le feu, je croyais sottement que c'était de colère, que j'étais perdu, et qu'elle ne me pardonnerait jamais. » Enfin, sa partenaire lui ayant reproché clairement sa timidité, « la nature m'apprit en ce moment, dit Bussy, que ce n'était pas dans mes paroles que je devais chercher ma justification. Ma maîtresse, me voyant dans ce beau chemin, me fit entendre les précautions qu'il fallait que je prisse avec elle, et je suivis ses volontés ». La veuve, qui possède le savoir-faire et qui connaît la force du désir, passe outre aux interdits de la morale plus facilement que la jeune fille.

C'est peut-être Tallemant qui a le mieux décrit, dans le chapitre intitulé « Les amours de l'auteur », les résistances d'une veuve honnête mais qui finit pourtant par lui céder plusieurs fois. « Comme cette femme n'était pas naturellement dévergondée, explique-t-il, et que ce n'était que la force de la passion qui l'emportait, elle ne se put jamais résoudre à me donner un rendez-vous. Il la fallait toujours culbuter, mais pour l'ordinaire, il n'y avait que la première pinte de chère. » Comme souvent dans les *Historiettes*, on perçoit dans cette aventure la force de la nature et de la jeunesse, plus puissante que les surveillances, les censures et les interdits. L'initiatrice de Bussy comme la veuve de Tallemant sont en fin de compte des victimes : l'une et l'autre se prennent à aimer leur séducteur et à rêver d'en être aimées. Bussy se brouille avec sa maîtresse parce que son attachement l'irrite, et Tallemant se demande si la sienne n'a pas pris pour argent comptant le « oui » qu'elle lui aurait arraché, « peut-être dans l'action même », à la question : « N'es-tu pas mon mari ? » Sevrée d'amour, la veuve honnête aspire à retrouver l'accord de sa conscience et du plaisir dans le remariage.

Car tous les veuvages ne sont pas vécus dans le bonheur. Mme de Scudéry, veuve de Georges, oppose à Bussy et à l'opinion commune le témoignage de sa douloureuse expérience. Non qu'elle ignorât la liberté de la veuve : « Il n'y a pas, dit-elle, à propos de Mme de Rambures, une condition plus libre. » Mais cette liberté reste vide : « La facilité qu'on aurait à mal faire fait qu'on n'en a point tant envie. » « Je conviens avec vous, répond Bussy, que le veuvage est une condition agréable, et bien plus aux femmes qu'aux hommes, parce qu'elles deviennent libres. Et sans offenser la mémoire du pauvre défunt, je vois bien, entre nous deux, que vous ne voudriez pas être à recommencer. »

Bien que cette malice fâche sa correspondante, Bussy persiste et lui soutient de nouveau : « Vous avez beau me vouloir persuader que vous voudriez n'être pas veuve, vous ne m'y réduirez jamais... Vous avez beau dire, quand vous songez quelquefois au pauvre défunt, si vous pensez qu'il était votre ami, vous pensez aussitôt qu'il était votre maître. Et quoique vous ne vouliez [*sic*] peut-être pas maintenant vous remarier, vous songez qu'il y était un obstacle, et vous savez qu'il n'y a rien au monde de si doux que la liberté. De sorte que j'en demeure toujours là, à croire que, quoique vous ayez aimé M. de Scudéry, quoique vous l'ayez regretté, vous ne voudriez pas qu'il ressuscitât pour vous. » Pour Bussy, et pour tous ceux qui, comme lui, nient les douceurs du lien conjugal, le veuvage ne peut être qu'heureux puisqu'il apporte l'indépendance.

Mais Mme de Scudéry a conservé de son mariage un tout autre souvenir. A l'opinion commune, elle oppose sa « véritable douleur » : « Comment, Monsieur, me dire que je suis bien aise d'être veuve, moi qui, trois ans durant, ai pensé mourir de douleur d'avoir perdu un fort bon homme, qui était de mes amis comme s'il n'eût pas été mon mari, qui ne m'a jamais contrariée un moment, qui m'a toujours louée, toujours estimée, toujours bien traitée, et qui me déchargeait tout au moins de la moitié du mal que j'ai à cette heure à souffrir ma mauvaise fortune toute seule. »

L'opinion de la veuve heureuse est si fortement reçue que Mme de Scudéry ne songe même pas à la contredire. Elle se place seulement en dehors, comme une exception : « Sachez, s'il vous plaît, Monsieur, que quand je parle des sentiments ordinaires des femmes, je ne m'y comprends point. Si j'ose le dire, je me trouve toujours fort au-dessus d'elles. » C'est que la liberté donnée par le veuvage lui apparaît une liberté inutile : « Je vis, dit-elle, d'une manière où la liberté ne me sert de rien ; la société d'un honnête homme m'était plus douce. » Ou encore : « Comme je ne fais rien de cette liberté que vous dites qui console d'avoir perdu un mari, vous voyez bien que j'ai perdu une grande douceur en son amitié. Je ne sais plus que faire de mon cœur. » Sans se soucier des clichés littéraires et des idées toutes faites, Mme de Scudéry présente sans fausse honte un portrait de veuve émouvant parce qu'elle oppose les valeurs du cœur à celles de la société : la douce compagnie d'un mari peut valoir mieux que la liberté.

Toutes sortes de raisons poussent les veuves restées dans le monde à se remarier. Comme pour la Miris de *La Veuve à la mode*, une nouvelle union est souvent pour les femmes de la bonne société le seul moyen de garder leur train de vie, et pour les autres le meilleur moyen de ne pas tomber dans la misère. Leur remariage est inscrit dans leur situation économique. La veuve du marquis de Seignelay est loin d'être réduite à cette extrémité, mais elle a de l'ambition : elle veut prendre sa revanche sur son premier mariage et entrer dans la haute noblesse. Elle épouse Marsan en secondes noces parce qu'il est prince de la maison de Lorraine. D'autres au contraire se mésallient, telle la comtesse du Plessis. Son premier mariage la destinait à devenir duchesse, et elle se contente pour le second d'un Clérambault, « fort simple gentilhomme ». Elle s'est remariée par amour.

Quand la comtesse de Guiche perd son mari en 1673, Mme de Sévigné écrit qu'on songe déjà à qui l'accorder. « La Chancelière a été si pénétrée du peu ou point de satisfaction, dit-elle, que sa petite-fille a eue pendant son mariage qu'elle ne va songer qu'à réparer ce malheur... Nous ne voyons point de mari pour elle. Vous allez nommer, comme nous M. de Marsillac ; elle ni lui ne veulent point l'un de l'autre. Les autres ducs sont trop jeunes. M. de Foix est pour Mlle de Roquelaure. Cherchez un peu de votre côté, car cela presse. » Cinq ans plus tard, en février, Mme de Scudéry annonce prématurément la nouvelle : « On me dit hier que la duchesse de Lude était morte. Si cela est, la comtesse de Guiche pourrait bien prendre sa place ; le Grand Maître en est fort amoureux. » La duchesse ne mourra qu'en 1681, et la veuve de Guiche épousera le duc comme prévu.

La Veuve de Corneille offre sans doute le meilleur exemple de la conclusion d'un libre mariage fondé sur l'amour réciproque.

Clarice affirme clairement à sa nourrice son refus de demeurer seule : « Etre veuve à mon âge, et toujours déplorer/La perte d'un mari que je puis réparer,/Refuser d'un amant ce doux nom de maîtresse ;/N'avoir que des mépris pour les vœux qu'il m'adresse,/Le voir toujours languir sous une dure loi ;/Cette vertu, nourrice, est trop haute pour moi. » Elle repousse l'objection que Philiste l'épouserait par intérêt, et décide de passer outre au fait que sa noblesse est moins bonne que celle de son premier mari puisqu'il est du moins gentilhomme.

Elle prend l'initiative de proposer elle-même le mariage et le fait au nom de la liberté que son veuvage lui donne : « Quelqu'un a-t-il à voir dessus mes actions,/Dont j'aie à prendre l'ordre en mes affections ?/Veuve et qui ne dois plus de respect à personne/Ne puis-je disposer de ce que je te donne ? » Clarice entend fonder sa nouvelle alliance sur le don de soi volontairement consenti. C'est qu'elle a confiance en Philiste qui, par ses soumissions, ses petits soins et sa cour assidue quoique sans prétention, a su la persuader qu'il l'aimait. Les « vœux » qu'il lui adressait, le « doux nom de maîtresse » qu'il lui prodiguait lui font espérer la même dévotion et la même douceur dans le remariage. Elle pense y trouver à peu près ce que Mme de Scudéry regrette d'avoir perdu par son veuvage. Elle fait un pari sur l'avenir, sacrifiant sa liberté à la douce compagnie d'un mari.

La Dorimène du *Bourgeois gentilhomme* finit par accepter le remariage. Comme Clarice, elle cède aux galanteries organisées pour la conquérir. Mais elle ne croit pas que celles-ci dureront après qu'elle aura cédé : « Je veux enfin, dit-elle à Dorante, empêcher vos profusions ; et, pour rompre le cours à toutes les dépenses que je vous vois faire pour moi, j'ai résolu de me marier promptement avec vous. C'en est le vrai secret, et toutes ces choses finissent avec le mariage ». Elle ignore que Dorante ne dépense pour elle que l'argent de Monsieur Jourdain, et qu'il fait sans doute partie de ces nobles qui n'épousent que pour avoir l'argent des veuves. La réponse du galant est fort ambiguë : « Que j'ai d'obligations, Madame, aux soins que vous avez de conserver mon bien ! Il est entièrement à vous, aussi bien que mon cœur, et vous en userez de la façon qu'il vous plaira. » On dirait qu'il sous-entend qu'il n'a rien à donner, et Dorimène a sans doute également fait mine d'être un parti intéressant parce qu'elle a cru Dorante riche.

Les lettres de la marquise offrent plusieurs exemples de vieilles veuves riches, prises au piège de jeunes gens ambitieux, amoureux seulement de leurs écus. La veuve y perd sa liberté par un remariage désastreux et ridicule : « Cette présidente Barentin qui riait toujours, écrit Mme de Sévigné, si aise d'être présidente, si gorgiase, veuve depuis dix mois, s'est amourachée d'un homme de vingt ans, fils de Cormaillon. Elle lui a donné six mille livres de rentes et quatre-vingt mille francs et l'a épousé. Lui, sachant que la présidente était cousine germaine de Mme de Louvois, lui a conté son aventure, et a dit à M. de Louvois que si ce mariage lui déplaisait, il ne la verrait jamais. Voilà ce qu'a fait cette folle. Pour qui ? "pour un ingrat". »

Pas plus qu'on ne peut parler en général du bonheur ou du malheur de la femme mariée au XVIIe siècle, on ne peut parler globalement du sort des veuves de ce temps-là. Chaque femme a dû assumer à sa manière une situation qui dépendait de son âge, de ses ressources, de sa famille et de son tempérament. Quand le baron de Sigognac du *Roman comique* demande à la comédienne La Caverne de l'épouser, elle se déclare « la plus malheureuse personne du monde ». « S'il veut, dit-elle, véritablement m'épouser et que j'y consente, quelle misère dans le monde approchera la mienne quand sa fantaisie sera passée. » Femme d'expérience, la comédienne sait que les sentiments changent. Le remariage d'une veuve risque toujours d'être une aventure périlleuse.

27

Femmes au travail

« A l'homme le livre, l'épée, ou la charrue, à la femme, la quenouille, le miroir ou l'aiguille », écrit le père Garasse dans *La Doctrine curieuse* en 1624. Partage injuste, puisqu'il est entendu que la « faiblesse » des femmes les écarte des fonctions d'autorité et les prédispose aux tâches subalternes. Partage inégal aussi, puisqu'à la fonction de reproductrice, destinée à avoir des enfants et à les élever, dans laquelle la mémoire collective n'a que trop tendance à la confiner, la femme du XVIIe siècle ajoute, on ne le dit pas assez, d'être d'abord une travailleuse. Elle commence de bonne heure. A la campagne, la petite fille aide sa mère et garde les animaux. C'est le cas chez les paysans, où on n'hésite pas, en cas de besoin, à la retirer de l'école (ou à ne pas l'y envoyer) de préférence à son frère. Ce peut aussi être le cas dans la noblesse qui vit sur ses terres, comme le montre l'exemple célèbre de la future Mme de Maintenon gardant jusqu'à dix ans les dindons chez sa tante, Mme de Villette. Dans cette société, la force de travail des enfants est un appoint non négligeable, y compris celle des filles, même très jeunes. C'est dès l'enfance qu'elles font chez elles un apprentissage tout pratique de leur futur métier de mère de famille.

Mais c'est surtout de douze à vingt-cinq ans, du sortir de l'enfance à l'âge moyen du mariage, que la jeune fille travaille, et souvent très rudement. Il est en effet de règle qu'elle subvienne dès que possible à ses besoins. Si elle est née dans une petite exploitation agricole, elle peut compenser les frais de sa nourriture par son activité à la ferme paternelle, mais non, dans la plupart des cas, y amasser la petite somme nécessaire à la constitution de sa dot (au moins une cinquantaine de livres), indispensable pour se marier. Sans parler des filles nées d'ouvriers agricoles ou de manœuvres aux ressources précaires. Dans 80 % des cas en moyenne (cette proportion variant dans le détail selon les régions et les périodes de prospérité ou de disette), les filles de la campagne quittent donc leur foyer pour aller travailler ailleurs une douzaine d'années. Seule la création, naissante au XVIIe siècle, d'une industrie rurale permettra d'augmenter un peu, notamment en Champagne, le nombre de celles qui resteront à la ferme, où elles travailleront l'hiver comme ouvrières à domicile.

Celles qui s'en vont ne partent jamais à l'aventure, car il est entendu que toute femme doit être placée sous une autorité masculine, père, frère ou mari, qui se charge de protéger sa faiblesse. La famille recherche donc un employeur qui s'engage formellement à veiller sur celle qu'il embauche. Il en est responsable, surveillant sa moralité, mais aussi disposant à sa place et dans son intérêt du salaire convenu. Il s'occupe de ses dépenses de nourriture et de logement (à moins, cas très fréquent, que ces dépenses ne fassent partie de sa rétribution) et il garde même son salaire jusqu'au moment où elle le quittera éventuellement pour un autre employeur ou, cas plus fréquent, pour se marier sur place ou de retour chez elle.

Ces jeunes filles, qui n'étaient guère ou pas du tout allées à l'école, n'avaient en général d'autre qualification professionnelle que ce qu'elles avaient appris de leur mère : couture, tissage, garde des enfants en bas âge, menus travaux de la ferme. Le mieux, pour elles, était de trouver du travail dans des fermes importantes où il y avait un partage des tâches comportant des activités réservées aux femmes. C'était le cas des laiteries où leur revenaient la traite des vaches et la fabrication du beurre et du fromage. Mais les régions de grandes fermes étaient peu nombreuses, et les possibilités de ce genre très inférieures aux demandes. Ces embauches, très recherchées, qui apportaient la sécurité de l'emploi pendant des années, n'avaient lieu que pour celles qui se présentaient avec de bonnes recommandations d'amis ou de connaissances de leur futur employeur.

A défaut d'un emploi dans une ferme, qui modifiait le moins possible son mode de vie antérieur, la jeune fille recherchait un emploi de domestique. Elle le trouvait parfois dans le bourg le plus proche, grâce à l'aisance croissante des petits bourgeois des villes, commerçants en particulier. Elle y avait d'ordinaire été précédée par d'autres filles de son village ou même de sa famille, qui l'aidaient à son arrivée à supporter une difficile transplantation. Elle suivait parfois les mouvements migratoires des travailleurs saisonniers. C'est ainsi que les jeunes filles originaires du Massif central se plaçaient à Montpellier ou à Béziers, là où leurs frères se rendaient pour faire les vendanges. Elles y accomplissaient un travail exténuant de bonnes à tout faire, sans horaire fixe, sans journées de repos. Elles lavaient le linge, et devaient pour cela transporter de lourdes charges au lavoir. Elles devaient nettoyer la maison. Elle devaient aussi faire le marché et la cuisine, bref accomplir toutes les tâches pénibles dont la maîtresse de maison se débarrassait sur elles.

Les besoins de ce genre de main-d'œuvre étaient considérables. On évalue la part de la domesticité féminine à 12 % de la population urbaine. C'était le groupe le plus nombreux des citadins actifs. Des marchands embauchaient pour tenir leur boutique, faire les courses et les livraisons. Des aubergistes employaient des serveuses, chargées aussi de la vaisselle et de l'entretien des lieux. Plus rarement, les jeunes filles issues de la campagne entraient parmi les domestiques, souvent nombreux, d'une famille de grands seigneurs ou de grands bourgeois. En ce cas, les premiers recrutaient souvent dans les villages où ils avaient leurs fiefs, imités par les seconds qui achetaient des terres pour s'ennoblir. Il leur fallait des dames de compagnie, des femmes de chambre, des cuisinières, des filles de cuisine, des blanchisseuses. Les dernières arrivées occupaient les moins bons emplois, les plus pénibles. Seules quelques-unes s'élevaient dans la hiérarchie et atteignaient des fonctions qui les rapprochaient des maîtres. Beaucoup regagnaient leur village après avoir travaillé dur pour gagner un maigre pécule, à moins qu'elles ne se mariassent sur place avec un domestique lorsque la somme de leurs économies leur permettait de s'établir dans un métier accessible.

L'image de la fidèle domestique toute sa vie attachée à une même maison ressortit largement au mythe. Même la jeune fille qui parvient aux fonctions enviées de femme de chambre s'empresse le plus souvent, ses vingt-cinq ans venus, de se marier dans de bonnes conditions grâce à ses (relativement) confortables économies. Dans ce métier pénible, exercé par des filles très jeunes dans des conditions difficiles, les échecs sont nombreux, dus à la maladie et aux pertes d'emploi, fréquentes en un temps où la servante n'a aucune garantie et où il lui suffit de déplaire à un membre de la famille pour être congédiée. Le plus grave écueil vient de l'inconduite, vraie ou supposée : on jette volontiers à la rue la servante qui se trouve enceinte, sans s'enquérir si d'aventure elle n'a pas été forcée, physiquement ou moralement, par le maître de maison ou l'un de ses fils. Rares sont celles qui, avec l'aide du clergé ou de personnes charitables, osent alors faire des procès en reconnaissance de paternité qu'elles ne perdent pas toujours. Les autres sont condamnées, en attendant leur accouchement, à se retrouver enfermées dans des « refuges » où des religieuses veillent à les détourner de l'avortement, de l'infanticide ou du suicide. Malgré les efforts de l'Eglise et des institutions charitables, beaucoup n'échappent pas à la prostitution.

La même sorte de danger pèse sur les jeunes filles qui s'en vont du village pour aller travailler en ville dans les manufactures, notamment dans les métiers du textile qui emploient une importante main-d'œuvre féminine, logée sur place. A Lyon par exemple, dans l'industrie de la soie, la production se fait dans de petits ateliers comprenant le maître, son épouse, un apprenti et trois ou quatre femmes. Venues du Forez ou du Dauphiné, celles-ci vivent dans la maison du maître, dormant dans des sortes de placard ou sous les métiers à tisser. Les plus jeunes, de douze à quatorze ans, effectuent les tâches les plus difficiles. Elles dévident les cocons au bord de bassines d'eau bouillante, tordent le fil, l'enroulent autour des navettes, exécutent les motifs. Sauf cas de crise, où elles perdent leur emploi, après plusieurs années passées dans cette sorte de bagne, elles reçoivent le salaire jusqu'alors conservé par leur patron. Pourvues d'une expérience professionnelle et d'un pécule convenable, les plus chanceuses d'entre elles épousent parfois les apprentis, qui peuvent envisager de devenir maîtres grâce à l'argent complémentaire qu'elles leur apportent. Vers vingt-cinq ans, elles deviennent à leur tour patronnes d'un atelier.

Les filles qui reviennent au village, où elles épousent un garçon qui a aussi longtemps qu'elles et même un peu plus travaillé au dehors, peuvent, grâce à leurs économies, prendre un petit fermage ou s'établir à la maison ou sur les terres familiales libérées par la mort d'un parent. Tirer le meilleur parti de cette maigre exploitation pour que le couple et les enfants aient de quoi vivre exige un travail assidu et continu. Du Moyen Age au XIXe siècle, à en croire les sources, le partage des tâches s'exécute traditionnellement sur un schéma énoncé par Aristote et décrit par Xénophon : à l'homme les tâches extérieures, à la femme celles de l'intérieur. Tout au plus, à partir des gravures et de diverses illustrations, montre-t-on l'épouse s'activant dans les abords de la maison. A la cuisine et à la quenouille (qui correspond non seulement à l'entretien, mais aussi à la confection des habits), elle ajoute la traite des vaches et tout ce qui se rapporte à la laiterie, la basse-cour, c'est-à-dire l'entretien des volailles et la commercialisation des œufs dans le voisinage, le jardin des « herbes » où cohabitent les légumes destinés à la consommation domestique et parfois à la vente au marché, et les « simples » qui serviront à soigner la maisonnée selon des recettes ancestrales. Tout cela l'occupe à plein temps.

Pour le reste, tout varie selon les lieux et les conditions particulières. Partout admise et souvent rappelée, la subordination de la femme à son mari est plus ou moins durement marquée dans les comportements. En Basse-Bretagne, la femme sert son mari à table. Dans la Creuse, elle n'a pas le droit de boire de vin. Les marques de respect sont aussi constantes que variées. Mais ce qui choque surtout les observateurs, c'est qu'en plus de ses occupations ménagères, la femme des petits paysans participe souvent aux travaux des champs. Si le partage des tâches entre les sexes exclut que les maris participent aux occupations féminines traditionnelles, il n'empêche pas les hommes de se faire aider par leurs femmes en cas de besoin. Le principal, pour les deux membres du couple, est d'assurer la subsistance du ménage dans une quasi-autarcie.

A un degré supérieur, s'il s'agit d'une exploitation agricole plus importante, la femme est au centre de tout. Elle n'a pas seulement la charge des vaches, des porcs, de la basse-cour ; elle a celle de tous les produits que l'on en tire et qui servent à nourrir la maisonnée. C'est à elle de surveiller l'approvisionnement intérieur, de veiller sur le four, la cave, les chanvres, la toile, de nourrir les domestiques et de commander les servantes. Des ouvrages traitant d'agriculture et d'économie rurale commencent à paraître dans le premier tiers du XVIe siècle et se multiplient dans le troisième tiers. Tous insistent sur la nécessité pour l'homme de choisir une épouse « ménagère, épargnante, diligente, paisible », capable de mener une entreprise familiale qui repose largement sur sa compétence et son activité. N'empêche que les mêmes auteurs rappellent que tout ce qui paraît le plus important — l'achat et la vente du bétail, le recrutement des serviteurs, le maniement de l'argent dans la mesure où ce type d'exploitation entretient quelques échanges avec le bourg voisin — doit rester du domaine exclusif du mari.

La relative faiblesse physique de la femme justifie qu'on la rétribue beaucoup moins. Un édit de 1602 fixe les gages du principal laboureur à quinze écus par an contre quatre seulement pour la première servante. Il en va de même pour les travaux saisonniers : pour une même tâche, les femmes sont payées moins cher que les hommes, comme les enfants. A moins qu'il ne s'agisse pas d'un travail de force, mais d'un travail urgent faisant appel à toute la main-d'œuvre disponible comme en septembre, dans le Midi, quand il faut cueillir à la fois le raisin et les figues. La vendangeuse touche alors autant que le vendangeur. Quelques rares exceptions, résultant de la loi du marché, n'infirment pas la conviction générale, inscrite depuis toujours dans les mentalités et qui le restera encore longtemps : le travail de la femme n'est qu'un travail d'appoint. A mesure que l'on progresse dans le temps et que les échanges entre ville et campagne s'intensifient, ce principe se révèle pourtant de plus en plus faux. Indispensable à la bonne marche de la ferme, la femme du paysan ne l'est pas moins dans la vente des produits frais et parfois des vêtements qu'elle tisse artisanalement. L'épouse campagnarde est un rouage essentiel du système de production et d'échange. C'est principalement sur elle que repose le poids économique des activités féminines.

Alors qu'il se diversifie et s'amplifie à la ferme, le rôle des femmes de la ville se rétrécit sous l'effet d'une active concurrence masculine. La valorisation du travail urbain les rejette vers les tâches les plus dépréciées. On a constaté l'existence, au milieu du Moyen Age, d'une quinzaine de métiers exclusivement féminins et d'un grand nombre de métiers mixtes (environ quatre-vingts). A la veille du XVIIe siècle, alors que se renforce l'organisation des métiers en corporations, il n'y en a plus que sept réservés aux femmes, tous classés dans les rangs inférieurs : atourneresses (spécialistes des parures de tête et faux cheveux), couturières, lingères-toilières, revendeuses de friperie, beurrières, chapelières, linières-chanvrières. Encore ne sont-elles pas les seules maîtresses des métiers qui leur sont en principe réservés. Les chanvrières-linières sont contrôlées par cinq jurés, dont deux hommes.

Même dans les domaines de leur spécialité, les femmes se heurtent au principe de leur infériorité, qui justifie leur subordination à l'autorité masculine. En 1589, sept femmes marchandes-fruitières sont en procès contre deux hommes, un maître pâtissier et un maître apothicaire. Les femmes prétendent nommer deux des leurs sur les cinq jurés chargés de contrôler les fruits, œufs et beurre. Elles ont pour elles la coutume, l'existence de femmes jurées dans certaines corporations, celle des lingères par exemple, la large féminisation de leur profession. L'avocat de la partie adverse n'a rien à opposer à ces arguments. Il plaide seulement que ce serait « chose nouvelle de dire que les femmes soient jurées en métiers », et qu'il faudrait pour cela « une nécessité fort évidente, car elles veulent ordinairement ce que les hommes ne veulent », autrement dit les métiers que les hommes jugent indignes d'eux. Sur ce bel argument, on refusa aux marchandes-fruitières le droit d'avoir des représentantes. On veut le moins possible de femmes dans les fonctions d'autorité.

Il arrive cependant que l'usage soit plus fort que la pression masculine. Les femmes avaient traditionnellement la quasi-exclusivité de la lingerie. Les hommes firent tant et si bien qu'en 1621, cette corporation comprenait deux jurés hommes aux côtés des deux jurées femmes. Après appel au parlement de Paris des jugements du Châtelet qui avaient introduit les deux hommes à la tête de leur corporation, les jurées femmes obtinrent en 1640 qu'il n'y figure que des femmes. Les maris des lingères s'efforcèrent alors de s'y introduire par personnes interposées en prétendant que les charges de syndics des lingères devaient être réservées aux femmes mariées à l'exclusion des filles. Ils y échouèrent. Finalement, il y eut quatre maîtresses jurées, qui décidèrent que les maris éventuels des maîtresses lingères n'auraient pas le droit d'exercer une autre occupation professionnelle que celle de leurs femmes, dont ils seraient les commis ou des sortes d'associés. C'est le seul métier où la subordination des hommes aux femmes ait été officiellement reconnue.

Ce n'était pas une corporation très prestigieuse. Elle relevait de la quatrième catégorie du classement de 1581, parmi les métiers « médiocres et petits ». Chez les toilières-lingères-canevassières de Paris, car tel était leur nom dans les statuts de 1645, on trouvait aussi bien des toiles de tout genre en pièces (batiste, linon, Cambrai, Hollande, canevas, treillis) que du linge confectionné (chemises, caleçons, bas, manchettes, rabats, collets). Ces femmes vendaient en gros et en détail, surtout du neuf, mais parfois aussi de l'occasion. Du moins à Paris, car les usages variaient selon les provinces et les villes. Elles subissaient la rude concurrence des merciers et des marchands toiliers forains. Les couturières, elles, se heurtaient de longue date à la dure rivalité des tailleurs. Enfin érigées en corporation en 1675, elles réussirent à faire admettre que l'on devrait désormais s'adresser à elles pour les « vêtements de commodité ». Les atourneresses, qui s'occupaient d'orner les cheveux, se distinguaient mal des coiffeuses et des perruquières. En concurrence ou non avec des métiers masculins, tout ce qui relevait de l'aiguille avait tendance à se féminiser : passementerie, broderie, dentelle. Il y fallait une main-d'œuvre abondante, en général très mal payée.

Très nombreuses dans le commerce de l'alimentation, les femmes sont au XVIIe siècle en passe d'y supplanter les hommes, notamment dans la vente au détail du poisson (où sévit la fameuse harengère), du beurre, des œufs, du fromage, des fruits. Elles n'y opèrent pas au sein de corporations, mais en vertu de licences de vente concédées sous le nom de « lettres de regrat » par les autorités municipales. Elles partagent le nom de regrattières (ou revenderesses) avec des femmes nommées et assermentées par l'autorité publique pour expertiser des propriétés, vendre du mobilier aux enchères, négocier des prêts sur gage. Mais elles peuvent aussi se borner à vendre de vieux habits et de vieux chapeaux. Tant sont variés les commerces exercés par les femmes sous couleur de revente au détail. On soupçonne certaines d'entre elles de recel. On les soupçonne aussi d'arranger des mariages et de prédire l'avenir, ou de servir d'entremetteuses. La femme qui travaille pour son propre compte doit se contenter de petits métiers, délaissés par les hommes, largement dénigrés et facilement suspectés.

Aux femmes reviennent aussi les métiers proprement féminins de matrones et de nourrices, longtemps respectés et considérés, qui perdent beaucoup de leur prestige. Fortement implantées dans les campagnes, les premières ont fourni un large contingent de prétendues sorcières. On continue de faire appel à elles par tradition et faute de mieux. En ville et dans les campagnes proches des bourgs, elles subissent désormais la concurrence des accoucheurs. Elles ne survivront qu'en se transformant en sages-femmes, ce qui suppose un minimum d'études. La nourrice, dans les grandes maisons, se situe tout en haut de la hiérarchie domestique. Elle est un double et un substitut de la mère. La comédie les montre demeurant auprès des enfants devenus adultes, prenant leur parti contre leurs pères veufs ou mal remariés. Ce n'est pas un cas général. Et surtout leur métier s'est fortement dévalué depuis que la mise en nourrice s'est généralisée. Pour des paysannes pauvres, avoir des nourrissons est une occupation d'appoint, aussi négligemment exercée que mal contrôlée et mal rétribuée.

De la femme relèvent traditionnellement les occupations charitables. Elles se développent au XVIIe siècle, mais ne sont accessibles, sauf pour les visites que certaines dames font aux pauvres et aux malades, qu'à celles qui acceptent de s'engager dans la vie religieuse, ce qui implique habituellement la clôture. Il en va de même pour les enseignantes. On a insisté sur la marge d'activité et de liberté apportée aux femmes tant par la création de nouveaux ordres religieux et la direction des nouveaux couvents que par la réforme et la gestion des anciens. On a vu dans les fondatrices d'ordre et les supérieures ou abbesses des couvents des sortes de chefs d'entreprise. Ce n'est pas faux. Mais dans tous les cas, ces fonctions sont remplies sous la responsabilité d'hommes, seuls habilités à décider en dernier ressort.

Tous les couvents de femmes sont sous la dépendance d'un supérieur masculin, qui peut être un membre de la branche mâle du même ordre, ou un membre du clergé séculier délégué à cet effet. Mais ils dépendent le plus souvent de l'évêque du lieu, qui veille jalousement sur cette prérogative. Dans tous les cas, par la voie de son représentant, l'Eglise exige le respect des autorités canoniques. Bossuet rappelle la sienne sans ménagement aux religieuses d'une abbesse qui veut lui tenir tête : « Soyez fidèles à mes ordres, leur dit-il, sans écouter rien au contraire, parce que rien ne vaut contre celui à qui le Saint-Esprit a donné sur vous la première et principale autorité ; je veux dire en un mot, et pour éviter toute équivoque que l'autorité de Mme l'abbesse est nulle contre la mienne. » Il faut obéir à l'évêque en raison d'une hiérarchie voulue par Dieu.

Cette hiérarchie est particulièrement incontestable lorsqu'elle s'exerce sur une femme, inapte aux fonctions ecclésiastiques. « Comment prétendre, écrit encore Bossuet lors du même conflit, que les femmes qui ne sont pas seulement capables d'allumer les cierges dans l'église, qui n'y ont leur place qu'à l'extrémité de la nef, pourront monter jusqu'au sanctuaire, en chasser l'évêque et prendre sa place ? qu'une abbesse sera le pasteur d'un peuple, le prédicateur et le confesseur contre le précepte de l'apôtre qui lui enjoint de se taire à l'Eglise ? » Dans les couvents plus qu'ailleurs doit s'exercer la vertu d'obéissance chez un sexe dont on ne saurait trop rappeler la faiblesse et, par suite, la nécessaire subordination. A cela s'ajoute, plus essentielle encore, l'autorité du directeur de conscience, doublé ou non d'un confesseur, chargé de veiller sur la santé morale des religieuses et de les conduire sur la voie de la perfection. Dans le domaine le plus important de la vie, celui du salut, seul un homme peut savoir guider, et mieux encore posséder le pouvoir d'absoudre.

Aux métiers typiquement féminins, pratiqués par des femmes ou des filles, s'ajoutent dans les villes les activités des épouses, qui ne se bornent qu'exceptionnellement aux tâches domestiques. Les femmes des commerçants ou des artisans apportent à leurs maris un appoint indispensable à la bonne marche de l'entreprise ou du métier. Celle d'un imprimeur mêle les encres et nettoie les caractères. Celle d'un marchand de nouveautés mesure les tissus et les rubans. Les bouchers abattent les bêtes et préparent les quartiers de viande ; leurs épouses font le commerce des tripes, des saucisses et du boudin. Dans tous les cas, la femme tient au besoin l'échoppe ou la boutique. Dès qu'elle a un niveau suffisant, elle s'occupe des comptes. Chez les moins riches, il lui revient de vendre au-dehors les produits fabriqués par le mari, parfois au coin des rues ou en faisant du porte-à-porte. Chez les plus pauvres, elle partage son temps en activités variées selon les jours de la semaine (ventes au marché, lavage, cuisine, courses, portage d'eau chez autrui). Elle joue, dans tous les cas, un rôle indispensable dans l'économie familiale. A côté du mari, qui a d'ordinaire un métier unique et des heures fixes, elle accomplit des tâches multiples, au gré des opportunités. A la ville comme au village, le travail d'une femme n'est jamais fini.

Pour trouver des femmes relativement oisives, c'est-à-dire sans activités professionnelles, il faut monter assez haut dans la société, dans la bourgeoisie des gens de robe (avocats, procureurs, petits officiers, mais aussi grands officiers et parlementaires), ou dans le milieu médical. Calqué sur le mode de vie de celle qu'on a appelée « la femme de l'homme docte », ce modèle est en pleine expansion dans la France de Louis XIV, où se multiplient les offices et les charges pour les besoins d'une administration qui se renforce et se complexifie. Il se développe aussi et peut-être surtout dans la bourgeoisie de la finance, constituée par ceux qui ont la charge d'avancer et de faire payer les impôts. Il se développera plus encore avec l'essor de la société industrielle. Il se perd alors dans le type, plus ou moins idéal, de la mère au foyer, autrement dit de la femme dont le mari a suffisamment de biens ou de revenus pour qu'elle ne soit pas obligée de travailler.

Seules ou presque à pouvoir consacrer une part de leur temps à la mondanité, les femmes de ces milieux ne sont pas dispensées de leurs devoirs de maîtresses de maison, qu'il leur faut remplir en premier. Dans son *Portrait d'une femme honnête, raisonnable et véritablement chrétienne*, l'abbé Goussault l'explique en 1694 aux « femmes de qualité » : « Une femme raisonnable craint Dieu et fait gloire de le servir. Elle aime son mari et ses enfants ; elle se plaît dans son domestique... Une honnête femme est persuadée qu'après ce qu'elle doit à Dieu et à sa conscience, ses premiers soins regardent son mari et ses enfants, et elle en fait sa principale occupation... Une honnête femme est à ses amies autant que la bienséance le permet. Elle se donne à ses amies dans le temps que la complaisance semble l'exiger, mais c'est sans se faire préjudice sur les heures que demandent d'elle sa piété et le soin de son domestique. » Dès qu'il y a des biens à gérer, des enfants à élever et des serviteurs à commander, même une femme de la bonne société ne connaît qu'une oisiveté relative.

28

Le « beau sexe »

Le « beau sexe », au XVIIe siècle, ce sont les femmes. On les identifie à la beauté, c'est-à-dire à une qualité aussi fragile que passagère, voire incertaine. Maigre compensation que leur accordent les hommes, qui s'attribuent des qualités plus solides et plus durables : l'intelligence et la force. Ce partage inégal est une nouveauté : les hommes de l'Antiquité se trouvaient beaux et ne laissaient pas à l'autre sexe un aussi précieux privilège. Apollon ne personnifiait pas moins la beauté qu'Aphrodite, la Vénus des Romains. C'est à partir du XVIe siècle que se constitue dans les mentalités un clivage jusqu'alors beaucoup moins marqué. Il est suffisamment établi en 1671 pour que Mme de Sévigné reprenne, à propos de son gendre, une idée qui flottait dans l'air sur « la permission qu'ont les hommes d'être laids ». Laideur toute relative, puisque son gendre, qui « en abuse », dit-elle, a cependant belle taille et belle allure, ce qui réserve aux femmes d'autres beautés, celles du visage et des formes qui leur sont spécifiques. Permission dont n'usent pas tous les hommes, et qui n'exclut pas chez eux un vif désir de s'embellir soumis aux caprices de la mode.

La beauté des femmes est un signe de contradictions. Elles la doivent au Créateur qui l'a donnée à Eve dans sa plénitude. Maints tableaux en témoignent. Mais parce qu'elle produit le désir sexuel, elle est l'instrument de Satan, qui s'en est servi pour corrompre Adam. Placée au cœur de la relation des deux sexes, elle ôte à leurs rapports toute possibilité d'innocence, dangereuse pour l'âme de la belle qui séduit comme pour celle de l'homme qu'elle séduit. Au Moyen Age, on aimait les femmes sveltes, à la taille fine, aux bras minces, aux seins menus, aux hanches étroites. Les beautés nues du XVIe et du XVIIe siècle sont « pleines de chair ». Signe de l'opulence des classes aisées, évidemment les seules concernées par cette révolution esthétique. Conséquence aussi des découvertes médicales, qui insistent sur les caractères spécifiques de chaque sexe.

Les artistes prennent en compte ces nouveaux canons. « Dans la figure de la femme [dans sa configuration extérieure], écrit Rubens, il faut observer que les traits et les contours de ses muscles, la façon de se poser, de marcher, de s'asseoir, tous ses mouvements et toutes ses actions soient représentés de manière qu'on n'y aperçoive rien qui tienne de l'homme, mais que conformément à son élément primitif, qui est le cercle, elle soit entièrement ronde, délicate, souple, et entièrement opposée à la forme robuste virile. » L'art répand donc une vision destinée à durer, celle de la femme faite pour la maternité, avec son corps plantureux, ses larges hanches, ses seins gonflés. Dans la vie comme dans la peinture, pendant tout le XVIIe siècle, une belle femme pour tout le monde, c'est une blonde aux joues rebondies, aux traits réguliers, dotée d'un certain embonpoint, évidemment capable de donner de beaux enfants. Cette beauté est une beauté de riches, un attribut des femmes bien nourries du haut de la société.

Encore faut-il qu'elles soient relativement jeunes, ou qu'elles le paraissent. La poésie satirique n'est pas tendre pour celles qu'ont enlaidies l'âge et les maternités. Louer une « belle vieille » est un exercice de style à double tranchant. Au milieu du siècle, Ménage souhaite dédier à Mme de Montbazon, dont la beauté avait été célèbre, un sonnet en italien intitulé « La Bella attempata » (la belle touchée par le temps). Elle a quarante-quatre ans. Consultée sur ce projet, Mme de La Fayette, qui en a vingt-deux, exprime des réserves judicieuses. « Bien que le mot de *bella*, lui écrit-elle, précède celui d'*attempata*, il est certain que le premier ne saurait empêcher qu'on ne sente le dégoût de l'autre et que jamais femme n'a trouvé bon qu'on l'appelât vieille. » Même si c'est pour lui assurer qu'elle efface encore les jeunes. Ménage publia son poème sans dédicace. Quand il en mit une, dans l'édition de ses œuvres de 1663, Mme de Montbazon était morte, et la marquise de Rambouillet, qui hérita du texte, en avait soixante-quinze...

La beauté au sens strict n'a qu'un temps, et, dans la mesure où elle dépend surtout du regard d'autrui, sa perte est d'autant plus durement ressentie que celle qui la possédait était habituée à susciter l'admiration. « Je rencontrai Mme de Sévigné, en vérité encore fort belle, écrit Mme de Montmorency. On dit que Mme de Grignan ne l'est plus et qu'elle voit partir sa beauté avec un si grand regret que cela la fera mourir. » A quoi Bussy répond : « Ce n'est pas seulement le bon tempérament de Mme de Sévigné qui l'a fait encore belle ; c'est aussi son bon esprit. Je crois que quand on a la tête bien faite, on a le visage plus beau. Pour Mme de Grignan, je la trouve bien folle de ne pas vouloir survivre à sa beauté. » La marquise avait alors cinquante-deux ans, et la comtesse, naguère « la plus jolie fille de France » selon son cousin, trente-deux. La maladie et non le souci de sa beauté ternissait alors son éclat. Et surtout, il était plus facile à la mère de rester « encore belle » qu'à la fille de garder son exceptionnelle beauté.

Comme le suggère Bussy, dans une société où règne la conversation, l'intelligence et la vivacité peuvent suppléer à la régularité des traits. Dans le portrait où elle s'efforce de saisir le charme de son amie Sévigné alors qu'elle vient juste de dépasser ses trente ans, Mme de La Fayette lui déclare : « Sachez donc, Madame, si par hasard vous ne le savez pas, que votre esprit pare et embellit si bien votre personne qu'il n'y en a point au monde de si agréable... Le brillant de votre esprit donne un si grand éclat à votre teint et à vos yeux que quoiqu'il semble que l'esprit ne dût toucher que les oreilles, il est certain que le vôtre éblouit les yeux. » Comme Mme de Sévigné, une Mme de Montespan ou une Mme de Maintenon, pour citer d'illustres exemples, ont su compenser les ravages du temps par l'éclat de leur esprit bien longtemps après la trentaine. Sans parler du pouvoir de séduction de Ninon de Lenclos, conservé si longtemps que certains la soupçonnaient d'avoir fait un pacte avec le diable.

Esprit à part, la beauté est une donnée. Elle fait partie des conditions objectives de la venue au monde, comme la naissance dans une famille noble et riche ou roturière et pauvre. Mais alors que dans le premier cas c'est une chance qui, comme dans les contes de fées, vient couronner la somme des avantages résultant de l'appartenance à un milieu privilégié, dans le second, elle devient facilement un piège fonctionnant au détriment de celle qui l'a reçue. Parmi les pauvres, la laide passe inaperçue. La belle attire le regard, ce qui la sort du lot et l'expose à tous les dangers, surtout lorsqu'elle sort de son entourage initial pour aller travailler ailleurs chez un maître, souvent à la ville. Elle est la victime désignée de toutes les formes de séduction, quand ce n'est pas de viols qualifiés, de la part d'un patron ou d'un fils de famille qui abuse de sa crédulité ou profite de sa situation d'autorité sur un sujet jeune et mal protégé.

De telles aventures finissent au mieux par la reconnaissance du bon droit de la victime, ce qui peut lui assurer une mince indemnité ; au pis, le plus souvent, par son congédiement et sa dégradation dans la prostitution. La belle née pauvre est quasi structurellement condamnée à être rattrapée par la laideur de la misère et de la maladie. Ce schéma se développe au XVIIe siècle avec le rejet des filles séduites et de leurs bâtards hors du foyer conjugal. Il s'accentue à la fin du siècle et surtout ensuite, au point de devenir un thème littéraire, avec le développement de la société industrielle où celui qui exerce l'autorité n'est plus retenu comme avant par une sorte de contrat moral de responsabilité envers son employée par des relations, plus ou moins lâches mais préexistantes, avec la famille de la jeune fille, désormais perdue dans l'anonymat de la ville.

Aux pauvres donc, c'est-à-dire à la majorité de la population qui n'appartient ni à la noblesse, ni à la bourgeoisie, ni aux familles rurales aisées, s'applique la laideur. Ce sont des « vilains » et des « vilaines ». Les paysannes maigres parce que mal nourries, musclées par le travail des champs, au teint hâlé par le soleil, sont aux antipodes des canons de la beauté reconnue. Les frères Le Nain, dans leurs tableaux, les montrent fatiguées et amaigries par la misère. Les romanciers préfèrent leur substituer des bergers et des bergères de fantaisie, des nobles volontairement retirés de la cour, dont la vie n'a rien à voir avec la vie réelle des paysans. Aux yeux des riches, les femmes de la campagne ne sont que les femelles des animaux sauvages, vivant de racines, décrits par La Bruyère, les compagnes des miséreux qui paient mal les redevances dues au seigneur, surtout après les calamités de la fin du siècle.

L'aveuglement des gens de la bonne société à leur égard n'empêchait pas les gens de la campagne d'avoir leur propre idée de la beauté. On la devine à partir des chansons et proverbes recueillis par les ethnologues. Ils partagent les idées des riches sur les femmes bien en chair (« La chair va bien aux os »), mais en y voyant un risque de ruine (« A vache grasse, maître maigre et bourse plate »). Ils apprécient la délicatesse (« Oreille petite, fille jolie » ; « Petit menton, bonne façon »), mais ils en redoute la fragilité (« Main fine, petit travail »). Ils prétendent préférer la beauté à la richesse (« A quoi bon mille écus avec une femme laide ; l'argent s'en va, la femme reste »), mais on peut inverser le dicton (« La beauté ne sale pas la marmite »). Ils l'associent à la jeunesse (« A quinze ans, le diable était beau »). Ils en connaissent la fragilité (« Toute rose devient gratte-cul »). Ils en redoutent les exigences (« Femme fort belle, rude et rebelle »). Ils en craignent les risques (« Si ta femme est belle, fais la sentinelle »).

Finalement, la beauté des pauvres est comme celle des riches placée sous le signe de la contradiction. La « belle », hors mariage, c'est la fille attirante et prête à l'amour (« la belle, si tu voulais, nous dormirions ensemble »). Mais pour s'établir, on doit toujours préférer les qualités morales (« La chasteté fait la beauté », « Bonté passe beauté »). On se défie de la parure et du maquillage, signe de fausseté, et on s'en tient à des habits décents et proportionnés à la condition de chacune. Sur bien des points, la sagesse populaire rejoint celle que la morale enseigne aux grands. Avec cette différence que les riches ont plus de moyens pour la transgresser.

Pendant des siècles, les habits des hommes et des femmes ont été à peu près les mêmes. Amorcée au XIe siècle, leur transformation progressive s'accentue au XIVe pour aboutir au siècle suivant à une complète différenciation. Habillées de robes longues et vastes qui tombent jusqu'aux pieds, les femmes portent des vêtements plus chastes que les hommes, qui vont jusqu'à exhiber, comme Panurge, une mirifique braguette. La richesse des habits, les variations de la mode ne sont pas un privilège féminin ; elles appartiennent aux deux sexes. Elles sont cependant plus marquées et plus fréquentes chez les hommes que chez les femmes. Mode masculine et mode féminine peuvent s'influencer, par exemple dans le choix des dentelles ou des couleurs, mais jamais se confondre. En 1528, dans le troisième livre du *Cortegiano*, bréviaire des courtisans jusqu'à la fin du siècle suivant, Castiglione a souligné la radicale différenciation qui doit marquer l'appartenance de chacun et de chacune à son sexe. « Je prétends qu'une femme ne doit en aucune manière ressembler à un homme dans ses façons, ses manières, ses paroles, ses gestes et son comportement. Tout comme il est convenable qu'un homme affecte une certaine robustesse et une mâle vigueur, il est bon que la femme arbore une sensibilité tendre et délicate avec un air de douceur féminine dans tous ses mouvements. » Cette différenciation doit être particulièrement visible dans l'habillement.

Chez les femmes, les corsages en pointe et bombés de l'époque précédente deviennent plus courts et plus ajustés, serrés sur le devant par un lacet de soie, mais avec un large décolleté et des manches larges et flottantes. Au-dessous de la taille, fortement marquée, trois jupes se superposent, celle du dessus se relevant sur le côté pour laisser apparaître celle du milieu. Dans son roman de *La Précieuse*, l'abbé de Pure s'est amusé à donner des noms de fantaisie à ces jupes : la fidèle ou la secrète pour celle du dessous, la friponne pour celle qu'on laisse apercevoir, la modeste pour celle du dessus, décorée de dentelles, de volants et de falbalas. Le haut de l'habit change avec l'apparition de la hongreline, corsage à large basque, qui se transforme au milieu du siècle en un justaucorps avec deux basques sous la taille. Taillés dans des étoffes lourdes, surchargés de passementeries, de rubans et d'agrafes de pierreries, ces habits donneraient aux femmes un aspect pesant si elles n'étaient formées à le compenser par une aisance et une grâce « naturelles », attachées à leur rang.

Le vêtement est le signe apparent des distinctions sociales. Point question pour le peuple de suivre les modes de la cour. De toute façon, il n'en a pas les moyens. La paysanne porte des habits fonctionnels, en drap simple appelé grisette, comportant un corsage ajusté, et, comme le dit La Fontaine dans *Perrette et le pot au lait*, « cotillon simple et soulier plat », même pour aller à la ville vendre les produits de la ferme. Pour les autres catégories sociales, en principe, tout est réglementé. On devrait reconnaître d'emblée un seigneur ou une dame à ses habits. Les femmes de la bourgeoisie ne peuvent suivre la mode des gens de cour qu'à condition de ne pas employer les étoffes et les ornements prohibés. Les moins riches le font en utilisant les étoffes permises, comme le camelot de Hollande, soie tramée de laine, ou la ferrandine, soie tramée de coton. Tout se complique dès que la richesse interfère avec la naissance et le rang.

Comme ses prédécesseurs, Louis XIV multiplie les ordonnances sur le sujet. En 1660, il rappelle l'interdiction faite aux bourgeois, sous peine d'amende, de « porter non seulement des étoffes d'or et d'argent, mais encore broderie, piqûres, chamarrures, guipures, passements, boutons, etc. », tous ornements réservés à la noblesse. Il la reprend dès 1661, puis 1663, et maintes fois jusqu'à la fin de son règne, signe qu'elle n'est jamais observée. En 1705, dans son *Traité contre le luxe*, du Pradel s'en prend à ces transgressions : « La moindre bourgeoise, écrit-il, veut porter des habits et des parures de demoiselles [de femme noble]. De nos jours, elles ont trouvé le secret d'employer dans un seul habillement de femme plus d'étoffe qu'il n'en fallait autrefois pour plusieurs. Elles se grossissent la taille sans mesure. Elles se donnent une vaste et énorme rondeur par les plis et les replis des habits dont elles se chargent : l'or, l'argent, la soie, les riches dentelles, les pierreries, tout est épuisé pour les orner. » Les inventaires après décès des bourgeois aisés et de leurs femmes mentionnent tous l'existence d'habits contrevenant aux édits.

La coiffure, chez les riches, couronne l'ajustement. Les hommes de la bonne société portent perruque dès lors que Louis XIV en a adopté l'usage. Chez les femmes, une première révolution s'opère en 1671 quand une coiffeuse à la mode, la Martin, lance la coiffure à l'hurluberlu. Mme de Sévigné la décrit minutieusement à sa fille et lui envoie une poupée coiffée à la nouvelle mode pour qu'elle puisse l'adopter et l'introduire dans sa lointaine Provence. Partagés par une raie au milieu de la tête, les cheveux sont roulés en boucles serrées les unes contre les autres, qui retombent jusqu'aux épaules en plusieurs étages. Cela fait, dit la marquise, « une petite tête de choux ronde, sans nulle chose par les côtés ». A son avis, cette coiffure, qui risque de donner mal aux dents, n'est bonne que pour les jeunes femmes. Elle se moque de celles de son âge qui l'adoptent. Pour elle, comme le montre son portrait par Nanteuil, elle s'en tient à la mode précédente, décrite en 1666 par l'abbé de Choisy : « On portait sur le front de petites boucles, de grosses aux deux côtés du visage, et tout autour de la tête un gros bourrelet de cheveux coordonnés avec des rubans ou des perles. »

Une nouvelle révolution dans la coiffure féminine s'opère vers 1680 quand Mlle de Fontanges, décoiffée par le vent lors d'une promenade à cheval, ramène ses cheveux sur le dessus de sa tête en les nouant avec un ruban. On se coiffe désormais à la Fontanges. « C'était, écrit en 1694 l'auteur d'un *Traité contre le luxe des coiffures*, une espèce d'édifice à plusieurs étages, fait de fil de fer, et sur lequel on plaçait différents morceaux de toile séparés par des rubans, ornés de boucles et de cheveux, et tout cela distingué par des noms si bizarres et ridicules que nos neveux auront besoin d'un drogman [un interprète] pour expliquer les usages de ces différentes pièces et l'endroit où on les plaçait. » Lassé de ces échafaudages compliqués, en avril 1691, le roi demanda aux dames de la cour d'abandonner ces coiffures pour des coiffures plates. Elles se bornèrent à disposer leur échafaudage autrement, en rayons, « en palissade », dit un contemporain, « à la Maintenon » comme on dit aujourd'hui. C'est seulement à l'extrême fin du siècle que les chevelures basses reviendront à la mode.

Grâce à l'invention de l'imprimerie, les livres de « secrets » contenant des recettes de santé et de beauté se répandent dans le public. En 1578, le médecin Liébault précise dans son traité de la *Distillation des eaux* que « la bonne ménagère », à laquelle il s'adresse, « ne devrait pas trop se soucier de maquillage » pour son propre compte. « Néanmoins, ajoute-t-il, je ne voudrais pas qu'elle restât dans l'ignorance de la façon dont on distille de l'eau pour faire des cosmétiques, non pas pour qu'elle les utilise, mais pour qu'elle en tire du profit en les vendant aux grands seigneurs, aux dames et à tous les gens qui aiment se peindre. » Le fard et les parfums sont l'apanage des nobles et des riches, hommes et femmes confondus. Louis XIV a beaucoup usé des seconds dans sa jeunesse. Au point de les avoir pris en dégoût, ce qui les écarte de sa cour à Versailles.

Les cheveux, le visage, le cou, les seins et les mains, en somme tout ce que ne cachent pas les vêtements, sont concernés par les produits recommandés dans les ouvrages qui traitent des cosmétiques et de la beauté féminine, les premiers pour les rendre blonds, le reste pour le rendre blanc. Associé à la pureté, à la chasteté, donc à la féminité, le blanc oppose le teint des dames de la cour et de la ville à la noirceur tannée des paysannes, mais aussi au ton plus sombre qui convient aux hommes, car le noir passe pour viril. Sur la blancheur ainsi obtenue, il faut que se distinguent des taches roses sur les joues, mais aussi sur les ongles, les oreilles, le menton et le bout des seins. Les moralistes soulignent les excès de ces pratiques et la rigidité qu'elles donnent au visage, au point, prétendent-ils, d'empêcher les femmes de tourner la tête, voire de parler et de rire. « Si les femmes, écrit La Bruyère, étaient telles naturellement qu'elles le deviennent par leurs artifices, c'est-à-dire qu'elles perdissent tout à coup la fraîcheur de leur teint, qu'elles eussent le visage aussi allumé et aussi plombé qu'elles se le rendent par le rouge et les peintures dont elles se fardent, elles seraient inconsolables. »

Dans la ligne des Pères de l'Eglise qui y voyaient une volonté de « déguiser » la nature telle que Dieu l'a voulue, les théologiens et les moralistes dénoncent l'excès des fards, et même leur emploi. Ils les assimilent volontiers à un mensonge, à une tromperie, à une ruse du démon. Quand une femme du monde décide de devenir dévote, elle le fait ostensiblement en cessant de se farder. Les confesseurs tempèrent de bon sens des règles trop sévères pour être intégralement appliquées dans une société du paraître, où la bienséance conseille de se plier raisonnablement à l'usage commun. Ils s'inscrivent à la suite de saint Thomas : « Il faut, disait-il, distinguer entre feindre une beauté que l'on n'a pas et cacher une laideur qui provient de quelque chose comme la maladie. » On ne doit pas culpabiliser la femme qui éclaircit son teint à l'aide d'un peu de poudre, ou l'épouse qui s'apprête pour plaire à son mari. Nul confesseur, en revanche, n'a d'indulgence pour le port des mouches, considéré comme une pratique libertine.

On a trop pris au sérieux les plaintes de Gorgibus contre sa fille et sa nièce dans *Les Précieuses ridicules* : « Ces pendardes-là, avec leur pommade, ont, je pense, envie de me ruiner. Je ne vois partout que blancs d'œufs, lait virginal, et autres brimborions que je ne connais point. Elles ont usé, depuis que nous sommes ici, le lard d'une douzaine de cochons pour le moins, et quatre valets vivraient tous les jours des pieds de moutons qu'elles emploient. » Si le fard fait partie des artifices de la coquetterie féminine, s'il est alors employé selon un code différent de celui d'autres époques, si même il jouit d'une vogue particulière, et pas seulement auprès des femmes, ceux qui y ont recours connaissent les bonnes adresses et les bons produits. Et ils peuvent lire, s'ils les ignorent, les bonnes recettes du *Parfumeur français.* A force de vouloir trouver du baroque en plein siècle classique, on a sans doute, à la suite des prédicateurs, considérablement exagéré l'usage des fards et autres moyens de se masquer. Il ne faut pas confondre avec ceux de la vie quotidienne les visages peints du temps du carnaval et des grandes fêtes, où chacun participe au spectacle, à la fois spectateur des autres et spectacle pour autrui. Même à la cour, masques et fards ne sont pas forcément de mise tous les jours, et moins encore à la fin du siècle, quand la dévotion règne et que les fêtes se raréfient.

Comme les fards, les « nudités de gorge » sont un sujet de polémique. Elles remontent au moins au siècle précédent, quand le corps de la femme s'offre plus généreusement aux regards : « Ses beaux accoutrements et belles parures, dit Brantôme à propos de Marguerite de Navarre, n'osèrent jamais entreprendre de couvrir sa belle gorge ni son beau sein, craignant de faire tort à la vue du monde, qui se paissait sur un si bel objet, car jamais n'en fut vue une si blanche ni si pleine de charme, qu'elle montrait si à plein et si découverte que la plupart des courtisans en mouraient, voire des dames, que j'ai vues, quelques-unes de ses plus privées, avec sa licence, la baiser par un grand ravissement. » Ainsi Mme de Sévigné écrit-elle un jour à sa fille, dans un élan de tendresse, qu'elle baise sa « belle gorge ». Privautés assurément moins grandes qu'il n'y paraît aujourd'hui, car en ce temps-là, on distinguait encore la gorge et le haut du sein, chairs en vue accessibles aux mains et aux lèvres de parents et amis privilégiés, des tétins, parties qu'on ne pouvait que deviner et qui relevaient exclusivement de l'intimité amoureuse et sexuelle.

Moralistes et prédicateurs tonnent constamment contre ces ambiguïtés et contre l'étalage de toute chair susceptible d'allumer le désir. Tartuffe est leur fidèle disciple quand il demande à Elmire de voiler d'un mouchoir le sein qu'il ne saurait voir. Il y a un conflit permanent entre la mode, qui échancre les habits féminins et met les « appas » en valeur, et la volonté de moralité et de décence qui court pendant tout le siècle et s'amplifie à mesure qu'on avance dans le temps. Dès 1635, un prêtre parisien, Pierre Juverny, dans son *Discours contre les femmes débraillées de ce temps*, et Jean Polman, chanoine de Cambrai, dans son *Chancre ou couvre-sein féminin*, critiquent violemment les femmes qui exhibent des seins, qui ont pour devoir d'allaiter et « hors de là de se cacher ». En 1675, reprenant le contenu d'une ordonnance publiée cinq ans plus tôt par l'évêque de Toulouse sur le sujet, l'abbé Jacques Boileau, frère du satiriste, consacre un long traité aux *Abus des nudités de gorge* : « La vue d'un beau sein nu, dit-il, n'est pas moins dangereuse pour nous que celle d'un basilic. »

En 1680, Bourdaloue inclut les nudités de gorge dans l'« impureté » contre laquelle il prêche pendant le carême. En 1694, dans son *Traité de la concupiscence*, Bossuet attaque celle des yeux et dénonce les nudités qui la provoquent. Les autorités s'en mêlent. En juin 1682, un *Avis aux femmes et aux filles sur leur nudité d'épaules et de gorge* est publié par la hiérarchie catholique. En novembre 1683, une ordonnance du pape ordonne aux femmes de se couvrir « les épaules et le sein jusqu'au col et les bras jusqu'au poing avec quelque étoffe épaisse et non transparente, à peine pour celles qui n'obéiraient pas dans six jours d'être excommuniées *ipso facto* ». A Paris, le lieutenant civil approuve l'*Avis* de 1682. Rien n'y fait. En 1686, *Les Nouvelles de la république des lettres* citent des interdictions analogues pour souligner la « résistance indomptable » des dames intéressées.

La pudeur exigée des femmes par les moralistes ne porte pas seulement sur les « nudités de gorge ». Elle s'étend à l'ensemble des comportements féminins. On l'appelle à l'époque « modestie ». « Il faut que les filles et les femmes du monde s'accusent, dit un traité sur *Les Dispositions aux sacrements de Pénitence et d'Eucharistie* de 1677, de tous les crimes qu'elles ont fait commettre par la nudité des bras et de la gorge, et par leur luxe, et par le fard, par les libertés qu'elles ont souffert que l'on prît à leur égard, par tout le soin qu'elles ont eu de se rendre agréables, de paraître belles et de gagner l'affection de ceux qui les ont vues. » Toute femme qui s'habille et se comporte dans l'intention délibérée de plaire aux hommes est doublement coupable, directement par son désir de séduire, indirectement par les péchés qu'elle fait commettre.

Pour régler sa parure en restant « modeste », il suffit, dit Mme de Maintenon, d'être « mise d'une manière convenable, mais sans vouloir attraper la mode ». Sauf sur la question des nudités de gorge, la notion de convenance permet un certain nombre de compromis, notamment sur le luxe inséparable de la nécessité de tenir son rang. « Je sais bien, concède Mme de Maintenon, qu'une personne mariée doit chercher à plaire à son mari et qu'une fille qui veut se marier peut bien essayer de se donner quelque agrément ou tâcher de relever ceux que Dieu lui a donnés, pourvu que l'une et l'autre demeurent dans les bornes de la pudeur et de la modestie. » Les confesseurs disent la même chose. La condition sociale, les circonstances particulières, la pureté de l'intention permettent le plus souvent de compenser en pratique les rigidités des principes imposés sur ce point à toutes les bonnes chrétiennes. L'important est de rester à sa place et de savoir garder la mesure. Les exigences de la morale rejoignent les impératifs de la société.

Si la modestie exige de la femme de se garder de vouloir susciter des regards impurs, elle l'oblige tout autant à surveiller les siens. Mentionnée depuis toujours par l'ensemble des moralistes, cette obligation implique le contrôle de toute la personne. Mme de Maintenon le rappelle maintes fois à ses filles de Saint-Cyr : « Tenez-vous droite, portez bien la tête, n'ayez point le menton baissé ; la modestie est dans les yeux qu'il faut savoir conduire modestement, et non dans le menton. » En fait, c'est tout le comportement de la femme, y compris sa façon de parler et sa démarche dans la rue, qui est induit par le constant souci qu'elle doit avoir de ne pas aguicher les hommes, et plus encore de faire comme s'ils étaient transparents, si elle ne voyait pas leurs désirs. Au départ qualité du chrétien, que l'homme aussi devrait cultiver, la modestie devient au XVIIe siècle la qualité idéale de l'honnête femme et de la bonne épouse. Inefficaces sur le moment, au moins auprès des gens de cour et des riches, dont elles heurtaient trop les habitudes, les objurgations des moralistes, relayées par les patients efforts des éducatrices, ne seront pas sans effet. La pudeur ou « modestie » féminine deviendra une valeur reconnue de tous et fortement intériorisée par les femmes, représentant chez elles, jusqu'à une époque récente, une sorte de seconde nature.

29

La « querelle des femmes »

Vers la fin de l'année 1617 paraît à Paris un ouvrage anonyme intitulé *L'Alphabet de l'imperfection et malice des femmes, dédié à la plus mauvaise du monde.* Il connaîtra maintes réimpressions : dix-huit au moins avant 1650, puis d'autres, abrégées, dans la populaire bibliothèque bleue. Signe indubitable d'un grand succès auprès d'un large public. L'une des éditions attribue l'ouvrage à « Jacques Olivier, licencié en droit canon ». C'est un pseudonyme. Il s'agit vraisemblablement d'un homme d'Eglise, peut-être d'un cordelier. « Je ne parle point par expérience, dit-il, ou pour le motif de quelque déplaisir reçu de ce sexe en général ou en particulier, n'étant seulement que le truchement des saints Pères, des bons auteurs et du Saint-Esprit même parlant par la bouche des prophètes. » Au-dessous du titre, en latin et en français, une sentence de l'Ecclésiaste : « De mille hommes, j'en ai trouvé un bon, et de toutes les femmes, pas une. » Cet exergue confirme que l'auteur s'inscrit dans la tradition des clercs misogynes. Il s'agit d'éloigner le sexe fort des pièges de la séduction du sexe faible en dénonçant la perversité de sa nature à partir d'arguments traditionnels, pour ne pas dire éculés.

L'originalité de l'ouvrage est dans sa forme : il présente les défauts féminins sous forme d'un dictionnaire de trois cent soixante pages. A partir de mots commençant par les vingt-quatre lettres de l'alphabet, dont quelques-uns en latin (*Bestiale baratrum*, abîme de bestialité et de bêtise sous la lettre B), il reprend tout ce qu'on a pu dire contre les femmes. Il en veut particulièrement à leur coquetterie, à leur constant désir de plaire et de séduire, qui les mène à leur perte, et les hommes avec elles. Il énumère « les affiquets et autres niaiseries » qui leur servent à « amorcer les esclaves de l'impure volupté ». Il se moque des caprices de la mode, qui leur fait changer si souvent leurs façons de se vêtir, si bien que « les pauvres tailleurs ne savent plus de quel bois faire flèche ». Il s'attaque aux vieilles et aux laides qui recourent à toutes sortes d'artifices pour cacher leurs disgrâces. Il ne trouve pas naturel que les hommes s'y laissent prendre. Le pouvoir de séduction des femmes ne peut venir que du diable... C'est pourquoi le prêtre, lorsqu'il baptise un enfant mâle, ne prononce que vingt fois son nom pour l'exorciser contre trente pour une fille.

Ces séductrices sont des êtres faibles, explique Jacques Olivier, incapables de constance. La première femme « ne sut et ne voulut jamais garder à Dieu six heures de fidélité ». Ses descendantes sont incompréhensibles : « La femme est un animal si difficile à connaître que le plus bel esprit du monde n'en saurait donner une assurée définition. Car il y a chez elle tant de cabinets et d'arrière-boutiques, tant de ressorts et de chambres à louer qu'on ne sait en quoi se fier : tantôt rit, tantôt pleure pour un même sujet, tantôt veut et ne veut pas, tantôt paraît un agneau, tantôt un satyre. » Leurs sautes d'humeur sont à l'image des changements de lune : « Un certain personnage facétieux, interrogé de ce que Dieu faisait des vieilles lunes, vu que cet astre se renouvelle tous les mois, repartit sur le champ qu'il les envoyait en la tête des femmes et des mules. » La pernicieuse influence de leurs caprices peut se résumer dans un proverbe : « La pluie, la fumée et la femme sans raison jettent bien souvent l'homme hors de sa maison. » Leur malice fondamentale dans un autre : « Une bonne femme, une bonne mule, une bonne chèvre sont trois méchantes bêtes. »

Aux défauts communs à toutes les femmes, celles du haut de la société ajoutent un goût du luxe effréné. Elles veulent des rubis, des perles, des diamants, des chaînes d'or, des bracelets, et aussi des satins, des atours, des plumes, des perruques... Jacques Olivier s'en prend avec vigueur à « ces hypocrites et dissimulées courtisanes, chez lesquelles le vice fomente ses turpitudes et ses laideurs difformes comme le crapaud parmi la sauge ». Même leur piété n'est que feinte. Les voilà agenouillées dans la chapelle deux ou trois heures d'affilée, « montrant le blanc de leurs yeux aux voûtes du temple », puis courant de là « danser, baller, folâtrer » le reste du jour « sans considérer que toutes ces danses, toutes ces vanités et tous ces lascifs emportements seront les appas et matières à l'entretien des flammes au feu éternel ». Tout cela n'a rien de très neuf. Ce qui a fait le succès de l'*Alphabet*, c'est que l'auteur y exprime sous une présentation nouvelle, dans un format raisonnable, avec vivacité et dans un style imagé, le fonds commun d'une pensée qui imprègne la mentalité du temps, hommes et femmes confondus, malgré les efforts de tous ceux qui luttent depuis déjà longtemps pour en dénoncer l'arbitraire et le manque de fondement.

Un vieux débat perdure, fondé sur la doctrine traditionnelle de l'Eglise (réaffirmée au concile de Trente) de la supériorité du célibat ecclésiastique sur le mariage, traditionnellement critiqué, voire ridiculisé, sous la plume des clercs. Fabliaux, farces, satires, « Miroirs » et « Ténèbres du mariage » en dénoncent les inconvénients, principalement causés par la malice de la femme. Un débat s'ensuit sur sa nature, et sur les conséquences de cette nature dans l'amour et le mariage. Au XIIIe siècle, dans la première partie du *Roman de la rose*, Guillaume de Lorris vante l'amour courtois, qui fait de la femme une souveraine. Dans la seconde, Jean de Meung le condamne et soutient que les défauts de l'épouse font du mariage un esclavage insupportable pour l'homme. Ainsi se mêlent constamment deux débats, l'un sur la conception de l'amour, l'autre sur les rapports de l'homme et de la femme dans le mariage.

Au XVe siècle, *Les Quinze Joies du mariage*, ainsi nommées par antiphrase, sont un violent réquisitoire qui reprend et résume tous les griefs des maris, pris dans la « nasse » du mariage, contre la perversité féminine. S'élève alors une voix féminine, celle de Christine de Pisan. C'est la première fois. Dans *La Cité des dames*, puis dans *Le Livre des trois vertus*, elle proteste contre le mépris dont on accable son sexe. Un homme prend le relais, Martin Le Franc, qui intitule son livre (un poème de vingt-quatre mille vers) *Le Champion des dames*. Ces deux auteurs donnent enfin de la femme une image différente. Si on la considère avec « justice, droiture et souveraine raison », on s'aperçoit, disent-ils, que les défauts qu'on lui prête ne viennent pas de sa nature, mais de la condition qu'on lui fait. Souvent même, ce sont des accusations mensongères reposant sur des préjugés. Ces ouvrages ouvrent ce qu'on appelle traditionnellement « la querelle des femmes ». Leur nature désormais est objet de débat.

Avec des arguments très disparates, Henri-Corneille Agrippa ose écrire son *Entretien de la noblesse et préexcellence du sexe féminin*, qui inverse l'idée reçue de la supériorité masculine. Rédigé en 1509, publié en latin en 1529 et en français l'année suivante, ce livre a un énorme retentissement dans toute l'Europe où il suscite d'innombrables controverses : on a répertorié, pour le seul XVIe siècle, huit cent quatre-vingt-onze textes qui défendent le pour et le contre du même sujet. C'est une sorte de jeu. Un même auteur soutient parfois successivement la supériorité de l'un, puis de l'autre sexe. Défendre celle de la femme est alors, pour beaucoup, une simple occasion de montrer leur habileté dans le genre à la mode de l'éloge paradoxal. Comme ils feraient la louange du crapaud ou de la maladie. Même si ces auteurs ne croient pas toujours aux idées qu'ils avancent, ils les mettent en circulation. On ne pourra plus arrêter celles qui finiront par s'imposer comme plus justes et plus raisonnables que les traditionnels préjugés.

Longtemps en retrait, cédant parfois aux plaisanteries traditionnelles sur la malice des femmes, les humanistes finirent par s'intéresser à la question. Erasme l'aborde de front dans *Le Petit Sénat.* Cornélie y rappelle devant l'assemblée de quelques amies les injustices dont les femmes sont victimes et qu'elles supportent avec patience. « Les hommes, dit-elle, sont des tyrans ; ils nous traitent comme des jouets. Ils font de nous leurs blanchisseuses et leurs cuisinières et prennent soin de nous exclure de toutes les autres charges. Qu'ils gardent pour eux les fonctions publiques, mais qu'au moins la mère ait droit de suffrage quand il s'agit d'établir ses enfants. » Conscient de l'importance d'un sujet « qui, dit-il, mérite une très sérieuse et très mûre attention », Erasme ne se perd pas dans de stériles interrogations sur la nature de la femme, il se place au centre même de la querelle en posant concrètement le problème des rapports de l'homme et de l'épouse à l'intérieur du couple.

Rabelais le pose à sa façon, dans *Le Tiers Livre*, en dépeignant l'inquiétude de Panurge, désireux de se marier. « Serai-je ou non cocu ? » se demande-t-il, en même temps qu'il soupèse avantages et inconvénients du mariage. Telle est en effet la vieille question, fondamentale, le principe même de la « querelle des femmes » : un homme peut-il ou non faire confiance à une femme pour se lier à vie avec elle ? Sa nature lui permet-elle ou non d'apporter à son mari fidélité, patience, dévouement, obéissance, bref toutes les qualités qu'on exige alors d'une bonne épouse ? N'y a-t-il pas une contradiction insurmontable entre ces qualités et tous les défauts qu'on prête constamment à son sexe, toutes les malices et méchancetés qu'on en rapporte, toutes les faiblesses et les ruses qui lui sont, à ce qu'on dit, consubstantielles ? Pour sauter le pas, il faut être naïf ou inconscient, ou aveuglé par la passion, ou obligé par l'intérêt, ce que Panurge n'est pas. On ne peut se marier sereinement qu'à condition d'avoir reconnu que la femme n'est pas, par nature, ce qu'on prétend. Au temps de Rabelais, on n'en est pas encore là.

A la veille et au début du XVIIe siècle non plus. Préparant le succès de l'*Alphabet* de Jacques Olivier, une atmosphère de franche misogynie remplace, aux alentours de 1580, le climat plutôt favorable aux femmes du temps de *La Parfaite Amie* et des débuts de la Renaissance. De nombreux contes à rire brocardent les défauts des femmes et notamment leur paillardise. Des *Serées* de Bouchet aux *Matinées* de Cholières en passant par *Les Caquets de l'accouchée*, reviennent sans cesse les mêmes plaisanteries et les mêmes critiques. Des brochures à bon marché les reprennent. Les farceurs les mettent en scène, à la grande satisfaction de leur public populaire. L'incontestable succès de ces gauloiseries héritées d'une longue tradition montre que, malgré l'existence d'une littérature qui valorise les femmes, rien n'a changé en profondeur dans les mentalités, y compris chez les écrivains. Pis encore, dans le sillage de Desportes et de ses « Stances sur le mariage », les poètes satiriques, nombreux à l'époque, dénigrent à l'envi les femmes. Ils en font des portraits hideux, les montrant laides et vieilles. Aux traditionnelles polissonneries de l'esprit gaulois, qui font plutôt rire, ils substituent un dénigrement systématique qui donne l'impression d'une véritable horreur pour le sexe féminin.

Le pamphlet de Jacques Olivier aurait pu être pris pour un jeu, une simple somme, un peu plus percutante, des banalités d'usage destinées à alimenter les rires de tous ceux qui faisaient de la paillardise et de la perversité des femmes des sujets privilégiés d'anecdotes plaisantes. Mais dans le contexte où il parut, les esprits éclairés le considérèrent comme une agression à laquelle il convenait de répliquer d'urgence. Le « capitaine » Vigoureux publia immédiatement une *Défense des femmes contre l'Alphabet de leur prétendue malice*. Le chevalier de L'Escale donna l'année suivante *Le champion des femmes, qui soutient qu'elles sont plus nobles, plus parfaites et en tout plus vertueuses que les hommes*, bientôt transformé et augmenté pour devenir *L'Alphabet de l'excellence et perfection des femmes*. La même année paraît un ouvrage présenté comme l'œuvre d'une femme, *L'Excellence des femmes avec leur réponse à l'auteur de l'Alphabet*. D'autres livres suivront, dont plusieurs annoncés dès leur titre comme des « boucliers » des dames. Par la réaction qu'il a provoquée, le pamphlet de Jacques Olivier s'est trouvé, sans qu'il l'eût cherché, au tournant de la querelle. Les défenseurs des femmes seront désormais plus nombreux et plus percutants que ses détracteurs, qui devront changer de tactique.

A partir de 1630, on publie moins d'œuvres franchement misogynes ou simplement « gauloises ». Plutôt qu'aux vices inhérents à la nature féminine en tant que telle, on s'en prend aux défauts attachés à telle catégorie particulière de femmes, par exemple au luxe et à la dépravation des « mondaines ». C'est en se plaçant d'un point de vue moral, sur des problèmes particuliers, que certains insistent par exemple sur l'infériorité féminine à l'intérieur du couple, fondement de son obéissance, voire sur la faiblesse qui excuse ses fautes. A l'antiféminisme triomphant et proclamé se substitue un antiféminisme poli et insidieux, à peine conscient, nécessaire à la bonne marche d'une société qui maintient fermement la femme dans un rôle subalterne, alors même qu'est constamment défendue sa « précellence » dans une foule d'ouvrages qui reprennent sans cesse les mêmes thèmes, par une sorte de mode qui durera au moins jusqu'à la Fronde.

Débat théorique et rhétorique entre lettrés, le débat sur l'égalité des hommes et des femmes, ou plutôt le débat sur la supériorité d'un sexe sur l'autre, tant on a de mal à concevoir l'idée de leur égalité dans la différence, déborde progressivement ce milieu restreint. En 1631, le philosophe La Mothe Le Vayer écrit un *Dialogue sur le mariage*, selon une formule, précise-t-il, imitée des Anciens. C'est en principe un dialogue à la manière de Platon. Cassander y défend le mariage contre Philoclès qui le critique et convainc finalement Eleus de rester célibataire. C'est une défaite pour les « féministes ». C'est surtout une défaite de la pensée, car dans un traité présenté comme une sérieuse réflexion philosophique, on ne retrouve, chez les deux interlocuteurs, que les idées rebattues des précédents traités sur l'infériorité ou la supériorité des femmes.

Aux conférences du Bureau d'adresses, créées en 1632 par Théophraste Renaudot, le fondateur de la presse française, comme un lieu de rencontre entre « savants » et « ignorants », on traite de sujets à la mode. Dès février 1634, vient l'inévitable question : « Quel est le plus noble de l'homme et de la femme ? » Qu'ils se déclarent pour l'homme ou pour la femme, les intervenants reprennent eux aussi les arguments qui viennent d'être échangés dans la querelle des *Alphabets*. Des rhéteurs spécialistes de la « querelle », le débat est passé chez les intellectuels, puis descendu dans le grand public. Sans grand approfondissement de la pensée.

Partout reviennent les mêmes idées, qu'il s'agisse de traités de morale à l'usage du monde comme *L'Honnête Maîtresse* (1654), ou de simples manuels de conversation comme *L'Académie familière des filles* (1665). Dans cet ouvrage, sous-titré « Entretien sérieux en faveur des femmes et des filles, défense des femmes », François Colletet, écrivain connu, met en scène des personnages féminins qui défendent leur sexe contre les traditionnelles attaques masculines. A l'un de ces détracteurs, une jeune fille réplique en lui demandant « ce que lui ont fait les femmes pour qu'il les méprise si fort ». Pour le confondre, elle puise dans le fonds commun des arguments éculés de la querelle, invoquant non sans pédantisme le rôle des femmes dans les allégories : « Et pour faire voir que l'honneur est dû à notre sexe entièrement, c'est que les arts et les sciences sont représentés sous les visages de femmes et de filles, les vertus mêmes sont manifestées par elles. » Avec de bons et de mauvais arguments, la femme est devenue un sujet à la mode, un sujet de débat, un sujet dont on parle dans le monde. En 1673, dans un *Journal de conversations, où les plus belles matières sont agitées de part et d'autre* (1673), René Bary fait « des femmes » un sujet obligé dans un chapitre entier. A ce qu'il explique dans un autre, les hommes ne peuvent briller dans le monde que s'ils se montrent capables d'en faire « l'apologie ».

A la fin du siècle, quoique moins nombreux, des traités continuent de paraître sur la supériorité d'un sexe sur l'autre. En 1698, un inconnu, C.M.D. Noël, publie *Les avantages du sexe ou le triomphe des femmes, dans lequel on fait voir par de très fortes raisons que les femmes l'emportent sur les hommes et méritent la préférence.* L'auteur y accumule tout ce qui s'est dit sur le sujet avant lui, empruntant à Corneille Agrippa des arguments dévalorisés ou passés de mode. La même année, dans le sous-titre de sa *Nouvelle Pandore,* Vertron précise qu'il s'agit d'un « recueil de pièces académiques, en prose et en vers, sur la préférence des sexes ». La première partie de son livre comprend en effet six discours : « Du mérite des dames », « Du mérite des hommes », « De l'égalité des sexes », « Contre l'égalité des sexes », « Contre les hommes », « Contre les femmes », « Sur l'excellence du beau sexe ». Vertron voulait faire la preuve de son habileté rhétorique : « En soutenant moi-même toutes les causes, explique-t-il, je voulais essayer si je serais propre à la charge d'avocat général dans le parlement de Metz. »

D'un bout à l'autre du XVIIe siècle, enclenché sur une « querelle » qui remontait au siècle précédent et même avant, court un long débat, aux arguments répétitifs, sur la nature et les comportements de la femme, décrite et évaluée par comparaison avec l'homme. Comme les « discours académiques » de Vertron le prouvent encore à la fin du siècle, il s'agit souvent de jeux rhétoriques, déconnectés de la réalité, où chacun soutient à plaisir le pour et le contre. Les auteurs, quelle que soit leur thèse, y reprennent à l'envi de vieilles idées, d'anciens préjugés, de fausses « vérités » scientifiques héritées d'un savoir dépassé. Fait significatif, ils n'invoquent jamais les trouvailles récentes de la médecine, qui pourraient leur fournir le fondement objectif d'une réflexion neuve sur le sujet qui les occupe. C'est qu'ils cherchent plus à briller en redisant à leur manière des lieux communs et des idées ressassées qu'à établir sur des bases solides d'effectives nouvelles relations entre les sexes.

Malgré toute l'encre qui a coulé sur le sujet, les Arnolphe n'en sont pas moins nombreux, qui s'en tiennent aux bons vieux principes sur lesquels repose solidement la hiérarchie sociale. Ils sont prêts à redire avec lui à des Agnès : « Votre sexe n'est là que pour la dépendance/Du côté de la barbe est la toute-puissance./ Bien qu'on soit deux moitiés de la société,/Ces deux moitiés pourtant n'ont point d'égalité ;/L'une est moitié suprême et l'autre subalterne ;/L'une en tout est soumise à l'autre qui gouverne... » *Les Maximes du mariage* ridiculisées en 1663 dans *L'Ecole des femmes* expriment des idées inscrites depuis des siècles dans les mentalités. On l'a montré, elles parodient la traduction qu'avait faite Desmarets de Saint-Sorlin, en 1640, des *Préceptes de mariage de saint Grégoire de Naziance, envoyés à Olympias le jour de ses noces.* La comédie de Molière n'aurait pas fait scandale et suscité tant de polémiques si elle n'avait pas remis en cause les rapports de l'homme et de la femme dans l'amour et dans le mariage. L'Eglise, les moralistes, une grande partie de l'opinion n'admettent pas qu'on le fasse, même dans l'imaginaire, dès lors que la fiction, par le biais du théâtre, semble se passer dans la vie.

Ces interdits expliquent sans doute pourquoi tant d'auteurs qui ont pris part à la querelle des femmes y sont intervenus comme si le débat devait rester théorique. Leur but n'était pas d'ébranler l'immobilisme d'une société solidement ancrée dans la famille patriarcale par le poids des coutumes, des lois et de la religion, et ils ne l'ont effectivement pas ébranlé. Leurs ouvrages cependant ne sont pas restés sans influence. Les idées qu'ils répètent pour la défense des femmes contre les accusations traditionnelles sont un point de départ. Elles ont progressivement imprégné les mentalités de cercles restreints et, même inconsciemment, influencé le comportement de leurs membres. Ces débuts ne seront pas sans effet sur les façons de penser et d'agir d'autres couches de la société. Répétitifs et apparemment stériles, les débats sur la supériorité d'un sexe sur l'autre ont permis, en moins d'un siècle de controverses, de passer, dans les livres, de l'idée reçue de la supériorité de l'homme à l'idée qu'on peut aussi soutenir le contraire. Même si ce renversement n'a existé que dans les esprits, s'il n'a pas eu de conséquence immédiate dans les rapports des couples ou dans la répartition des fonctions, il n'a pas pu ne pas influencer la façon dont l'élite intellectuelle a considéré le sexe féminin. Et même en petit nombre, les femmes qui ont lu quelques-uns des ouvrages publiés en français pour leur être accessibles ne sont certainement pas restées totalement insensibles aux motifs, même paradoxaux, qu'elles y trouvaient de refuser leur subordination et de croire en leur « excellence ».

Ces motifs en effet, elles les retrouvent partout. Dans des

débats contradictoires, avec par exemple « une dispute en faveur des dames et contre » dans *Le Cabinet de Minerve* de Béroalde de Verville (1596) ou dans *Le Cercle ou conversations galantes* de Sébastien Bremond (1673). Et même dans le genre qui leur est le plus familier, le roman. Les personnages y prononcent des discours sur la supériorité féminine, et on y met en scène des femmes dans des rôles qui les valorisent. Comme l'écrit Sorel dans *La Connaissance des bons livres* (1671), « elles n'ont garde qu'elles ne chérissent cette sorte de livres, puisque, outre la récréation qu'elles prennent à voir leurs diversités, elles trouvent qu'ils sont faits principalement pour leur gloire, et qu'à proprement parler, c'est le triomphe de leur sexe ». Dans la première moitié du XVIIe siècle, au moment où se multiplient les discours sur la supériorité féminine, se développe même une vogue des histoires héroïques dans lesquelles le sexe faible s'illustre par des exploits qu'on croyait réservés au sexe fort. Et dans le temps des grands romans sentimentaux, la femme règne sans partage sur des hommes soumis à celles qu'ils aiment au point de ne pas même oser leur demander d'être payés de retour.

Malgré leur caractère utopique, ces romans n'étaient pas sans dangers à en croire Pierre Nicole dans son *Traité de la comédie* (1667) : « Les femmes, prenant plaisir aux adorations qu'on y rend à celles de leur sexe, dont elles voient l'usage et la pratique dans les compagnies de divertissement où les jeunes gens leur débitent ce qu'ils ont appris dans les romans et les traitent en nymphes et en déesses, s'impriment tellement dans la fantaisie cette sorte de vie que les petites affaires de leur ménage leur deviennent insupportables. Et quand elles reviennent dans leurs maisons avec cet esprit évaporé, elles y trouvent tout désagréable et surtout leurs maris qui, étant occupés de leurs affaires, ne sont pas toujours en humeur de leur rendre ces complaisances ridicules qu'on rend aux femmes dans les comédies et dans les romans. » En calquant leur comportement sur celui de personnages fictifs, les galants poussent les femmes à prendre, dans la vie parallèle et artificielle des « cercles » et « ruelles », des rôles de maîtresses souveraines. De retour dans les contraintes de la vie quotidienne, elles ne peuvent que regretter la perte de leur illusoire supériorité. Sans doute excessive en ce qu'elle néglige l'importance des compensations de l'imaginaire pour supporter la réalité, l'analyse de Nicole a le mérite de rappeler que certains décalages peuvent entraîner des déceptions et susciter des réflexions. Comme les romans, les réunions mondaines ont le tort, pour certains moralistes, d'inciter les femmes à penser.

30

« L'esprit n'a point de sexe »

Sont-elles bonnes ? Sont-elles mauvaises ? Doit-on ou non les aimer ? Peut-on ou non les épouser ? Sur ces anciennes questions de la querelle des femmes s'en greffe une autre, au début du XVe siècle, posée par Christine de Pisan : « Si la coutume, dit-elle dans *La Cité des dames*, était de mettre les filles à l'école et que communément on les fit apprendre comme on fait aux fils, elles apprendraient aussi parfaitement et entendraient les subtilités de tous les arts et sciences comme ils font. » Faut-il ou non instruire les femmes ? Sont-elles capables de penser ? Tel est le débat qui s'instaure, et qui n'aura de fin, en France, qu'au début du XXe siècle quand les filles seront enfin admises à faire les mêmes études, toutes les mêmes études, que les garçons.

Ce débat arrive d'Italie, pays natal de Christine. Un demi-siècle plus tôt, Boccace, célèbre auteur de contes facétieux et paillards, y a écrit en latin un livre au titre insolite, *De claris mulieribus* (Les Femmes célèbres). C'est un recueil de vies destiné à montrer que les hommes n'ont pas le monopole de la renommée et que certaines femmes se sont illustrées dans des domaines dont elles sont en principe exclues : la guerre, la politique, la science. Ces exemples, et d'autres analogues, seront désormais constamment cités comme preuves qu'elles peuvent partout faire aussi bien, voire mieux, que les hommes. On en déduira notamment l'existence de leurs aptitudes intellectuelles et leur droit d'accéder au savoir.

En un temps où, même chez les hommes, cet accès reste un privilège, l'idée de l'accorder aux femmes est généralement considérée comme absurde. Pour les savants, qu'ils soient théologiens, médecins, juristes ou philosophes, l'infériorité intellectuelle féminine va de soi. C'est une infériorité naturelle, fondée sur la physiologie. « Sois persuadé, écrit Paracelse, que le cerveau de la femme est un cerveau féminin et non un cerveau viril. » Si l'on considère que la « froideur et l'humidité sont qualités qui nuisent à la partie raisonnable, argumente Jean Huarte dans son *Examen des esprits*, il faut nécessairement conclure que la femme ne peut avoir autant d'esprit que l'homme, ni réussir aussi bien que lui dans les lettres et les sciences ». En 1674 encore, dans *La Recherche de la vérité*, le cartésien Malebranche pense que l'effort intellectuel est difficile, voire périlleux, chez les femmes en raison de la fragilité des fibres de leur cerveau.

Il est admis que la raison et le jugement sont des propriétés masculines. On reprend jusqu'à la caricature la distinction platonicienne des deux parties de l'âme pour expliquer que chez les hommes, c'est sa partie supérieure (la *ratio*) qui gouverne, alors que les femmes se laissent emporter par sa partie inférieure (la *sensualitas*). Platon, rappelle Rondibilis dans *Le Tiers Livre*, ne savait « en quel rang il les doit colloquer ou des animaux raisonnables ou des bêtes brutes ». Au début du XVIIe siècle, des chansons populaires reprennent et popularisent l'idée en la simplifiant. Tabarin, parmi les farceurs du Pont-Neuf, débite plaisamment que la femme a « une grande correspondance avec tous les animaux irraisonnables », car « l'homme seul a eu la raison en partage » et la femme seulement « une petite parcelle ». Des satires virulentes la dépeignent semblable aux enfants, écervelée, « sans esprit, sans savoir ».

La distinction platonicienne des deux âmes se retrouve dans tous les traités misogynes. Dieu, explique Jacques Olivier dans son *Alphabet*, créa la femme avec une âme « autant susceptible de raison que l'homme ; toutefois lâchant la bride à ses passions, elles donnent [*sic*] tant de crédit à l'appétit sensuel que Platon ne sait si on les doit ôter du prédicament [de la catégorie] des bêtes et du rang des créatures capables de discrétion ». En effet, explique l'auteur, « il n'y a rien qui abêtisse davantage un esprit ni qui épointe plus fort la maturité d'un entendement ni qui ravale tant les actions des facultés et habitudes de l'âme que l'intempérance et la sensualité, ainsi qu'il n'y a rien qui subtilise la vivacité d'un esprit que la continence et la chasteté... Or il est hors de controverse que la femme ne soit plus lascive et plus insatiable de l'impure volupté que l'homme et par conséquent moins judicieuse et moins capable de raison en tous ses comportements ». C'est pourquoi, elle « n'entre point au terroir des sciences ». Son inaptitude à la culture vient de sa nature.

En 1656, dans le premier volume d'un roman intitulé *La Précieuse ou le mystère des ruelles*, l'abbé de Pure entraîne son lecteur dans « un petit détour », indispensable, selon lui, à la bonne compréhension de son récit. Les dieux, à la naissance du monde, se demandèrent, conte-t-il, auquel des deux sexes ils en donneraient le commandement. Le Destin décida qu'il fallait « partager l'empire du monde en deux ». A l'homme, il donna celui de la raison, dont les pôles sont la prudence et la force ; à la femme, celui de l'amour, dont le pôle « directement opposé à celui de la raison s'appelle le pôle de la passion ». A l'instar des cartes des Précieuses, de la Coquetterie ou de Tendre, qui avaient connu un grand succès deux ans plus tôt, l'auteur s'amuse à établir la géographie des qualités et des valeurs masculines et féminines, dressant à cet effet une « Carte de l'empire des deux sexes ».

Ce jeu d'esprit rappelle, en plein milieu du siècle, que d'après l'idéologie régnante, les rôles de l'homme et de la femme, fondés sur des dons différents, sont et doivent rester distincts selon une frontière infranchissable. L'abbé de Pure appelle « précieuses » celles qui, cédant au penchant irrésistible des femmes d'aller au-delà de leur domaine, transgressent cet interdit. Aracie, dit-il d'un de ses principaux personnages, « ne put résister à l'empire du sexe, qui se veut toujours étendre et ne peut se tenir dans ses bornes ». En un temps où, pour la quasi-totalité des moralistes et des théologiens, la femme reste un être inférieur, qui doit être tenu d'une main ferme par un homme (père, mari ou directeur) si elle souhaite vivre correctement et assurer son salut, l'auteur fait découvrir à Philonime, son représentant masculin, un groupe particulier de femmes (l'auteur dit « un triage ») qui empiètent sur le domaine des hommes pour s'arroger une part de leurs prérogatives. Au lieu de se cantonner du côté du corps et de la passion, qui est leur lot, elles se prétendent des êtres de raison et veulent juger par elles-mêmes. Elles se veulent des intellectuelles, rôle spécifiquement masculin.

Ayant quitté Aracie et son clan, Philonime conte à ses amis, Gename et Parthénoïde (Ménage et Chapelain), la surprenante et ridicule découverte qu'il vient de faire. Gename s'étonne que le jeune homme ait jusqu'ici ignoré les « faiblesses du sexe » et « ses plus belles conversations ». Pour l'aider à comprendre l'affaire, il va, dit-il, lui expliquer « certains termes importants qui servent de notion à tout le mystère », autrement dit ce que c'est que « Précieuse, qu'Esprit fort, que Coquette, que Prude ». L'origine des premières est tout intellectuelle. « On dit qu'elles ne se forment que d'une vapeur spirituelle, qui s'excitant par les douces agitations qui se font dans une docte ruelle, se forment enfin en corps et composent la Précieuse. » Cette nouvelle espèce de femmes n'est pas « l'ouvrage de la nature sensible et matérielle ; elle est un extrait de l'esprit, un précis de la raison ». D'après les préjugés du temps, figurés dans la Carte de l'empire des deux sexes, une telle nouveauté est une aberration, puisqu'elle transgresse le partage voulu par le destin, autrement dit la volonté divine de stricte division des facultés et des rôles masculins et féminins. Sur le mode plaisant, l'abbé de Pure a repris (sérieusement ou pour s'en moquer, on ne sait) la stricte distinction de ceux qui soutiennent que les activités intellectuelles ne sont pas du ressort des femmes.

Leurs détracteurs les plus acharnés contestent même l'argument tiré de l'existence de « femmes illustres » qui ont fait la preuve des dons latents de leur sexe en se distinguant dans des domaines variés. Le sieur de Ferville, auteur d'une *Méchanceté des femmes* parue au début du siècle, remarque qu'elles n'ont apporté aucune contribution importante au progrès des sciences et de la pensée. Ce sont les hommes qui ont découvert l'Amérique. « L'univers admire son bonheur, se voyant par le bénéfice de plusieurs beaux esprits jouir de la profitable invention des horloges et cadrans terrestres et marins, de l'imprimerie, de l'architecture, géométrie, peinture et tant d'autres raretés. Mais à quelle femme en est due la gloire ? De quel climat ? Comment s'appellent ces inventrices ? » L'argument est nouveau : les découvertes et le renouveau scientifique de la Renaissance ne doivent rien aux femmes. La conclusion est d'un antiféminisme borné : « A quoi donc est propre une femme ? A rien. Que peut faire une femme ? Rien. Que vaut une femme ? Rien. Venons-en à sa définition générale : *Quid est feminas ? Nihil.* » Sans tenir compte du débat ouvert par Christine de Pisan, qui donnait une raison culturelle à ses infériorités, les traditionalistes taxent la femme d'une déficience intellectuelle congénitale.

Certains de ses défenseurs lui attribuent au contraire une supériorité intellectuelle inexplicable. Ils vantent sa science infuse, son éloquence innée, son ingéniosité, ses « subtiles inventions », son pouvoir de fascination, ses pouvoirs de guérisseuse, ses dons de prophétie, son savoir instinctif des secrets de la nature et des desseins de Dieu. Dans un ouvrage intitulé *Les Très Merveilleuses Victoires des femmes du nouveau monde*, Guillaume Postel va même, en 1533, jusqu'à prétendre qu'il a lui-même vu d'innombrables femmes qui, « sans avoir jamais rien lu », connaissaient « la Sainte Ecriture » mieux que les hommes. Ces arguments sont à double tranchant. On peut aussi en déduire qu'il faut maintenir ces êtres intuitifs dans leur archaïque spécificité féminine, qui fait d'elles des intermédiaires entre l'homme et les mystères de la nature, ou au contraire les regarder comme des prisonnières des forces occultes, des sorcières dangereuses qu'on doit détruire en les brûlant.

Dans *Le Panégyrique des dames*, Gilbert affirme plus généralement que « la nature, les ayant fait naître d'une constitution si délicate, enseigne qu'elle ne les a pas faites pour les actions du corps, mais pour celles de l'esprit ». Parce qu'elles sont « nées aux sciences », les femmes ont « par la naissance ce que les hommes n'acquièrent que par le travail et par les années ». Dans son *Champion des femmes*, le chevalier de L'Escale développe la même idée. Après avoir énuméré tout ce qu'on fait pour l'instruction des garçons et souligné comme Christine de Pisan qu'on ne fait rien pour celle des filles, il s'exclame : « Cependant, ô chose émerveillable et du tout divine, mettez-les sur le discours de quoi que ce soit, parlez-leur de toutes sortes de négoces, de procès, de cour ou d'Etat, elles résoudront mieux, par le seul instinct de leur lumière naturelle, qu'une infinité de savants conseillers. D'où s'ensuit que si elles passaient par les mêmes apprentissages que les hommes, elles les surpasseraient de bien loin. »

Souvent repris tout au cours du siècle, ce thème de l'aptitude des femmes à surpasser les hommes sans avoir rien appris pose la difficile question du rapport de la culture, du sexe et de l'éducation. Le chevalier de L'Escale la résout en affirmant que la culture donnée aux hommes s'ajoutant à la spontanéité des femmes leur apporterait une incontestable supériorité. Encore faudrait-il être sûr que la culture que l'on donnait alors aux hommes leur était parfaitement adaptée, qu'elle n'était pas trop lourde par rapport à ses résultats, qu'elle ne leur donnait pas, selon la célèbre formule de Montaigne, une « tête bien pleine » plutôt que « bien faite ». Ce qui expliquerait les lourdeurs et les échecs de la pédanterie. Et on peut, d'un autre côté, se demander si ces femmes dont L'Escale et ses émules vantent les qualités innées ne sont pas simplement des exceptions, des membres d'une élite, qui ne réagissent pas en fonction de qualités innées, mais d'une autre culture, latente dans leur milieu, plus légère, plus moderne, plus adaptée à leur temps et à leur condition.

Pendant tout le XVIIe siècle, pour illustrer les aptitudes des femmes à égaler et même à surpasser les hommes dans toutes sortes de domaines, se poursuit et s'amplifie la publication d'éloges de femmes illustres, dans le genre inauguré par Boccace et contesté par Ferville. En 1630, Hilarion de La Coste imprime *Les éloges et les vies des reines, des princesses, et des dames illustres en piété, en courage et en doctrine qui ont fleuri de notre temps et du temps de nos pères.* Le titre le souligne : les exemples ne viennent pas principalement des Anciens comme c'était jusqu'alors l'usage. L'auteur les tire des XVe et XVIe siècles, c'est-à-dire de l'époque qui précède immédiatement celle où il écrit. Et surtout, à côté de l'éloge traditionnel des femmes pieuses et de celui plus récent mais à la mode des femmes fortes, il n'hésite pas à placer l'éloge des femmes que leur savoir a tirées du commun. C'est prétendre que le savoir peut être un mérite féminin. Ainsi feront les recueils à la gloire des dames qui paraîtront après le sien. Trente ans plus tard, sous couleur d'inventorier de prétendues précieuses dans un *Dictionnaire*, Somaize dresse un répertoire des femmes qui ont ou qui ont eu une certaine réputation dans le monde. Il n'omet pas de noter la présence, chez beaucoup d'entre elles, d'un savoir qui les distingue avantageusement.

En 1663, Jean de La Forge publie *Le Cercle des femmes savantes*, où il présente favorablement « soixante-neuf savantes de France », nommément désignées dans une clé à la fin du volume. En 1668, Marguerite Buffet joint à ses *Nouvelles observations sur la langue française* des *Eloges des illustres savantes tant anciennes que modernes*, qui contiennent d'assez longs portraits de dix-neuf « savantes » de son temps. En 1665, Jacquette Guillaume publie *Les dames illustres où par bonnes et fortes raisons, il se prouve que le sexe féminin surpasse en toute sorte de genre le sexe masculin*. Par son titre et une part de son contenu, le livre appartient à la querelle des femmes, dont il est une pièce tardive. Dans sa majeure partie, il établit sur de nombreux exemples les capacités intellectuelles des femmes. Après « les dames renommées par leur science dans le paganisme » viennent « les dames chrétiennes », puis « les dames françaises recommandables pour leur éminent savoir », y compris chez les mondaines contemporaines. Ce livre est un ouvrage charnière. On y passe du genre démodé de l'apologie des femmes à une ferme prise de position sur un sujet d'actualité : l'égalité ou même la supériorité des esprits féminins par rapport aux esprits des hommes.

Pour ceux qui ne se satisfont pas d'exemples, toujours suspects d'être des exceptions, l'égalité des esprits se déduit simplement du fait que le sexe n'entraîne pas sur ce point de différence de nature. Dès le début du XVIe siècle, Corneille Agrippa l'affirmait sans ambages : « La femme a été douée d'un même sens, entendement, raison et parole que l'homme. » En les créant, Dieu leur a « donné une même force d'âme », une « substance spirituelle » identique. C'est en se fondant sur la Bible que les « champions des dames » contestent les arguments prétendument tirés des philosophes et des Pères de l'Eglise. Ils refusent également ceux que l'on tirait traditionnellement de la physiologie féminine et de la différence des tempéraments. En 1666, un candidat au doctorat en médecine répond à la question « savoir si l'esprit suit le sexe » par une formule exactement contraire à celle de Paracelse : « L'esprit des hommes n'est pas masculin ; l'esprit des femmes n'est pas féminin. » L'auteur d'un *Triomphe des dames* l'écrit vertement : « Si le siège de la raison était entre les jambes, ce serait à débattre auquel des deux sexes l'esprit aurait été donné. » L'idée fera fortune, sous une forme plus conforme aux bienséances. « L'esprit des femmes est de même sexe que celui des hommes », écrit Auvray. « Les esprits n'ont point de sexe », écrit le père Le Moyne. En attendant que Poullain de La Barre, en 1673, rende célèbre la formule : « L'esprit n'a point de sexe. »

Tout au long du siècle se répandent les idées fermement avancées dès 1622 par la « fille d'alliance de Montaigne », Mlle de Gournay. Rompant avec les ouvrages traitant selon l'usage de la supériorité d'un sexe sur l'autre, elle a simplement et clairement intitulé son livre *De l'égalité des sexes*. Elle y proteste avec force contre l'état de servitude où les hommes n'ont cessé de maintenir les femmes. « Bienheureux es-tu, lecteur, dit-elle, si tu n'es point de ce sexe qu'on interdit de tous les biens, l'interdisant de la liberté afin de lui constituer pour seule félicité, pour vertus souveraines : ignorer, faire le sot et servir. » L'une des premières, Mlle de Gournay ne se borne pas à comparer les mérites et défauts de chacun des deux sexes, elle se révolte contre le sort que l'autre sexe a fait au sien, et en dénonce clairement la cause et le moyen : l'ignorance. Pour elle, il n'y a point de doute : la différence du niveau intellectuel de l'homme et de la femme n'a rien de naturel. C'est une question d'instruction.

Un demi-siècle plus tard, Poullain de La Barre reprend presque exactement le titre de Mlle de Gournay dans son traité *De l'égalité des deux sexes*, suivi l'année suivante, en 1674, d'un *De l'éducation des dames pour la conduite de l'esprit dans les sciences et dans les mœurs*, bientôt complété par antiphrase d'un *De l'excellence des hommes contre l'égalité des sexes*. Réimprimés en 1679 et en 1691, ces livres ont eu un certain succès. Œuvres d'un cartésien, ils tranchent sur tout ce qui précède par la volonté de l'auteur de considérer d'un œil neuf les sujets qu'il traite, en se défiant des préjugés. Même les hommes qui consentent à ne pas voir dans l'autre sexe des êtres créés seulement pour s'occuper d'eux, leur donner des enfants et les élever, constate-t-il, finissent toujours par ajouter qu'à tout prendre, le monde est bien fait, et qu'il importe à la bonne marche de la société de les exclure des sciences et des emplois. Les mâles justifient l'état de fait qu'ils ont créé. Comme ils étaient les plus forts, « ils ont favorisé leur sexe, comme les femmes auraient peut-être fait si elles avaient été à leur place ». Ils ont fait plus : ils ont réussi à les persuader que leur situation de dépendance était naturelle. Une longue coutume empêche de voir ce que montre clairement la raison.

La prétendue incapacité des femmes résulte de ce qu'on ne leur a pas donné d'occasions de faire la preuve de leurs qualités.

Même parmi les hommes, « combien y a-t-il de gens dans la poussière qui se fussent signalés si on les avait un peu poussés ! Et de paysans qui seraient de grands docteurs si on les avait mis à l'étude... Sur quoi donc peut-on assurer que les femmes y soient moins propres que nous, puisque ce n'est pas le hasard, mais une nécessité insurmontable qui les a empêchées d'y avoir part ? Je ne soutiens pas qu'elles soient toutes capables des sciences et des emplois, ni que chacune le soit de tous : personne ne le prétend non plus pour les hommes, mais je demande seulement qu'à prendre les deux sexes en général, on reconnaisse dans l'un autant de dispositions que dans l'autre ». Dans un style clair, sur un ton neuf, les idées reçues sont examinées d'un œil critique à la lumière du bon sens, et les conséquences des nouvelles vérités tirées sans concession aux préjugés reçus de la tradition.

Rien ne permet, dit Poullain de la Barre, de dénier aux femmes une intelligence identique à celle des hommes. L'argument tiré de la distinction des tempéraments ne repose sur aucune expérience. « Unique organe de la pensée, le cerveau est entièrement semblable » dans les deux sexes : « L'anatomie la plus exacte n'y découvre pas de différence. Les impressions des sens s'y reçoivent et s'y rassemblent de la même façon et ne s'y conservent point autrement pour l'imagination et la mémoire. » Après beaucoup d'autres, mais cette fois sans intention de briller en développant des sophismes, l'auteur établit et divulgue pour un large public les acquis du savoir moderne fondé sur des arguments scientifiques vérifiés. Grâce à lui et à tous ceux qui ont, comme lui, contribué à la répandre, l'idée de l'égalité intellectuelle des deux sexes devient dans le dernier tiers du siècle un principe reconnu des esprits les plus éclairés.

Cela ne veut pas dire que cette idée soit admise de tout le monde, encore moins qu'on en accepte les conséquences. Admettre que les femmes ont le droit d'exercer pleinement leurs aptitudes intellectuelles, sans même aller jusqu'à les égaler à celles des hommes, reste une idée hardie, qui se heurte à des préjugés invétérés. Depuis l'Antiquité, relayée par une fausse interprétation du récit de la Genèse, on pense que tout savoir est nocif au sexe féminin, qu'une « savante » perd forcément toute notion de « pudicité et d'honnêteté ». Même sommairement instruite, toute femme s'empressera, pense-t-on, d'employer son intelligence au service de ses amours, ne serait-ce qu'en écrivant à ses galants. En plein XVIIe siècle, dans *L'Ecole des femmes*, Arnolphe emploie toujours cet argument. Si on avait suivi ses ordres, dit-il, Agnès n'aurait pas pu écrire à Horace... Fortement ancrée dans les mentalités, l'idée que l'ignorance protège la vertu féminine subsistera tout le siècle malgré le progrès de l'idée inverse.

Dans une lettre à Guillaume Budé, Erasme témoigne, en 1524, des hésitations des humanistes. « Jusqu'ici, lui écrit-il, presque tout le monde était persuadé que, pour la pureté et la bonne réputation, les lettres étaient inutiles au sexe féminin. Je n'étais pas loin moi-même, naguère, de cette opinion. » C'était en effet l'opinion autorisée par les Anciens. La lecture d'un ouvrage de Thomas More l'a « complètement chassée de son esprit ». Deux dangers en effet menacent la pureté des jeunes filles : « l'oisiveté et les divertissements trop libres ». L'amour des lettres les en écarte, car d'un côté « les jeunes filles les plus sérieuses le sont en connaissance de cause » et de l'autre « rien ne vaut l'étude pour occuper leur âme tout entière. Si son premier fruit est d'éloigner une dangereuse oisiveté, elle verse aussi dans l'esprit des préceptes excellents qui le forment et l'enflamment pour la vertu. Beaucoup de filles, par naïveté et ignorance des réalités, perdent leur vertu avant de savoir à quels dangers un tel trésor est exposé ».

La façon de voir des humanistes est valorisée par la Contre-Réforme. Selon les pères du concile, la femme ne peut jouer son rôle dans la famille et dans la société que si elle a les connaissances qui lui permettent de le tenir. Mlle de Gournay s'inscrit dans cette double lignée lorsqu'elle écrit : « Le vulgaire dit qu'une femme pour être chaste ne doit pas être si fine : vraiment, c'est faire trop peu d'honneur à la chasteté que de croire qu'elle ne peut être trouvée belle que chez des aveugles. Au contraire, il la faut subtiliser tant qu'on peut afin que si chacun est assez méchant pour la vouloir tromper, personne ne soit assez fin pour le pouvoir. » Circonstance favorable à la culture des femmes, encore étroitement liée à l'idée qu'on se fait de son statut moral, l'Eglise du concile rejoint les esprits éclairés pour soutenir qu'un certain savoir favorise la vertu.

A partir de 1630, les tenants de l'humanisme dévot reprennent l'idée que la vie intellectuelle détourne les femmes de l'oisiveté et des vices qui s'ensuivent. Dans la partie de *La Cour sainte* consacrée aux dames, le père Caussin soutient qu'il est « bienséant qu'elles aient quelque honnête connaissance ». Grenaille consacre une partie de son *Honnête Fille* à leur « esprit ». Le père du Boscq, dans son *Honnête Femme*, consacre un chapitre entier aux « Dames savantes » et revient plusieurs fois sur ce sujet. « Au reste, écrit-il, tant s'en faut que l'étude entretienne leur oisiveté qu'au contraire, elle l'empêche efficacement. Il y a des dames qui ont si peu de choses à faire dans la maison que si elles ne prenaient volontairement autant d'occupations que d'autres en ont par contrainte, au lieu d'agir beaucoup, elles seraient fainéantes... Il faut donc qu'elles s'attachent à quelque emploi aussi digne de leur esprit que de leur qualité... Or, après l'oraison, il faut avouer que la lecture est la plus noble attache que ces femmes puissent avoir. » Posée par quelques auteurs au début du XVIIe siècle, la question du loisir féminin préoccupe particulièrement les moralistes chrétiens de son second quart. L'étude leur paraît le meilleur moyen de détourner des habituels et nocifs « plaisirs des dames » (parure, bavardage, jeu, coquetterie) les femmes de l'élite de la société insuffisamment occupées par leurs obligations domestiques.

Dans la seconde moitié du siècle, les ouvrages consacrés à l'éducation des filles ou à la vie intellectuelle des femmes se multiplient. Aucun ou presque n'ose désormais leur contester la capacité et le droit d'accéder au savoir (du moins à un certain savoir). Moralistes et gens d'Eglise continuent même, le plus souvent, d'affirmer que l'étude est un bon moyen d'écarter les dangers de la galanterie et de l'oisiveté. Mais ils ont, dans l'ensemble, beaucoup moins confiance que leurs prédécesseurs dans la nature humaine, et particulièrement dans celle des femmes. Leur accorder des capacités intellectuelles, qu'elles soient ou non égales à celles des hommes, n'implique pas qu'on leur reconnaisse la capacité de les exercer. Pour beaucoup d'auteurs, et pour une large part de l'opinion publique, il faut tenir compte de leur faiblesse morale, et plus généralement de l'infériorité naturelle de leur sexe.

La Renaissance avait suscité un fervent désir d'instruction chez les deux sexes. Rabelais, parmi d'autres, note que « les filles et les femmes ont aspiré à cette louange et manne céleste de bonne doctrine ». Mais ceux même qui, comme Montaigne, admettent une égalité intellectuelle de principe entre les hommes et les femmes (« les mâles et femelles, dit-il, sont jetés en même moule — sauf l'institution et l'usage, la différence n'y est pas grande ») se montrent réservés sur les conséquences à en tirer dans le domaine de l'instruction féminine. Les traités en faveur des femmes ont beau se multiplier au cours du XVIIe siècle, si persuadé qu'on devrait être de l'égalité intellectuelle des sexes, on préfère d'ordinaire, quand on ne la nie pas, s'en tenir à l'affirmer théoriquement sans chercher à lever les obstacles qui permettraient aux capacités intellectuelles du « sexe faible » de s'exercer dans les faits autrement que par exception. Nul projet cohérent d'enseignement féminin ne résulte de la reconnaissance des aptitudes intellectuelles des femmes, sauf celui de donner aux filles des bases suffisantes pour être de bonnes mères de famille capables de transmettre à leurs enfants les rudiments de la vraie religion, celle de la France, le catholicisme.

Car on a tout de suite perçu concrètement le principal danger que le savoir des femmes présente pour la société : l'incompatibilité entre ce savoir et ce qu'on pense être leur vocation naturelle, « le mariage et le ménage ». Dans une lettre sur « les femmes doctes de son siècle », Agrippa d'Aubigné se réjouit du savoir des grandes dames de son temps, dont il passe en revue les plus célèbres. Pour ses filles, auxquelles il s'adresse, c'est autre chose : « Je ne blâme pas, leur dit-il, votre désir d'apprendre avec vos frères ; je ne le voudrais détourner ni échauffer, et encore plutôt le premier que le dernier. » Mais si la connaissance est recommandable aux princesses, qui en auront éventuellement besoin pour exercer des fonctions de responsabilité, elle est, continue d'Aubigné, « presque toujours inutile aux demoiselles de moyenne condition », dont la vocation est de se marier et d'avoir des enfants. « Quand le rossignol a des petits, il ne chante plus. » Que feront-elles de leur savoir ? « J'en ai vu arriver deux maux, dit l'auteur, le mépris du ménage et de la pauvreté, celui d'un mari qui n'en sait pas tant et la dissension. » La femme instruite ne peut que se révolter contre sa subordination. Si l'homme veut rester maître chez lui, il a tout intérêt à ne pas épouser une savante.

Pis encore, admettre que les femmes jouissent des mêmes capacités intellectuelles que les hommes, c'est se priver du principal argument qui les écarte des emplois publics (la justice par exemple) et des affaires de l'Etat. Les champions des dames, fût-ce à titre de paradoxe, vont volontiers jusqu'au bout des conséquences de leur démonstration. Corneille Agrippa est allé d'emblée jusqu'à leur reconnaître le droit d'accéder aux fonctions et dignités religieuses. Poullain de La Barre, lui, a solidement argumenté pour montrer que les exclusions n'étaient pas fondées en raison, mais sur des préjugés et des coutumes contestables. Pour les femmes désormais, dans le domaine des idées, tout est possible. Le difficile sera de passer de la théorie à la pratique en tenant compte des résistances des faits et surtout des mentalités. Il y faudra beaucoup de temps. Le XVIIe siècle est l'époque des premières applications concrètes des nouvelles idées, dans un milieu très limité. Encore faudra-t-il, pour y parvenir, borner ces premiers essais à quelques domaines marginaux (essentiellement la mondanité et la littérature), et que les femmes y fassent preuve de la plus grande modération.

31

Un territoire interdit

Guez de Balzac, au début du siècle, concède dans une lettre à Mlle de Gournay que ce n'est pas « un péché à une femme d'entendre le langage que parlaient autrefois les vestales », autrement dit de savoir le latin. Il regrette, prétend-il, « cette erreur qui a vieilli dans l'esprit du peuple qu'il faut qu'une femme ignore beaucoup de choses ». Mais à Chapelain, il avoue le fond de sa pensée : « Je souffrirais plus volontiers une femme qui a de la barbe qu'une femme qui fait la savante. » A plusieurs reprises, écrivant à Balzac, Chapelain se moque d'une femme, probablement Mme d'Auchy, qui tient chez elle une sorte d'académie où on prise ostensiblement le savoir, y compris celui de la maîtresse de maison, qu'elle ne cache pas. Il loue au contraire son amie, Mme Desloges, de ce qu'en public, elle cache ses livres et ses papiers pour ne laisser voir que les signes de sa féminité : son canevas, sa soie et ses aiguilles. Elle sait à la fois prendre part aux conversations et s'occuper de sa maison. « Après avoir parlé des princes de l'Etat, elle a soin de ses hôtes et voit ce qui se passe dans la cuisine. » Telle est et telle restera tout au long du siècle l'opinion des esprits éclairés sur le savoir des femmes. Elles sont capables d'apprendre. Celles qui appartiennent à un certain milieu ont le droit d'acquérir un certain savoir. Elles n'ont pas le droit de le montrer.

Le cas d'Anne-Marie Schurman passionne l'Europe, mais reste exceptionnel. Née en 1607 dans une famille installée à Utrecht, cette jeune fille sait à vingt-cinq ans presque toutes les langues connues, rédige couramment en français et en latin et cite l'arabe, l'hébreu ou le grec dans leur écriture originale. Elle est en correspondance avec les savants de son temps, y compris Balzac et Chapelain. En chemin vers la Pologne pour rejoindre le roi auquel on vient de la marier, Marie de Gonzague va lui rendre visite et l'entend parler grec avec son premier médecin, italien avec l'évêque d'Orange, et discuter avec lui en latin de théologie. Elle admire ses œuvres artistiques, car la jeune fille sait peindre, graver, sculpter. Elle l'écoute jouer de la musique. Ayant tous les dons et tous les savoirs, Mlle Schurman est la preuve vivante de la variété et de la qualité des aptitudes des personnes de son sexe dans des domaines dont il est généralement exclu.

Scrupuleuse, elle s'en inquiète et décide, en 1632, de consulter sur ce point l'un des meilleurs théologiens de l'Eglise réformée, André Rivet, un Français devenu précepteur du fils du prince d'Orange après avoir enseigné à l'université de Leyde. Elle échange avec lui une correspondance en latin, dont elle tire quatre ans plus tard un petit traité dans la même langue, intitulé *Amica dissertia inter A. M. Schurmanniam et A. Rivetum de capacitate ingenii mulieris ad scientias* (Amicale discussion entre A. M. Schurman et A. Rivet sur la question de l'aptitude de l'esprit féminin aux sciences). On le publie en France quatre ans plus tard dans un volume de ses *Opuscula*. Il contient aussi sa correspondance avec Rivet, intitulée : *Problema pratica. Num fœminæ chritianæ conveniat studium litterarum*. En 1646, le poète Colletet traduit cette partie de l'ouvrage en français sous le titre : *Question célèbre. S'il est nécessaire ou non que les filles soient savantes*. Littéralement, il faudrait traduire « s'il est ou non convenable... »

Cette traduction porte devant le grand public qui ignore le latin, sur un cas concret, la question du savoir des femmes. Les arguments avancés par Mlle Schurman n'ont rien d'excessif. L'intelligence n'a pas de sexe, dit-elle, et aucune loi divine n'interdit aux femmes de développer ce don naturel. Concédant sans discussion leur exclusion des affaires publiques, elle insiste sur le loisir qui en résulte, et qui leur donne plus de temps pour « caresser les muses qui aiment la douceur du calme et du repos ». C'est reprendre l'idée traditionnelle de l'*otium* telle que l'ont exprimée les Anciens et particulièrement Cicéron. Elle ajoute que, par les activités de l'esprit, les femmes échapperaient à l'oisiveté, mère de tous les vices selon saint Basile. Elle ébauche une sorte de programme d'études en insistant sur le profit intellectuel et moral que peut apporter la connaissance de l'histoire et des merveilles de la nature. Elle montre l'importance, pour y parvenir, de la connaissance des langues, « gardiennes des trésors que la sage Antiquité nous a laissés ».

A ce programme modéré, Rivet répond poliment mais fermement en rappelant l'idée commune aux réformés et aux catholiques de la spécificité des sexes, indépendante et distincte de celle de leur égalité intellectuelle, vraie ou prétendue. « Il est bien croyable, dit-il, que le souverain auteur de la nature n'a formé deux sexes différents qu'afin de mettre une différence entre leurs fonctions, et qu'il a destiné les femmes à une chose, les hommes à une autre. » Le sexe des femmes ne les prédispose pas à l'étude, mais à la reproduction. Si certaines, comme Mlle Schurman, se trouvent particulièrement savantes, cela ne peut et ne doit être qu'exceptionnel. Pour Rivet, « il suffit qu'il y en ait parfois quelques-unes qui, se sentant poussées d'une inclination particulière, s'élèvent au-dessus de toutes celles de leur sexe et se rendent capables des plus hautes sciences ». Les autres perdraient leur temps et leur peine, puisque leurs connaissances ne leur ouvriraient aucune carrière ni dans les charges publiques, ni dans l'enseignement, encore moins dans l'Eglise.

Cette réponse, qui répète des principes connus, est aussi indulgente au cas particulier de Mlle Schurman que sans réplique sur le plan général. Rivet va jusqu'à concéder que parmi « les exercices convenables à une fille [au sens d'une femme non mariée], l'exercice de l'étude lui est principalement convenable ». L'intéressée peut donc continuer de s'instruire en toute sûreté de conscience. A condition de ne pas se marier. Dans un XVIIe siècle déjà bien commencé, continuent de régner les idées qu'on a opposées dès le siècle précédent aux femmes enthousiasmées par le bouillonnement culturel de la Renaissance. Le savoir, le vrai savoir hérité des Anciens, celui qui peut mener à des emplois, n'est pas une affaire de femmes. On ne peut l'admettre que chez des êtres d'exception, princesses et grandes dames, en raison de leur statut social, éventuellement et plus rarement encore chez une fille entichée de savoir qui devra, par voie de conséquence, se vouer au célibat. Comme les clercs. Ainsi avait naguère renoncé au mariage la fille trop savante de la dame des Roches. A la fin du siècle paraît encore un livre contenant deux programmes d'études, selon qu'il s'agit de filles destinées ou non au mariage.

Le savoir peut déterminer ou infléchir la condition d'un homme, qui exerce un métier et fait une carrière. Il sera avocat ou médecin en raison d'une compétence acquise par un cursus scolaire et universitaire. Sauf exceptions récentes (par exemple la sage-femme qualifiée, la religieuse soignante ou enseignante), la femme n'a de métier que celui qui est attaché à sa condition de jeune fille (servante à la ferme ou domestique à la ville) ou à sa survie (les petits métiers des pauvres et des veuves). Ses activités impliquent au mieux un apprentissage, jamais un savoir reconnu, un savoir donné par des études. Pour le reste, sa condition, c'est d'être femme, c'est-à-dire épouse et mère de famille, donc modeste et subordonnée. Le savoir ne doit pas interférer avec cette fondamentale réalité. Ce principe reste vrai même pour la dame du haut de la société qui a du loisir pour s'instruire et qui en profite effectivement pour acquérir des connaissances. Sauf pour l'agrément qu'il peut indirectement donner à sa conversation lorsqu'il est parfaitement maîtrisé, le savoir, chez une femme, est par définition une chose socialement inutile, et qui doit demeurer cachée.

Dans son recueil *Des dames*, Brantôme rapporte que vers 1555, la dauphine Marie Stuart, âgée d'à peine quatorze ans, « déclama devant le roi Henri, la reine et toute la cour, publiquement en la salle du Louvre, une oraison en latin qu'elle avait faite, soutenant et défendant contre l'opinion commune qu'il était bienséant aux femmes de savoir les lettres et les arts libéraux ». C'était déjà traiter le *Problema pratica* de Mlle Schurman. C'était la même audace : une femme osait prendre publiquement en main la cause des femmes en étalant son savoir. C'était aussi l'emploi du même langage, celui de la république des lettres, qui permettait à l'élite sociale et intellectuelle toutes sortes d'échanges culturels à travers l'Europe. Les femmes savantes du XVIe siècle étaient en effet de très grandes dames ou des femmes d'exception, élevées dans des milieux cultivés (celui de la cour, mais aussi par exemple celui des imprimeurs), qui partageaient du fait de leur condition le seul savoir reconnu, le savoir des hommes, le savoir fondé sur la maîtrise parfaite du latin et parfois même du grec, le savoir qui permettait d'accéder à la somme des connaissances léguées par la vénérable et infaillible Antiquité.

De ces savantes, Mlle Schurman était la digne héritière, mais aussi la dernière représentante d'un modèle qui disparaissait. Dans les années 1630, s'est en effet opérée en France une sorte de révolution culturelle qui a modifié en profondeur l'idée que l'on se faisait du savoir. Pourquoi, s'est-on demandé, celui-ci serait-il réservé à ceux qui connaissent les langues anciennes ? Pourquoi son unique source serait-elle la tradition littéraire et scientifique héritée de l'Antiquité ? Le renouvellement des connaissances, en particulier dans le domaine de la médecine, montrait à ceux qui se tenaient au courant de la science active que celle des Anciens devenait caduque. Des médecins comme Laurent Joubert, des chirurgiens comme Ambroise Paré l'avaient montré dès la seconde moitié du XVIe siècle dans des traités écrits en français et par conséquent accessibles à quiconque savait lire, femmes comprises. Grec et latin correspondaient à la science aristotélicienne et à ses suites, à la science du passé. A tort ou à raison, les tenants du savoir traditionnel pouvaient s'y accrocher et défendre leur culture. Ceux qui en avaient été traditionnellement écartés, les non-spécialistes et les femmes, ne pouvaient qu'être favorables à l'apparition d'un nouveau savoir exprimé dans la langue de tous les jours.

Cette transformation était encore plus effective dans le domaine de la littérature. En 1549, dans sa *Défense et illustration de la langue française*, Joachim du Bellay avait affirmé haut et fort, au nom de la Pléiade, la nécessité de créer une littérature nationale, une littérature en langue vulgaire. Près d'un siècle plus tard, cette littérature existe. Plus besoin de lire en latin pour s'instruire ou pour se distraire. La langue de tous les jours a produit des œuvres, sinon des chefs-d'œuvre, dans tous les genres connus, de l'épopée au sonnet en passant par l'épître ou le madrigal. Les productions en latin ne sont, dans le domaine des lettres, que des survivances d'un passé en train de disparaître. L'avenir, ce sont, outre le patrimoine français déjà constitué, les nombreux textes en cette langue imprimés chaque année, qu'on lit au fur et à mesure de leur publication. Malherbe et ses disciples, pendant le premier tiers du siècle, veillent soigneusement à ce que prose et poésie soient facilement accessibles à ceux qu'en détourneraient l'érudition du contenu et les embarras de l'expression. L'homme de lettres ne doit pas écrire pour les savants, mais pour les courtisans et pour les femmes. Ainsi s'élabore une culture moderne, accessible aux « dames et aux cavaliers », selon une formule qui fera fortune pour désigner le nouveau public, par opposition aux tenants de la culture traditionnelle, les doctes ou les pédants.

Cette mutation, d'une importance capitale, est cependant loin d'apporter aux femmes le droit de se comporter comme les hommes envers le savoir. Pour l'ensemble de la société mondaine, donc pour tous ceux auxquels le nouveau savoir est accessible, c'est une question de bienséance. Rien n'a changé sur ce point depuis le début du siècle, quand Mlle de Scudéry publie en 1653 le tome X de son roman à succès, *Artamène ou le Grand Cyrus*. Femme, elle prend grand soin d'y souligner, à l'intention de son vaste public, la réserve que les femmes doivent s'imposer dans ce domaine. Au portrait de Sapho, décrite à son image comme le modèle de l'alliance de la culture et de la discrétion, elle oppose celui de Damophile, femme savante ridicule qui se flatte ostensiblement de ce qu'elle sait, oubliant que sa féminité doit prévaloir sur son appétit de connaissances.

On ne peut refuser aux femmes le droit et même le devoir d'étudier. Loin d'avoir « la science infuse », Sapho, qui a de la facilité, « s'est donné la peine de s'instruire de tout ce qui est digne de sa curiosité ». Elle condamne celles « qui pensent qu'elles ne doivent jamais rien apprendre qu'à bien se coiffer ». Dès 1644, dans un recueil de *Harangues* paru sous le nom de son frère, Mlle de Scudéry fait dire à Sapho s'adressant à Erinne : « La beauté est en notre sexe ce que la valeur est en celui des hommes, mais comme cette qualité ne les empêche pas d'aimer les belles-lettres, cet avantage ne nous empêche point de les apprendre et de les savoir. » L'étude devrait être pour les femmes une sorte de compensation à l'obligation d'oisiveté que leur impose la société : « Il est juste, ce me semble, puisque nous laissons la domination aux hommes, qu'ils nous laissent au moins, la liberté de connaître toutes choses dont notre esprit est capable. » Comme Mlle de Gournay, Mlle de Scudéry affirme le droit des femmes au savoir. La différence, c'est qu'elle ne le leur accorde qu'à l'intérieur d'étroites limites.

La première est quantitative. Il est « constamment vrai », dit Sapho, qu'il y a « certaines sciences que les femmes ne doivent jamais apprendre » — sans doute, bien qu'elle ne le précise pas, celles dont on les exclut habituellement, la théologie, la philosophie, la politique, et tout ce qui touche aux « secrets de la nature ». « Il y en a d'autres qu'elles peuvent savoir, mais qu'elles ne doivent pourtant jamais montrer qu'elles sachent, quoiqu'elles puissent souffrir qu'on le devine » — vraisemblablement les langues anciennes et les textes littéraires auxquels celles-ci donnent accès. Reste une troisième catégorie de connaissances, sans doute « quelques langues étrangères » (l'italien et l'espagnol) et la littérature contemporaine, « dont il n'est pas nécessaire de faire un si grand secret ». Encore faut-il procéder « sans faire trop la savante ». C'est une deuxième limitation : les femmes doivent professer sur ce qu'elles savent « une ignorance volontaire ».

S'il est conseillé aux femmes de se cultiver à condition de le faire discrètement, l'utilisation de cette culture en société s'avère très délicate. Elle relève d'un art de vivre que seule permet une longue pratique, greffée sur d'heureuses dispositions naturelles. C'est une question de tact. Dans un des tomes de *Clélie*, Mlle de Scudéry rappelle les contraintes auxquelles doit se plier l'ensemble du comportement féminin. « Il ne faut pas qu'une honnête femme parle toujours comme un honnête homme, et il y a certaines expressions dont les uns peuvent se servir à propos et qui seraient de mauvaise grâce aux autres », déclare un de ses personnages. Un autre renchérit : « Si j'allais juger décisivement de quelque question difficile, je passerais pour ridicule. Si j'affirmais seulement ce que je dis d'un ton trop ferme et trop fier, on douterait si je mériterais le nom de fille. Si je parlais de guerre comme un tribun militaire, toutes mes amies se moqueraient de moi. »

Les femmes, qui sont les premières à exiger des autres femmes la réserve liée à leur sexe, se montrent particulièrement contraignantes dans le domaine culturel en raison de leur ignorance générale. « La difficulté de savoir quelque chose avec bienséance, écrit Mlle de Scudéry, ne vient pas tant à une femme de ce qu'elle sait que de ce que les autres ne savent pas. » Il n'est jamais bon de s'afficher parmi ses semblables comme une exception, la différence à l'intérieur d'un groupe social étant facilement perçue comme une provocation dont il rejette l'inconvenance. « C'est sans doute la singularité qui fait qu'il est très difficile d'être comme les autres ne sont point sans être exposée à être blâmée. » On peut seulement espérer (mais Mlle de Scudéry ne le dit pas) qu'avec le progrès du savoir, au moins chez les femmes de la cour et du monde, un jour viendra où cette réserve sera moins nécessaire.

A cette attitude modérée, mais ouverte à une culture discrète, s'oppose l'attitude des moralistes et des clercs d'inspiration chrétienne. Dans la seconde moitié du siècle, le savoir a tôt fait de paraître suspect. A la différence d'Erasme et des humanistes, on ne croit plus qu'il soit en lui-même nécessairement moral, au contraire. On doute de la légitimité de la quête d'une vérité que l'homme a perdue par la faute originelle. Avec le besoin de dominer et l'instinct sexuel, la *libido sciendi* fait partie des trois pulsions pernicieuses dues au péché originel. En 1687, dans son *Traité de l'éducation des filles*, Fénelon convient, comme ses prédécesseurs, qu'il ne faut pas tenir les jeunes filles dans une ignorance dangereuse. De l'ignorance et de l'oisiveté, dit-il, naît « une sensibilité pernicieuse pour les divertissements et pour les spectacles. C'est même ce qui excite une curiosité indiscrète et insatiable ». Il faut donc satisfaire suffisamment cette curiosité pour qu'elle s'apaise de soi-même. « Les personnes instruites et occupées à des choses sérieuses n'ont d'ordinaire qu'une curiosité médiocre. Ce qu'elles savent leur donne du mépris pour beaucoup de choses qu'elles ignorent. Elles voient l'inutilité et le ridicule de la plupart des choses que les petits esprits, qui ne savent rien et qui n'ont rien à faire, sont empressés d'apprendre. »

Pour Fénelon comme pour beaucoup de ses contemporains, des études trop poussées encouragent l'orgueil et risquent d'avoir des résultats particulièrement pernicieux chez les femmes, dont la condition suppose modestie et soumission. En limitant l'instruction des jeunes filles aux connaissances dont elles auront plus tard besoin pour tenir le rôle qui les attend comme épouses dans leur famille et leur milieu, l'auteur du *Traité de l'éducation des filles* vise principalement à supprimer en elles l'esprit de curiosité. Leur éducation ne doit pas déboucher sur l'attrait du savoir. On ne les instruira que pour les en détourner. Il faut, dit-il, « craindre les pièges de la curiosité et de la présomption ». Son modèle est celui de la femme tout entière occupée de sa maison. Il faut préparer les jeunes filles à leur fonction d'épouses et de mères de famille. Il faut fortifier leur faiblesse. « La femme forte, écrit-il, file, se renferme dans son ménage, se tait, croit et obéit. »

Mme de Maintenon partage les idées de Fénelon. Elle les établit en partant de considérations pratiques. La lecture est utile aux hommes, explique-t-elle. « On commence dès l'enfance à leur donner des connaissances qui leur sont nécessaires : le prince y apprend l'art de régner, l'ecclésiastique s'instruit de tout ce que demande sa profession... Les juges y apprennent les lois, les coutumes de chaque pays. Qu'y a-t-il en cela qui nous regarde, nous dont la conduite consiste à obéir, à nous cacher, à nous renfermer ou dans un couvent ou dans notre famille ? » Bourgeois, grands bourgeois, parlementaires, aristocrates attachés à la structure familiale valorisée par le concile de Trente partagent tous au fond d'eux-mêmes l'idéal de l'épouse formulé par Chrysale, dont le ridicule, pour les contemporains, tient plus à sa personne qu'au contenu de ses propos : « Former aux bonnes mœurs l'esprit de ses enfants,/Faire aller son ménage, avoir l'œil sur ses gens,/Et régler la dépense avec économie/Doit être son étude et sa philosophie. » Pour Chrysale, cette conduite doit résulter de l'ignorance et de la coutume. Pour Fénelon et ses émules, elle ne peut résulter que d'une instruction préalable. C'est un progrès. Philaminte, si elle l'avait reçue, ne se laisserait pas prendre au faux savoir d'un Trissotin.

Pour la femme du XVIIe siècle, la marge qui permet d'accéder au savoir s'avère extrêmement étroite. Dévote ou simplement respectueuse de l'enseignement de l'Eglise, elle doit borner ses connaissances à celles que réclame son état de religieuse ou de mère de famille. Mondaine, elle se voit reconnaître le droit d'apprendre, mais dans quelques domaines seulement et à la condition expresse qu'on ignore quand et comment elle étudie, et même qu'elle a étudié, encore plus ce qu'elle a étudié. On ne lui reconnaît des facultés intellectuelles que pour lui demander d'avoir en plus l'intelligence de les cacher.

En 1672, le Clitandre des *Femmes savantes* refuse à la femme « la passion choquante/De se rendre savante afin d'être savante », autrement dit le droit de mettre son idéal dans son épanouissement intellectuel. « Et j'aime que souvent, aux questions qu'on fait, ajoute-t-il,/Elle sache ignorer les choses qu'elle sait./De son étude enfin, je veux qu'elle se cache/Et qu'elle ait du savoir sans vouloir qu'on le sache. » Certes, il est lui-même « honnête homme » et contraint lui aussi à ne pas faire étalage de ce qu'il sait. Mais on sait qu'il sait. Il a le droit qu'on le sache. Sinon, ce ne serait pas un « honnête homme ». De l'« honnête femme », au contraire, il est exigé de savoir et ne savoir pas, de pratiquer l'ignorance volontaire, selon l'idéal de Sapho. « Je consens qu'une femme ait des clartés de tout », avait d'abord dit Clitandre. Cette concession lui reconnaît le droit d'accéder à une culture générale qu'on lui refusait au début du siècle en raison de sa prétendue inaptitude intellectuelle. C'est un indéniable progrès. Mais comment acquérir ces « clartés » parmi tant d'obstacles ?

32

Des lectures féminines

C'est seulement au temps de la Renaissance et de la Réforme, et grâce à elles, que s'est ouvert le débat, précédemment jugé sans objet, de la culture des femmes. A peine leur accordait-on le droit de lire. Personne ne le leur conteste désormais. Si l'alphabétisation reste limitée, cela vient de l'organisation de la société et de difficultés d'ordre pratique, non de raisons *a priori* et prétendument insurmontables tirées de la nature des femmes. Ceux-là même qui continuent de penser qu'elles sont plus faibles que les hommes en tirent la conclusion qu'il faut les fortifier par de bonnes lectures. Le débat, chez les moralistes et les gens d'Eglise, n'est plus de savoir si les femmes ont le droit de lire, mais de décider ce qu'elles peuvent ou doivent lire. Dans le monde, à en croire ce qu'écrit l'abbé de Pure au début de 1656, la question porte sur ce qu'elles ont envie de lire.

« Aimez-vous la théologie ou la dévotion, la philosophie ou la morale, la poésie ou les pièces d'éloquence ? » demande Philonime aux dames de la ruelle. Eulalie répond la première. Elle rejette d'emblée la dévotion, trop liée à des idées de « respect » et de « devoir » pour être agréable. D'ailleurs, « l'esprit d'une femme a quelque chose de si éloigné de ces auteurs, des mystères et des sentiments élevés qu'elle ne peut qu'avec déplaisir réfléchir sur sa faiblesse ». Eulalie récuse aussi la philosophie, qui défend le pour et le contre sans savoir trancher. Peu lui importe qui a raison d'Aristote ou de Sénèque. « Je me ris de ces vieux barbons, et les laisserais volontiers dormir toute ma vie sans leur dire un seul mot qui pût les réveiller. » En revanche, elle se plaît à la poésie et cite ses auteurs favoris, Corneille d'abord avec « vénération », Benserade auquel elle donne « le prix des vers galants », Chapelain pour son épopée *La Pucelle,* le spirituel Boisrobert dont elle aime la verve satirique et les comédies. L'intéressante conversation sur la littérature qui entoure et justifie ces choix montre qu'au milieu du XVIIe siècle, on a pris conscience qu'il existe des auteurs vivants susceptibles de satisfaire tous ceux qui veulent se distraire en se cultivant agréablement. Ils se sont adaptés aux goûts des femmes. On mesure le chemin parcouru en un peu plus d'un siècle.

« Et moi, intervient Aracie, je ne suis ni pour les poètes ni pour l'histoire ; je suis pour les romans. » Belle occasion, pour les personnages, de comparer les deux genres et de citer les plus célèbres auteurs de chacun d'eux, Mézeray pour les historiens, La Calprenède, Scudéry et Vaumorières pour les romanciers. « Quand j'entends parler du roman, précise Aracie, j'entends de ces ouvrages des derniers temps, où l'extraordinaire ne laisse pas d'être raisonnable, où les affections ont autant d'honnêteté que d'ardeur, où les emportements se font dans les règles, et en un mot où les choses qui ont jusqu'ici paru dangereuses sont rendues si belles et si innocentes que les plus purs et les plus scrupuleux n'y courent point de risque et ne peuvent s'en offenser. » Aracie fait l'éloge de la littérature d'imagination contemporaine, d'une moralité adaptée à la pudeur et à l'honnêteté des lectrices.

Deux ans avant l'abbé de Pure, dans le prologue des *Nouvelles françaises*, rédigées par Segrais à Saint-Fargeau à l'instigation de Mlle de Montpensier, l'auteur montre la princesse au milieu des femmes qui l'ont accompagnée dans son exil. « Un si beau jour et un si beau pays furent le sujet de la conversation. Mais enfin cet agréable objet ayant ramené à quelques-unes de la troupe l'imagination des romans, je ne sais qui ce fut qui se mit à dire que ce pays sans doute était celui d'Astrée. Et insensiblement tombant sur cette matière, les Oroondate, les Polexandre et le Grand Cyrus furent mis sur les rangs. Et chacun s'affectionnant à quelqu'un de ces héros, la dispute s'échauffait sans doute si la princesse, qui jusque-là n'avait presque point parlé ne se fût venue mêler à cet entretien. » Au milieu du XVIIe siècle, les romans font partie de la culture la plus familière des femmes de l'élite de la société.

Prenant à son tour la parole, Mlle de Montpensier loue, pour les raisons les plus diverses, les principaux romans parus depuis le début du siècle : « Qu'y a-t-il de mieux fait et de plus naturel que les belles imaginations de *L'Astrée* ? Que peut-on voir de plus extraordinaire et de mieux écrit que dans le *Polexandre* [de La Calprenède] ? Que peut-on lire de plus ingénieux que l'*Ariane* [de Desmarets de Saint-Sorlin] ? Où peut-on trouver des inventions plus héroïques que dans la *Cassandre* ? Des caractères mieux variés et des aventures plus surprenantes que dans la *Cléopâtre* ? La seule histoire du peintre et du musicien qui se lit dans l'*Illustre Bassa* [de Mlle de Scudéry] ne ravit-elle pas et ne vaut-elle pas seule les plus riches inventions des autres ? Qu'est-ce qu'une personne qui sait le monde ne doit pas dire de l'admirable variété du *Grand Cyrus*, des différentes images où chacun peut se contempler et de ces délectables et tout à fait instructives conversations qui font qu'on ne saurait quitter la lecture de ce bel ouvrage ? » C'est dans les romans que les femmes ont appris beaucoup de ce qu'elles savent ou croient savoir d'histoire, de philosophie, et surtout de psychologie amoureuse.

Au moment de proposer au public dans le recueil signé par Segrais une autre sorte de récit romanesque, fait de courtes nouvelles qui mettent en scène des personnages français vivant à une époque récente, Mlle de Montpensier ne renie pas ses précédentes lectures. Les longs romans du début du siècle, situés dans un lointain passé, ont été le point de départ de sa vie intellectuelle comme de celle de beaucoup d'autres femmes de son temps. Il suffisait en effet de savoir lire pour les comprendre et se laisser emporter. Ils ont été la première, la principale et parfois la seule lecture de toutes les jeunes femmes de son temps. Ils ont tenu dans leur culture une place analogue à celle des grands textes de l'Antiquité chez les garçons qui allaient au collège. Avec en moins une formation systématique à la rhétorique. Avec en plus de quoi répondre aux besoins de leur imagination et de leur cœur.

« Il faut considérer, explique Charles Sorel dans *De la connaissance des bons livres* (1671), quelles personnes ce sont qui prisent le plus les romans. On verra que ce sont les femmes et les filles et les hommes de la cour et du monde, soit qu'ils soient gens d'épée ou que leur oisiveté les fasse plaire aux vanités du siècle. » Les femmes y prennent plaisir à se voir représentées dans « leur gloire ». Les mondains ignorants y trouvent une pâture assimilable sans formation intellectuelle et sans culture préalable : « Les hommes sans études se veulent aujourd'hui mêler de toutes choses, au moins ceux qui sont de qualité un peu relevée. » Substituant au savoir théorique une connaissance venue de l'usage (« la pratique du monde leur a plus servi que le collège n'a servi aux autres »), ils préfèrent « les ouvrages de plaisir », histoires et romans notamment, « dont la lecture est fort commune, car chacun se croit capable de les lire et d'en juger ».

Pour les tenants de la littérature traditionnelle, les romans ont le tort de s'adresser à cette partie du public, « les dames et les cavaliers », qui relève d'une culture différente, celle où les femmes prédominent, celle des esprits qui n'ont pas été formés par l'étude des Anciens — ou qui s'en laissent détourner par le mauvais exemple féminin. Parce qu'elle a besoin de garants pour se pardonner à elle-même sa « folie », Mme de Sévigné conte à sa fille que d'Hacqueville, Villarceaux et La Rochefoucauld partagent son goût. Retz l'avoue dans ses *Mémoires*, et Bourdelot, dans une lettre de 1641, affirme que Condé s'en faisait lire « dès les six heures du matin jusqu'à huit heures du soir », soit pour se donner une excuse à ne pas parler, soit qu'« effectivement, il eût de la passion pour ces sortes de livres, qui lui donnaient matière de rêver profondément ». Ces exemples n'y changent rien : les romans sont considérés par l'opinion comme l'affaire des femmes ou à la rigueur des jeunes gens. Bussy, à la parution de *Zaïde*, affirme n'avoir plus lu de romans depuis le collège. Dans la bonne société, on se conduit envers eux comme de nos jours envers la bande dessinée : on les dévore, mais on s'en cache, à moins qu'on ne dise les aimer par esprit de provocation.

Signe de l'intérêt du public pour ce nouveau genre littéraire, on en parle aux conférences du Bureau d'adresses de Renaudot. A la question « si l'usage des romans est profitable », un premier interlocuteur répond que leur utilité est « d'autant plus grande qu'ils instruisent avec plaisir, mariant artificiellement [avec art] l'utile avec l'agréable ». L'agréable parce que « le romaniste est le maître et l'ouvrier de son sujet », alors que « l'historien en est l'esclave » ; l'utile parce que ce n'est pas « l'aveugle jugement de la fortune » qui décide du dénouement, mais l'auteur soucieux que « la justice distributive soit exactement gardée ». Ce lecteur accorde au romancier démiurge un pouvoir de libre création dont d'autres soulignent au contraire le danger, Sorel par exemple, qui soutient « la préférence de l'histoire sur le roman » au nom de la supériorité du vrai. Rien, dit-il, n'oblige en effet l'auteur de romans, libéré de l'histoire et de la vérité, à rester dans les limites étroites de la morale et d'un vraisemblable contraignant. Le romanesque est inquiétant parce qu'il est du domaine de l'imagination.

« Tous ces discours fabuleux ont cela de commun, remarque un des interlocuteurs du Bureau d'adresses, qu'ils marquent la faiblesse du jugement en ceux qui s'y attachent et un dérèglement d'esprit en leurs auteurs. Et puisque selon les médecins, le premier degré de folie est de s'imaginer des opinions, le second est de les dire aux autres ; le troisième, à mon avis, sera de les écrire. » Parce qu'il ignore que dire et écrire ses fantasmes, ou le simple fait de les lire, peut être un bon moyen de leur échapper, cet intervenant dit sa peur d'être contaminé par la folie d'autrui. Dans une époque où l'examen de conscience et la confession entraînent chacun à se surveiller et à se rendre maître de son âme et de ses actions, les romans apparaissent à plus d'un comme une dangereuse tentation de libérer des fantômes et d'inspirer d'extravagantes conduites.

En décrivant l'effet que produit sur elle leur lecture, Mme de Sévigné donne raison aux censeurs : « La beauté des sentiments, la violence des passions, la grandeur des événements et le succès miraculeux de leurs redoutables épées, tout cela m'entraîne comme une petite fille ; j'entre dans leurs desseins. » Aimer le roman, c'est donc bien quitter le domaine de l'ordre et du raisonnable pour retrouver le monde de l'enfance, qui se moque du rationnel. C'est être « emporté », voire « transporté », au lieu de se guider et de se surveiller. C'est par conséquent accepter une aliénation passagère, entrer par contagion dans une sorte de folie que l'on ne comprend pas soi-même : « Je songe quelquefois, écrit le même jour Mme de Sévigné, d'où vient la folie que j'ai pour ces sottises-là ; j'ai peine à le comprendre. » Le mot « folie » revient plusieurs fois sous la plume de l'épistolière qui le prend, il est vrai, dans un sens atténué, alliant les idées de sottise, de délire et de jeu gratuit. Au lieu de vivre sa propre vie, le lecteur de romans « entre dans les desseins » d'autrui. Le risque est d'en être envahi au point de s'y perdre.

Dans la première partie de son *Roman bourgeois*, publié en 1666, Furetière s'en prend à *L'Astrée*, l'ouvrage qui a fondé le nouveau genre, en montrant ses effets dévastateurs sur le personnage de Javotte. Parfaitement élevée pour mener une vie paisible dans son milieu, cette toute jeune fille de la petite bourgeoisie est entraînée à la révolte et au malheur par la découverte du monde des bergeries amoureuses du roman d'Honoré d'Urfé qu'on lui prête en cachette et qu'elle lit sans préparation. Emportée par son imagination, elle s'identifie à Astrée et s'éprend de celui qui lui a fait découvrir le livre, qu'elle transforme en Céladon. Refusant les réalités de la vie, elle refuse le mariage de convenance préparé par ses parents. « Elle leur répondit assez galamment qu'elle les remerciait de la peine qu'ils avaient prise de lui chercher un époux, mais qu'ils devaient en laisser le soin à ses yeux ; qu'ils étaient assez beaux pour lui en attirer à choisir ; qu'elle avait assez de mérite pour épouser un homme de qualité qui aurait des plumes et qui n'aurait point cet air bourgeois qu'elle haïssait à la mort ; qu'elle voulait avoir un carrosse, des laquais et la robe en velours. Elle cita là-dessus l'exemple de trois ou quatre filles qui avaient fait fortune par leur beauté et épousé des personnes de condition. Qu'au reste, elle était jeune, qu'elle voulait être fille encore quelque temps pour voir si le bonheur lui en dirait... » Dangereuse, la lecture des romans conduit les jeunes filles à refuser l'autorité familiale, à vouloir sortir de la condition dans laquelle elles sont nées, à différer leur destin de femmes destinées au mariage et à la procréation.

A en croire leurs détracteurs, les romans ne se contentent pas de perturber l'esprit des filles et de troubler le bon ordre de la société. Ils font pis. Comme les comédies (mot qui désigne au XVIIe siècle toutes les pièces de théâtre), ils conduisent au péché par le simple fait qu'ils représentent les passions. « Les comédies et les romans, écrit Nicole, n'excitent pas seulement les passions, mais elles [*sic*] enseignent aussi le langage des passions, c'est-à-dire l'art de les exprimer et de les faire paraître d'une manière agréable et ingénieuse, ce qui n'est pas un petit mal. » Les paroles ne se bornent pas à exprimer les sentiments, elles les suscitent en leur fournissant un langage : « Il arrive aussi quelquefois que des personnes sans être touchées de passion, et voulant simplement faire paraître leur esprit, s'y trouvent ensuite insensiblement engagées. » En dénonçant le romanesque pour le seul fait que toute expression des passions est créatrice de conduites et inversement, Nicole lui ôte toute possibilité de justification : il en fait l'outil du péché. « Empoisonneurs des âmes », les auteurs de théâtre et de roman le sont non seulement par les modèles d'actions qu'ils offrent, mais pour la multitude de possibilités d'actions qu'ils fournissent en leur prêtant un langage.

Fénelon condamne les spectacles « où on représente les passions corrompues pour les allumer ». Conti oppose le but de la comédie, qui est d'« émouvoir les passions », à celui de la religion chrétienne, « qui est de les calmer, de les abattre, de les détruire autant qu'on le peut en cette vie ». Pendant tout le siècle, il existe un conflit ouvert et explicite entre un certain idéal de la retraite et du repos (celui vers lequel tend la princesse de Clèves à la fin du roman de Mme de La Fayette) et l'exemple des grandes passions et des grandes émotions proposées par les romans et le théâtre romanesque du début du siècle. Alors que les auteurs profanes insistent principalement sur les effets pervers que les aventures romanesques peuvent avoir sur des imaginations féminines, les gens d'Eglise montrent surtout les dangers que la peinture de l'amour et des passions représente pour la fidélité et la chasteté conjugales. Jean-Pierre Camus, évêque de Belley et auteur prolifique de romans, n'en écrit, peuplés d'épouses exemplaires dont la constante vertu vient à bout des maris les plus endurcis, que pour détourner ses lectrices des livres pernicieux qui sortent de plumes moins chrétiennes que la sienne.

L'abbé de Pure fait une bien curieuse impasse en retranchant d'emblée les livres de dévotion, par le choix d'Eulalie, de la culture de ses intellectuelles, comme si les femmes qu'il peint vivaient dans un monde laïcisé, comme si elles n'avaient ni confesseurs ni directeurs pour contrôler et orienter leurs lectures. La réalité est tout autre. Selon Jean-Pierre Camus, c'est au contraire « entre les mains des femmes, des filles, des servantes et des valets » que l'on trouve ces livres-là, « car les maîtres sont trop entendus pour s'amuser à ces petites choses ». Et c'est justement pour répondre à l'attente de ces lectrices qu'en plus de ses romans, il a écrit son *Acheminement à la dévotion civile*, d'inspiration salésienne. La réforme catholique et l'humanisme dévot font en effet aux fidèles, et particulièrement aux femmes, un devoir de s'instruire de leur religion et de cultiver leur foi en lisant des livres appropriés. Camus pensait en donner le modèle. D'autres, comme Philippe d'Angoumois, ont dressé à leur intention de longues listes d'ouvrages, y compris en langue étrangère, qui n'étaient pas limitatives, car ces moralistes faisaient grande confiance aux livres, pourvu qu'ils fussent d'inspiration religieuse et morale, pour cultiver l'esprit des femmes et leur ôter le goût de lectures moins solides.

Ceux de la fin du siècle ont perdu ce bel enthousiasme. Sans l'existence des ouvrages de piété, ils auraient volontiers ôté aux femmes un droit à la lecture qu'elles ne peuvent, selon eux, exercer qu'avec modération, et pour un nombre d'ouvrages limité. « Apprenez à vos demoiselles, écrit Mme de Maintenon, à être extrêmement sobres sur la lecture, à lui préférer toujours l'ouvrage des mains, les soins du ménage, les devoirs de leur état, et si enfin elles veulent lire, que ce soit des livres bien choisis, propres à nourrir leur piété, à former leur jugement et à régler leurs mœurs. » Dans une lettre de décembre 1686, elle indique quelques titres : « Ne souffrez point une grande diversité de livres : le Nouveau Testament, l'Imitation, Grenade, Rodriguez, saint François de Sales et quelques autres suffisent pour toute la vie d'une personne. » Et en décembre 1691 : « Ne les accoutumez pas à une grande diversité de lectures : sept ou huit livres qui sont en usage dans votre maison suffiraient pour toute leur vie si elles ne lisaient que pour s'édifier. La curiosité est dangereuse et insatiable. » Dans son *Projet de communauté selon mes idées*, Fénelon recommande à peu près les mêmes livres que Mme de Maintenon. Que la femme soit destinée à la vie religieuse ou à la vie profane, pendant le reste de sa vie comme pendant son éducation, elle doit se contenter d'un petit nombre de textes étroitement religieux, à relire et méditer pour fortifier sa vie morale et sa foi, sans y passer beaucoup de temps.

Ces conseils n'ont sans doute pas été suivis de tout le monde, mais ils sont loin d'être restés lettre morte. Chez les gens du peuple, la lecture est à l'école, pour ceux qui y apprennent à lire, une sorte de conduite religieuse. Ceux qui n'en abandonnent pas la pratique la continuent dans le même esprit et s'en tiennent à quelques livres de dévotion. Seuls les hommes et les femmes qui savent lire couramment, dans les milieux les plus favorisés, pratiquent la lecture profane. Plus on s'élève dans la société, plus l'éventail s'élargit, et plus augmente la part faite aux ouvrages écrits sans intention d'instruction religieuse et morale. Mais, les inventaires après décès le montrent, même chez ceux qui possèdent une bibliothèque, tout en haut de l'élite sociale, les « livres de dévotion » sont encore en majorité.

En juin 1671, à son arrivée en Bretagne, Mme de Sévigné se laisse d'abord détourner des livres sérieux par les bagatelles que son fils, qui l'a accompagnée, lui lit merveilleusement. A quarante-cinq ans, elle écoute avec plaisir les aventures de *Cassandre* et de *Faramond*, grands romans de La Calprenède dont elle aime les héros et les exploits insensés. Mais dès qu'elle se retrouve seule dans son château campagnard, elle se plonge dans les *Essais de morale* de Nicole, qui seront quasi sa seule lecture jusqu'à son départ pour Paris à la fin de l'année. En juin 1680, arrivant de nouveau aux Rochers, elle raconte à sa fille ses projets de lecture : « J'ai apporté ici une grande quantité de livres choisis. Je les ai rangés tantôt. On ne met pas la main sur un, tel qu'il soit, qu'on n'ait envie de le lire tout en entier. Toute une tablette de dévotion, et quelle dévotion, bon Dieu ! Quel point de vue pour honorer notre religion ! L'autre est toute d'histoires admirables. L'autre de morales. L'autre de poésie, et de nouvelles et de mémoires. Les romans sont méprisés et ont gagné les petites armoires. » Cette fois, la marquise ne les relira point.

Elle s'intéresse, dit-elle, aux *Conversations chrétiennes*, un livre de Malebranche, qui cherche à adapter la philosophie cartésienne à la doctrine de l'Eglise, insistant sur le « souverain pouvoir que Dieu a sur nous ». Elle continue de lire Nicole, et s'irrite de lui voir faire trop de concessions aux jésuites sur la doctrine de la grâce. Elle lui préfère de beaucoup, cette année-là, un ouvrage où figurent deux textes de saint Augustin, « De la prédestination des saints » et « Du don de la persévérance » dans une traduction en français due à Port-Royal. De la dénonciation de l'amour-propre par Nicole, elle est passée aux questions de la prédestination et du salut, autrement dit de la morale à la théologie. « Ce petit livre tranche tout », conclut-elle.

A la fin de son séjour, Mme de Sévigné est conquise par la doctrine augustinienne. Elle s'y tiendra fermement. Son exemple montre l'influence, dans une âme chrétienne, de livres de dévotion qu'elle choisit en toute liberté et dont elle juge souverainement le contenu, sans se soucier des autorités, même religieuses. Après s'être longtemps divertie sans scrupule en lisant les romans à la mode, elle a trouvé dans des ouvrages sérieux de quoi orienter le reste de sa vie. Elle y a puisé la force de mourir chrétiennement. « Nous avons dû remarquer, écrit Grignan, son gendre, peu après sa mort, par l'usage qu'elle a su faire des bonnes provisions qu'elle avait amassées, de quelle utilité et de quelle importance il est de se remplir l'esprit de bonnes choses, et de ces saintes lectures pour lesquelles Mme de Sévigné avait une avidité surprenante. »

33

Des femmes savantes

Si limitée, si ligotée qu'elle soit en principe, la culture des femmes ne cesse en fait de s'étendre et de se diversifier à mesure qu'on progresse dans le siècle. L'Eulalie de l'abbé de Pure semble l'ignorer, mais la philosophie qu'elle repousse pour sa difficulté et son inutilité s'est ouverte pour elle et ses semblables dès 1637 avec Descartes et son *Discours de la méthode*. « Si j'écris en français, qui est la langue de mon pays, dit l'auteur, plutôt qu'en latin, qui est celle de mes précepteurs, c'est à cause que j'espère que ceux qui se servent de leur raison naturelle toute pure jugeront mieux de mes opinions que ceux qui ne croient qu'aux livres anciens. » En préférant la raison à l'érudition et à la tradition, Descartes prétend proposer une philosophie accessible au grand public dans un livre où il a, souligne-t-il, « voulu, que les femmes mêmes pussent entendre quelque chose ».

Au lieu de la rejeter, d'autres entreprennent de mettre à leur portée la culture philosophique héritée de la tradition. En 1664, dans *Macarise, ou la reine des Iles fortunées, histoire allégorique contenant la philosophie morale des stoïques*, l'abbé d'Aubignac utilise à cette fin la forme romanesque. Sorel l'en félicite : « Nos dames, écrit-il dans sa *Bibliothèque française*, sauront Epictète sans l'avoir lu et elles trouveront Sénèque dans leurs alcôves sans l'aller chercher chez lui-même. » Bernier, en 1684, publie en excellent français, tiré du latin de Gassendi, le meilleur rival de Descartes, un *Abrégé de la philosophie d'Epicure* dont la destination au public féminin se marque notamment par sa dédicace à Ninon de Lenclos. Ainsi les femmes peuvent-elles accéder et aux plus célèbres des philosophes modernes et à la partie de la pensée des Anciens qui demeure susceptible de nourrir la réflexion de leur temps. En lisant ces sortes d'ouvrages discrètement, elles peuvent même respecter apparemment la réserve imposée par les bienséances.

Elles doivent transgresser cette règle, sans doute plus répétée que respectée de la majorité d'entre elles, tant est grand leur désir de connaissance, renforcé par l'attrait du fruit défendu, quand elles se rendent aux cours publics de vulgarisation que des esprits avisés proposent au public depuis le début du siècle. Théophraste Renaudot, le créateur de la presse, a le premier ouvert aux deux sexes ses célèbres conférences du Bureau d'adresses : trois cent quarante-cinq conférences en dix ans, publiées en cinq volumes de mille pages... C'étaient, sur les sujets d'actualité ou de société les plus variés, des exposés contradictoires, suivis de questions, avec pour finir une mise au point de Renaudot lui-même. Si les femmes ont sans doute moins fréquenté les conférences de Richesource, son successeur, qui prétendait réhabiliter la philosophie scolastique dont elles n'aimaient guère entendre parler, elles ont été nombreuses à se précipiter aux cours de philosophie et de morale donnés pendant trente-cinq ans (1635-1669) par Louis de Lesclache, auquel ses adversaires reprochaient précisément d'être un professeur pour dames. « Comme un autre Samson, dit l'un d'eux, vous filez dans les ruelles des précieuses. » Il divulgua la matière de son enseignement dans une douzaine de livres. Personne n'a œuvré autant que lui pour introduire de la philosophie dans la culture des femmes.

Eulalie en excluait la théologie. Un hasard a pourtant placé deux femmes, dès 1642, à l'origine d'un important débat de théologie morale. Un jésuite, le père de Sesmaisons, qui dirigeait Mme de Sablé, ne lui interdisait pas le bal la veille du jour où elle devait communier. Saint-Cyran l'interdisait à la princesse de Guéméné. Le jésuite soutint son avis dans un bref opuscule. Antoine Arnauld lui répondit dans une vaste somme de près de huit cents pages d'une écriture serrée, *La Fréquente Communion*. Malgré son épaisseur, ce livre enthousiasma le public, qui enleva la première édition en quelques jours, et quatre autres en six mois. Selon le père Rapin, un jésuite qui racontera l'affaire dans ses *Mémoires*, l'ouvrage « surprit jusqu'aux savants, qu'il éblouit par la beauté du langage et par la pureté de la morale qui y était exposée d'un air grave et sévère ». Les dames surtout s'y laissèrent prendre, « gagnées par cet air fleuri et brillant dont il était écrit, qui plut fort à tous les beaux esprits, dont le sentiment est d'un si grand poids dans un pays où on se pique tant de politesse ».

Un an après ce best-seller, Arnauld entraîne les femmes dans le plus grand débat théologique du siècle, sur le rapport de la grâce, de la liberté humaine et du salut. Ce sujet s'était introduit en France presque aussitôt après la parution de l'*Augustinus* du savant Jansénius, évêque d'Ypres, imprimé en Belgique en 1640, deux ans après sa mort, quand Saint-Cyran, son ami, en donne l'année suivante une édition parisienne. Six docteurs y apposent leur approbation, tandis que les jésuites pressent Richelieu d'en obtenir la condamnation à Rome. A Paris, le ministre charge Isaac Habert, théologal du diocèse, statutairement chargé d'y maintenir l'orthodoxie, de prêcher contre le livre. Du haut de la chaire, trois dimanches, l'orateur l'accuse de tomber dans les erreurs des réformés. Les partisans de Jansénius lui répliquent. L'un d'eux, Toussaint Desmares, obtient près du public un succès extraordinaire : « Les dames surtout, qui se piquaient volontiers de bel esprit, aimaient à donner leur opinion sur cette question », constate Rapin. Ces sermons permettent aux femmes de s'instruire d'une matière jusque-là interdite.

Le pape condamne l'*Augustinus*. En 1643, pour contester cette décision, Antoine Arnauld, tout nouveau docteur de Sorbonne, écrit en français, afin que chacun puisse juger, deux séries d'*Observations*, puis au début de l'année suivante, des *Difficultés sur la Bulle*. La même année, il publie anonymement un ouvrage dont le titre renvoie explicitement à l'actualité : *Apologie de M. Jansénius, évêque d'Ypres, et de la doctrine de saint Augustin expliquée dans son livre intitulé* Augustinus. *Contre trois sermons de M. Habert, théologal de Paris, prononcés dans Notre-Dame le premier et le dernier dimanche de l'Avent 1642 et le dernier dimanche de la Septuagésime*. Aux attaques publiques du théologal, l'auteur répond par un ouvrage largement diffusé. Son succès dépasse ses espérances. Le public accueille son livre avec avidité. L'*Apologie*, écrit Rapin, « stimulait en effet à un très haut degré la curiosité des gens du monde. Elle les initiait aux questions profondes et subtiles de la grâce, dont jusque-là les théologiens n'avaient parlé qu'entre eux ». Une réplique du théologal entraîna, moins de six mois plus tard, une *Seconde Apologie* de Jansénius, qui connut encore plus de succès que la première.

Le père Rapin attribue, presque dans les mêmes termes, le succès de ces ouvrages aux raisons qui avaient fait celui de *La Fréquente Communion* : « Les dames et tous les ignorants qui se piquaient d'esprit et de politesse se laissèrent si fort préoccuper de la beauté du style d'Arnauld qu'ils conçurent bien de l'estime pour lui et une grande opinion de la nouvelle doctrine. » L'auteur s'est révélé excellent vulgarisateur. « Comme peu de personnes étaient capables de lire l'ouvrage de l'évêque d'Ypres tout entier, qui était écrit d'un air trop sombre, trop sec et trop scolastique pour être agréable, on trouvait dans l'*Apologie* un abrégé de sa doctrine expliquée par les conciles et par les Pères avec bien de la politesse. » Ces qualités assurent au livre la faveur des non-spécialistes : « C'était un traité des matières les plus épineuses et les plus profondes de la théologie écrit d'un style si beau que les gens de la cour, les cavaliers et les dames pouvaient prendre plaisir à le lire, parce que l'auteur en avait non seulement retranché cet air grossier de l'école qui rebute les esprits délicats, mais même y avait mêlé cet agrément qui attire la curiosité des honnêtes gens. »

Pour défendre l'*Augustinus*, Arnauld a su trouver des formes d'expression accessibles au grand nombre. Les femmes « les plus vaines et les moins modestes furent prises les premières par ce piège qui n'était préparé que pour les esprits légers, et elles trouvèrent une merveilleuse satisfaction à s'occuper de la lecture de ces grandes questions de la prédestination et de la grâce, dont on leur faisait auparavant des mystères qui étaient au-dessus de leur capacité ». Pour avoir lu ces ouvrages, ou en avoir entendu parler, l'élite de la société s'estime qualifiée pour prendre parti et « décider d'une pleine autorité des matières les plus importantes de la religion, car les esprits les plus bornés, les courtisans les plus ignorants, les femmes les plus mondaines disaient sans hésiter leur sentiment sur saint Augustin et sur la grâce ». Comme celui de la *Fréquente Communion*, le succès des *Apologies* repose sur la curiosité des mondains, avides de s'informer ou de le paraître sur une matière réputée difficile et en principe réservée aux spécialistes de la théologie. Les dames surtout, dit Rapin, « se persuadaient aisément qu'il ne fallait que devenir jansénistes pour devenir savantes ».

C'est parce que Arnaud avait su en adapter la présentation à l'esprit du monde que la doctrine de Jansénius fit, explique-t-il, « un progrès bien plus considérable en France que dans la Flandre, parce que en Flandre, elle ne fut débitée que par des gens d'université et par des moines, au lieu qu'en France, ce n'étaient que des personnes de qualité, des beaux esprits et des dames qui la débitaient. Ainsi, l'on se faisait une espèce de mérite d'en être, car on entrait par là dans le commerce du grand monde ». Avec les controverses sur la grâce de 1642-1643, les femmes de l'élite catholique se trouvent pour la première fois initiées à une théologie mise à la portée du grand public contre la tradition et la volonté de leur Eglise. Pour contrebalancer ses institutions officielles, appuyées par le pouvoir, les jansénistes font appel à l'opinion publique, celle des « dames et des cavaliers ».

C'est à eux aussi que s'adresseront les *Lettres provinciales* de Pascal, en 1656-1657, quand Arnauld sera exclu de la Sorbonne pour avoir, dans un de ses ouvrages, contesté que les cinq propositions prêtées à Jansénius et déclarées hérétiques le fussent effectivement. « Elle fut lue, dit de la première lettre Pierre Nicole, qui les traduisit en latin, par les savants et par les ignorants. » Elle était surtout destinée aux seconds, car l'auteur s'y servait d'un « genre d'écrire » particulièrement « propre pour appliquer le monde à cette dispute. On vit qu'il forçait en quelque sorte les plus insensibles et les plus indifférents à s'y intéresser, qu'il les remuait, qu'il les gagnait par le plaisir, et que, sans avoir pour fin de leur donner un vain divertissement, il les conduisait agréablement à la connaissance de la vérité ». Après Arnaud, mais d'un ton et d'un style encore mieux adaptés à des lecteurs mondains, Pascal traite sur un ton de badinage des questions de la grâce, puis des problèmes soulevés en matière de théologie morale par le recours à une casuistique qu'il présente à sa manière.

Obligés de les suivre sur leur propre terrain, les adversaires des jansénistes se voient contraints de leur répondre dans des ouvrages s'efforçant d'atteindre le même large public. Principal accusateur d'Arnauld à la Sorbonne, le père Nicolaï imprime sans tarder l'avis qu'il y a soutenu, rejetant sur les jansénistes la responsabilité de sa publication en français, car « la doctrine de la vérité de la foi » ne doit pas être moins publiquement répandue que les erreurs qu'ils ont divulguées. « Il a fallu, dit-il, non moins instruire de ces choses-là plusieurs personnes qui n'entendent pas la langue de la faculté de théologie que ceux qui l'entendent et qui la parlent, puisque tout le monde se mêle également de parler de ces matières depuis que le Port-Royal, par ses écrits, les fait entrer jusqu'aux boutiques des artisans. » Sans doute le père Nicolaï exagère-t-il leur diffusion, mais il est vrai qu'à l'occasion de la censure d'Arnauld et de la polémique qui s'en est suivie autour des *Provinciales*, les sujets de théologie les plus difficiles (la grâce) ou les plus techniques (la casuistique, qui traite des difficultés de l'application pratique des principes de la morale) ont atteint tous ceux qu'intéressait alors la vie intellectuelle. La controverse janséniste durera tout le siècle, débordant largement sur le suivant. Les femmes ne cesseront d'en suivre les péripéties, de s'y impliquer et d'y prendre parti.

Une des caractéristiques de l'intelligence est qu'une fois éveillée, on peut l'égarer, mais non lui fixer des bornes. L'idée de Mlle de Scudéry de cantonner l'esprit des femmes dans certaines matières se révèle à l'usage aussi irréalisable que le projet de Fénelon de supprimer leur curiosité par un savoir approprié. Surtout quand autour d'elles, le monde bouillonne de nouveautés et que les sollicitations extérieures ne cessent de démolir les barrières qu'on voudrait leur imposer. Pas de philosophie, disait-on, mais voici justement qu'il s'en invente une nouvelle, s'adressant à des esprits neufs. Pas de théologie non plus. Mais avec les jésuites s'instaurent une nouvelle vision de la liberté humaine et la claire conscience qu'il faut savoir adapter les principes traditionnels de la morale aux exigences de la société moderne. Peu importe qu'avec Descartes, les femmes aient été du côté du progrès, et avec Arnaud et Pascal du côté de la tradition et de l'erreur. L'essentiel, c'est que l'importance des enjeux obligeait les auteurs à employer une langue qu'elles pouvaient comprendre. Impossible dès lors de tenir à l'écart celles qui avaient reçu un niveau d'instruction suffisant pour s'y intéresser.

On affirmait généralement aux femmes qu'elles n'étaient pas faites pour les sciences. Poullain de La Barre était l'un des rares auteurs à leur affirmer le contraire. Mais qu'importaient ces avis quand des voyageurs leur racontaient des pays aux mœurs inconnues, quand dans toute l'Europe se métamorphosaient la chimie, la physique, l'astronomie, quand se constituaient sous leurs yeux le savoir de l'avenir ? En tête des lettres à sa femme qui constituent son *Voyage de Paris en Limousin*, La Fontaine lui conseille de s'intéresser au récit qu'il va lui faire : « Considérez, je vous prie, l'utilité que ce vous serait si, en badinant, je vous avais accoutumée à l'histoire soit des lieux, soit des personnes. Vous auriez de quoi vous désennuyer toute votre vie. » C'est alors en effet que se développe l'intérêt pour les relations de voyage. Aux récits qui concernent la France et l'Europe, succèdent ceux qui décrivent les mœurs et les institutions de pays éloignés. En 1670-1671, dans ses *Mémoires*, le gassendiste François Bernier conte son voyage à travers la Palestine, l'Egypte, l'Abyssinie et l'Inde, où il a séjourné douze ans. On le surnomma le « Mogol ». Il influença La Fontaine, qui le fréquentait alors chez Mme de La Sablière.

En 1666, Marie Meurdrac publie *La Chimie charitable et facile*, en six parties, qui révèlent le caractère encore composite de cette discipline. La première, dit l'auteur, traite « des principes et opérations, vaisseaux, fourneaux, feux, caractères et poids » ; la deuxième « de la vertu des simples, de leurs préparations, et de la manière d'en extraire les sels, les teintures, les eaux et les essences » ; la troisième « des animaux » ; la quatrième « des métaux » ; la cinquième « de la manière de faire les médecines composées, avec plusieurs remèdes, tous expérimentés » ; la sixième est « en faveur des dames, où il est parlé de toutes choses qui peuvent conserver et augmenter la beauté ». Par le dernier point, mais aussi par tout ce qui concerne les remèdes, il s'agit d'un savoir traditionnellement réputé féminin, qui est en train d'échapper aux femmes à mesure qu'il devient science. Avec les métaux, on touche à l'art de les transmuer, à l'alchimie, dont la chimie se distingue à peine. Les « opérations » sont les manipulations expérimentales et les moyens de les réaliser.

« Pour ce qui est des dames, dit l'auteur, qui se contenteront de savoir simplement sans vouloir prendre la peine de faire les opérations qu'elles jugeront leur être nécessaires à cause du temps qu'il y faut employer et des différentes sortes de vaisseaux [de contenants] et autres ustensiles dont on a besoin, ou qui craindront de ne pas réussir, je m'expliquerai de vive voix quand on me fera l'honneur de m'en communiquer [*sic*], et prendrai soin de faire moi-même ce que l'on pourra souhaiter de ce que j'enseigne. » Auteur d'un livre qui se propose de mettre la chimie à la portée des dames, Marie Meurdrac est aussi une habile manipulatrice et une enseignante à domicile. Femme qui s'adresse à des femmes, elle les invite à des leçons privées qui conviennent à la réserve de leur sexe.

Une douzaine d'années plus tard, les cours de Nicolas Lémery sont au contraire des cours publics. « Son laboratoire, dira Fontenelle, était moins une chambre qu'une cave et presque un antre magique, éclairé de la seule lueur des fourneaux. Cependant l'affluence était si grande qu'à peine avait-il de la place pour ses opérations. » On y vit de grands seigneurs intéressés aux nouveautés comme Condé ou des philosophes originaux comme Bernier. « Les dames mêmes, entraînées par la mode, souligne l'auteur, ont eu l'audace de venir se montrer à des assemblées si savantes. » D'esprit cartésien, clairement dégagé de toute préoccupation d'alchimie, Lémery s'intéresse à la pharmacopée et à la chimie sans les mêler. En 1675, il publie un *Traité de chimie* destiné au grand public. Ecrit dans un langage débarrassé du jargon de l'Ecole, son livre se vendit « comme un ouvrage de galanterie ou de satire ».

Il en a été de même du *Traité de physique* de Jacques Rohault, cartésien convaincu, publié en 1671, à la veille de sa mort. Après avoir été professeur de mathématiques, il a tenu, tous les mercredis, pendant une douzaine d'années, une sorte d'académie où il enseignait la philosophie et la physique. Il y traitait, au témoignage de Clerselier, autre savant cartésien, son beau-père, de la lumière, des couleurs, de l'arc-en-ciel, des lunettes, du flux et du reflux de la mer, du vide de la pesanteur de l'air. Après la leçon, venaient les expériences, « avec quantité de tubes de verre, de fiole, de vif-argent ». C'était un très habile manipulateur. Puis venait le temps de la discussion : « La dispute était ensuite ouverte à tout le monde, et il répondait toujours à ce qu'on lui avait demandé avec la même netteté et la même justesse. » Au témoignage de son beau-père, dans son nombreux auditoire, où figuraient des ecclésiastiques, des savants, des étrangers, se trouvaient aussi « des personnes de toutes sortes de qualités et de conditions, de tout âge et de tout sexe ». Les sièges des premiers rangs étaient réservés aux dames.

L'astronomie surtout les passionne. En 1664, elles s'intéressent au passage d'une comète. Mme de Sévigné veille pour la voir dans la nuit du 20 au 21 décembre. En 1677, la comtesse de Soissons emmène dans son carrosse, avec plusieurs autres dames, Primi Visconti, qui le raconte, « voir la comète à l'Observatoire ». La curiosité pour ces phénomènes n'était pas uniquement scientifique : on y cherchait des présages. Halley leur ôta leur mystère par ses calculs, et Bayle, à l'occasion de celle de 1680, publia ses *Pensées diverses sur la comète* (1683). L'invention encore récente de la lunette et les observations nouvelles qu'elle permettait avaient stimulé l'intérêt du public pour le ciel, la lune et les planètes. Malgré les décisions de la Sorbonne qui interdisent à la terre de tourner, selon les termes de « L'arrêt burlesque » de Boileau, tous ceux qui participent à la vie de l'esprit ont entendu parler des théories de Copernic et de Galilée. Une femme rédige des « Entretiens sur l'opinion de Copernic touchant la mobilité de la terre », qui resteront manuscrits. Fontenelle publie en 1686 ses célèbres *Entretiens sur la pluralité des mondes*. En rendant compte de l'ouvrage, Bayle félicite l'auteur d'avoir présenté son livre sous forme d'entretiens d'un philosophe et d'une marquise, car, dit-il, « les dames témoignent beaucoup d'ardeur pour les sciences les plus géométriques ».

Des témoignages convergents montrent que pendant tout le siècle et surtout dans sa seconde partie, des femmes n'hésitent pas à assister à des conférences ou leçons publiques sur toutes sortes de sujets, y compris scientifiques. En quoi, elles se comportent assurément contre les principes de réserve et de discrétion qu'on ne cesse de leur répéter. Comme les dames de la plus haute société profitent, si elles en ont le désir, d'initiations au savoir nouveau plus discrètes à leur domicile, ce sont surtout, semble-t-il, des femmes de moindre condition qui ont l'audace d'assister aux conférences des « académies ». Signe de la pénétration des connaissances dans un groupe de femmes plus nombreux et plus libre. Contre l'affirmation dominante de la discrétion nécessaire dans l'acquisition du savoir par les personnes de leur sexe, ces bourgeoises ont le courage de tenir bon. Cette conduite choque. Alors qu'un Jean de La Forge louait comme « savantes » les aristocrates discrètement cultivées, on se moque maintenant des « femmes savantes », qui veulent tout apprendre sans se cacher. Cette évolution, perceptible dans le changement de sens du mot « savantes », montre le progrès de l'intérêt des femmes pour la vie intellectuelle et la réprobation qu'il suscite dans l'opinion commune.

En 1667, dans *Les avantages que les femmes peuvent tirer de la philosophie et principalement de la morale*, Louis de Lesclache dépeint cette réprobation à propos d'une femme riche, curieuse de s'instruire et mal orientée. « Elle présidait d'ordinaire, conte-t-il, dans des assemblées où l'on faisait quelque expérience pour chercher du vide dans la nature », et remplissait pour cela de vif-argent quelques tuyaux de verre. Ainsi avait récemment procédé Pascal pour démontrer l'existence du vide contre le dogme contraire hérité d'Aristote. S'imaginant que la lune est habitée, la femme savante de Lesclache annonce « dans une assemblée de curieux qu'elle donnerait dix mille écus [somme énorme] à celui qui pourrait inventer de grandes lunettes pour découvrir de quelle façon les peuples de la lune étaient vêtus ». Cette curieuse a toujours chez elle « quelques chimistes, plus noirs que le charbon, plus noirs que les démons », qui « la poussent à vendre ses pierreries pour les aider à chercher la pierre philosophale ». La chimie qu'on lui montre n'est pas détachée de l'alchimie, ce qui donne à de faux savants l'occasion d'exploiter sa crédulité.

Son mari s'inquiète de ces activités insolites et dispendieuses. Il ne veut plus d'une « philosophie » qui, selon lui, « attachait les femmes à des choses inutiles », « mettait plusieurs chimères dans leurs esprits touchant les choses futures », « les portait à faire des dépenses qui pouvaient ruiner la maison », « faisait naître la vanité dans leur cœur », « les incitait à contredire toutes choses », et se trouvait « à la source du mépris qu'elles faisaient de leur mari ». L'inutilité, la dépense, l'oubli des soins du ménage, tels étaient en effet les fondements de l'objection centrale, réelle, objective, beaucoup plus contraignante que les bienséances, qui s'opposait au savoir des femmes dans un couple bourgeois. Mais Lesclache rassure le mari en lui montrant qu'à l'inverse de la fausse philosophie dont sa femme a été victime, il en existe une vraie, qui apprend aux épouses à cultiver leur esprit dans le respect de leurs devoirs, qui les leur enseigne et leur en montre la légitimité, qui leur ôte l'inquiétude religieuse et les détourne de la contestation domestique. Ce qui est à peu près le programme de Fénelon. Mais comment décider si l'appétit de savoir des épouses s'en contentera, si le savoir féminin ne porte pas à terme en soi la contestation de l'institution conjugale, s'il peut rester sans autre finalité qu'une pure satisfaction intellectuelle et ne pas déboucher sur la revendication par les femmes des emplois depuis toujours réservés aux hommes ?

Quelques années après le livre de Lesclache, un an après le *Traité de physique* de Rohault et un an avant le traité *De l'égalité des deux sexes* de Poullain de La Barre, Molière s'empare d'un sujet qui tracassait les esprits, et du type de la savante ridicule qui était dans l'air du temps. Chrysale, en plus ridicule, partage les inquiétudes du mari de la savante mal orientée du début du livre de Lesclache. Si tout va mal chez lui, c'est qu'à l'exception de la plus jeune, chacune des femmes de sa maison, Bélise, Armande et Philaminte, voudrait n'être qu'esprit, ce qui met en cause le principe même du mariage. Epouse déçue d'un mari enfoncé dans la matière, Philaminte s'est emparée du pouvoir, mais s'est mise sous la coupe de Trissotin, un faux intellectuel qui dénonce les gourous qui, comme Tartuffe, peuvent s'introduire dans les foyers sous prétexte de science ou de religion. Fille aînée de Philaminte, Armande était aimée de Cléante. Prisonnière de son mépris du corps, elle a repoussé ses avances. Il l'a délaissée pour Henriette, sa cadette. L'expérience lui inflige un cruel démenti : elle n'est pas maîtresse de ses sentiments. Jalouse, par dépit amoureux, elle serait prête à leur sacrifier ses idées. Trop tard. A force de refouler ses désirs, Bélise, sœur de Philaminte, vit dans un monde imaginaire. Elle n'en finit pas de repousser l'amour qu'elle s'invente chez tous les hommes qu'elle rencontre. Pour avoir refusé d'être une femme (ou peut-être parce qu'elle a intériorisé des contraintes familiales), elle se pique d'être tout esprit et parle en « visionnaire », enfermée dans sa folie. On ne doit pas chercher à échapper à la nature humaine, âme et corps. A trop vouloir faire l'ange, on fait la bête.

Dans sa pièce, Molière rappelle pour la première fois l'existence de l'amour physique dans le mariage autrement que par des plaisanteries traditionnelles. Ceux qui s'offusquaient du « le » d'Agnès dans *L'Ecole des femmes* avaient de quoi être autrement choqués par les propos gaillards d'Henriette, une jeune fille, qui n'hésitait pas à rappeler à sa sœur que si elles étaient là toutes deux, leur mère ne s'était pas toujours bornée aux plaisirs de l'esprit. La pièce de Molière défiait tous ceux (largement majoritaires) qui pensaient que le mieux était de maintenir les jeunes filles dans une chaste ignorance jusqu'au jour où le mariage leur apprendrait, pas forcément avec plaisir, les moyens réputés plus ou moins honteux de la procréation.

A ce combat éclairé, Molière mêlait la question générale du savoir féminin. Elle ouvrait des débats difficiles. Sur la nature de la femme et sur son aptitude à accéder au savoir, que la tradition lui refuse, que les modernes lui accordent avec ou sans réserve. Sur la place unique et fondamentale de la philosophie d'Aristote par rapport aux idées nouvelles de Descartes ou de Gassendi. Sur le contenu de l'enseignement à dispenser aux femmes : peut-on ou non y faire place à la science moderne, alors que celui qu'on donne aux hommes dans les collèges ne lui en fait pas ? Est-il ou non ridicule de vouloir comme Philaminte « découvrir la nature en mille expériences » ? de posséder chez soi une « longue lunette à faire peur aux gens » ? Sur la nécessaire discrétion à adopter envers l'acquisition et l'usage du savoir, question moins essentielle, mais aussi importante que les autres chez les mondains. Simple affaire de bienséance, mais qui devient centrale dans une société où nul n'a en principe le droit de se montrer pédant.

La pièce de Molière n'attaque pas les savantes sur le principe de leur savoir, mais sur la façon dont elles l'étalent et sur la mauvaise qualité d'une science mal enseignée, mal comprise, mal assimilée. Clitandre est là pour le dire et faire les distinctions nécessaires. Mais pour le public du parterre, qui n'y regarde pas de si près quand il s'agit de rire, la distinction de la bonne ou vraie femme savante et de la mauvaise ou fausse femme savante n'est pas plus évidente que celle de la vraie et de la fausse précieuse, que celle du vrai et du faux dévot. Le ridicule que Molière jette sur les femmes savantes de sa pièce retombe sur toutes les femmes désireuses de savoir. L'auteur des *Femmes savantes* fait du tort à une bonne cause en dénonçant ses contrefaçons.

34

Le droit de juger

La Précieuse de l'abbé de Pure commence abruptement sur une sévère critique d'une chanson. Agathonte rapporte à son auteur, Philonime, l'avis des principaux personnages féminins du roman et de « mille beaux esprits, quoique dans le corps du second sexe », autrement dit de femmes qui osent se comporter en intellectuelles. Elles ont soigneusement examiné le texte du jeune homme et très précisément justifié leur condamnation : « Dans le premier mot du second vers, ont-elles dit par exemple, on trouve une rudesse capable d'égorger en passant un pauvre gosier. » Le quatrième a « pensé faire tomber Eulalie de sa hauteur... Elle était dans une indignation et une colère si violentes qu'il fallut lui donner du temps pour se remettre et pour revenir de l'excès de son ressentiment ». Ces remarques étonnent et amusent le jeune homme, qui « ne peut se tenir de rire, voyant jusqu'où l'indignation poussait l'esprit de cette aimable critique et l'exagération qu'elle venait de faire ». Molière, trois ans plus tard, ridiculisera Cathos et Magdelon en les montrant pâmées d'admiration pour l'impromptu de Mascarille. Dans les deux cas, le mécanisme est le même : excessifs, la critique comme l'éloge étalent l'incompétence de celles qui les émettent.

Les personnages que l'abbé de Pure et Molière mettent en scène sont des femmes qui s'arrogent le droit de juger entre elles, de leur seule autorité, un écrit dont on leur fait part. C'est une usurpation insupportable du « second sexe » sur les prérogatives du premier. Même s'il ne s'agit que d'une chanson, d'une bagatelle que Philonime a faite « sans faire profession d'être poète ». C'est, de plus, une usurpation ridicule. Entre la minutie de la critique, telle que la rapporte l'abbé, et l'insignifiance des six vers improvisés par un jeune homme qui débute dans le monde, il y a une telle disproportion qu'elle augmente le scandale et déconsidère celles qui s'arrogent le droit de juger, alors qu'elles ne peuvent même pas discerner ce qui mérite ou non attention et discussion. La première image que l'abbé de Pure donne de ses précieuses, c'est celle d'un ensemble de femmes (« mille beaux esprits »), groupées autour de quelques fortes personnalités (les trois premiers noms cités vont devenir les vedettes de son roman), décidées à prendre dans la vie culturelle toute la part qui doit, croient-elles, leur revenir et qu'elles se montrent parfaitement incapables d'assurer. En quoi elles préfigurent non seulement les précieuses de Molière, mais encore ses femmes savantes, onze ans plus tard.

Agathonte et ses amies sont représentatives d'un mouvement général qui se manifeste dans d'autres groupes analogues. « Si vous avez tant de curiosité de ces choses que vous témoignez d'en avoir, dit-elle à Philonime, vous n'avez qu'à vous trouver dans quelque ruelle un peu remarquable. C'est le temple où ordinairement cette sorte de divinité habite. » On y parle principalement de littérature : c'est « surtout quand il y a lieu d'agiter quelque point d'esprit, ou de censurer quelque ouvrage » que ces « nouvelles Muses » ont « soin de s'y trouver comme s'il s'agissait de leur fortune ou de celle de tout le monde ». Tel est « le mystère des ruelles » annoncé par l'abbé de Pure dans son titre : une singulière passion de certaines femmes pour une certaine vie culturelle, tournée principalement vers la critique des textes littéraires, souvent de simples bagatelles, au sein de conversations animées où chacune peut librement dire son avis.

Au début de son livre, l'abbé de Pure donne de ce phénomène insolite une vision masculine et critique, par le biais de Philonime, son principal témoin, qui se demande parfois s'il doit intervenir dans une discussion qui lui paraît ridicule ou se contenter d'en rire. Quand il retrouve Géname et Parthénoïde, ses doctes amis masculins, après sa découverte d'un monde féminin qu'il ignorait, il s'empresse de leur exposer « la manière dont les unes et les autres qui se piquent d'esprit et de lumière débitent leurs sentiments et traitent leurs mystères dans les ruelles, et comme il avait été contraint d'écouter sans mot dire le galimatias d'Eulalie, les ridicules preuves et l'importune et médisante harangue de Mélanire, les faiblesses d'Aracie, et enfin la fausse prudence de Sophronisbe ». Bien qu'il soit flatté d'avoir été accueilli dans leur groupe et d'être même autorisé à y retourner, Philonime n'épargne pas les prétendues intellectuelles qu'il vient de rencontrer.

Il tient même des propos très sévères sur leur présomption : « La femme la plus stupide qui soit a assez d'esprit pour concevoir de la vanité et se faire valoir plus qu'elle ne vaut, et c'est de là que partent ces mots pompeux, ces imaginations extraordinaires, cette présomption de juger de tout, soit vers, soit prose, qu'elle n'entendra point, faire des discours dont elle n'a point l'art, s'embarquer dans des questions qu'elle ne peut résoudre, enfin entreprendre au-dessus de ce qu'elle peut. » Pour Philonime, la compétence des femmes qu'il a rencontrées n'est pas à la mesure de leur appétit de savoir et de leur désir de juger. Parthénoïde partage ce jugement péjoratif. « La conversation de ce monde féminin et précieux » est selon lui incapable de « divertir et satisfaire un homme solide, qui s'engagerait dans une ruelle ». Ces femmes sont, pour lui, de « fausses muses, qui n'oseraient chanter que sur des musettes, et encore des vaudevilles bien simples et de peu de mérite ». A la grandeur d'une ambition culturelle démesurée s'oppose la faiblesse de projets dérisoires. C'est aussi ce que Molière entreprendra de montrer dans ses *Précieuses ridicules* et dans ses *Femmes savantes*.

Curieusement, vers la fin du volume, l'auteur de *La Précieuse* remet en cause cette condamnation. Gélasire, autrement dit l'auteur, est chez lui, entouré de « nombre d'honnêtes gens » en train d'échanger des « propos raisonnables » quand survient Philonime, qui apporte des nouvelles de la ruelle. Cela déplaît à une partie de l'assistance, constituée d'« esprits sévères », qui ne veulent pas perdre leur temps à « ces faibles agitations d'esprit ». L'un d'eux, Quintilian, respectable « suppôt de l'université », s'en explique en déclarant « que c'était une chose épouvantable et bien expressive des malheurs du siècle qu'il fallût que les femmes fussent la règle du discours et du mérite des choses de savoir ». La situation devient intolérable : « Hé quoi, il faudra qu'un homme qui a consommé sa vie à étudier les belles choses et à pénétrer jusqu'au fond de leur mérite, n'ait de réputation que sur l'approbation d'une dame ou d'une demoiselle ? La ruelle deviendra un tribunal où les savants seront jugés souverainement et en dernier ressort, où il faudra rendre compte de ce qu'on sait à des personnes qui ne savent rien, et avoir pour juges des dons de l'esprit celles qui en seront les plus mal partagées ? »

Par le biais de son personnage, l'abbé de Pure pose la question du rôle des femmes dans la vie culturelle et de leur droit d'y décider du succès ou de l'échec d'une œuvre littéraire. C'est un problème permanent, car qui doit juger de la qualité d'une œuvre littéraire (ou d'une œuvre d'art en général) ? Les doctes spécialistes de littérature (ou de toute autre matière), qui ont passé du temps à étudier les œuvres du passé et les règles de l'art, ou les amateurs qui n'ont d'autre titre pour juger que le droit qu'ils s'en sont arrogé ? Sans traiter la question au fond, en ridiculisant son docte personnage, qui fait un long discours ennuyeux où il cite tout Cicéron et tout Quintilien hors de propos, l'abbé prend parti contre lui, et indirectement pour les femmes.

Gélasire fait de même. Il rejette l'idée que « tout le mérite du savoir et de l'intelligence » consiste à connaître tout « ce qui a été traité » en grec et en latin. Oubliant à dessein la distinction des sexes, il défend la primauté de la réflexion personnelle. « A dire vrai, un bon esprit, vif et suffisamment appliqué aux grandes choses, dont le fonds est ferme, dont les rayons sont pénétrants, le raisonnement solide, ne ferait-il pas un plus grand progrès à méditer toujours, à réfléchir sur soi-même et tourner dans sa propre pensée ces beautés de l'intelligence humaine qu'à ramper parmi les ordures de l'école, les galimatias des pédants et les fadaises du faux savoir ? » A côté de cette violente attaque contre les tenants de la culture traditionnelle, fondée sur l'accumulation de connaissances d'une valeur unanimement reconnue, ce qui a été dit jusque-là contre les précieuses du cercle d'Eulalie, Sophronisbe et consorts, ressemble à des gentillesses. En quelques lignes, l'abbé de Pure rejette tout ce qui fonde la culture « classique », et qui continuera à la fonder pendant près de trois siècles. Au grand scandale du pédant Quintilian, qui croit à l'importance de la connaissance des Anciens et à la nécessité de leur enseignement par l'école. Autre vaste débat...

C'est sur cette importante question que l'abbé de Pure termine la première partie de sa *Précieuse*. Il ne peut comprendre, écrit-il sous le nom de Gélasire, « comment un docte et un habile homme qui fait profession des belles-lettres et qui étudie les véritables beautés de l'âme est toujours si insipide dans ses sentiments, si difforme du public, si opposé à l'honnête homme qu'il semble que les universités et les écoles ne professent que les maximes de Barbarie et celle des antipodes des agréables conversations ». Le « dégoût que l'on a des savants » entraîne le « mépris que l'on a pour les lettres ». Le salut viendra d'un sursaut. Car le « génie des lettres » finira par se lasser de voir ainsi profaner ses autels. Et ce sursaut viendra des femmes. « Je ne sais, dit Gélasire, s'il peut se libérer plus glorieusement de l'oppression de cette bassesse que par l'ardeur qu'il a jetée dans le beau sexe d'étudier aussi bien que nous et de prendre leur part de ces belles lumières qui ravissent les sens et les esprits. »

Etonnante conclusion d'un volume qu'on croyait une satire des femmes se piquant d'intellectualité. Après avoir critiqué les maladresses et les outrances de celles qu'il a montrées en train de s'agiter maladroitement pour s'emparer d'une part de la vie culturelle de leur temps, l'auteur fait droit à leur désir. Bien plus, à ce que dit Gélasire, c'est de leur conquête des « lumières », correctement menée et pleinement acquise, qu'on peut espérer le salut d'une vie littéraire compromise par l'obscurantisme des pédants. L'abbé de Pure accorde plus qu'elles ne réclamaient à ses précieuses, ou plutôt aux femmes, car la seule et véritable opposition du premier tome de son livre est entre les tenants de la culture traditionnelle et des femmes qui représentent un bouillonnement culturel imparfait et critiquable, mais prometteur.

La question que l'abbé pose dans son roman n'est pas une question théorique, sans lien avec la réalité. C'est le plus grand débat intellectuel du siècle, soulevé par le développement d'une littérature en langue vulgaire et par l'accession à la lecture d'un public élargi, composé de gens qui savent lire sans avoir fait d'études régulières. Les écrivains qui ont étudié les Anciens et qui croient dans le respect des règles tirées de leurs œuvres par Aristote et ses commentateurs ont beaucoup de peine à accepter l'idée d'être jugés par des lecteurs qu'ils trouvent incultes, ces « dames et ces cavaliers », parmi lesquels les premières sont largement majoritaires. En 1638, dans une lettre à Chapelain, Guez de Balzac s'en prend à l'« académie femelle » dont lui a parlé son correspondant, c'est-à-dire aux intellectuelles semblables aux personnages de l'abbé de Pure qui se réunissent en ce temps-là, à jours fixes, chez la vicomtesse d'Auchy : « Il y a longtemps, écrit-il, que je me suis déclaré contre la pédanterie de l'autre sexe... Si j'étais modérateur de la police, j'enverrais filer toutes les femmes qui veulent faire des livres, qui se travestissent l'esprit, qui ont rompu leur rang dans le monde. Il y en a qui jugent aussi hardiment de nos vers et de notre prose que de leurs points de Gênes et de leurs dentelles. »

Les moralistes ne sont pas moins hostiles à cette pratique que les écrivains doctes. En 1636, le père Du Boscq, pourtant favorable à la culture des femmes, s'en prend dans son *Honnête Femme* aux « coquettes d'esprit », entourées de philosophes et de beaux esprits : « On leur lit des pièces d'éloquence et de poésie dans le cabinet, s'indigne-t-il, comme si elles pouvaient juger du défaut ou de la perfection d'un ouvrage, comme si ne sachant pas une seule des règles de rhétorique, elles pouvaient juger sainement de celles qui les respectent ou qui les violent. » En 1640, Grenaille, dans *L'Honnête Fille*, décrit le « caractère des coquettes savantes ». Ce sont, dit-il, des « présomptueuses qui veulent composer une académie d'erreur pour choquer celle de la vérité et qui, ne sachant faire un jugement raisonnable, croient avoir raison de juger indifféremment en toutes sortes de matières ». Il suffit qu'un livre soit bon et approuvé par les connaisseurs pour qu'elles le « réprouvent comme mauvais ». Elles « se persuadent que la force de leur raison ne saurait se produire ailleurs avec plus d'avantage qu'en autorisant une pièce décriée ».

De telles femmes existent même en province. L'oratorien Jean Eudes en découvre « une compagnie » à Valognes, en 1643, qui croient, dit-il, faire « profession d'un rare discernement » en s'appliquant à « l'étude des beaux-arts ». Cette « académie française d'un genre tout nouveau s'était formée d'une troupe de demoiselles qui s'arrogeaient le droit de décider du mérite des prédicateurs et de les critiquer, de les tourner en ridicule et de prononcer en dernier ressort sur ce qui s'appelle œuvre d'esprit ». A ce qu'il raconte, on les remit à la raison. Accorder aux femmes le droit de décider en matière littéraire, c'est en effet introduire du désordre dans un domaine réglé. C'est renverser l'ordre du monde de l'esprit.

De ce refus d'accorder aux femmes le droit de juger contre l'avis des doctes, on trouve un large écho dans *La Critique de l'Ecole des femmes* (1663). Le pédant Lysidas y accable la pièce de Molière au nom de la culture traditionnelle : « Ceux qui possèdent Aristote et Horace, dit-il à Uranie, voient d'abord, madame, que cette comédie pèche contre toutes les règles de l'art. » Uranie ne conteste pas son ignorance : « Je vous avoue, consent-elle, que je n'ai aucune habitude avec ces messieurs-là, et que je ne sais point les règles de l'art. » Comme les personnages de l'abbé de Pure, elle ne prétend pas juger en savante, mais selon ce qu'elle ressent. « Pour moi, quand je vois une comédie, je regarde seulement si les choses me touchent, et lorsque je m'y suis bien divertie, je ne vais point demander si j'ai eu tort et si les règles d'Aristote me défendaient de rire. » Dorante, honnête homme cultivé, intervient dans le même sens qu'Uranie. « Je voudrais bien savoir, dit-il, si la grande règle de toutes les règles n'est pas de plaire... Ne consultons dans une comédie que l'effet qu'elle fait sur nous. Laissons-nous aller de bonne foi aux choses qui nous prennent par les entrailles et ne cherchons point de raisonnement pour nous empêcher d'avoir du plaisir. » Contre Lycidas, de même que contre Quintilian, ce qui décide, c'est le plaisir, que Molière fait venir des « entrailles ».

Cette prise de position ne va pas de soi. Elle suscite des difficultés chez Molière même. Dans une scène précédente, il met en scène le personnage du « marquis ». De peur de se perdre dans la foule, celui-ci refuse de rire avec le parterre, où se tiennent les bourgeois et les artisans. « A le prendre en général, lui rétorque Dorante, je me fierais assez à l'approbation du parterre, par la raison qu'entre ceux qui le composent, il y en a plusieurs qui sont capables de juger d'une pièce selon les règles, et que les autres en jugent par la bonne façon d'en juger, qui est de se laisser prendre aux choses, et de n'avoir ni prévention aveugle, ni complaisance affectée, ni délicatesse ridicule. » Parce qu'il n'est pas fondamentalement hostile aux règles et à la culture traditionnelles, dont relève la comédie, Molière est obligé de supposer chez les spectateurs de bonne foi une convergence spontanée entre le plaisir immédiat de la majorité d'entre eux, qui tiennent leur culture de la pratique, par la fréquentation du théâtre, et le plaisir de la minorité chez laquelle ce plaisir se greffe sur une culture savante préalable. Cette convergence ne va pas de soi. Tout auteur, à l'époque, se heurte à cette dualité dès qu'il écrit une œuvre destinée à la fois aux doctes (spécialistes de littérature ou simplement anciens élèves ayant assimilé le contenu de leurs études au collège) et aux non-doctes, les « dames et les cavaliers » qui font l'opinion dans les ruelles.

Cette difficulté n'est pas la seule. Les non-doctes ne sont pas forcément tous du même avis. A côté de ceux du parterre, qui applaudissent la pièce, il y a ceux des loges qui s'en moquent bruyamment : « J'enrage, dit Dorante, de voir des gens qui se traduisent en ridicules, malgré leur qualité ; de ces gens qui décident toujours et parlent hardiment de toutes choses sans s'y connaître ; qui dans une comédie se récrieront aux méchants endroits et ne branleront pas à ceux qui sont beaux ; qui voyant un tableau, ou écoutant un concert de musique, blâment et louent tout à contresens, prennent par où ils peuvent les termes de l'art qu'ils attrapent et ne manquent jamais de les estropier et de les mettre hors de place. » A côté du bon goût du parterre, il y a le mauvais goût d'un certain nombre de « gens de qualité » qui décident « sans s'y connaître ». Ils ont tort, puisqu'ils chahutent une bonne pièce, dit Molière. Mais sauf à les juger comme lui de mauvaise foi, sur quel critère refuser la légitimité de leur avis ? Pourquoi refuser aux marquis le droit de juger « sans s'y connaître » accordé aux spectateurs ignares du parterre ? Dès lors que l'on accorde à chacun le droit de juger selon le mouvement de ses « entrailles », comment décider où est et où n'est pas l'entraînement qui emporte dans le bon sens ?

Comme ceux des personnages de Molière, les choix des femmes mises en scène par l'abbé de Pure expriment leur spontanéité et ne résultent pas d'un savoir préalable. Philonime leur demande ce qu'elles « aiment », non ce qu'elles connaissent. Après avoir répondu la première, Eulalie s'en excuse : « Je m'y suis appliquée si légèrement, dit-elle, et avec si peu de réflexion que je n'en puis porter de raisonnable jugement. » Aracie l'en reprend : « Il n'est pas question de juger, mais de goûter. Nous ne vous demandons pas ce que vous en pensez, mais ce qui vous en plaît. » Quand elle s'est prononcée en faveur des romans,

Philonime abonde en son sens en se plaçant d'un point de vue historique. « Je n'en juge pas par des pronostics si doctes et si importants, réplique Aracie, j'agis en femme, c'est-à-dire avec faiblesse et ignorance, réduite entre ma pensée et mon goût. » Quintilian, au fond, n'a pas tort de s'inquiéter, car il s'agit effectivement d'une nouvelle façon de juger des œuvres littéraires : au lieu d'en évaluer les beautés à partir d'une culture préalable, voire de règles élaborées sur le modèle des chefs-d'œuvre reconnus, on les choisit ou on les rejette parce qu'on les aime ou non, au nom d'un goût dont on ne sait quelle est la légitimité.

Du Boscq et Grenaille refusent aux femmes le savoir et la raison, sur lesquels ils fondent le jugement littéraire. Plus avant dans le siècle, après l'abbé de Pure et le Molière de *La Critique*, on leur concède volontiers, pour justifier leurs choix, l'existence prétendument innée d'un goût féminin. « Quand une femme d'esprit, écrit l'abbé de Villiers, dit sans prévention, je ne sens pas la beauté de cet ouvrage, on n'a pas le droit de lui en demander la raison : c'est aux savants à tâcher de la trouver et à nous la dire. » A en croire ce critique, toute femme intelligente, pour peu qu'elle s'intéresse à la vie intellectuelle, sentirait instinctivement des défauts que les spécialistes sauraient, eux, expliciter à l'intérieur de leur propre système. Pour tous ceux qui suivent les Modernes, dans la fameuse Querelle, latente dès le début du siècle, éclatante à la fin, qui les oppose aux Anciens, ce goût instinctif serait toujours infaillible.

Les partisans des Anciens lui fixent au contraire des limites. C'est le cas de l'abbé de Villiers : « Le goût des femmes qui ont de l'esprit, précise-t-il, est la meilleure règle qu'on puisse prendre pour juger du mérite de certains ouvrages » — certains ouvrages seulement, car leur inculture les empêche de concevoir certaines beautés. Sophocle « n'aurait jamais donné ni l'*Œdipe* ni l'*Ajax*, continue l'abbé, s'il n'eût consulté que le goût des dames athéniennes ». Corneille lui donne raison dans la préface de son *Œdipe* (1659). Il n'a, écrit-il, pas osé faire « la description de la manière dont ce malheureux prince se crève les yeux », parce qu'elle « ferait soulever la délicatesse de nos dames qui composent la plus belle partie de notre auditoire, et dont le dégoût attire aisément la censure de ceux qui les accompagnent ». C'est reconnaître la mainmise des femmes sur le public dont elles constituent, avec les « cavaliers » qui suivent leurs avis, la majorité décisive. C'est aussi reconnaître la soumission, pas forcément bénéfique, d'un des plus grands auteurs du temps à la « délicatesse » de leur goût.

Malebranche fonde ce goût sur une physiologie féminine d'origine cartésienne. Traitant de la « délicatesse » des « fibres du cerveau », il précise : « Cette délicatesse se rencontre ordinairement dans les femmes, et c'est ce qui leur donne cette grande intelligence pour tout ce qui frappe les sens. C'est aux femmes à décider des modes, à juger de la langue, à discerner le bon air et les belles manières. Elles ont plus de science, d'habileté, de finesse que les hommes sur ces choses. Tout ce qui dépend du goût est de leur ressort. » Malebranche abandonne aux femmes ce que Pascal aurait appelé l'esprit de finesse. Il leur refuse l'esprit de géométrie. « Pour l'ordinaire, continue-t-il, elles sont incapables de pénétrer les vérités un peu difficiles à découvrir. Tout ce qui est abstrait leur est incompréhensible. Elles ne peuvent se servir de leur imagination pour développer des questions composées et embarrassées. Elles ne considèrent que l'écorce des choses et leur imagination n'a point assez d'étendue pour en percer le fond et pour en comparer toutes les parties sans se distraire... La manière, et non la réalité des choses, suffit pour remplir toute la capacité de leur esprit. »

Point question, avec de tels préjugés, d'abandonner aux femmes l'entière souveraineté en matière de jugement littéraire. A elles et à leur goût, le jugement des petits textes à la mode ; aux doctes spécialistes, celui des grandes œuvres relevant des genres traditionnels. Dans une lettre à Perrault, Huet regrette le déclin de la grande littérature, dû selon lui à l'incapacité des femmes à juger correctement d'œuvres soumises à des règles qu'elles ignorent. « Notre nation et notre siècle, écrit-il, corrompus par le goût des femmes, sont ennemis des ouvrages longs et soutenus. Il ne nous faut plus que des madrigaux, des triolets et des rondeaux. A peine peut-on lire une ode entière. Peut-on élever aujourd'hui son esprit à la grandeur du poème épique ? » Si Huet se trompe sans doute sur les raisons du déclin de l'épopée, s'il oublie l'existence d'œuvres et même de chefs-d'œuvre traditionnels dans le domaine théâtral, s'il n'a pas conscience de l'apparition d'œuvres importantes, parfois fort longues, dans le genre nouveau du roman, il remarque à juste titre la vogue et l'inflation des textes brefs mis à la mode dans les ruelles, qui mobilisent une large partie de l'énergie créatrice d'un grand nombre d'écrivains. Avant de ridiculiser Quintilian parce qu'il refuse aux femmes le droit de juger des œuvres littéraires, l'abbé de Pure s'est moqué de l'intérêt excessif d'Agathonte et de son groupe féminin pour la chanson de Philonime.

Comme Huet, les partisans des Anciens reprochent aux femmes de favoriser démesurément les « bagatelles » : pièces choisies, petites nouvelles galantes, madrigaux, stances, sizains, quatrains, énigmes, portraits. « Et vous qui êtes cause de leur folie, sottes billevesées, pernicieux amusements des esprits oisifs, romans, vers, chansons, sonnets et sonnettes, puissiez-vous être à tous les diables », s'écrie Gorgibus à la fin des *Précieuses ridicules*. Ce personnage a beau avoir l'esprit épais, la pièce de Molière justifie cette condamnation. Dupes de Mascarille, valet qui singe les marquis qu'attaquera *La Critique de l'Ecole des femmes*, Cathos et Magdelon l'admirent sottement lorsqu'il leur annonce qu'il « court de sa façon dans les belles ruelles de Paris deux cents chansons, autant de sonnets, quatre cents épigrammes et plus de mille madrigaux, sans compter les énigmes et les portraits ». Comme beaucoup de leurs semblables, les femmes se laissent prendre à une production de petits écrits où la quantité prime sur la qualité.

Molière, dans sa pièce, décrit parfaitement en les attribuant à ses précieuses les dérives qui peuvent résulter d'une critique littéraire fondée sur les caprices d'un public qui n'a ni savoir ni goût : effets de mode, attraits de la facilité, prolifération de textes brefs plus brillants que solides, apparition de groupes de pression qui prétendent décider des succès ou des échecs et parfois y arrivent, substitution de l'intérêt pour les faits et gestes de l'auteur à l'intérêt dû à son œuvre, admiration pour des bagatelles. Ces dangers sont réels. Ils sont le résultat des mutations en cours dans le monde culturel, où les tenants de l'autorité se voient progressivement obligés de la partager avec un public dont les composantes sont inégalement préparées au rôle qui lui revient ou dont il s'empare. A la critique des règles, qu'ils imposaient, succède celle du goût, moins rationnelle, plus arbitraire, plus subjective, moins évidente. Accorder à des non-spécialistes le droit de juger les œuvres littéraires comporte nécessairement des risques, en particulier en raison de l'importance des femmes dans le public considérablement élargi qui en fait désormais le succès ou l'échec.

Mais, contrairement à ce que donnent à penser *Les Précieuses ridicules*, la critique fondée sur le goût n'est pas nécessairement arbitraire. Sauf dans le cas des jeunes filles abandonnées à elles-mêmes, que Molière choisit pour mettre en scène un cas limite, le goût est la conséquence d'une formation continue dont le caractère informel masque l'existence. On l'attribue aux femmes, et on le juge naturel ou inné en raison de leur absence d'études régulières, mais c'est aussi celui des hommes qui ont échappé aux collèges et de ceux, relativement nombreux, qui ont vite oublié ce qu'ils y avaient appris ou qui font comme s'ils l'avaient oublié pour complaire à celles qu'ils rencontrent dans le monde. « Dames et cavaliers » y font désormais la loi parce qu'ils sont le nombre, qu'ils appartiennent à l'élite de la société et qu'ils sont plus à même d'y dominer que les doctes et les écrivains de profession, qui ne sont ni nobles ni riches et facilement ridicules en raison même de leur savoir. Tous ceux d'entre eux qui ont compris cette évolution adoptent ou font mine d'adopter le goût nouveau et se flattent d'être les premiers à l'authentifier et à le répandre. On a parlé à leur sujet de « nouveaux doctes », s'opposant aux anciens « lettrés ». Les premiers savent plaire aux femmes, qui le leur rendent en louanges immédiates. Les autres écrivent dans le silence de leur « cabinet » et publient des ouvrages qui visent en secret à l'immortalité. Ce ne sont pas forcément des chefs-d'œuvre. D'autres cherchent et parfois trouvent un équilibre entre les deux formules. La Fontaine par exemple.

Ce qu'affirment les femmes mises en scène dans *Les Précieuses* de l'abbé de Pure, c'est leur droit d'avoir et d'exprimer leur avis sur toutes sortes de sujets, au moins à l'intérieur de leur cercle. Dans cet espace de liberté, les femmes ne craignent pas de prendre parti selon leur « faiblesse », c'est-à-dire sans prétendre rien imposer, mais aussi sans se soucier des principes prétendument étayés sur le savoir traditionnel, auquel leur éducation ne leur a pas donné accès. Elles auraient, de cette exclusion, pu faire la base d'une contestation générale. Elles ne le font pas. Sans s'arroger le droit de « juger » au sens traditionnel, elles se donnent celui de sentir et de décider autrement, selon leur instinct et leur plaisir. Malgré son apparente modestie, cette revendication est une révolution : elle implique la possibilité d'une autre façon d'accéder à la connaissance, l'existence d'une autre culture, le droit pour chacun et chacune de décider de l'intérêt d'un texte en vertu de critères issus de la mondanité. Dans des conversations informelles où bouillonnent les idées et où personne ne confisque l'autorité, il se forme un goût collectif, ce que l'abbé de Pure appelle plaisamment « le génie de la ruelle ». Car les contemporains appelaient « ruelles », « cercles », ronds » ou tout simplement « chambres », ce que nous appelons par commodité « salons », d'un mot qui n'avait pas encore pris le sens que nous lui donnons aujourd'hui.

35

Des espaces de liberté

Dans son traité de l'*Egalité des hommes et des femmes*, Mlle de Gournay reconnaît que « le défaut de bonne instruction », autrement dit de formation classique, qu'elle dénonce chez les femmes, n'est pas une totale absence de culture parce que « le commerce du monde » contribue à « subtiliser leurs esprits ». Elle avait exprimé la même idée dans son *Traité de l'éducation des enfants*. Les femmes françaises ont, dit-elle, « un spécieux avantage sur celles des autres nations en esprit et galanterie ». Elles sont en effet « recordées, polies et affinées au moins par la conversation », alors que les autres femmes demeurent « recluses » et « peu mêlées parmi le monde ». Dès lors que la mentalité collective d'un pays autorise le libre mélange des sexes dans des lieux de sociabilité, il s'y développe une nouvelle forme de culture où dominent l'« esprit » et la « galanterie ». C'est le cas de la France du XVIIe siècle, grâce à un mode de vie qui remonte au moins à la cour des Valois.

Un demi-siècle plus tard, dans son *Traité sur l'origine des romans*, Pierre-Daniel Huet développe une idée analogue. « La politesse de notre galanterie, dit-il, vient à mon avis de la grande liberté dans laquelle les hommes vivent en France avec les femmes. Elles sont presque recluses en Italie et en Espagne, et sont séparées des hommes par tant d'obstacles qu'on les voit peu et qu'on ne leur parle presque jamais, de sorte qu'on a négligé l'art de les cajoler agréablement. » La mixité n'a pas seulement développé une certaine galanterie dans les rapports entre les sexes, elle a entraîné, pour plaire aux dames, une profonde modification de la culture. « Les hommes ont suivi l'exemple des femmes pour leur plaire, continue Huet. Ils ont condamné ce qu'elles condamnaient et ont appelé pédanterie ce qui faisait une partie essentielle de la politesse » au début du XVIIe siècle. La culture traditionnelle des lettrés s'est dévaluée au profit d'une autre culture, accessible et adaptée aux femmes, pour ne pas dire faite pour elles.

Cautionnée par les « nouveaux doctes » qui ont consenti à se mettre à leur portée et parfois à leur service, cette culture s'est nourrie de la lecture (discrète) des œuvres qui leur étaient destinées, et particulièrement des romans. Elle s'est enrichie des conversations entre gens du monde des deux sexes, au cours de réunions informelles, qui avaient parfois lieu dans les « ruelles », mais également à table, dans un jardin, dans une prairie, voire à la promenade. L'essentiel y était, comme l'a bien senti Huet, cette mixité qui obligeait, ne serait-ce que par politesse, à se mettre au diapason des moins savants du groupe, donc des femmes, et à ne jamais être ennuyeux.

Le « salon » de Mme de Rambouillet est resté dans les imaginations le modèle incontesté et largement mythique de cette nouvelle sociabilité. La marquise eut l'habileté de faire de sa demeure le modèle des bonnes manières et, de façon très accessoire, comme par surcroît, une sorte de temple du goût. Elle n'a été ni la seule, ni même la première, à réunir chez elle des personnes des deux sexes, des gens de qualité et des écrivains ayant quelque renom. Cette pratique remontait à la fin du siècle précédent. Mais, à la différence de celles qui l'avaient précédée comme de ses rivales du moment, Mme de Rambouillet n'a pas créé d'« académie femelle » dont elle aurait été l'animatrice. Pour attirer ses hôtes, elle a cultivé une image de femme du monde, accueillante à la diversité de la meilleure société. On vient chez elle pour s'amuser, pour se promener, pour manger, pour se faire des farces, se raconter de bonnes histoires, s'informer de l'actualité. Si la marquise ouvre sa porte aux écrivains, à tous les écrivains de réputation, même aux (nouveaux) doctes, comme Chapelain et Ménage, c'est à la condition implicite qu'ils n'occupent pas tout l'espace, qu'ils s'intègrent à une compagnie mêlée, qu'ils ne se servent de leur savoir et de leurs talents littéraires qu'aux moments voulus et parmi beaucoup d'autres activités.

A Paris ou à Rambouillet, on joue des pièces de théâtre, d'ordinaire avec des comédiens amateurs. Eventuellement, on s'intéresse aux nouveautés littéraires, mais seulement comme à l'un des nombreux ingrédients d'une mondanité qui sait aussi dépasser les clivages politiques et sociaux, et oublier les querelles du temps. Pendant la Fronde, la marquise aura des amis dans les deux camps. Elle n'a pas pris ouvertement parti pour Balzac dans l'important débat littéraire qui a entouré la publication de ses *Lettres*. Elle ne se prononce ni pour Corneille ni pour Chapelain dans la « bataille » du *Cid*. Si le goût se forme chez elle, si on y fait les réputations littéraires, ce ne peut être qu'implicitement, sans cabales, sans prises de position publiques tranchées. L'hôtel de Rambouillet, c'est un climat, un état d'esprit résultant du fait que s'y rencontrent le plus sereinement possible, non sans heurts imprévus, dissonances fortuites et rivalités cachées (car il ne faut rien idéaliser), des hommes et des femmes, des doctes et des « ignorants », des clercs et des gens du monde, des nobles et des roturiers. C'est un lieu de métissage socio-culturel.

Sans doute l'hôtel de Rambouillet n'aurait-il pas eu l'importance qu'il a eue si Voiture, malgré de longues absences, n'avait été « l'âme du rond » comme on l'a dit, et surtout beaucoup répété après sa mort, survenue en 1648. Peu soucieux de son œuvre littéraire, ce roturier plein d'un esprit de circonstance ne s'était pas soucié d'en réunir les éléments et de la publier. Pinchêne, son neveu, le fit en 1650. Il n'a, dit-il dans une intéressante préface, mené cette entreprise à bien que sous la pression des amis de son oncle, et surtout de femmes du grand monde (Mme de Longueville, Mme de Montausier, fille de Mme de Rambouillet, la marquise de Sablé) qui, prétend-il, « ont jugé qu'il approchait fort des perfections qu'elles se sont proposées pour former celui que les Italiens nous décrivent sous le nom de parfait courtisan, et que les Français appellent un galant homme ». L'intérêt porté aux écrits de Voiture est venu aussi, et surtout d'abord, de sa façon de se conduire dans le monde, principalement envers les dames. Plus encore qu'un poète galant, il a été un « galant homme ».

Il était intellectuellement séduisant, ayant des « talents avantageux » qui le rendaient agréable dans le « commerce du monde », en particulier « ceux de réussir admirablement en conversation familière, et d'accompagner d'une grâce qui n'est pas ordinaire tout ce qu'il voulait faire ou qu'il voulait dire ». La culture, avec lui, devient un agrément. Il ne laisse pas « d'avoir beaucoup d'étude et de connaissance des bons auteurs », mais à la différence des pédants, il ne l'étale pas, il s'en sert avec « une grande adresse ». De là, ce ton singulier et cet équilibre difficile entre l'enjouement et le sérieux qui faisaient de lui un être à part : « Quand il traitait de quelque point de science ou devait donner son jugement de quelque opinion, il s'y prenait toujours d'une façon galante, enjouée, et qui ne sentait point le chagrin et la contention de l'école. Il entendait la belle raillerie, et tournait agréablement en jeu les entretiens les plus sérieux. » Cette capacité-là revient comme un leitmotiv chez tous ceux qui ont tenté de définir la galanterie. Cela vient de ce qu'elle ne s'épanouit que dans la compagnie des femmes, qu'elle exclut donc tout soupçon de pédantisme. Parfait galant de la meilleure société, Voiture apparaît moins comme un auteur admirable par son art d'écrire que comme le modèle d'un art de vivre.

En confiant à « la plus belle moitié du monde » l'avenir de l'œuvre de son oncle, Pinchêne, en 1650, n'affirme pas seulement la compétence des femmes en matière de jugement d'œuvres littéraires, mais encore l'existence d'écrits composés par lui dans l'unique vue de leur plaire. Ses lettres et ses poésies sont des reflets de sa parfaite galanterie, supposée naturelle, et non les réalisations de projets concertés selon des règles reconnues. De cette galanterie vécue et de son étroit rapport avec les textes qu'il publie, Pinchêne ne tire aucune conclusion sur l'existence d'une galanterie littéraire, aucune théorie en faveur d'un nouvel art d'écrire. Il présente l'œuvre qu'il publie comme un miroir dans lequel une certaine société aura plaisir à retrouver son image, non comme un modèle pour l'avenir. Avec cette singularité que l'idéal galant, né dans les cours et destiné aux nobles de cour, s'est (rétrospectivement) incarné dans un roturier au sein d'un salon de la ville, lieu d'élection de la galanterie, la chambre bleue de Mme de Rambouillet. Et surtout cette suite imprévue que, en concurrence avec l'esthétique des doctes, exprimée dans de savants ouvrages qui commentent Aristote et les rhéteurs anciens, va (tardivement) se constituer, à propos de Voiture et de son œuvre, une esthétique galante fondée sur les usages de la mondanité, domaine dont les Françaises se sont rendues souveraines.

Les historiens de la littérature ont eu et ont encore du mal à attribuer à Mlle de Scudéry, demoiselle née et élevée en province, d'une noblesse proclamée plutôt qu'attestée, entourée d'amies et relations relevant très majoritairement de la moyenne ou petite bourgeoisie, laide et surtout pauvre, vivant plus ou moins de sa plume, le prestigieux héritage de la grande dame d'origine romaine, possédant à la ville une vaste maison construite selon ses plans et près de Paris le château et le superbe domaine dont elle portait le nom. La filiation n'en est pas moins incontestable. De tous les lieux qui ont eu de l'influence et de la notoriété après la Fronde, le « salon » de Mlle de Scudéry est assurément celui qui a le mieux défini, sinon pratiqué, l'esprit de la galanterie transmis par l'œuvre de Voiture. Elle n'a certes pas les moyens de recevoir somptueusement ses amis comme la marquise. L'étroit logement qu'elle a loué rue de Beauce convient mal aux visites des grands et des riches. Mais ceux qui donnent du prix à la vie intellectuelle viennent à ses « samedis ». C'est chez elle et chez les amis qui l'entourent que se précisent les idées implicites et diffuses des membres de la bonne société qui participent aux discussions dont elle répand l'esprit dans ses romans. Ce n'est donc pas par hasard qu'au commencement de son « règne », dans le dernier tome de son *Cyrus*, en 1653, elle consacre une conversation à « l'air galant » — l'air de Voiture à l'hôtel de Rambouillet.

« Il n'y a point, dit Cléonice, d'agrément plus grand dans l'esprit que ce tour galant et naturel, qui sait mettre je ne sais quoi qui plaît aux choses les moins capables de plaire et qui mêle dans les entretiens les plus communs un charme qui satisfait et qui divertit. » A l'opposé d'une « certaine espèce de bel esprit, qui a un caractère contraint et qui sent les livres et l'étude », l'air galant « consiste principalement à penser les choses d'une manière délicate, aisée et naturelle, à pencher plutôt vers la douceur et l'enjouement que vers le sérieux et le brusque, et à parler enfin facilement et en termes propres de toutes choses sans affectation ». Cet air tient de l'esprit de finesse du « monde choisi », aux antipodes de la rigueur géométrique des doctes et des pédants. Il « doit être proportionné à ce qu'on est et à ce qu'on fait ». Il suppose que l'on sait se comporter envers autrui en fonction de son rang et de la situation de chacun. Il s'exprime fondamentalement dans un parfait comportement en société — parfait aux yeux d'une société donnée.

Cette perfection se manifeste particulièrement dans la conversation. L'air galant se traduit par une certaine façon de s'exprimer, par un art de dire qui sonne juste aux oreilles des gens de goût (d'un certain goût). Il donne le pouvoir de traiter agréablement n'importe quel sujet : « Il y a une manière de dire les choses qui leur donne un nouveau prix, et il est constamment vrai que ceux qui ont un tour galant dans l'esprit peuvent souvent dire ce que les autres n'oseraient seulement penser. » Il n'a pas de domaine particulier. Il permet au contraire d'aborder tous les sujets, même les plus sérieux.

L'air galant est le produit d'un art de vivre dans une société mondaine où les femmes jouent un rôle prépondérant. Spécialement agréable aux dames, il est indissolublement lié à leur fréquentation et au désir de leur être agréable. « Il faut qu'un honnête homme, dit Plotine, intervenant dans la même conversation, ait eu au moins une fois en sa vie quelque légère inclination s'il veut avoir parfaitement l'air galant. » Cette inclination, qui est de l'ordre du jeu, n'a rien à voir ni avec la passion ni même avec l'amour tendre. Elle sert seulement à créer un climat dans lequel se développe un art de plaire fondé sur la surprise et la rapidité. Il y a, précise Mlle de Scudéry, « une galanterie sans amour [c'est-à-dire sans véritable amour comme sans débauche] qui se mêle même quelquefois aux choses les plus sérieuses et qui donne un charme inexplicable à tout ce que l'on fait ou à tout ce que l'on dit ». Nécessaire à l'agrément de la vie en société, ce comportement procède « de cent choses différentes » et particulièrement du « grand commerce du monde choisi et du monde de la Cour ».

En septembre 1655, à la fin de la deuxième partie de *Clélie*, Mlle de Scudéry va plus loin. En appliquant aux lettres qui ressortissent à la mondanité ce qu'elle a précédemment écrit de l'air galant, elle passe du comportement galant à son prolongement dans l'écriture. « Ces sortes de lettres étant à proprement parler une conversation entre personnes absentes, dit Plotine, il faut se bien garder d'y mettre d'une certaine espèce de bel esprit qui a un caractère contraint, qui sent les livres et l'étude, et qui est bien éloigné de la galanterie que l'on peut appeler l'âme de ces sortes de lettres. » Comme dans la conversation, on peut y aborder quasi tous les sujets, à condition d'y pratiquer « un certain art qui fait qu'il n'est presque rien qu'on ne puisse faire entrer à propos dans les lettres de cette nature, et que depuis le proverbe le plus populaire jusqu'aux vers de la Sibylle, tout peut servir à un esprit adroit ». Il ne faut surtout pas y employer « la grande éloquence », mais « une autre qui, quelquefois avec moins de bruit, fait un plus agréable effet, principalement parmi les femmes, car l'art de bien dire des bagatelles n'est pas su de toutes sortes de gens ».

Primitivement conçue comme une façon de se conduire et de converser dans le monde, la galanterie se prolonge dans la lettre en art d'écrire — un art d'écrire fait pour les dames, ou du moins pour des compagnies où il y a des dames, qu'elles soient auteurs ou destinataires des textes galants. Car Mlle de Scudéry est formelle. Point de galanterie sans présence féminine, sans jeu autour d'un amour que l'on n'éprouve pas forcément (en fait, on ne peut bien jouer que si on ne l'éprouve pas). Tout cela crée un ton, une façon de faire, de dire et d'écrire qui ne s'apprennent pas dans les collèges, mais à l'école du monde, du « monde choisi ». On est à cent lieues de ce que seront les précieuses de Molière, qui justement ne savent pas le monde.

Un an plus tard, Paul Pellisson, jeune provincial ambitieux monté à Paris pour y faire une carrière littéraire, prend le relais de Mlle de Scudéry, dont il est depuis peu devenu le « tendre ami ». Il avait, dans son entourage, connu et apprécié Jean-François Sarasin, l'Amilcar du *Cyrus* où, dans la droite ligne du caractère galant, il tenait le « caractère enjoué » comme Molière le rappelle, pour s'en moquer, dans ses *Précieuses ridicules*. A la fois disciple et rival de Voiture, dont il était le cadet de dix-sept ans, Sarasin n'avait comme lui presque rien publié avant de mourir. Quand Ménage imprime ses *Œuvres* en 1656, Pellisson y ajoute une longue préface pour en montrer la diversité et surtout préciser son originalité par rapport à son aîné, qu'il a, prétend-il, égalé sinon surpassé grâce à « cette urbanité que les mots de civilité, de galanterie et de politesse n'expriment qu'imparfaitement ». Pour illustrer son propos, l'auteur vante particulièrement la *Pompe funèbre de Voiture*, dans laquelle Sarasin s'était amusé à décrire plaisamment les honneurs funèbres rendus sur le Parnasse à son devancier. C'est, dit-il, un « chef-d'œuvre d'esprit, de galanterie, de délicatesse et d'invention », fondé sur la surprise et la nouveauté, car « rien ne fait rire que ce qui surprend, rien ne divertit agréablement que ce qu'on n'attendait pas ».

Le succès de Sarasin dans cette « poésie galante et enjouée à laquelle il s'est principalement occupé », de préférence « à la plus sérieuse qu'il ne laissait pas d'aimer passionnément », conduit Pellisson à poser, au grand scandale des doctes fidèles à la tradition, l'égalité de ces deux registres : « Et d'ailleurs, pour le dire en passant, si quelqu'un s'imagine que la grande poésie ne consiste qu'à dire de grandes choses, il se trompe. Elle doit souvent, je le confesse, se précipiter comme un torrent, mais elle doit plus souvent encore couler comme une paisible rivière, et plus de personnes peut-être sont capables de faire une description pompeuse ou une comparaison élevée que d'avoir ce style égal et naturel qui sait dire les petites choses et les médiocres sans contrainte, sans bassesse et sans dureté. » Sous couleur de vanter la galanterie de Sarasin, Pellisson invite à une sorte de révolution culturelle : reconnaître, contre la traditionnelle hiérarchie des genres, l'égalité poétique des styles et des sujets.

Formé comme Voiture à l'école des Anciens, Sarasin avait comme lui compris que, pour être admis des mondains, et particulièrement des dames, le sérieux devait être enrobé dans le plaisant. Mais à la différence de Pinchêne, Pellisson n'insiste pas sur le comportement de l'auteur, mais sur le contenu et le ton de ses écrits, dissociés du milieu qui les a produits. Au lieu d'être représentée comme une pratique vécue, la galanterie devient le style d'une œuvre, et même la base d'une théorie littéraire. Dans son *Discours sur les Œuvres de M. Sarasin*, Pellisson définit une littérature galante qui n'apparaît plus comme une sorte de miracle du passé, mais comme un modèle qu'on peut reproduire et dépasser, un exemple pour l'avenir. Il annonce le climat qui va régner à la cour du surintendant Foucquet, à Saint-Mandé, puis à Vaux.

Peu de temps après, Pellisson devient en effet secrétaire du ministre. Comme ses attributions comprennent la gestion des affaires culturelles auxquelles son maître attache beaucoup d'importance, son *Discours* se trouve *ipso facto* transformé en une sorte de programme culturel. En août 1658, dans la quatrième partie de *Clélie*, Mlle de Scudéry prend le relais en mettant dans la bouche de la muse Calliope une longue prophétie sur l'évolution de la poésie depuis l'Antiquité jusqu'à l'apparition du nouveau Mécène. « Jamais, dit-elle, on n'aura tant vu de grands et magnifiques poèmes héroïques, de belles comédies, de charmantes églogues, d'ingénieuses stances, de beaux sonnets, d'agréables épigrammes, d'aimables madrigaux et d'amoureuses élégies. » Comme Pellisson, Mlle de Scudéry place sur le même pied les grands genres hérités de l'Antiquité et les petits genres, bientôt raillés par Molière, comme ces « mille aimables chansons qui, selon la muse, contiendront agréablement toute la morale de l'amour ». L'air galant va donner naissance à des œuvres galantes, qui auront aussi leurs chefs-d'œuvre. Sous couleur de prophétie, l'auteur pousse les écrivains à se mettre à l'œuvre dans un esprit moderne.

La prophétie de Calliope suit de peu un portrait de Mélinthe, c'est-à-dire de Mme du Plessis-Bellière, l'amie de Foucquet. Le noyau initial de sa cour vient en effet de chez cette dame, son amie de longue date, qui habite à Charenton une maison proche de son château de Saint-Mandé. Cette dame se plaisait à y recevoir une foule de visiteurs où se mêlaient à des bourgeois épris de bel esprit toutes sortes de poètes et de rimailleurs, à commencer par ses frères. L'un d'eux, le marquis de Montplaisir, passait pour faire « admirablement bien les vers amoureux », c'est-à-dire des petits vers de circonstance sur les femmes auxquelles il cherchait à plaire. Tout le monde célébrait la maîtresse des lieux dans quantité de vers en partie recueillis et publiés en 1658 par l'éditeur Charles Sercy. Ce *Recueil* contenait un sonnet de Foucquet lui-même sur la mort du perroquet de son amie. Il « réveilla, écrit Pellisson, tout ce qu'il y avait de gens en France qui savaient rimer, et l'on ne vit durant quelques mois que des sonnets sur les mêmes bouts-rimés ». On en compte vingt-huit dans le *Recueil*...

D'authentiques poètes comme Le Moyne ou Boisrobert y disputent la palme à des poètes galants comme Benserade, à des rimeurs comme Loret, à de simples amatrices comme Mme de Revel ou la présidente Tambonneau. Pour mettre fin à ces débordements, il fallut que Sarasin, qui avait comme tout le monde pleuré l'oiseau, s'avisât que cette rimaillerie mettait en péril les bons vers. Il ne se contenta pas de le dire. Il inventa pour cela un jeu galant, un poème héroï-comique intitulé *Dulot vaincu ou la défaite des bouts-rimés*. Il y représentait un mauvais poète conduisant au combat une nation de sonnets rangée sous quatorze chefs : les quatorze rimes du sonnet sur le perroquet. Une galanterie en chassait une autre...

Entre la galanterie de l'hôtel de Rambouillet et celle de la cour de Foucquet, par le biais des samedis de Mlle de Scudéry, mais aussi de quelques autres salons, comme ceux de Mme du Plessis-Bellière ou de Mme du Plessis-Guénégaud, la continuité est totale. Avec cette différence que le prolongement circonstanciel dans l'écriture d'un mode de vie spontané s'y transforme en art, ou plutôt en technique d'écrire consciente et programmée. Ce qui explique peut-être la sclérose de cette littérature galante et, sauf pour La Fontaine et Mme de Sévigné (mais ce n'est que la moindre partie des lettres de l'une et il n'a, lui, réussi qu'après la chute du surintendant), son échec. Il n'était pas si facile de transplanter l'air galant d'un salon (ou plutôt de la ruelle d'une chambre...) à la cour d'un ministre, encore moins de transposer systématiquement un art de vivre en art d'écrire.

A force d'être pratiquée, cette prestigieuse galanterie, vécue ou littéraire, se dégrade en se caricaturant elle-même. Sorel, dès 1644, avait saisi ses défauts et s'en était gaussé dans une première version de ses *Lois de la galanterie*. En 1658, au moment où Mlle de Scudéry publie les prophéties de Calliope, il en donne une seconde version amplifiée. Dans ce texte et dans plusieurs autres où il se moque de la galanterie, il se sert des armes qu'elle lui fournit. Il retourne contre elle cet art de railler sans lourdeur qu'elle recommande, cette absence de pédantisme qui la rend agréable aux dames, cette manière de rendre plaisants toutes sortes de sujets qui est son signe distinctif. Tandis que la galanterie se pervertit d'avoir réussi et d'être devenue à la mode, l'arrestation de Foucquet en 1661 devrait lui donner le coup de grâce. C'est seulement un coup de semonce. Elle a suscité une évolution des esprits trop profonde pour disparaître. Elle se fait discrète pour mieux s'insinuer presque partout, sous des formes variées, avec pour trait commun et fondamental le souci d'être clair, enjoué de ton, d'apparence facile même dans la profondeur ou la technicité, afin de se mettre à la portée des dames. Cela donne à la fin du siècle les *Contes* de Perrault ou de Mme d'Aulnoy et *Les Entretiens sur la pluralité des mondes* de Fontenelle.

Les « salons » se sont multipliés à mesure qu'on avance dans le siècle, contribuant, chacun à sa manière, à la promotion intellectuelle des femmes du haut de la société. Grâce à son caractère interactif, la conversation permet en effet de transformer la connaissance abstraite des savants en une connaissance vivante, génératrice d'idées (de « notions », dit une des femmes de *La Précieuse*), qui se mettent en forme dans l'esprit à mesure que l'on prend part aux discussions. Si l'abbé de Pure se moque des maladresses de ses personnages, il ne conteste pas l'intérêt de leurs rencontres dont il reconnaît les possibilités créatrices. Mi-séduit, mi-critique, Géname déclare à Philonime qu'il aimerait bien assister à une réunion de « ces oracles si diserts et si doctes ». Ce que le jeune homme lui a rapporté de leurs conversations « sent, dit-il, la promptitude d'un esprit qui se secoue et qui n'est pas si peu chargé de fruits qu'il n'en laisse tomber quelque chose ». Malgré leurs défauts, les improvisations des ruelles ont une richesse et une spontanéité dans lesquelles il y a forcément à glaner. Parce que ce sont des lieux particulièrement propices à la vie de l'esprit, les femmes n'y ont pas reçu passivement une nouvelle sorte de culture, adaptée à leur « ignorance ». Elles l'ont suscitée, orientée et très largement imposée, même aux « doctes ». Contrairement à l'idée qu'on s'est longtemps faite d'un siècle classique tout entier dominé par les règles, la tradition et l'imitation des Anciens, grâce aux « salons » ou plutôt grâce à toutes les formes de rencontres liées à la mixité de la bonne société, les femmes ont ouvert dans la vie culturelle de larges espaces de liberté, de jeu et de « gaîté », autrement dit de « galanterie ».

36

La créativité féminine

Confiant à son auditoire une pensée qu'il a jusque-là « tenue secrète par respect », le Géname de l'abbé de Pure ose lui déclarer qu'il « ne doute point que les femmes ne soient capables de plus d'invention que les hommes par la raison même de leur ignorance ». N'ayant point « l'embarras de notions étrangères » et de règles contraignantes, elles peuvent agir en toute liberté et suivre leur essor. Bref, leur manque de formation laisse leur créativité intacte. « Si bien que la Nature abandonnée à elle-même s'élève tout autrement dans cette fougue qu'alors qu'elle est dans les contraintes de l'art et embarrassée dans les principes du savoir. » Sous le pseudonyme de Géname et par la plume de l'abbé de Pure, Ménage, un des meilleurs connaisseurs des littératures latine et grecque qu'il pratique dans ses œuvres au point qu'on l'accuse volontiers de n'être qu'un plagiaire, conteste leur utilité, préférant la fécondité de la nature aux richesses empruntées de la culture.

Malgré ses réserves initiales sur les « assemblées » de femmes, Philonime est au fond du même avis. « A les voir, on juge bien de leur sexe par leur beauté, mais non par leur discours. Elles ont la réponse aussi vive, le jugement aussi solide, le discernement aussi exact que l'homme les peut avoir. Elles ont de plus cet art de dire les choses, d'exprimer leurs pensées et de tourner leurs imaginations tout autrement que nous n'avons pas. » L'abbé de Pure concède aux femmes un art de l'expression, fondé sur la spontanéité, supérieur à celui que les hommes ont péniblement acquis en étudiant au collège. Malgré ses défauts, « la manière des conversations » des dames est encore, dit Philonime, ce qu'il a trouvé le plus « capable de plaire à l'esprit », et il la préfère de beaucoup à ce qu'il a vu dans les réunions d'hommes doctes et versés dans les belles-lettres, y compris « dans l'assemblée d'un des corps des plus considérables du monde » (l'Académie française ?) où régnaient le désordre, l'emportement et l'ennui.

Ces qualités peuvent-elles avoir un prolongement dans l'écriture ? L'Eulalie de *La Précieuse* ne le croit pas. « Le parler, déclare-t-elle, outre qu'il est de moindre dépense, a encore beaucoup plus de force par les agréments de la voix et de la personne qui parle. » Grâce au charme féminin, la parole est « dans son climat [à son apogée] dans la bouche d'une personne de notre sexe ». Les femmes ont donc tout intérêt à s'y cantonner. « Celui d'écrire, il faut le laisser aux hommes sans leur porter envie et sans vouloir les imiter. » Surprenante concession. Les intellectuelles de l'abbé de Pure, du moins au début de son roman, ne revendiquent pas une égalité culturelle avec les hommes, encore moins une identité. Femmes, elles veulent jouir d'un empire féminin, qu'elles situent dans la conversation où elles excellent, non dans l'écriture dont elles se jugent incapables sans aide masculine.

Mélanire a tôt fait d'éprouver la vérité des idées d'Eulalie. Décidée à se venger d'Agathonte, qui s'est moqué d'elle, elle s'applique à écrire une satire. « L'ardeur et le ressentiment l'importunaient et même poussaient sa pensée et sa main hors des règles. Elle jeta les yeux sur son emportement, que l'écriture lui rendait visible, et ayant fait agir une partie de son jugement, elle reconnut bien le faible de l'esprit du sexe et le désordre d'une forte passion. Elle vit bien que, quoique l'esprit fasse naître de jolies choses dans la bouche de celles qui parlent, ce sont des enfants bien malheureux dans l'éducation et dans la suite quand ils ne passent que par les mains des mères. L'art demande quelque chose de plus, et l'expression des pensées n'a jamais son effet ou ses grâces sans l'aide d'un art que, pour l'ordinaire, les femmes n'ont point. »

L'abbé de Pure reprend la même idée quand c'est au tour d'Agathonte de préparer sa réplique à Mélanire. Affolée, elle souhaite l'assistance d'une personne qualifiée. Sa servante lui explique que c'est une pratique habituelle chez les femmes qui veulent briller dans le domaine intellectuel. « Elles ont un homme d'esprit, pauvre et malheureux, auquel elles donnent un dîner par semaine et un habit par an, et le font travailler tout leur soûl sur toutes les pensées qui leur tombent dans l'esprit. D'autres en ont de riches qui ne leur coûtent rien, et d'autres en ont de propres et de galants, qui font tout ce que les belles désirent, j'entends des vers, des chansons et quelquefois des cadeaux [des fêtes avec collation], quoique rarement, car les vers leur coûtent beaucoup moins, donnent la comédie, l'assemblée et les marionnettes. » Ces discrètes interventions masculines servent « à donner des pensées ou à corriger les vers qui passent au public sous le nom de ces femmes qui n'y ont jamais pensé ».

Malgré son caractère caricatural, ce texte rappelle les limites imposées à la créativité des femmes. Comment ne ferait-elle pas problème alors que les clercs ont été pendant des siècles les seuls intellectuels, les seuls formés pour tenir la plume, et que le droit d'écrire est encore relativement nouveau pour les laïcs ? Quand les mutations des conditions de l'écriture entraînent ce qu'on a appelé la (difficile) « naissance de l'écrivain », l'apparition de l'écrivaine est à la fois inéluctable puisque tout change, et accessoire puisque la condition de la femme continue d'impliquer sa subordination. Malgré le bouillonnement intellectuel de la Renaissance et l'invention de l'imprimerie, le nombre des femmes ayant accédé à la publication au XVIe siècle était resté infime : une vingtaine environ. Ce nombre s'est élevé au siècle suivant, et même fortement dans sa seconde partie. La présence des femmes dans l'imprimé n'en est pas moins restée marginale par rapport à celle des hommes, environ 2 %. La publication d'un petit nombre d'œuvres, dont quelques-unes de grande importance par leur rayonnement ou leur qualité, ne leur assure qu'à grand-peine un droit d'écrire difficilement conquis et encore plus difficilement reconnu.

Le cas des lettres est exemplaire. Ménage situe entre 1630 et 1640 leur apparition chez les femmes. Mlle de Montpensier a rappelé comment dans un petit roman à clé, *La Princesse de Paphlagonie*. Toujours inquiète pour sa santé, la princesse Parthénie (Mme de Sablé) s'est condamnée à un isolement préventif, même envers sa meilleure amie, la reine de Misnie (la comtesse de Maure). En conséquence, « leurs conférences ne se faisaient pas comme celles des autres. La crainte de respirer un air ou trop froid ou trop chaud, l'appréhension que le vent ne fût trop sec ou trop humide, une imagination enfin que le temps ne fût aussi tempéré qu'elles le jugeaient nécessaire pour la conservation de leur santé était (*sic*) cause qu'elles s'écrivaient d'une chambre à l'autre ». Fait capital, les deux femmes communiquent spontanément, sans intervention étrangère, en fonction de la pluie et du beau temps, de leur humeur et de ce qu'elles ont à se dire, sans se soucier des modèles imposés par la tradition littéraire.

« C'est de leur temps, continue Mlle de Montpensier, que l'écriture a été mise en usage. Auparavant, on n'écrivait que les contrats de mariage, et des lettres, il ne s'en entendait point parler. Ainsi, nous leur avons l'obligation d'une chose si commode pour le commerce. » Selon Furetière, « le commerce se dit de la correspondance, de l'intelligence qui est entre les particuliers [...]

On dit en ce sens le commerce de la vie, le commerce du monde, en parlant des choses qui entretiennent la société civile », nous dirions les relations sociales. « On serait trop heureux, continue Mademoiselle, si on pouvait trouver de ces billets et en faire un recueil [...] On apprendrait toute la politesse du style et la plus délicate manière de parler sur toutes choses. » Ce qui a frappé la princesse, c'est la nouveauté de cette libre et constante pratique de l'écriture, en rupture avec l'obligation de suivre les règles épistolaires reçues jusqu'alors d'une tradition invétérée. Plus besoin d'apprentissage et de travail préalable. La qualité mondaine des épistolières entraîne la qualité de lettres qui prolongent sans efforts la délicatesse de conversations provisoirement suspendues par la maladie ou le mauvais temps. Malgré l'enthousiasme de Mlle de Montpensier, on n'a pas publié ni même conservé les lettres qu'elle donne en modèles. Pour le public masculin, la lettre féminine relève d'une créativité qui reste en marge de la littérature.

A propos de Mme Desloges, qui est pourtant son amie, Chapelain écrit en 1638 qu'elle « écrit si ambitieusement et se pique tellement de quintaine de lettres polies que c'est tout ce qu'il peut faire que de la souffrir », car « il me semble, ajoute-t-il, qu'il n'y a rien de si dégoûtant que de s'ériger en écrivaine et entretenir pour cela seulement commerce de beaux esprits ». Ainsi, même dans le cas particulier des lettres, dès lors qu'il ne s'agit pas d'un écrit strictement privé, échangé dans l'intimité et quasi en secret, l'écriture féminine est blâmée par un des critiques les plus écoutés du temps. Du moment que la présence de « beaux esprits » chez une femme n'a pas pour but le seul divertissement mondain, qu'elle devient le support reconnu d'une ambition d'écriture, même limitée au domaine restreint de la lettre, elle transgresse les bornes que lui impose sa condition. Il n'est donc pas question de publication. Balzac loue expressément Mme Desloges de ne pas « exposer au public » les productions de son esprit.

La Bruyère, en 1689, vante dans ses *Caractères* le talent particulier des femmes pour la lettre : « Ce sexe va plus loin que le nôtre dans ce genre d'écrire. » A Balzac et à Voiture, qui donnaient à apprécier des qualités formelles et un contenu intellectuel, s'oppose désormais une autre façon d'écrire, fondée sur le sentiment. Avec les femmes, le cœur succède à l'esprit, et la spontanéité au difficile effort de l'écriture travaillée : « Elles trouvent sous leur plume des tours et des expressions qui souvent en nous ne sont l'effet que d'un long travail et d'une pénible recherche. » Elles brisent les cadres traditionnels en ne s'astreignant pas à une progression régulière : « Elles ont un enchaînement de discours inimitable, qui se suit naturellement et qui n'est lié que par le sens. » La passion, pour s'exprimer, a besoin d'autre chose que de la rhétorique des règles. Les femmes, qui se sont mises à écrire, se sont montrées capables de traduire leurs sentiments mieux que les hommes, précisément parce qu'elles n'ont pas appris à écrire. Aussi font-elles parfois des fautes contre la langue : « Si les femmes étaient toujours correctes, j'oserais dire que les lettres de quelques-unes d'entre elles seraient peut-être ce que nous avons dans notre langue de mieux écrit. »

Ces idées étaient dans l'air. Une dizaine d'années plus tôt, Bussy vante les mêmes qualités chez sa cousine Sévigné : « Je veux toujours de la justesse dans les pensées, mais quelquefois de la négligence dans les expressions, et surtout dans les lettres qu'écrivent les dames. » A sa fille Coligny, il affirme pareillement en tête de l'« Histoire généalogique » des Rabutin : « Rien n'est plus beau que les lettres de Mme de Sévigné. Elle est naturelle, elle a une noble facilité dans ses expressions et quelquefois une négligence hardie préférable à la justesse des académiciens. » Ce qui fait la singularité du style des lettres de femmes en général, et de Mme de Sévigné en particulier, c'est qu'il n'est pas « académique ». Leur beauté négligée vient de ce qu'elles savent, mieux que les hommes qui ont été dressés par leurs études à un certain mode d'expression, sortir de la platitude et de la beauté régulière.

Ces compliments sont trompeurs. Ils prennent acte d'une créativité féminine différente de celle des hommes. Ils montrent que cette créativité et ses effets sont particulièrement appréciés dans les lettres. Ils ne signifient pas qu'il faille pour autant assimiler les épistolières à des écrivains. On reconnaît que les femmes savent écrire des lettres, qu'elles sont nombreuses à en écrire, qu'elles y manifestent des dons d'écriture qui surprennent et plaisent quand on a l'occasion d'en lire. Mais ces qualités sont considérées comme des qualités fugaces, liées aux personnes et aux circonstances, appréciables dans l'instant, dépourvues des qualités durables qui font qu'une œuvre mérite d'être publiée. C'est pourquoi, malgré le talent qu'on leur reconnaît en ce domaine, parmi les auteurs épistolaires imprimés, les femmes n'occupent que la même faible place que les femmes auteurs de théâtre, de poèmes et d'essais. Qu'elles aient écrit beaucoup de lettres ou ne se soient guère risquées dans des genres réputés masculins, le résultat est le même...

Il convient de distinguer la pratique de la lettre improvisée, qui est en effet largement plus habituelle chez les femmes que chez les hommes, de l'écriture de lettres littéraires inscrites dans une tradition épistolaire héritée des Anciens, dans la lignée de Cicéron, de Pline et de Sénèque. Seules ces lettres, travaillées par leurs auteurs au moment où elles sont rédigées (et pas nécessairement envoyées), revues ensuite et soigneusement corrigées en vue de l'impression, présentent, pense-t-on alors, les qualités que doit avoir une œuvre digne de la publication. Ces lettres-là sont des lettres d'hommes, seuls à avoir reçu dans les collèges la culture nécessaire à l'imitation des grands modèles et le savoir rhétorique qui permet l'ampleur et la correction de l'expression, seuls à avoir effectivement été jugés dignes de l'impression.

Les dons épistolaires attribués aux femmes ne produisent que des lettres intimes, comme ces lettres d'amour dont Mlle de Scudéry par exemple défend expressément la divulgation en raison de leur sincérité désordonnée, qui les rend illisibles à tout autre qu'au destinataire. Ou bien des lettres familières, échange qui n'a de prix que pour l'épistolier et son destinataire. Ou encore des lettres « galantes », destinées à distraire un moment ceux qui les reçoivent et ceux à qui on peut les montrer. Ces lettres-là ressortissent aux jeux de société, analogues aux impromptus, aux bouts-rimés et autres écrits collectivement produits et parfois, rarement parce qu'ils n'ont tout leur sens qu'au moment où ils sont produits, collectivement imprimés. Ce sera après une longue évolution du goût, qui commence à peine avec *Les Lettres portugaises*, écrites par un homme, et le jugement de La Bruyère, que les qualités dites féminines de vérité, de spontanéité et d'invention commenceront à devenir des qualités littéraires admises comme telles, en attendant qu'elles finissent par prendre le pas sur les traditionnelles valeurs rhétoriques d'imitation, de tradition et de correction.

Comme l'a bien vu l'abbé de Pure, la créativité féminine a eu longtemps besoin de se fondre dans la créativité collective d'un groupe où règne la mixité. Elle provient en effet d'une spontanéité qui risque toujours de violer les règles les plus élémentaires de l'expression écrite, et, plus dangereusement encore, celles de la bienséance qui exige du sexe faible pudeur et retenue. Cette créativité ne peut donc, sauf dans le cas de quelques fortes individualités, dont Mlle de Gournay reste le modèle quasi caricatural, se manifester sur une — relativement — vaste échelle que dans le cadre collectif de la mondanité, dans la compagnie, voire sous le contrôle des hommes. Cette pratique, qu'on a proposé d'appeler « écriture de salon », existe dès lors que les divers membres d'un groupe social, constitué en un cercle qui ne consacre pas forcément toute son activité à la littérature, participent par leurs critiques, leurs ajouts et leurs corrections à l'élaboration d'un texte initié par l'un d'entre eux. Cette forme d'écriture s'est développée en France dès le XVIe siècle, par exemple dans le cercle des dames des Roches.

Elle ne va pas de soi. Au début du XVIIe siècle, les femmes ne peuvent la pratiquer sans choquer que dans le cadre des petits jeux qui font partie des activités égayant les loisirs des réunions mondaines. D'où l'intérêt qu'elles portent aux formes brèves et aux petits genres dont Molière se moque dans ses comédies. On rassemble parfois certains résultats de ces pratiques dans des recueils collectifs, manuscrits ou imprimés, où se trouvent, dans une très modeste proportion, des textes de femmes. Au moins jusqu'au milieu du siècle, c'est leur principal lieu de publication. C'est pour cette raison que Molière, hostile à ce genre de productions, fait dire à la Magdelon de ses *Précieuses ridicules* qu'elle attend la venue de « tous ces Messieurs du *Recueil des pièces choisies* ». En vers, mais aussi en prose, ces recueils sont alors pour les amateurs, « dames et cavaliers », un moyen de connaître les productions à la mode et aussi, pour certains, d'y trouver une certaine reconnaissance de leurs talents en y découvrant des textes d'eux, publiés le plus souvent à leur insu et sans leur consentement, voire anonymement.

Publiés en 1659, les *Divers portraits* marquent un tournant. C'est encore une œuvre collective, mais cette fois voulue et organisée par une femme, Mlle de Montpensier. Sur les cinquante-neuf portraits du volume, seize sont de sa main. Le recueil est très majoritairement féminin : dans quarante cas au moins, les textes ont été rédigés par des femmes, toutes de l'élite de la société. Y participer, c'est s'inscrire dans la liste des familiers de la princesse, sans risque de contrevenir aux bienséances, puisque c'est se conformer aux désirs souverains d'une femme située au plus haut de la société, une princesse du sang, petite-fille de Henri IV, cousine germaine de Louis XIV. Mme de La Fayette ne craint pas de mettre son nom dans le titre du portrait qu'elle y a fait de Mme de Sévigné. C'est le seul de ses textes qu'elle ait publiquement avoué.

Le recueil de Mlle de Montpensier s'inscrit dans une mode littéraire, lancée par les portraits à clé du *Grand Cyrus*, puis des premiers volumes de *Clélie*. La princesse l'a déjà suivie en plaçant au début des *Nouvelles françaises*, publiées sous le nom de Segrais, son secrétaire, les portraits de ses compagnes d'exil, auteurs prétendus des récits constituant le roman qu'elle dirige et qu'il signe. Entre 1656 et 1658, la mode littéraire s'est transformée en mode mondaine. La princesse de Tarente et sa fille avaient eu l'idée de faire (ou de faire faire) leurs portraits pour eux-mêmes, sans clés ni contexte romanesque. « Je trouvai cette manière d'écrire fort galante, dit Mademoiselle dans ses *Mémoires*, et je fis le mien. » Les *Divers portraits* résultent de la découverte, par un esprit curieux de nouveauté, d'une « manière d'écrire » qui s'inscrit dans le climat féminin de la galanterie. Le but de leur instigatrice n'est pas de produire une œuvre, mais de rivaliser entre princesses dans un jeu littéraire. Tiré à seulement soixante exemplaires, le volume n'est évidemment pas destiné au public, mais à des personnalités choisies, dont sans doute les personnes décrites, les auteurs, les correcteurs. Car ces textes ne sont pas parus sans avoir été revus par des hommes. L'impression a été supervisée par l'inévitable Segrais, secondé par son ami Huet.

Ce recueil élitiste n'aurait sans doute pas eu beaucoup d'influence s'il n'avait été immédiatement doublé d'un *Recueil de portraits et éloges*, celui-là largement diffusé par des libraires à la mode, avec une dédicace à Mlle de Montpensier. En répandant son initiative, ce volume au contenu disparate donna bonne conscience à toutes les femmes en mal d'écriture, qui se crurent autorisées à composer elles aussi des portraits à l'exemple de grandes dames, dans le sillage d'une grande princesse. Dans sa *Description de l'île de portraiture*, Sorel se moque de la prolifération des « peintresses ». A l'en croire, « la passion des portraits avait gagné le cœur des personnes du sexe féminin dans toute l'Europe et principalement dans la France ». Ce n'était pas la première mode qui faisait fureur. Elle succédait à celles des rondeaux, des énigmes, des bouts-rimés, de bien d'autres. Mais elle a été lancée par des femmes et portait sur un genre relativement plus élaboré, qui demandait un plus grand effort de rédaction. Plus que d'autres, elle a contribué à libérer les plumes féminines de l'interdit d'écrire sauf pour les petits jeux de salon. Sans toutefois les conduire à signer leurs textes de leur nom.

37

Des « autrices »

« J'ai bien envie de vous voir et de voir mes œuvres sortant de la presse », écrit Mme de La Fayette à Ménage en 1662. Elle a vingt-huit ans. Auprès de celui qui l'a aidée dans son entreprise, elle se réjouit d'être l'auteur de *La Princesse de Montpensier*, mince roman de cent quarante-deux pages en gros caractères. Point question cependant d'avouer au public qu'elle l'a écrit. Quelque temps avant l'impression, un valet lui en a dérobé une copie et l'a montrée « à vingt personnes ». Heureusement, ce valet en ignore l'origine. La *Princesse*, dit-elle à Ménage, « court le monde, mais par bonheur, ce n'est pas sous mon nom. Je vous conjure, si vous en entendez parler, de faire bien comme si vous ne l'aviez jamais vue et de nier qu'elle vienne de moi si par hasard on le disait ». Mme de La Fayette est prête à tous les mensonges pour rester dans l'anonymat. Ménage y veille. Huet est blâmé d'avoir révélé le secret à sa sœur : « Elle croira que je suis un vrai auteur de profession de donner comme cela de mes livres. »

Elève, amie et protectrice des « savants » qui la fréquentent, la cultivent et lui prodiguent leurs conseils, la comtesse ne veut pas être confondue avec eux. Sans doute croit-elle de bonne foi qu'elle écrit en simple amateur. On connaît des copies (non autographes) de *La Princesse de Montpensier*. L'écriture y est différente de celle de l'imprimé, plus spontanée, moins régulière, avec des phrases plus embarrassées. Ménage n'est pas encore intervenu pour mettre la dernière main au manuscrit avant l'impression. Il a probablement joué un rôle en amont, aux diverses étapes de la confection du livre, écrit à un moment où il vivait en particulière intimité intellectuelle et sentimentale avec la jeune femme. Sans doute l'ouvrage a-t-il été rédigé comme une sorte de jeu. La comtesse a voulu voir de quoi elle était capable avec l'aide et sous l'œil critique de son maître et ami de cœur. Elle ne se serait pas risquée à écrire, encore moins à publier, sans son approbation et ses corrections.

En novembre 1669 paraît un volume intitulé *Zaïde, histoire espagnole, par Monsieur Segrais*, précédé d'une longue et savante *Lettre à M. de Segrais de l'origine des romans* par Daniel Huet, qui cherche à donner ses lettres de noblesse à un genre à la mode, très décrié chez les tenants de la culture traditionnelle. Entre amis, Mme de La Fayette affirme être l'auteur du roman. « M. de Segrais, écrira Huet en 1705, a ouï souvent Mme de La Fayette me dire que nous avions marié nos enfants ensemble. » Mais Segrais de son côté aime à dire « Ma *Zaïde* ». On a gardé une feuille qui contient, de la main de La Rochefoucauld, un passage du livre dans une version différente de celle de l'imprimé. Au verso, Vallant, médecin de Mme de Sablé, a noté : « M. de La Rochefoucauld donne ceci à juger. » Le duc, qui a succédé à Ménage comme « tendre ami » de la comtesse, donne-t-il à juger un texte de son cru ou quelque chose qu'il a copié pour garantir l'anonymat de son auteur ?

Pour trancher, on connaît des lettres de Mme de La Fayette à Huet dans lesquelles elle lui soumet de longs morceaux du roman. « Je vous envoie le troisième et le quatrième cahier, lui écrit-elle. Celui-ci n'est point du tout corrigé ni revu. Aussi, vous y trouverez bien à mordre. Mais ne vous amusez guère aux expressions, et prenez seulement garde aux choses, car quand nous l'aurons corrigé, vous y repasserez encore. » Et sur un fragment de feuille à part : « Servez-vous du crayon rouge : on ne voit point le noir. » Le rôle de Huet est de lire le manuscrit, le crayon à la main, et de proposer ses corrections sur le déroulement de l'histoire ; le temps des ajustements d'expression viendra plus tard. « Que la paresse ne vous prenne pas, dit encore la comtesse au même correspondant. Ce serait une honte de ne pas achever d'embellir *Zaïde.* » On s'écarte de l'« écriture de salon », où l'on discute oralement, tous ensemble, par jeu, d'un texte proposé par l'un des interlocuteurs. Mais on reste dans la même logique. Ecrite dans la solitude et le silence par un auteur principal, l'œuvre est à chaque étape, disposition et élocution, soumise à des membres du groupe en vue de la porter à son point de perfection.

Finalement, le roman paraîtra signé de Segrais, auteur de profession. Peut-être celui-ci a-t-il effectivement pris une place plus importante que les autres dans la rédaction définitive du roman. Peut-être même en est-il devenu l'auteur principal après Mme de La Fayette, par exemple en travaillant quasi seul à l'achèvement d'un texte qu'elle aurait plus ou moins abandonné, faute de persévérance ou de temps. Même dans ce cas, l'écriture de *Zaïde* permet de constater, sur un exemple précis et bien attesté, la mutation qui permet aux femmes de devenir auteurs d'œuvres de longue haleine et de bonne qualité à partir d'une collaboration littéraire qui ressemble à la collective « écriture de salon » dont elle est probablement issue, mais avec laquelle elle ne se confond pas. Aller jusqu'à parler d'atelier d'écriture pour ce genre de pratique serait sans doute excessif. Ce serait ôter à l'aventure littéraire d'une Mme de La Fayette et de ses semblables sa nature profondément ludique, même dans le sérieux.

Car l'écriture reste un passe-temps pour la comtesse. L'essentiel de sa vie, ce sont ses autres activités : ses relations amicales, ses affaires, la reconstitution et la défense du patrimoine de son mari, sa place et celle de ses enfants dans la hiérarchie de la faveur politique, ses relations avec la duchesse de Savoie et leur impact politique. L'écriture n'est qu'une part infime de ses activités. Elle ne la pratique qu'en se cachant. C'est ce qu'elle fait encore en 1678 pour sa *Princesse de Clèves*, le meilleur roman du siècle, le plus nouveau, le plus moderne, le seul qui ait été considéré comme un chef-d'œuvre digne d'être étudié dans les classes, le seul de cette époque que le public lise encore un peu aujourd'hui. On en a reconnu le mérite dès sa publication. Il a été l'objet d'une importante controverse sur son sujet (l'aveu au mari), sur son mode d'expression, sur la nature du roman. Sans que le nom de son auteur ait jamais été prononcé, sinon de façon dubitative dans des correspondances privées.

La Princesse de Clèves n'a paru sous le nom de Mme de La Fayette qu'en 1780. Jusqu'à cette date, les éditeurs donnent toujours cette œuvre anonymement. Pour l'attribuer, les critiques hésitent, dans des textes tardifs et contradictoires, entre Mme de La Fayette, La Rochefoucauld, Segrais, Langlade, ou plusieurs d'entre eux collectivement. En 1719, des propos attribués à Segrais affirmaient : « *La Princesse de Clèves* est de Mme de La Fayette. » Posthumes, ils contredisent de précédentes affirmations. Ils contredisent aussi ce qu'a écrit la comtesse dans une lettre dont on a l'original autographe manuscrit. Le 13 avril 1678, juste après la parution du roman, elle y déclare à Lescheraine, secrétaire de la duchesse de Savoie, son amie : « Un petit livre qui a couru il y a quinze ans, et où il plut au public de me donner part fit qu'on m'en donne encore à *La Princesse de Clèves*. Mais je vous assure que je n'y en ai aucune, et que M. de La Rochefoucauld, à qui on l'a voulu donner aussi, y en a aussi peu que moi. Il en fait tant de serments qu'il est impossible de ne le pas croire, surtout pour une chose qui peut être avouée sans honte. »

Ce texte serait sans appel s'il n'y avait les consignes de

dénégation données à Ménage à l'occasion de *La Princesse de Montpensier*, le « petit livre » paru quinze ans plus tôt. Mme de La Fayette emploie la même méthode qu'à ce moment-là. Non contente de soutenir à son correspondant qu'elle n'est pour rien dans le roman dont on parle, elle s'abrite pareillement derrière une autre personne, à laquelle elle laisse tout le soin des serments. Le destinataire de la lettre doit la croire comme elle croit elle-même La Rochefoucauld... Pour disqualifier le bruit qui court, elle rappelle les rumeurs qui ont couru au temps de la première *Princesse*. Elle les réduit à presque rien, le bruit d'une simple participation qu'elle dément à peine. Mais l'argument se retourne contre elle dès lors qu'on sait, de son propre aveu à Ménage, qu'elle est l'auteur de *La Princesse de Montpensier*. Dans ce passage, manifestement écrit pour être montré, Mme de La Fayette refuse la qualité d'auteur malgré le succès de son livre et la part active qu'elle a secrètement prise à sa promotion. Cela ne veut pas dire qu'elle souhaite qu'on la croie, mais que cette qualité ne convient pas à son personnage public.

La Rochefoucauld pourrait « sans honte » s'avouer l'auteur d'un roman, elle non. Epouse d'un La Fayette, elle doit à la « qualité » du comte, son mari, de ne pas mêler son nom à ceux des écrivains de son temps. Ceux d'entre eux qui sont ses amis et ses conseillers littéraires, qu'elle traite apparemment à égalité dans leurs relations intellectuelles, n'en font pas moins partie de ses « gens ». Elle ne peut et ne veut se confondre avec eux. Elle n'a pas la haute noblesse d'une Mlle de Montpensier pour que le public sache d'emblée que l'écriture chez elle n'est pas signe de roture. Femme, elle ne veut pas heurter l'opinion qui considère encore très majoritairement l'écriture comme une activité masculine, surtout quand elle aboutit à une œuvre publiée. Dans le dernier tiers du XVIIe siècle, donner publiquement un livre à l'impression reste pour toute personne du sexe féminin une audace. Pour la comtesse, ce serait une transgression qui nuirait à son statut social. Elle ne gagnerait rien à l'avouer. Car le fait d'écrire et même d'avoir beaucoup de succès, surtout dans le genre romanesque, n'apporte à une femme comme elle, agrégée aux « gens de qualité » par son mariage, aucune considération à la cour ni dans le monde, aucun avantage intellectuel, aucun prestige supplémentaire. Dans la hiérarchie des valeurs, la littérature n'est rien par rapport à la noblesse, et la créativité féminine est d'autant plus prisée qu'après s'être modestement inscrite dans des jeux de société, elle ne se montre qu'en se cachant.

« Peut-être que si plusieurs dames de qualité entreprenaient d'écrire, elles en feraient recevoir la coutume, avance en 1637 le père Du Boscq en tête de son *Nouveau Recueil de lettres de dames* ;

mais sans cela, celles qui commencent sont plus en danger d'être moquées que d'être imitées. » Délivrées en principe des restrictions qu'on avait longtemps pensées naturelles, les femmes du XVIIe siècle restent prisonnières de l'opinion, seule maîtresse de la réputation. Contrairement à l'attente de l'auteur de *L'Honnête Femme*, le mérite d'avoir donné l'exemple qui entraîna peu à peu la levée (partielle) de l'interdit n'est pas venu des « dames de qualité », mais d'une femme qui préféra au mariage une vie bien remplie d'intellectuelle reconnue, Madeleine de Scudéry.

Cet exemple, elle l'a donné progressivement, sans choquer ouvertement l'usage, en imprimant d'abord ses œuvres sous le nom de son frère. On disait plaisamment qu'à la clé qui circulait des personnages du *Cyrus*, il fallait ajouter : « M. de Scudéry, gouverneur, etc. — Mademoiselle sa sœur. » Il en fut de même pour *Clélie* et ses œuvres suivantes, qui parurent alors qu'elle vivait ouvertement séparée de son frère. Personne n'était dupe, mais les apparences étaient sauves. Dans le premier tome de son nouveau roman, elle inséra un épisode présentant sa fameuse *Carte de Tendre*, ce qui était un moyen de le placer dans la lignée des écrits collectifs appartenant à l'« écriture de salon », dont les « Chroniques du samedi », écrites quelques années plus tôt, sont sans doute l'exemple le plus achevé. Elle continuera toute sa vie à écrire des poèmes de circonstance, relevant de la même sorte de création littéraire, propre « aux dames et aux cavaliers ». Pour adoucir sa relative audace d'écrire un roman dont chacun savait, malgré la page de titre, qu'elle était le seul auteur, elle eut l'habileté de s'inventer un double, le personnage de Sapho, une poétesse grecque. Dans son œuvre et quand elle joue son rôle de « reine de Tendre » lors de ses « samedis », elle se métamorphose en Sapho, à la fois semblable et différente de la demoiselle de Scudéry qui s'affirme comme son frère d'une maison illustre. Cela maintient, entre sa vie et son œuvre, une part de jeu suffisante pour la différencier d'une « écrivaine ».

En 1671, elle envoie à l'Académie française un *Discours de la gloire* qui est couronné. C'est la première fois que cette prestigieuse institution, fondée il y a près de quarante ans, décerne un de ses prix à une femme. Selon l'usage, l'Académie en publie le texte avec le nom de l'auteur. A soixante-trois ans, la voici consacrée écrivain par une assemblée d'hommes. Cette reconnaissance restera incomplète. Malgré l'immense succès de son œuvre, malgré tous les amis qu'elle y compte, l'Académie n'osera pas la recevoir en son sein.

En 1680, la romancière commence une sorte de nouvelle carrière, égrenant dix volumes sur douze ans. « Mlle de Scudéry vient de m'envoyer deux petits tomes de *Conversations*, écrit

Mme de Sévigné à sa fille. Il est impossible que cela ne soit bon quand cela n'est point noyé dans son grand roman. » Avec cette publication, qui n'est pas une simple reprise des conversations tirées de ses œuvres précédentes, la romancière se transforme en moraliste. Elle améliore sa situation littéraire en progressant dans la hiérarchie des genres. Elle veille aussi à ne pas abandonner un terrain difficilement conquis, continuant de montrer qu'on peut être femme, écrire et connaître un succès durable.

Avec le temps, elle est devenue un modèle à suivre, une caution pour toutes celles qui ont envie d'écrire et de publier. On a gardé le texte d'une dame inconnue qui la félicite de son rôle de pionnière : « A la beauté, les hommes seulement/Avaient borné notre partage,/Réservant pour eux l'avantage/D'écrire et parler doctement./Mais, fille illustre autant que sage,/Pour avoir changé cet usage,/Et triomphé si glorieusement,/Ne vous devons-nous pas un grand remerciement ? » En 1702, une femme qui s'avoue auteur, Mlle L'Héritier, écrit une *Apothéose de Mlle de Scudéry* et met dans la bouche d'Apollon un vibrant hommage à celle qui fut « l'ornement de son siècle » et qui « sera éternellement la gloire de son sexe ».

« Ce sexe, continue Mlle L'Héritier, a l'avantage d'avoir encore sur la terre des personnes illustres qui marchent dignement sur les traces de Scudéry. La France voit d'illustres dames qui, par de pompeuses odes, de tendres élégies, d'ingénieux romans, et par mille autres sortes d'agréables et savants ouvrages, font éclater la beauté de leur génie et la délicatesse de leur esprit. » Peu après, en prononçant l'éloge de Mme Deshoulières, dans son *Parnasse reconnaissant*, la même demoiselle souligne que cet auteur « n'est pas la seule qui mette son sexe du moins à égalité avec celui des hommes ». Dans la dernière partie du siècle, davantage de femmes ont en effet publié, presque toutes sans craindre de mettre leur nom en tête de leurs ouvrages. Cela peut créer l'illusion que les femmes ont enfin conquis un droit d'écrire en tout point semblable à celui des hommes.

En 1704, Jacques de Tourreil, prononçant un discours à l'Académie française en qualité de directeur, ne se contente pas de louer les membres, tous masculins, de l'illustre institution. « Notre siècle, fécond en merveilles, ajoute-t-il, produit aussi pour la gloire du Parnasse plus d'une Sapho, plus d'une Corinne, qui devraient nous avoir appris que le genre de mérite dont nous avons fait notre principal apanage est de tout sexe, et que les plus beaux talents peuvent tomber en quenouille. » La critique pointe sous l'éloge. L'expression « tomber en quenouille » est péjorative. Elle s'emploie, explique Furetière, quand on succède à la tête d'un royaume selon la lignée féminine comme en Angleterre. Mais précisément « celui de France ne tombe point en quenouille ». On emploie cette formule, continue le *Dictionnaire*, « par extension, lorsque les femmes sont maîtresses dans un ménage, ou les plus habiles ». Suit un dernier exemple : « L'empire des Muses est tombé en quenouille. » Furetière, qui s'est moqué des prétentions intellectuelles des femmes dans son *Roman bourgeois*, se sert de cet exemple pour les dénigrer. Quelques années plus tard, dans sa comédie *Les Souhaits*, Monchesnay regrette pareillement que « le bel esprit soit tombé en quenouille » maintenant que « les femmes se mêlent de faire des opéras et des tragédies ».

Malgré l'évolution des esprits, l'idée d'une « écrivaine » reste liée à celle du monde à l'envers. Voir une femme en train d'écrire au lieu de s'occuper de sa maison, de ses enfants, de son « salon » paraît encore presque aussi choquant que l'imaginer casquée, partant pour la guerre, comme la montraient certaines gravures du temps de la Fronde. Pour beaucoup, l'écriture, du moins l'écriture littéraire, celle qui produit de grandes œuvres dignes d'être publiées, doit rester un apanage masculin. Même si un plus grand nombre de femmes osent à la fin du siècle se dire auteurs, elles doivent respecter certaines limites : elles ne peuvent l'être que dans certains genres, dans un certain style, dans les marges de la « grande littérature » qui doit rester réservée aux hommes.

On s'accorde à leur reconnaître le droit d'écrire des ouvrages de piété. « On ne prétend pas interdire aux femmes l'étude des saintes lettres, écrit en 1715 l'abbé de Maupertuis, en net progrès sur ses devanciers de la Réforme. On leur permettrait même d'écrire les pensées et les pieux sentiments que l'Esprit saint leur aurait fournis dans leurs méditations. » Mais on les condamne d'écrire des romans, genre où pourtant elles excellent, surtout dans la seconde partie du siècle. « Quels talents n'avaient pas une Mlle de Scudéry, une Mme de Villedieu, une Mme d'Aulnoy et plusieurs autres d'un moindre nom ? continue l'abbé. Quelle politesse de style, quelle vivacité, quel agrément ne trouve-t-on pas dans les ouvrages qui portent leur nom ? Mais quel compte n'auront-elles point à rendre à Dieu d'avoir si mal employé la beauté de leur esprit, l'abondance et la fécondité de leur génie ? Et quel usage en ont-elles fait ? Elles ont appris aux hommes à détourner leur cœur de leur créateur, qui doit être l'unique objet de leur amour, pour se tourner vers les créatures ; elles leur ont appris à les aimer, à chercher dans cet amour illicite leur unique et suprême félicité. » En ce siècle de mise en ordre tridentine et d'augustinisme actif, même imparfaitement respectés, les interdits moraux liés à la religion pèsent lourd dans les consciences, tout particulièrement sur celles des femmes depuis qu'on les a rendues responsables de la christianisation des foyers.

Mme d'Aulnoy, citée par l'abbé de Maupertuis, n'était pas seulement célèbre pour ses romans. Elle avait aussi été la première à écrire des contes de fées. Dès 1690, elle en a inséré un dans son *Histoire d'Hippolyte, comte de Douglas*, devançant Charles Perrault. Si celui-ci lui a ravi la vedette pour la postérité, c'est elle qui l'avait chez ses contemporains. A beaucoup, ce genre littéraire paraît alors spécifiquement féminin. Dans ses *Entretiens sur les contes de fées*, l'abbé de Villiers oublie jusqu'à l'existence des auteurs masculins qui les ont pratiqués. « Aucun philosophe et aucun habile homme que je sache, écrit-il, n'a inventé ou composé de contes de fées. L'invention en est due à des nourrices ignorantes, et on a tellement regardé cela comme le partage des femmes que ce ne sont que des femmes qui ont composé ceux qui ont paru depuis quelque temps en si grand nombre. » Venus des femmes, les contes de fées ne peuvent, selon l'abbé, être publiés que par des femmes. C'est pour lui une façon de dévaloriser un genre florissant, qui se rattache à cette culture féminine moderne dont, en tant que partisan des Anciens, il a du mal à admettre l'existence et la valeur.

Inversement, si des femmes (Mme d'Aulnoy, Mme de Murat, Mlle L'Héritier, Mlle de La Force, Mlle Bernard) n'ont pas craint de publier de tels récits sous leur nom, c'est qu'elles savaient pouvoir le faire sans trop empiéter sur le domaine littéraire masculin. A la fin du XVIIe siècle, l'accès des femmes à l'impression n'apparaît plus aussi impossible qu'à ses débuts. Encore faut-il qu'il s'agisse d'œuvres qui relèvent de l'esthétique qu'elles ont contribué à établir et à répandre dans les « salons ». Elles ne peuvent accéder au statut d'écrivain que sous les apparences de l'écrivain amateur.

Etre en ce temps-là femme et auteur, c'est porter une triple contradiction à des principes qu'on avait crus définitivement établis. Le premier veut depuis toujours que la femme ne s'occupe que de son mari, de ses enfants et de sa maison. Même à la fin du siècle, même dans les milieux aisés, les Arnolphe ne manquent pas pour le penser et parfois l'imposer ; dans le peuple, c'est-à-dire dans la quasi-totalité de la population, ce principe va de soi et reste indiscuté. Le deuxième, qui remonte aussi loin dans le temps mais ne concerne que l'élite cultivée, prétend que la culture et donc l'écriture sont le fruit d'un long apprentissage des chefs-d'œuvre précédents et de leur lente imitation. S'y oppose et en triomphe largement, dans la part la plus riche et la plus oisive de la société, l'idée d'une culture moderne et d'une écriture, parfois collective, dont le principal mérite est dans la spontanéité, dans la rapidité, dans l'accord immédiat avec les désirs et les plaisirs de l'instant.

Le troisième principe contredit par l'existence de la femme-auteur, c'est celui de l'infériorité de la femme et de sa faiblesse congénitale. Certains l'avaient contesté et continuaient de le faire avec de bons arguments. On ne les croyait guère. On ne croyait pas même les savants qui commençaient à établir sur des bases scientifiques qu'ils avaient raison. L'organisation de la société était solide. Elle maintenait la femme dans une étroite dépendance et permettait d'établir la norme à partir d'une évidente constatation : la femme méritait une infériorité qu'elle n'avait jamais, sinon par exception, été capable d'infirmer dans les faits, par ses actions. Or, voici qu'en lui accordant dans la vie culturelle un espace de liberté, on lui a, sans l'avoir voulu, donné l'occasion inespérée et jusqu'alors jamais trouvée de montrer, malgré les lourds handicaps de ses servitudes domestiques et de son manque de culture classique, sa fondamentale égalité dans les activités de l'esprit. Point d'aboutissement de ce qui avait commencé comme un jeu, la publication par une femme d'un livre dont le succès atteste la valeur devant un public composé des deux sexes apporte devant tous la preuve indubitable et durable d'une égalité jusqu'alors toujours contestable et fortement contestée. Cela ne concerne que la vie de l'esprit et qu'un petit nombre de femmes d'un milieu restreint. Mais quand cède le premier maillon d'une chaîne, tout peut arriver.

L'importance soudain révélée de l'enjeu explique sans doute les réactions de ceux qui en ont, avant tout le monde, pris conscience. Molière est de ceux-là, et tous ceux qui ont critiqué cette conquête, par les femmes, d'une égalité dont ils ne voulaient pas parce qu'elle menaçait, pour les uns l'équilibre familial, pour les autres leur monopole culturel. Certains, surtout après Molière, ont appelé précieuses ces femmes qui se trouvaient à la pointe du progrès. Nulle d'entre elles n'a jamais accepté de s'identifier à cette invention caricaturale. Elles ne formaient pas une coterie. Elles n'étaient pas organisées. Elles n'avaient pas de programme. Dispersées dans toutes sortes de « salons », elles étaient dans le monde le levain d'une nouvelle culture qui allait obliger à les considérer d'un œil nouveau. Cette victoire, car c'en était une, n'était pas forcément définitive. Mais c'était une étape décisive pour les conquêtes à venir.

A la fin de *Clélie*, les principaux personnages de Mlle de Scudéry se retrouvent à Préneste où ils doivent consulter les devins. En attendant, ils s'entretiennent des conditions du bonheur et de la bizarrerie des désirs humains. Chacun dit ce qu'il voudrait être. Jamais à court d'inventions galantes, Amilcar commente les souhaits, puis les regroupe en deux tableaux, présentés en vis-à-vis. A gauche, les « Souhaits des dames », qui n'occupent que les trois quarts de la page ; à droite les « Souhaits des hommes », qui débordent sur la page suivante. Même dans l'idéal, l'avenir des femmes s'affiche plus borné que celui des hommes.

Ceux-ci souhaitent la puissance et la gloire (être roi, être « le plus vaillant ») dans des domaines variés (être « dompteur de monstres et libérateur de royaumes et de dames enlevées »). Ils souhaitent aussi bien l'argent (« être aussi riche qu'on voudrait ») que l'esprit et la gloire littéraire (être « le plus éloquent », « le plus bel esprit du monde », « écrire de belles choses qui aillent à la postérité »). Ils souhaitent la santé. Ils souhaitent ne pas avoir d'envieux. Ils forment même des vœux contradictoires : « Etre sensible à tous les plaisirs », et pourtant « ne désirer rien » ; « être aimé de ce qu'on aime », « avoir toujours de l'amour », mais aussi « n'être point amoureux ». Ces désirs reflètent deux images. Celle, traditionnelle, du héros conquérant, qui sous-tendait encore principalement les aventures du *Grand Cyrus*. Celle, nouvelle, qui a été le thème principal du roman qui s'achève, d'un être aux prises avec un amour en train de se redéfinir, d'un amour qui l'inquiète et le divise. Le personnage héroïque se reconnaissait dans l'amour courtois, qui le conduisait à l'action et aux exploits ; son successeur, l'homme du monde, craint de s'égarer dans les méandres de l'amour tendre au risque d'y perdre son identité.

Les souhaits des femmes sont moins nombreux : huit au lieu de seize. Le premier, aussi prévisible que conventionnel, est « d'être la plus belle personne du monde ». Le deuxième et le troisième se rapportent à l'amour et expriment la forme féminine du désir de puissance (être fort aimée tout en n'aimant point ou en n'aimant guère ; être toujours avec la personne qu'on aime et n'en voir point d'autres). Le quatrième et le cinquième se rapportent à l'inévitable curiosité féminine, qui remonte aussi bien à Eve qu'à Pandore : « voir ce qui est dans le cœur de tout le monde » ; « être invisible ». A la différence des vœux des hommes, ces souhaits demandent l'impossible. Il en va de même des deux derniers de la liste : « être immortelle », « pouvoir vivre sans dormir ». Ils expriment, chez la femme, un désir de durée et de plénitude qui serait positif s'il n'était pas déraisonnable. Ils traduisent presque tous un malaise par rapport à une nature féminine supposée frivole, possessive, curieuse, insatiable, insatisfaite, prompte à s'échapper dans l'imaginaire.

Le sixième souhait, le plus étonnant, est le plus significatif. C'est « d'être un honnête homme au lieu d'être une honnête femme ». A en croire Voltaire, c'était le souhait de Ninon, la célèbre courtisane du Grand Siècle, qui protestait ainsi contre la différence de sens d'un même mot selon qu'il s'appliquait à un homme ou à une femme. Ce n'est point le propos des héroïnes de *Clélie* : elles ne rêvent pas d'un changement de morale, mais d'un changement de sexe, qui conditionne, croient-elles, un changement de leur condition. Comme si l'homme seulement pouvait atteindre la perfection de la nature humaine.

Effet d'un long conditionnement, même Mlle de Scudéry n'imagine pas qu'une femme puisse vivre sa féminité dans une plénitude de satisfactions au moins équivalente, quoique spécifique, à celle qu'apporte, pense-t-on, à un homme le fait d'incarner la perfection idéale de l'espèce dans ce qu'on appelle en ce temps-là l'honnêteté. Alors même qu'elle concourt par sa vie et son œuvre à en montrer la fausseté, dans un passage présenté comme le résultat d'une enquête auprès de femmes que leur statut social prédispose à y échapper, elle reprend l'opinion commune, imposée par l'idéologie dominante, une idée d'homme, qui a encore de beaux jours devant elle (même chez Freud) : toute femme a en elle le regret secret ou avoué de ne pas être un homme... C'est dire le chemin qui reste à faire pour que la femme soit reconnue et valorisée dans sa différence et dans sa complémentarité.

Et pourtant, contrairement à l'opinion reçue, au XVIIe siècle, la longue marche a déjà commencé. En apparence, tout continue comme avant. Nombreux sont ceux qui répètent après Aristote et Galien que la femme est un homme manqué, ou avec Hippocrate qu'elle est tout entière dans sa matrice. Plus nombreux encore ceux qui, avec les théologiens et les moralistes, lui rappellent ses devoirs contraignants d'épouse et de mère, sa faiblesse morale et son congénital manque de raison, son incapacité à exercer les fonctions d'autorité, son inaptitude à la vie intellectuelle, fondée sur des connaissances que sa nature lui rend inaccessibles. Boileau encore, en 1684, publie une longue satire sur les femmes ou plutôt contre elles, où il dresse après Juvénal et bien d'autres, qu'il cite, le catalogue de ce qu'il appelle « les malices du sexe ». Rien n'y manque des défauts qu'on leur attribue depuis toujours et des travers qu'elles doivent à leur siècle parmi lesquels figure en bonne place l'intérêt qu'elles portent aux sciences en train de s'établir sur des bases solides.

« Qui s'offrira d'abord ? », demande l'auteur. « Bon, c'est cette savante/Qu'estime Roberval et que Sauveur fréquente./D'où vient qu'elle a l'œil trouble, et le teint si terni ? C'est que sur le calcul, dit-on, de Cassini,/Un astrolabe en main, elle a dans sa gouttière,/A suivre Jupiter passé la nuit entière.../D'un nouveau microscope, on doit en sa présence/Tantôt chez Dalancé faire l'expérience ;/Puis d'une femme morte avec son embryon,/Il faut chez du Vernay voir la dissection./Rien n'échappe aux regards de notre curieuse. » Cette « curieuse », c'était Mme de La Sablière, la protectrice de La Fontaine, la femme chez laquelle on pensait le monde avec des yeux neufs, ceux des voyageurs comme Bernier, des mathématiciens comme Sauveur et Roberval, des tenants de Copernic et de Galilée, de Dalancé, excellent chirurgien que son fils ruina dans des expériences de physique, de Du Vernay, célèbre anatomiste, qui militait avec succès en faveur de la circulation du sang. L'avenir des femmes était de leur côté.

Cet avenir se prépare tout au long du XVIIe siècle sous le double effet des progrès de la science et des décisions du concile de Trente. A l'anatomie, qui a découvert la spécificité de ses organes, la femme doit de pouvoir être considérée comme un être spécifique, que la nature a voulu différent et complémentaire de l'homme, sans qu'on puisse légitimement parler d'inachèvement ou de manque. On sait même qu'elle concourt à égalité avec lui à la formation de l'embryon. On a compris que l'esprit n'a point de sexe et que la prétendue faiblesse intellectuelle des femmes n'est qu'un préjugé hérité de l'ignorance des siècles passés. En prenant parti en faveur de l'instruction des filles, qui devront connaître leur religion et veiller comme épouses à christianiser leur foyer, l'Eglise leur reconnaît le droit d'accéder aux bases indispensables à la vie de l'esprit. En luttant contre le concubinage et en imposant l'indissolubilité d'un mariage fondé sur le consentement mutuel, elle valorise le rôle de la femme dans le couple et, sans l'avoir voulu, encourage le mariage d'amour.

Ces idées ne s'imposeront pas sans peine dans l'ensemble de la population contre des erreurs invétérées. Au fil du siècle, elles deviennent du moins familières aux membres éclairés de la noblesse et de la bourgeoisie aisée. On y reconnaît que la femme a le droit (sinon encore les moyens) d'être la maîtresse de son corps, qu'elle est comme l'homme capable d'instruction et de jugement. On a du mal à y admettre qu'elle puisse avoir les mêmes activités que lui. C'est pourquoi, en pratique, les changements ont surtout lieu dans les domaines que favorise le loisir des privilégiés. Les femmes accèdent à la vie intellectuelle et y apportent même une nouvelle forme de culture, empreinte de modernité. A l'occasion de la controverse janséniste, on les invite à prendre parti sur une matière aussi réservée que la théologie. Elles conquièrent, non sans protestations des traditionalistes, le droit de juger des œuvres de l'esprit et de contribuer puissamment à leur succès ou à leur échec. Elles peuvent écrire, à condition d'avoir soin qu'on ne les prenne pas pour des écrivains de profession. Dans un monde où, faute de moyens de communication, les nouveautés ne se répandent qu'avec une extrême lenteur, cela fait beaucoup de changements.

Du milieu du XVIe siècle à la fin du siècle suivant, de grands progrès dans le savoir, et par suite dans les idées, entraînent, à défaut de brusques mutations, de profondes et irréversibles évolutions dont bénéficie encore la femme d'aujourd'hui. Les inerties ou les résistances auront beau être considérables dans tous les milieux, et surtout dans le peuple, qui forme l'immense majorité de la population, le mouvement est lancé. Il finira par tout emporter. A la mort de Louis XIV, ce n'est plus qu'une question de temps, de beaucoup de temps. La femme des siècles passés est déjà une survivance.

Notes

CHAPITRE 1 (pp. 7-17)

Pour ce chapitre et les trois suivants, nous avons particulièrement utilisé deux ouvrages : Evelyne Berriot-Salvadore, *Un corps, un destin. La Femme dans la médecine de la Renaissance*, 1993, et Yvonne Knibiehler, Catherine Fouquet, *La Femme et les médecins*, 1983. Voir également Jacques Roger, *Les Sciences de la vie dans la pensée française du XVIIIe siècle*, 1963, qui remonte avec précision aux sources de la pensée de la période qu'il étudie.

Dans son traité *De la Génération des animaux*, Aristote soutient que « les femelles sont par nature plus faibles et plus froides » que les mâles, et qu'il faut les considérer comme le résultat d'une défectuosité naturelle. Lui aussi hiérarchise les tempéraments : « Les meilleurs, écrit-il, sont ceux qui ont le sang à la fois chaud, ténu et pur, car ces conditions sont excellentes pour produire à la fois le courage et l'intelligence. Conséquemment, les parties supérieures par rapport aux inférieures, le mâle par rapport à la femelle, les parties droites par rapport aux gauches présentent les mêmes différences » — ces différences qui font que l'homme est par nature supérieur à la femme.

En l'absence de tout remède efficace, la ménopause et ses abords sont une période particulièrement difficile pour les femmes du XVIIe siècle. Même la solide marquise de Sévigné en ressent les atteintes. De Grignan, à la fin de 1672, elle se rend à Montpellier, qui possède une célèbre faculté de médecine, pour consulter. « Je remets, écrit-elle, à me guérir de tous mes maux à Grignan. J'en ai eu un ici qui me donne beaucoup de santé ; j'en avais grand besoin, et je suis aise que ma saignée ait produit son effet. J'ai fort consulté pour l'avenir. » Elle a presque quarante-six ans. L'avenir, ce sera, quatre ans plus tard, un rhumatisme, soigné en prenant les eaux à Vichy. En 1695, c'est au tour de Mme de Grignan, qui atteint cinquante et un ans, d'être victime de pertes de sang qui l'affaibliront au point de faire craindre pour sa vie. « Pour la santé de votre pauvre sœur, écrit la marquise à son fils en septembre, elle n'est point du tout bonne. Ce n'est plus sa perte de sang. Elle est passée. Mais elle ne s'en remet point. Elle est toujours changée à n'être pas reconnaissable. » Et à son cousin Coulanges, en octobre : « Son dernier état a été si violent qu'il en a fallu venir à une saignée du bras, étrange remède qui fait répandre du sang, quand il n'y en a déjà que trop de répandu. C'est brûler la bougie par les deux bouts. » Saignées à part, les médecins impuissants à soigner les inévitables fibromes et autres maux féminins laissent agir la nature. Les femmes meurent de leurs pertes de sang ou, dans le meilleur des cas, connaissent des années de faiblesse avant de se rétablir après la ménopause.

Le *De usu partium* est traduit dès le XIVe siècle. Suit un long temps d'immobilisme, par exemple chez Chauliac, Mondeville, Arnaud de Villeneuve, rompu seulement à partir de 1550 dans des livres de médecine ou de philosophie imprimés en latin et très rarement en français, comme celui de Charles Estienne publié en latin en 1545 et traduit dès l'année suivante. Grâce à l'imprimerie, des livres offrant aux praticiens, chirurgiens et matrones des traités à leur usage sont de plus en plus nombreux, accessibles également aux lettrés curieux. Mais les nouveautés ne pénètrent vraiment dans le public cultivé qu'au milieu du XVIIe siècle.

L'idée de Galien sur la similitude, ou plutôt l'identité, des organes masculins et féminins de la génération est devenue un lieu commun, une idée reçue qu'on retrouve dans la littérature populaire, par exemple dans *Les Serées* de Guillaume Bouchet, dont l'édition originale, parue en 1584, connaît de nombreuses réimpressions au siècle suivant : « Ainsi que tiennent les anatomistes, la matrice de la femme n'est que la bourse et verge renversée de l'homme. »

« Le système sur lequel les différents auteurs fondent leur opinion est cohérent puisque le physique, le moral, le comportement même de la femme sont expliqués par cette complexion froide et humide », écrit E. Berriot-Salvadore, *op. cit.*, p. 29, qui insiste aussi à juste titre sur la cohérence des visions religieuse, médicale et juridique. La faille du système est venue de la médecine, seul élément où le changement pouvait s'introduire par une nouvelle vision fondée sur une nouvelle science, expérimentalement fondée.

CHAPITRE 2 (pp. 18-26)

Dans la lignée des Anciens et de Galien, le corps de la femme n'existe ni dans sa spécificité anatomique (elle est un homme à l'envers) ni dans un vocabulaire particulier. La « nouvelle médecine » lui rend sa spécificité, mais n'a souvent pas encore trouvé de vocabulaire approprié ; elle mélange terminologie savante et populaire pour désigner les mêmes organes, matrice ou vulve pour l'utérus, couillons ou testicules pour l'ovaire, prépuce ou tendigo pour le clitoris.

Sur l'imperfection de la femme par rapport à l'homme et sur l'utilité de cette imperfection, Galien déclare : « De même donc que de tous les animaux l'homme est le plus parfait, de même dans l'espèce humaine, l'homme est plus parfait que la femme. Mais pour la race en général, ces parties [celles de la femme] n'ont pas été d'une utilité médiocre, car une femelle est nécessaire. » Suit le texte cité : « N'allez pas croire en effet que notre créateur ait volontairement créé imparfaite et comme mutilée la moitié de l'espèce entière si de cette mutilation ne devait résulter une grande utilité. »

Les découvertes de Leeuwenhoeck ne sont divulguées dans le public français que par un article du *Journal des savants*, qui les expose à ses lecteurs avec beaucoup de scepticisme.

Du moment que la femme n'est plus considérée comme un mâle inachevé et que la féminité se démontre par l'existence d'organes qui la distinguent de l'homme, la tentation est grande de la définir, presque de la réduire à ces organes et à celui qui les résume tous : la matrice. En donnant à l'utérus (et par suite à l'hystérie) un rôle capital dans la définition de la féminité, la nouvelle anatomie en fonde à nouveau la faiblesse et la fragilité. C'est pourquoi le recul de la théorie de la femme mâle inachevé et imparfait devant les découvertes scientifiques ne remet pas encore fondamentalement son infériorité en cause pour les contemporains. Reste qu'une science de la femme est en train de se constituer, en progrès sur les préjugés sans fondement du « savoir » précédent, et qu'elle ne cessera de se développer au profit d'une science de la physiologie féminine qui contribue à définir objectivement son identité et à lui restituer sa valeur.

CHAPITRE 3 (pp. 27-36)

Pour ce chapitre et le suivant, voir principalement Jacques Gélis, *L'Arbre et le fruit. La naissance dans l'Occident moderne*, Fayard, 1984. Voir également J. Gélis, M. Laget et M. F. Morel, *Entrer dans la vie*, collection « Archives », 1978. On y trouve notamment le texte du chanoine Leroy, la prière de Godeau et les statistiques sur la mortalité des femmes en couches. Sur l'attitude d'Ambroise Paré et des grands accoucheurs du XVIIe siècle, voir notamment Paul Hoffmann, *La Femme dans la pensée des lumières*, deuxième partie, chapitre 2, « Les accouchements contre nature », 1977.

Maintenant que les médecins ne sont plus obligatoirement des clercs, mais des hommes mariés, plus directement en contact avec les femmes et leurs maux spécifiques, leur état d'esprit change. Ils ont pitié de leur faiblesse, de leurs handicaps, des souffrances liées à leur état. Ils n'ont pas toujours les moyens de les soulager, mais ils souhaitent le faire et s'y emploient de leur mieux. En cela différents de leurs prédécesseurs, hommes d'Eglise qui avaient tendance à voir dans la femme une pécheresse. D'après J. Gélis, au XVIIe siècle, à la suite du concile de Trente, on « culpabilise de plus en plus les femmes en couches ». Il est vrai que ce concile, dont on rapportera ci-après la doctrine concernant le mariage et la morale conjugale, a eu une importance capitale sur l'évolution de la condition des femmes dans la France catholique. Il semble que cependant, malgré ses lacunes et ses préjugés hérités du passé, son influence ait été globalement positive pour les femmes.

Le texte de Bossuet sur la gloire et la malédiction de la maternité se trouve dans la onzième des *Elévations sur les mystères*.

Théophile Raynaud (1583-1663) a publié de très nombreux opuscules moraux en latin, dont, en 1630, un *De ortu infantium contra naturam per sectionem cæsaream tractatio* ; Paul Hoffmann en a précisément exposé le contenu dans l'ouvrage cité ci-dessus. Dans le cas d'accouchements difficiles, certains prêtres acceptaient, malgré la doctrine officielle, qu'on versât de l'eau sur n'importe quelle partie de l'enfant à l'intérieur de l'utérus en prononçant les paroles sacramentelles. Son salut éternel ainsi assuré, on pouvait s'employer à sauver la mère. Plus qu'en toute autre circonstance, c'est lors des accouchements contre nature qu'apparaît entre les femmes une énorme disparité de conditions selon qu'elles sont riches ou pauvres, qu'elles habitent à la ville ou dans des campagnes reculées. Alors que les progrès de l'obstétrique ont abouti à la formation d'accoucheurs et de sages-femmes relativement qualifiés qui leur permettent (parfois) de sauver ou d'aider les unes, les autres sont réduites aux traditionnelles et impuissantes pratiques de matrones dont la relative expérience ne compense pas toujours l'ignorance et les préjugés.

« Si la femme songeait bien à mille peines et incommodités que lui cause la grossesse, aux douleurs qu'elle ressent, et au danger de la vie où elle est en l'accouchement ; à quoi on peut ajouter la perte de sa beauté qui est le don le plus précieux qu'elle ait et qui la fait toujours chérir d'un chacun quand elle le possède, certainement elle en serait bien détournée », François Mauriceau, *Traité des maladies des femmes grosses et accouchées*, 1668.

CHAPITRE 4 (pp. 37-47)

Pour les accouchements de Mme de Grignan, voir les textes dans notre édition de la *Correspondance* de Mme de Sévigné à la Bibliothèque de la Pléiade, et pour l'enfant mort-né à Aix en 1673, notre article « Mme de Sévigné en Provence : trois lettres inédites de l'abbé de Coulanges », *RHLF*, 1962.

CHAPITRE 5 (pp. 48-57)

Pour ce chapitre, outre Robert Muchembled, *La Sorcière au village (xve-xviiie siècle)*, 1991, *Sorcières, justice et société aux xvie et xviie siècles*, et le travail fondamental de Robert Mandrou, *Magistrats et sorciers de France au xviie siècle*, 1963, nous avons utilisé, du même, *Possession et sorcellerie au xviie siècle. Textes inédits*, 1979. On y trouve notamment le texte de la « Relation de l'abbé d'Aubignac sur les possédés de Loudun » et la « Lettre d'un médecin anonyme à M. Philibert de la Marre, conseiller au parlement de Dijon ». Voir également Michel Carmona, *Les Diables de Loudun*, 1978, et sur l'Eglise, les femmes et la sorcellerie, l'indispensable livre de Marcel Bernos, d'une impeccable érudition, *Femmes et gens d'Eglise dans la France classique*, chapitre 3, « La femme et le diable », 2003.

CHAPITRE 6 (pp. 58-68)

Sur les textes de l'Evangile accordant aux femmes une égalité de principe avec les hommes, inconnue jusqu'alors, voir Henri Rollet, *La Condition de la femme dans l'Eglise*, chapitre 1, « L'entrée dans l'Eglise », 1975 ; sur la femme dans l'Eglise post-tridentine, l'indispensable livre déjà cité de Marcel Bernos. Sur la formation religieuse des femmes, et le rôle de François de Sales et de ses émules, voir notamment le livre fondamental de Linda Timmermans,

L'Accès des femmes à la culture, Deuxième partie, chapitre 1, « La culture religieuse », 1993.

La Cour sainte du P. Caussin, qui se veut bienveillante envers les femmes, est parue en 1624 et a été plusieurs fois rééditée jusqu'en 1655.

CHAPITRE 7 (pp. 69-78)

Pour ce chapitre, outre l'ouvrage de Marcel Bernos déjà cité, on a consulté le livre de Geneviève Reynes, *Couvents de femmes*, 1987, et la précise monographie de Roger Devos, *Vie religieuse féminine et Société. Les visitandines d'Annecy aux XVIIe et XVIIIe siècles*, 1973.

Sur la mère Angélique et la réforme de Port-Royal, voir le célèbre *Port-Royal* de Sainte-Beuve. Jacqueline Arnauld était le quatrième enfant d'une famille dont les vingt enfants s'échelonnaient entre 1588 et 1612.

Nous avons retrouvé le récit manuscrit de la vie de Marie-Blanche, rédigé aussitôt après sa mort, comme c'était l'usage pour toutes les religieuses de la Visitation, à l'intention de tous les couvents de l'ordre. Cette Vie a été ensuite imprimée dans *L'Année sainte*, recueil de vies de visitandines paru en douze volumes à partir de 1870. Nous avons comparé ce récit et ce que disent les lettres de Mme de Sévigné dans notre article : « Vocation précoce ou vocation forcée ? Marie-Blanche de Grignan, petite-fille de Mme de Sévigné », revue *Marseille*, 1967. Le comte de Grignan donne 4 000 livres au couvent pour l'entretien de sa fille lors de sa profession. Il y ajoute une rente de 100 livres à lui payer annuellement, ce qui correspond à 2 000 livres de capital. A ces 6 000 livres, ce qui est une belle somme pour une religieuse d'un modeste couvent de province, on peut comparer les 60 000 livres données en dot à Pauline, sa sœur cadette, et les 300 000 livres de dot de Françoise-Marguerite de Sévigné, sa mère.

Marie-Madeleine Pioche de La Vergne, d'une récente et petite noblesse d'office, ne put devenir la riche héritière qui épousa le très noble comte de La Fayette que par le sacrifice de ses deux sœurs cadettes, opportunément devenues religieuses. On pourrait multiplier les exemples, qui sans doute ne choquaient personne malgré les remontrances répétées des prédicateurs.

Fléchier a conté l'audace de la religieuse malgré elle qui demande les clés du couvent dans ses *Mémoires sur les grands jours d'Auvergne en 1665*.

La triste aventure de Marie de Kéraldanet a été racontée par Jean Lemoine, *Mme de Sévigné, sa famille et ses amis*, 1926.

G. Reynes, *op. cit.*, rappelle que le nombre des religieuses en France a été estimé à 80 000 en 1789. Elle pense ce chiffre inférieur à la réalité, et estime qu'elles devaient être deux ou trois fois plus nombreuses au XVIIe siècle.

CHAPITRE 8 (pp. 79-88)

Outre les sources citées dans le chapitre précédent, nous avons consulté l'ouvrage de Jean-Baptiste Thiers, *Traité de la clôture des religieuses où l'on fait voir que les religieuses ne peuvent sortir de leur clôture ni les personnes étrangères y entrer sans nécessité,* dont la date (1681) montre que, malgré l'exemple des filles de la charité et de quelques autres, les principes du concile de Trente demeuraient la doctrine officielle.

La lettre de Mme de Sévigné sur l'exclusion d'Amonio est du 30 septembre 1676.

En 1644, un curé de Paris, Louis Abelly, futur biographe de François de Sales, rappelle que la « fonction de catéchiser et d'instruire publiquement appartient en propre aux pasteurs de l'Eglise et aux autres personnes ecclésiastiques (toujours des hommes) par eux déléguées et commises ». Les femmes ne peuvent exercer cette mission qu'en privé. « Il n'y a pas beaucoup de personnes qui aient la vocation de parler et d'instruire en public, dit encore Abelly, mais pour l'instruction particulière, toutes sortes de personnes de quelque sexe et de quelque condition qu'elles soient ont permission de s'y employer. » Il est admis qu'une fois cloîtrées, les religieuses ne s'adressent plus au public. Les instructions qu'elles donnent à l'intérieur de leur couvent deviennent des instructions particulières. Seule cette convention leur permet de devenir enseignantes.

Grâce au prestige de François de Sales, rapidement canonisé, et à l'infatigable activité de la mère de Chantal, qui continua son œuvre, les couvents du nouvel ordre connurent un grand essor à travers le pays. Il y en avait quatre-vingt-sept à la mort de Jeanne de Chantal et cent vingt-cinq à la fin du siècle. Les fondateurs avaient très justement senti le besoin d'un certain nombre de femmes pieuses de trouver un asile où elles seraient accueillies quels que soient leur âge et leur état de santé. Ils y ont réussi d'abord pour celles qui avaient les moyens de verser une belle dot. Puis cet aspect original de la création salésienne s'est estompé lui aussi au profit de modes de recrutement plus traditionnels. A l'encontre de la volonté initiale des fondateurs de l'ordre, en raison des besoins de la société et de la nécessité, pour beaucoup de monastères, de se procurer des ressources, on y a même reçu des pensionnaires, toujours en petit nombre, en principe indifféremment destinées au monde ou à la vie religieuse.

CHAPITRE 9 (pp. 89-98)

Pour ce chapitre l'ouvrage essentiel est celui de Bernard Grosperrin, *Les Petites Ecoles sous l'Ancien Régime,* Ouest-France université, 1984. On consultera aussi les actes du premier colloque du CMR17, recueillis et publiés par Roger Duchêne dans le supplément au n° 88 de la revue *Marseille* (1er trimestre 1972), *Le XVIIe Siècle et l'éducation* ; voir notamment les contributions de Mireille Laget, « Ecole paroissiale et révocation dans le diocèse de Montpellier », Jean-Pierre Gutton, « Dévots et petites écoles : l'exemple du Lyonnais »,

Bernard Bonnin, « L'éducation dans les classes populaires rurales du Dauphiné au XVIIe siècle », Michel Vovelle, « Maggiolo en Provence, peut-on mesurer l'alphabétisation au début du XVIIIe siècle ? ». On peut aussi consulter, notamment sur les débuts des congrégations enseignantes, « La femme et l'éducation » du livre pionnier de Gustave Fagniez, *La Femme et la société française dans la première moitié du XVIIe siècle*, chapitre 1, « La femme et l'éducation », 1929. Voir aussi, pour l'évolution de l'enseignement, la contribution de Martine Sonnet, auteur de *L'Education des filles au temps des lumières*, à l'*Histoire des femmes en Occident*, tome III, chapitre 4 « Une fille à éduquer », 1991. L'interdiction de la mixité est de règle mais, comme l'écrit Martine Sonnet, « Dans les campagnes, la petite école est souvent mixte sans qu'on s'en émeuve ».

En admettant que les filles ont droit à un minimum d'instruction, on revient de loin. Au Moyen Age, comme l'écrit Linda Timmermans (*op. cit.*), sauf pour les religieuses et les femmes de très haut rang, « la question ne se posait pas ». Ceux qui l'abordent n'hésitent pas à exclure les femmes de l'écriture et même de la lecture. La pratique semble être plus souple que la théorie : à Paris, en 1357, le chantre de Notre-Dame, directeur des « écoles de grammaire ou petites écoles de la ville, faubourg et banlieue de Paris », emploie déjà cinq maîtresses pour les filles aux côtés de cinquante maîtres pour les garçons. En 1760, toujours à Paris, on estime qu'il y a une place pour trois ou quatre élèves potentielles (entre sept et quatorze ans).

L'enseignement primaire féminin est entièrement aux mains des congrégations : il n'y a pas de maîtresses laïques rétribuées par les communautés villageoises pour les filles avant 1750.

CHAPITRE 10 (pp. 99-108)

Outre les ouvrages utilisés pour le chapitre précédent, on a consulté pour celui-ci l'ouvrage déjà cité de Geneviève Reynes, *Couvents de femmes*, et pour l'éducation à Saint-Cyr, le livre de J. Prévost, *La Première Institutrice de France, Mme de Maintenon*, 1981.

Sur le constant rappel du texte de saint Paul écartant les femmes de tout enseignement public, voir notamment Linda Timmermans, *op. cit*, p. 569. On le contournait en assimilant l'enseignement des couvents à un enseignement domestique. Car si la femme n'était pas autorisée à enseigner publiquement dans l'Eglise, elle pouvait le faire en privé auprès des gens de sa maison.

Sur les circonstances dans lesquelles Mme de Sévigné a placé sa fille au couvent de la Visitation du faubourg Saint-Jacques à Paris, et un temps à celui de Nantes lors d'un de ses voyages en Bretagne, voir notre *Mme de Sévigné*, « Une éducation moderne ».

CHAPITRE 11 (pp. 109-116)

Sur la formation de Mme de Sévigné et de Mme de La Fayette chez elles, puis dans la fréquentation d'intellectuels de leur temps, voir les biographies que nous avons consacrées à chacune de ces deux femmes, 2000 et 2002, et aussi notre article des *Mélanges offerts à Georges Mongrédien*, « L'école des femmes au XVIIe siècle », 1972.

« Seules les éducations familiales bien conduites sont susceptibles de produire des femmes à la culture comparable à celle que le collège dispense aux garçons » (Martine Sonnet, *op. cit.*).

Sur les projets de la femme du premier président du parlement d'Aix Arnoul Marin de s'instruire auprès du père Poulon, voir notre article, « En vacances à la Tour d'Aigues avec le premier président Marin (août 1675) », revue *Marseille*, 1962.

CHAPITRE 12 (pp. 117-126)

Pour ce chapitre, voir notamment Evelyne Berriot-Salvadore, *Un corps, un destin*, chapitre « Le choix d'une épouse », 1993 ; Pierre Goubert, *Cent mille provinciaux au XVIIe siècle*, chapitre 3, « Structures démographiques », 1982 ; Jean-Louis Flandrin, *Familles, parenté, maison, sexualité dans l'ancienne société*, chapitre 4, « La fonction reproductrice de la famille et la vie sexuelle », 1976 ; Jacques Solé, *L'Amour en Occident à l'époque moderne*, 1976 ; Y. Knibiehler, M. Bernos et alii, *De la pucelle à la minette*, 1983 ; Marcel Bernos, *Femmes et gens d'Eglise*, chapitre « La jeune fille », et notre article, « Honnêteté et sexualité » dans *Destins et enjeux de la littérature au XVIIe siècle*, 1984.

La suprématie de la virginité sur le mariage est un thème constant chez les Pères de l'Eglise, sans cesse repris au Moyen Age. Au point que pour certains le salut de la femme mariée n'est possible que par le rachat que lui apportent ses enfantements.

Dans son *Tableau de l'amour conjugal,* Nicolas Venette décrit avec sympathie, en 1687, la transformation qui survient dans la fille au moment de ses premières règles : « La voix lui grossit alors. Les yeux deviennent étincelants. La couleur de son visage est vive. Son humeur est gaie. Elle fait gloire de montrer sa gorge, qui s'enfle peu à peu pour faire connaître qu'elle est en état d'être mise au rang des femmes... C'est alors que la semence d'une fille mêlée parmi son sang ne le fait pas seulement fermenter, mais elle lui élève la gorge, elle lui échauffe l'imagination et lui inspire de l'amour pour se perpétuer par le moyen de la génération. »

Spécificité de l'Occident, le retard de l'âge du mariage par rapport à la nubilité, aussi bien pour les hommes que pour les femmes, est un fait statistiquement établi, dont la base est de nature économique. Ce retard commence avant le XVIIe siècle et s'accentue après : de 24-25 ans en moyenne au siècle de

Louis XIV, l'âge du mariage passe à 26-27 ans au siècle suivant. Sur les raisons et les effets de ce retard, voir l'exposé critique de Jacques Solé, *op. cit.*, chapitre 1, « Le mariage tardif ».

« Si la société d'Ancien Régime préservait étroitement dans le groupe dirigeant la vertu des futures épouses, elle laissait aux filles moins riches beaucoup plus de contacts possibles avec les hommes. Et si ceux-ci lorsqu'ils appartenaient à la noblesse connaissaient à peine leur fiancée, ce n'était pas le cas dans le cadre des longues fréquentations prénuptiales, chastes ou non, rompues ou non, auxquelles devait se soumettre, par nécessité sinon par plaisir, le monde des pauvres », écrit Jacques Solé dans son livre déjà cité, *L'Amour en Occident*. Les mœurs réservées entre jeunes gens étaient le monopole de la haute société. « La jeunesse populaire, surtout aux champs, se caressait, elle, plus librement. » Se caressait sans doute, mais en n'allant qu'exceptionnellement jusqu'à l'union sexuelle complète. Les filles de la bonne société, soigneusement gardées jusqu'à leur mariage, risquaient gros à tenter l'aventure des relations prénuptiales ou de l'enlèvement et du mariage clandestin. Quand certaines, peu nombreuses, sautaient le pas, le couvent ou le montant d'une dot attrayante permettaient d'ordinaire d'éviter le scandale.

CHAPITRE 13 (pp. 127-136)

Pour ce chapitre, voir principalement *Sexualité et religions*, textes réunis par Marcel Bernos, « Le concile de Trente et la sexualité. La doctrine et sa postérité »,1988. Marcel Bernos y donne de larges extraits du *Catéchisme* et résume le reste.

Au sujet du mariage, l'Eglise s'était d'abord contentée de promulguer quelques interdictions et restrictions, pour ses seuls fidèles, qui se superposaient au droit romain dans lequel le mariage, fondé sur un simple échange de consentement mutuel, permettait aussi concubinage et divorce qu'elle réprouvait. Cette situation dura jusqu'au début du Xe siècle. Sous l'influence des pratiques germaniques, le mariage tend alors à devenir une sorte de marché, notamment pour la femme, cédée à son mari par une transaction de type commercial, validée par la consommation. Pour l'Eglise, il s'agit au contraire d'un lien spirituel. Au XIIe siècle, le pape Alexandre II et le concile de Rome donnent au mariage une forme canonique cohérente et en font un sacrement. Le consentement des époux, qui rend le mariage indissoluble et ne peut être imposé par des tiers, reste l'essentiel, la présence et la bénédiction d'un prêtre n'étant pas nécessaire. Jusqu'au XVIe siècle, l'Eglise impose sa doctrine, le mariage étant de sa compétence exclusive. Ebranlée par la Réforme, elle doit alors abandonner une large partie du pouvoir qu'elle avait pris en ce domaine, notamment en France où, non content de ne pas recevoir les dispositions du concile de Trente, le pouvoir législatif prend de strictes dispositions pour assurer le contrôle des mariages par les familles des futurs.

Si l'Eglise reconnaît la validité d'un mariage dans lequel les deux parties se sont accordées pour ne pas le consommer, elle ne le considère comme indissoluble qu'une fois accomplie une pleine et entière conjonction charnelle.

Le 11 novembre 1563, dans sa 24e session, le concile fait la synthèse de l'enseignement de l'Eglise sur le mariage, après de longues discussions commencées le 2 février de la même année, non sans de vifs débats et de fortes tensions, dues à la pression des gouvernements, surtout français et espagnols, pour accroître le poids des familles. A noter que les pères conciliaires y rappellent l'interdiction de la polygamie. Voir Henri Rollet, *La Condition de la femme dans l'Eglise*, *op. cit.*, chapitre 8, « La femme et la réforme canonique » et surtout, M. Bernos, *op. cit.*, chapitre cité.

Sur l'affaire Langey, voir Pierre Darmon, *Le Tribunal de l'impuissance. Virilité et défaillances conjugales dans l'ancienne France*, 1986.

On notera l'ambiguïté, explicitée plus loin, de ce qui est alors considéré comme un mariage d'amour : mariage par impulsion sexuelle, mariage sous l'effet de la passion, mariage dû à un accord de sentiments entre deux personnes.

CHAPITRE 14 (pp. 137-146)

Sur le vocabulaire de la sexualité, voir, outre les dictionnaires du temps, l'analyse faite de celui d'Oudin, paru en 1640 et encore réimprimé en 1656, par Maurice Dumas, *La Tendresse amoureuse*, chapitre 3, « Les embarras de l'idéal amoureux, section « Polarisation du langage : le volet paillard », 1996. Le livre de Roger Bougard, *Erotisme et Amour physique dans la littérature française du XVIIe siècle*, 1986, donne des listes des mots qui désignent alors sexe féminin et sexe masculin et de nombreux extraits des recueils « satiriques » paillards du début du siècle.

Même si Nicolas Venette s'est amusé à forcer la note, son témoignage est intéressant sur l'existence, chez les matrones, d'un argot de métier qui provenait sans doute de façons de parler populaires.

Sur la nécessité d'un langage de l'amour distinct du vocabulaire de la sexualité, y compris à l'occasion de la conjonction charnelle, voir notre article, déjà cité dans les notes du chapitre 12, « Honnêteté et sexualité ».

On trouvera *L'Ecole des filles* et ce qu'on sait de son auteur et des circonstances de sa publication dans l'excellente édition qu'en a donnée Jacques Prévot dans *Libertins du XVIIe siècle*, à la Bibliothèque de la Pléiade, 1998.

Sur Ninon de Lenclos, courtisane et « honnête homme », voir notre biographie, *Ninon de Lenclos ou la manière jolie de faire l'amour*, 2000.

CHAPITRE 15 (pp. 147-156)

Pour ce chapitre, outre le livre fondamental de Jacques Solé, *L'Amour en Occident à l'époque moderne*, voir le livre déjà cité de Jean-Louis Flandrin, *Familles. Parenté, maison, sexualité dans l'ancienne société*, chapitre 4, « La fonction reproductrice de la famille et la vie sexuelle », et, pour le monde paysan, le livre de Pierre Goubert, *La Vie quotidienne des paysans français au XVIIe siècle*, « Le mariage paysan », 1982.

Parue en 1680, *L'Académie des dames* est la version française, fortement remaniée, d'un texte paru d'abord en latin, entre 1659 et 1660, sous un titre assez pédantesque : *Aloisiæ Sigæ Toletanæ Satyra sotadica de arcanis amoris et veneris. Aloysia Hispanice scripsit, latinitate donavit Joannes Meursius* (Satire sotadique d'Aloisia Sigea, femme de Tolède, traitant des mystères de l'amour et de ses plaisirs, écrite en espagnol par Aloisia, traduite en latin par Jean Meursius). Il s'agit en fait de l'œuvre d'un juriste du Dauphiné, Nicolas Chorier, auteur de savants ouvrages de droit et d'histoire, et d'une *Philosophie de l'honnête homme* d'inspiration toute différente parue en 1648. Sur le texte et son histoire, voir l'édition de *L'Académie des dames* de Jean-Pierre Dubost, 1999.

Sur les conditions du mariage de Mme de La Fayette, voir notre biographie de ce personnage. Sur l'aventure de la fille de Bussy avec La Rivière, voir Jacqueline Duchêne, *Bussy-Rabutin*, 1993.

La citation sur les libertés que prenaient les jeunes dans les campagnes vient de Jacques Solé, dont le livre brillant et plein d'idées donne aussi d'utiles statistiques. Selon cet auteur, la liberté des jeunes des campagnes, héritée des anciennes coutumes, n'était pas de la débauche, mais une sexualité qui s'exerçait assez librement, avec presque toujours le mariage pour horizon. Les jeunes filles comme les jeunes gens auraient cherché à avoir dans la vie le meilleur partenaire possible. Si cette vision des choses peut correspondre à la situation du XVIe siècle où règne encore un grand laxisme dans les mœurs, elle n'est sans doute plus générale au siècle suivant où le clergé issu des directives du concile, étant lui-même devenu d'une plus grande régularité de mœurs, impose la continence aux jeunes des deux sexes et particulièrement aux filles. Si les mariages régularisant des rapports sexuels antérieurs sont rares au XVIIe siècle (5 à 10 %), les naissances d'enfants sans père déclaré sont encore plus rares, surtout dans les campagnes (2 %). Il faut supposer que, dans le peuple aussi, les filles n'avaient qu'exceptionnellement des rapports sexuels complets avant leur mariage, pourtant tardif. Car l'absence de naissances ne peut provenir de mesures contraceptives : si les couples les avaient connues avant leur mariage, ils les auraient pratiquées aussi après, ce qui est statistiquement controuvé.

Au sujet des frustrations sexuelles qu'auraient éprouvées les jeunes de l'époque, Maurice Daumas, *op. cit.*, fait remarquer qu'ils avaient d'autres frustrations, peut-être plus importantes et prioritaires pour eux, par exemple dans le domaine du travail ou de l'autorité.

CHAPITRE 16 (pp. 157-167)

Pour les mariages d'Henriette d'Angleterre, de la seconde Madame et de Mlle de Montpensier, on consultera, outre les lettres de Mme de Sévigné, leurs biographies respectives par Jacqueline Duchêne, 1995, Dirk Van der Cruysse, 1988, et Michel Le Moël, 1994. Pour les mariages du marquis de Grignan, de Marie de Coulanges et celui de Marie-Aimée de Chantal avec Bernard de Sales, voir notre *Mme de Sévigné,* 2002. Pour ce dernier mariage, voir aussi l'édition complète des lettres de Jeanne de Chantal, publiée sous le titre *Correspondance* par sœur Marie-Patricia Burns, 6 volumes, 1962-1996.

Le pouvoir absolu du roi comme père est à l'image de son pouvoir absolu politique. Les pères de famille tiennent de l'Etat pareil pouvoir sur leurs enfants. Chaque fois que sont en jeu de grands intérêts de famille ou de gros intérêts financiers, le contrat de mariage, antérieur à l'engagement religieux, prime sur le sacrement, garant du consentement des époux. La seule question est de savoir jusqu'à quel degré d'intérêts il est ou non possible de leur opposer des contrepoids.

Philippe de Coulanges, le financier grand-père de Mme de Sévigné, doit lui-même sa fortune à un mariage avantageux. Ayant épousé la fille d'un trésorier de l'extraordinaire des guerres, il a aidé son beau-père, puis lui a succédé dans sa charge, devenant l'un de ces « partisans », ou fermiers, vilipendés par les moralistes.

La citation sur le mariage paysan est tirée du livre déjà cité de Pierre Goubert sur leur vie quotidienne. La situation qu'il décrit est celle de la majorité de la France, où prévaut la famille mononucléaire. La liberté n'est pas plus grande, au contraire, dans le sud de la France où subsiste plus ou moins la famille patriarcale. Comme il s'agit du poids de la famille et pas seulement du père, elle n'est pas non plus tellement plus grande, surtout dans les milieux aisés, quand le père ou la mère ou les deux sont morts, cas relativement fréquent.

Les conflits entre les sentiments personnels et l'intérêt de la famille ou de l'Etat sont l'apanage des couches sociales aisées, dont les membres ont le loisir d'éprouver, d'analyser, de cultiver et de développer les sentiments.

La contestation par l'Eglise catholique du droit des pères à choisir à la place de leurs enfants commence par l'affirmation qu'à Dieu seul revient l'appel à la vocation religieuse. Sur ce point, voir J.-L. Flandrin, *op. cit.*, p. 132-133.

CHAPITRE 17 (pp. 168-178)

Sur la distinction fondamentale de l'amour-passion et de la tendresse, voir notre étude « Mlle de Scudéry, reine de Tendre » dans *Les Trois Scudéry*, actes du colloque de Rouen, publiés par A. Niderst, 1993. Voir également Maurice Daumas, *La Tendresse amoureuse*, chapitres « Aux origines du mot tendresse », « L'essor du mot tendresse ».

Dans le chapitre « De l'amitié » de son *Introduction à la vie dévote,* François de Sales distingue l'amour, qui n'est pas nécessairement partagé, de l'amitié, qui suppose d'être aimé en retour, « car l'amitié est un amour mutuel », et de le savoir réciproquement. Cette distinction n'est pas nettement respectée dans la suite, et l'auteur parle d'amour et non d'amitié conjugale dans les deux chapitres consacrés aux rapports des époux. Comme dans Furetière, au XVIIe siècle, amour est encore synonyme d'instinct sexuel (c'est une pulsion, *impetus*) dans un grand nombre de textes, surtout religieux.

L'idée (conforme à l'enseignement de l'Eglise) selon laquelle l'amour vient avec et par le sacrement du mariage est curieusement reprise par Jean-Jacques Rousseau à un moment capital de la *Nouvelle Héloïse.* Julie, qui a passionnément aimé Saint-Preux, épouse M. de Warens sans l'aimer. Tout change brusquement au cours de la cérémonie nuptiale. « La pureté, la dignité, la sainteté du mariage, si vivement exposées dans les paroles de l'Ecriture, ses chastes et sublimes devoirs si importants au bonheur, à l'ordre, à la paix, à la durée du genre humain, si doux à remplir pour eux-mêmes : tout cela me fit une telle impression que je crus sentir intérieurement une révolution subite. Une puissance inconnue sembla corriger tout à coup le désordre de mes affections et les rétablir selon la loi du devoir et de la nature. »

Si l'Eglise est en principe hostile au déraisonnable mariage d'amour-passion, elle l'accepte parce qu'elle connaît la force de ses entraînements, pour empêcher qu'ils conduisent au péché. Marcel Bernos, dans son article « L'Eglise et l'amour humain... », cite un bien curieux texte, extrait de l'*Histoire du concile de Trente* de Pallavicini. Le pape Pie V (dont l'Eglise a fait un saint) se montrait libéral pour accorder des dispenses aux empêchements des mariages, car, disait-il, « on a lieu de remarquer que souvent la violence de la passion enflamme le cœur de deux personnages » qui ont besoin de ces dispenses « à un tel point que si on ne la leur accordait pas, il leur arriverait ou de tomber dans le désordre du péché ou de contracter quelque autre alliance contraire à leur inclination et qui ne pourrait que les rendre malheureux ».

La symétrie de la situation du garçon et de la fille par rapport au mariage est en fait grandement faussée en pratique par la plus grande liberté sexuelle prise par les hommes avant et même dans le mariage. Sous l'effet des recommandations du concile, l'Eglise pèse de tout son poids pour réduire cette liberté et valoriser la fidélité réciproque dans l'union chrétienne. Sauf dans le haut de la société et chez d'irréductibles marginaux, elle semble y avoir assez bien réussi au XVIIe siècle. Sans qu'elle l'ait principalement recherché, elle travaillait ainsi en faveur de l'égalité des sexes, et même, sans doute, d'une nouvelle façon de concevoir l'amour, progressivement associé à une sexualité modérée et à la notion toute nouvelle de tendresse. Il faudra, pour y parvenir, d'assez grands changements dans les mentalités et dans les mœurs.

Dans *Clélie*, la conversation sur l'amour tendre interrompue par l'arrivée des voyageurs donnera lieu, deux cents pages plus loin, à la carte de Tendre, consacrée par Clélie au cheminement de l'amitié, sans que, cette fois, la parole soit donnée à Aronce pour l'appliquer à l'amour.

« Tendresse » n'a pris son sens moderne qu'entre 1620 et 1640, et Voiture est sans doute le premier à avoir, dans ses lettres, parlé de « témoigner de la tendresse » dans les rapports entre deux êtres. En 1647, dans un combat d'arrière-garde, Vaugelas voudrait qu'on réserve « tendresse » à la viande. Jusqu'alors « tendre » et ses dérivés qualifiaient un certain état de fragilité des choses ou des êtres (l'âge tendre, la peau tendre). « Tendresse » désignait pareillement la nature d'une chose fragile, la faiblesse de l'enfance, la délicatesse de la femme. On parlait d'un « tendron » pour désigner une très jeune fille, à peine en âge d'être aimée ou mariée. Avec Mlle de Scudéry, qui a le plus contribué à la transformation du sens de ces mots, « tendre » et « tendresse » se sont mis à désigner une idée nouvelle de l'amour.

Le texte de l'évêque de Toulon et celui du père Collet sont extraits de l'article de M. Bernos cité ci-dessus.

CHAPITRE 18 (pp. 179-188)

Sur le sujet traité dans ce chapitre, voir notre communication au colloque de Nancy (actes à paraître), « Argent, amour et mariage au XVIIe siècle : de Molière à Mme de Sévigné ». Sur le mariage de Françoise de Rabutin, fille de Jeanne de Chantal, voir l'édition des lettres de celle-ci citée dans les notes du chapitre précédent. Sur le mariage de Françoise-Marguerite, voir, outre notre biographie de Mme de Sévigné, notre série d'articles « Argent et famille au XVIIe siècle : Mme de Sévigné et les Grignan », *Provence historique*, 1965 et 1966, et particulièrement le premier de la série, « Un beau mariage ».

Sur le mariage de Molière avec la fille de son ancienne maîtresse, voir notre biographie de cet auteur, chapitre « Un mariage de raison », 1999.

CHAPITRE 19 (pp. 189-196)

Voir le livre déjà cité de H. Rollet, chapitre 1, section « L'enseignement de saint Paul », et celui de Marcel Bernos, déjà cité également, *Femmes et gens d'Eglise*, chapitre 5, « Comment être une épouse chrétienne ? ». Voir aussi, du même auteur, dans *Le Fruit défendu*, chapitre 7, « Les embarras du sexe », et dans le n° 17 du *Bulletin de l'Association des historiens modernistes des universités*, *L'amour à l'époque moderne*, actes du colloque de 1992, « L'Eglise et l'amour humain à l'époque moderne », les textes des théologiens moraux et des casuistes cités par cet excellent spécialiste de ces questions.

« Maris, aimez vos femmes comme le Christ a aimé l'Eglise et s'est livré pour elle à la mort », écrit saint Paul. La nouveauté, ou plutôt l'audace de son épître aux Ephésiens, est dans ce parallélisme qui introduit entre les sexes une certaine symétrie et impose une réciprocité de devoirs inconnue jusqu'alors. A l'obéissance de la femme correspond l'amour du mari : « Que chacun aime sa femme comme soi-même et que la femme révère son mari. » Dans la pensée de Paul, la soumission de la femme n'est pas une exigence arbitraire, mais une réponse à la fois spontanée et nécessaire à l'amour, fait surtout d'estime et d'amitié, que l'homme a le devoir de porter à son épouse au sein de la foi et de la charité chrétiennes. Sanctifiée par la grâce du sacrement, cette subordination pratique ne peut se trouver en contradiction avec l'égalité théorique des sexes, puisque tout se passe en Jésus-Christ et se trouve sublimé par l'amour du chrétien pour le fondateur de son Eglise.

Dans sa première épître, Pierre va dans le même sens que Paul, en laissant voir plus nettement le préjugé sous-jacent à la dissymétrie des sentiments (amour/révérence) et des conduites (autorité/soumission) : la nécessité de tenir compte de la faiblesse de la femme : « Vous pareillement les maris, écrit l'apôtre, menez la vie commune avec compréhension, comme auprès d'un être plus fragile, la femme ! Accordez-lui sa part d'honneur comme cohéritière de la grâce de la vie. » Parce qu'elle a le même droit au salut, la femme est fondamentalement l'égale de l'homme. Elle n'est son inférieure que par accident, parce qu'elle est naturellement plus faible, et qu'en famille comme en société, le pouvoir doit appartenir au plus fort.

On aura tôt fait d'oublier l'idéal proposé dès l'origine d'un radical changement d'état d'esprit, et de retenir seulement la nécessaire subordination de la femme. L'accessoire, sa faiblesse, devient l'essentiel, au détriment de la nouveauté, l'appel à l'amour et l'affirmation de la réciprocité des devoirs.

Sur l'infériorité de la femme dans le mariage, voir notamment Paul Hoffman, *op. cit.*, chapitre liminaire, « Les spéculations théologiques sur la féminité ». Nous lui empruntons les citations de Claude Maillard, Amyraut, Courtin, etc.

Jean-Louis Flandrin, *Familles...*, chapitre 3, sous-section « L'autorité du mari sur sa femme », a bien montré l'évolution des proverbes et des décisions des casuistes, entre le XVIe et le XVIIIe siècle, sur la question de l'autorité du mari. Dans la doctrine ancienne, la femme perd la responsabilité de ses actes dès lors qu'elle les a accomplis, comme elle le doit, par déférence et soumission envers celui qu'elle a épousé. Dans la nouvelle, elle en conquiert la responsabilité.

Les satiriques du temps ne sont pas seuls à constater l'omniprésence des directeurs. « En aucun siècle, la direction des consciences féminines n'a autant occupé les ecclésiastiques », Linda Timmermans, *L'Accès des femmes à la culture,* p. 470.

Sur la « manipulation » des maris par les femmes conseillées par leurs directeurs, voir dans *Le Mariage sous l'Ancien Régime*, études réunies par Claire Carlin, l'article de cet auteur, « Gérer son mariage au XVIIe siècle : l'exemple de Jeanne de Schomberg », *Dalhousie French Studies*, vol. 56, 2001.

Linda Timermmans, *op. cit.*, p. 429 *sq*, rappelle, avec Michel de Certeau, l'émergence au XVIIe siècle d'une nouvelle hiérarchisation, celle des « états » socioprofessionnels, qui tend à remplacer l'ancienne, celle des trois états (vierge, et donc surtout religieuse, veuve, épouse). Selon l'auteur, François de Sales et Philippe d'Angoumois auraient tenté de tenir compte de l'évolution pour situer la femme dans le monde (à la cour par exemple). Mais cette piste a été rapidement abandonnée. S'en tenant aux trois « états » traditionnels de la femme, leurs disciples ne considèrent plus la femme mariée que dans la seule situation sociale qu'on lui reconnaît et dans laquelle on la maintient : sa situation familiale. Nombreux sont les ouvrages destinés aux femmes qui traitent de ces états, à l'exclusion de tous autres, sauf à distinguer des sous-catégories à l'intérieur de ces distinctions reconnues. En 1719 encore, *La Bibliothèque des dames* de Richard Steele étudie successivement « le devoir des filles », « des mères », « des veuves », « des mères de famille », « des maîtresses de famille ». Dans tous les cas, il n'est jamais question d'accorder aux femmes un rôle actif dans la société.

CHAPITRE 20 (pp. 197-206)

Sur le statut juridique de la femme, voir Christian Biet, *Droit et littérature sous l'Ancien Régime, le jeu de la valeur et de la loi,* 2002. Sur son rapport à l'argent, voir Marcel Bernos, « La femme et l'argent aux XVIIe et XVIIIe siècles », dans *Les Femmes et l'argent, Bulletin d'information des études féminines*, Aix, COFUP, mai 1983. On notera qu'une femme mariée n'est pas responsable des dettes de son mari et qu'elle ne peut être contrainte par corps, puisqu'elle ne s'appartient pas, mais à son mari.

Sur le « Règlement » de Jeanne de Schomberg, voir le chapitre précédent et la note qui le concerne.

Le rôle de Mme de Grignan dans la transaction de 1675, et plus généralement dans la gestion des biens de son mari, est établi dans notre série d'articles « Argent et famille au XVIIe siècle : Mme de Sévigné et les Grignan », *Provence historique*, 1965 et 1966, particulièrement dans le deuxième, « Deux familles qui ont passé devant nous », fascicule 63. Sur l'affaire d'Aiguebonne, voir notre article « Un siècle de procès, une affaire de substitution », *Provence historique*, 1979.

Le rôle de restauratrice des terres patrimoniales et de la fortune des La Fayette apparaît avec évidence dans notre biographie de la comtesse.

Comme le droit, la morale impose aux maris de stricts devoirs financiers envers leurs femmes. Ils « pèchent, dit le casuiste, lorsqu'ils abusent du pouvoir que les lois leur donnent sur le bien de communauté ». Ils pèchent aussi « lorsqu'ils ne donnent pas à leurs épouses ce qui est nécessaire pour leur entretien honnête, selon leur condition et leurs facultés ». Cette obligation subsiste si le mari chasse sa femme, y compris pour inconduite, alors même que cet entretien lui reviendrait plus cher que le produit de sa dot. « Les maris qui ont chassé leurs femmes, déclare Charles-Louis de Régusse, président au parlement d'Aix, sont les plus ingénieux à trouver des prétextes pour assouvir leur haine et abuser de l'empire qu'ils ont sur elles ainsi que de la faiblesse de leur sexe. » Dans tous les cas, revient l'idée que la faiblesse de la femme exige protection.

CHAPITRE 21 (pp. 207-218)

Outre les sources des chapitres immédiatement précédents, on a consulté Yvonne Knibiehler et Catherine Fouquet, *L'Histoire des mères du Moyen Age à nos jours*, chapitre « La maternité accomplie », 1980.

Le texte de Mme de Grignan à Mme de Simiane fait partie d'extraits de ses lettres publiés en 1763 dans le *Mercure de France*. Il figure dans l'édition de la *Correspondance de Mme de Sévigné*, publiée chez Hachette à partir de 1862 dans la collection des « Grands Ecrivains de la France », t. x, p. 570. Le texte du curé de Combloux est cité par C. Fouquet, *op. cit.*, d'après Roger Devos, *Pratiques et mentalités religieuses dans la Savoie du XVIIIe siècle*. Sur les préjugés concernant la stérilité, voir Evelyne Berriot-Salvadore, *op. cit.*

Les chiffres moyens des naissances par couple ont été établis par Pierre Goubert pour le Beauvaisis d'après les registres paroissiaux, puis par diverses études qui n'ont pu que confirmer, avec quelques variantes, ce que la loi des grands nombres rendait prévisible. Nous renvoyons à la version de son ouvrage destinée au grand public, *Cent mille provinciaux au XVIIe siècle*, 1968. Voir aussi son livre déjà cité sur la vie quotidienne des paysans. L'écart moyen de deux ans entre les naissances a été, comme le nombre des enfants, établi d'après les registres paroissiaux, il y a un demi-siècle, à la surprise des historiens qui croyaient jusque-là que la règle était d'avoir un enfant par an. Ils n'avaient jusqu'alors considéré que les grandes familles de nobles et de parlementaires chez lesquelles ce rythme était en effet fréquent pendant la majeure partie du siècle. S'il n'en allait pas de même dans les campagnes, c'est surtout parce qu'on continuait à y pratiquer l'allaitement maternel, qui rend provisoirement infécondes au moins 60 % des femmes. Les pauvres en ont fait l'« expérience », et en ont profité sans le savoir en ayant moins d'enfants. Chez les gens riches, désireux de reprendre leurs activités sexuelles peu après les naissances, le recours quasi systématique aux nourrices s'est trouvé indirectement la cause de leur nombreuse progéniture.

Sur l'évolution des casuistes au sujet du devoir conjugal et de l'allaitement, et, dans le chapitre suivant, sur l'obligation de tenir compte de la santé de la femme, voir les sources citées dans les notes du chapitre suivant.

CHAPITRE 22 (pp. 219-227)

La documentation de ce chapitre vient principalement, pour ce qui concerne les médecins et les philosophes, de l'ouvrage déjà cité d'Evelyne Berriot-Salvadore, chapitre « Le choix d'une épouse », p. 59 *sq*, et, pour la doctrine de l'Eglise et les commentaires des casuistes, de trois études capitales de Marcel Bernos, « Les embarras du sexe » et « Sens interdit », chapitres 7 et 8 du livre *Le Fruit défendu, les chrétiens et la sexualité de l'Antiquité à nos jours*, 1985, p. 159 *sq*, « L'Eglise et l'amour humain à l'époque moderne », actes du colloque de 1992 *L'Amour à l'époque moderne, Bulletin de l'Association des historiens modernistes des universités*, n° 17, « La sexualité et les confesseurs à l'époque moderne », *Revue d'histoire des religions*, 1992, p. 413 *sq*. Il faut y ajouter, pour quelques détails, la contribution de Kathryn A. Hoffmann, « The strange bodies of married women », dans *Le Mariage sous l'Ancien Régime*, Etudes réunies par Claire Carlin, *op. cit.*, 2001, p. 36 *sq*.

Aristote lui-même avait un temps emprunté à Hippocrate la théorie des deux semences, qu'il résume dans son *Histoire des animaux* : « Cependant, précise-t-il, l'utérus ne projette pas la semence en lui-même, mais au-dehors, au même endroit que l'homme. Et de là, il l'attire ensuite en lui-même. » Ce qui implique une bonne entente entre les partenaires : « Si le mari et la femme ne sont pas en harmonie l'un avec l'autre pour éjaculer en même temps, mais sont en profonde discordance, ils n'auront pas d'enfants... Si l'homme va vite en besogne et si la femme a de la peine à le suivre (car les femmes sont plus lentes en beaucoup de domaines), c'est un empêchement à la conception. » Aristote abandonnera cette symétrie. Il réduira le sperme féminin aux menstrues, destinées à nourrir le fœtus ou, en l'absence de conception, à être évacuées comme des humeurs superflues. C'est qu'il ne faut pas donner à la femme, être froid et humide, un rôle actif comme à l'homme, d'un tempérament supérieur. Même dans l'union charnelle et la conception des enfants, elle doit garder son infériorité.

La suite du texte d'Ambroise Paré est moins « moderne » : « Et pour encore avancer la besogne, la femme fera une fomentation d'herbes chaudes, en bon vin et malvoisie, à ses parties génitales, et mettra pareillement dans le col de sa matrice un peu de musc et de civette. Et lorsqu'elle sentira être aiguillonnée et émue le dira à son mari. Adonc se joindront ensemble et accompliront leur jeu doucement, attendant l'un l'autre, faisant plaisir à son compagnon. Quand les deux semences sont jetées, l'homme ne doit promptement se disjoindre, afin que l'air n'entre en la matrice et n'altère les semences et qu'elles se mixtionnent mieux l'une avec l'autre, et subit que l'homme sera redescendu, la femme se doit tenir coi et croiser et joindre les cuisses et jambes, les tenant doucement rehaussées, de peur que par le mouvement et situation déclive de l'amarry [la matrice], la semence ne s'écoule hors. Pour lesquelles mêmes raisons, il ne faut qu'elle ne parle ni tousse ni éternue, et qu'elle dorme promptement après si c'est possible » (*L'Anatomie,* livre XVIII). Il va de soi que des précautions finales énumérées par Ambroise Paré, on peut *a contrario* tirer des pratiques contraceptives aussi inefficaces que sont inutiles les précautions indiquées.

Dans son *Trésor des remèdes secrets pour les maladies des femmes* (1585), Jean Liébault explique pareillement que le peu de plaisir de la femme « au combat vénérien » compromet la génération, « puisqu'elle ne rend aucune semence ». Par la voix des casuistes, l'Eglise condamne chez la femme l'absence d'appétit sexuel ou la frigidité comme entravant la conception, puisqu'en ce cas, elle n'émet pas, lors de l'union des sexes, la semence nécessaire à la conception. Inversement, toute conception est considérée comme la preuve que la femme a pris du plaisir dans l'acte sexuel. Par un effet pervers de cette théorie, toute femme qui se plaint d'avoir été violée est considérée comme ayant été consentante dès lors qu'il y a conception.

Publié en 1595, le texte d'Antoine Hotman est repris dans un recueil d'œuvres du même auteur paru en 1616.

Le *Dictionnaire des cas de conscience* de Pontas est paru en 1715.

Parues en 1664 et plusieurs fois rééditées, *Les Règles chrétiennes établies sur les maximes de Jésus-Christ et de l'Eglise pour entrer et pour vivre saintement dans le mariage*, d'inspiration janséniste, précisent : « Les mariés ne s'engagent dans ce sacrement que pour donner des enfants au monde, de sorte que lorsqu'ils agissent pour une autre fin, ils doivent savoir qu'encore qu'ils demeurent dans les bornes du mariage, ils ne laissent pas de blesser en quelque sorte la pureté de ses lois et de ses devoirs. »

L'obligation de procréation concernant également les deux partenaires, l'homme et la femme sont en principe égaux devant ce devoir. Ils ne le sont pas dans les faits. C'est à l'homme en effet de nourrir, d'élever et d'entretenir femme et enfants, mais c'est la femme seulement qui les porte et qui en accouche, au risque de sa vie. C'est elle qui s'en occupe dans leur petite enfance. La subordination de sa sexualité au risque d'avoir des enfants introduit entre les époux une inégalité de fait, que conforte l'interdiction imposée par l'Eglise de rien faire pour limiter les risques de naissance. Curieusement, théologiens et casuistes n'en tiennent pas compte dans leurs écrits. Comme si la question ne se posait pas. Elle n'apparaît qu'indirectement à l'occasion du caractère licite ou non des refus qu'un des époux peut être conduit à faire à l'autre : la demande d'union charnelle ne vient jamais de la femme.

L'auteur du *Pédagogue des familles chrétiennes*, destiné à la vulgarisation de la doctrine de l'Eglise, recommande à ceux qui ont l'intention de se marier de « rejeter toutes les fins et les motifs purement humains ou naturels ». A la question : « Comment se doit comporter le mari envers la femme ? » l'ouvrage répond : « L'homme prendra femme avec la crainte de Dieu et l'intention d'en avoir lignée seulement. » Il en va de même pour l'épouse. L'édition de 1686 du *Catéchisme du concile de Trente* l'affirme expressément : « Une femme ne doit principalement se marier que pour devenir mère. » Non seulement la sexualité n'est permise qu'entre époux, mais encore elle ne peut s'exercer sans péché qu'en vue d'avoir progéniture. En 1683, Claude Fleury, dans son *Catéchisme historique*, qui connaîtra cent cinquante éditions, explique lui aussi que le mariage est un « remède à la concupiscence, donnant un objet légitime à cette inclination naturelle que le péché a dépravée ». Les deux membres du couple ne doivent par conséquent rien faire contre cette commune obligation.

CHAPITRE 23 (pp. 228-237)

« Se marier comportait, aux IXe-Xe siècles, un dispositif long et compliqué où se succédaient la *petitio* (demande par les parents), la *desponsatio* (l'entente des familles sur le mariage), la *dotatio* (l'entente sur la dot), la *traditio* (la remise de la jeune fille à son époux par les parents), les *publicæ nuptiæ* (cérémonie des noces), la *copula carnalis* (l'union charnelle) enfin », Paul-Albert Février, « L'Eglise, l'ordre et le mariage aux XIe-XIIe siècles », chapitre 4, *Le Fruit défendu, op. cit.* A l'issue de longs débats sur le moment clé du mariage (l'entente des familles, la remise de la jeune fille à l'époux, le consentement des mariés, l'union charnelle), l'Eglise a tranché au XIIe siècle en faveur du consentement, concrètement exprimé lors d'un engagement public. Elle persiste au concile de Trente. Le mariage, enseigne le *Catéchisme*, « consiste proprement et essentiellement dans le lien qui unit le mari et la femme, et dans cette obligation qu'ils contractent mutuellement l'un envers l'autre ». Point n'est besoin pour qu'il soit valide que la dernière étape, l'union charnelle, ait effectivement lieu. « Afin que ce soit un véritable mariage, continue le *Catéchisme*, il n'est pas nécessaire qu'outre le consentement, l'action du mariage soit consommée. » Le couple de Joseph et de Marie en est un exemple probant. Et même celui d'Adam et Eve. « Il est très certain », disent les pères du concile, que nos premiers parents étaient « unis par le lien d'un véritable mariage avant qu'ils eussent péché, quoiqu'ils n'eussent point encore usé du mariage ». Certains théologiens jugeaient même que c'était leur accouplement, symbolisé par le fruit défendu, qui avait provoqué leur chute.

Citant saint Paul, le *Catéchisme du concile* précise : « Que chaque homme vive avec sa femme et chaque femme avec son mari pour éviter la fornication. » S'il « est bon quelquefois de s'abstenir de l'usage du mariage pour s'exercer à l'oraison », il ne faudrait pas abuser de cette abstinence. « Mais ensuite, affirme l'apôtre, vivez ensemble comme auparavant, de peur que le démon ne prenne sujet de votre incontinence pour vous tenter. »

C'est Pierre Chaunu, cité par Claude Dulong, *La Vie quotidienne des femmes au XVIIe siècle*, qui affirme qu'« aucun système n'a poussé aussi loin et avec tant de succès le contrôle des pulsions sexuelles ». Voir dans le livre du même auteur, chapitre « Lorsque l'enfant paraît », l'inventaire des pratiques anticonceptionnelles alors théoriquement possibles. Dans le haut de la société, la pratique de l'infanticide était relativement fréquente si on en croit les déclarations (suspectes) des femmes inculpées dans l'affaire des Poisons. Dans le peuple, l'infanticide n'intervenait, semble-t-il, que dans des cas désespérés, pour se débarrasser des enfants sans père.

C'est à la médecine païenne, qui voit dans l'émission du sperme une déperdition de l'énergie vitale, que l'Eglise doit l'affirmation si souvent répétée pour détourner l'homme de l'union charnelle : « *Post coïtum, animal triste.* »

La comparaison de la nourriture et du plaisir charnel est déjà dans saint Augustin, qui dénonce deux erreurs, égaler le mariage à la virginité, la condamnation du mariage par ceux qui pratiquent la virginité par horreur du mariage. Pour saint Jean Chrysostome, « le mariage est un bien. Aussi la virginité est-elle admirable, puisqu'elle l'emporte sur un bien ».

Un exemple de sexualité épanouie dans un mariage de raison transformé en mariage d'amour est donné dans le livre déjà cité de Maurice Damas, *La Tendresse amoureuse*, chapitre 2, « Les gestes de l'intimité ».

CHAPITRE 24 (pp. 238-248)

Sur l'adultère, voir dans Marcel Bernos déjà cité, *Femmes et gens d'Eglise*, le chapitre 5, « Comment être une épouse chrétienne ? ».

L'évolution est évidente, de la relative sévérité du début du XVIIe siècle à la tolérance du siècle suivant. Sans mettre en cause le principe de la fidélité conjugale, philosophes et juristes du XVIIIe siècle (tels Beccaria ou Filangieri) s'interrogent sur l'opportunité d'une répression pénale de l'adultère, laissée le plus souvent à la discrétion du mari, et dont la rigueur se conciliait mal avec d'illustres et fréquentes violations de la fidélité conjugale tandis que le théâtre et le roman en font un thème littéraire, cherchant à l'expliquer, parfois à l'excuser, sinon à l'approuver.

Sur la situation juridique de la femme adultère, voir Christian Biet, *op. cit.*, « La femme dans le droit privé ou civil » ; sur les punitions théoriquement prévues pour l'adultère de la femme, voir Paul Hoffmann, *op. cit.*, note de la page 26.

L'adultère est plus gravement puni s'il s'accompagne d'un abus de confiance, par exemple quand la femme le commet avec un subalterne au service de son mari. Il est alors passible de la peine de mort pour les deux coupables. L'injustice et le déséquilibre aux dépens des femmes sont patents sur ce point quand on songe à la fréquence des rapports charnels entre maris et chambrières, consentantes ou forcées.

Si un mari est informé de l'adultère de sa femme, il ne doit pas le cacher, sous peine d'être accusé de complicité.

CHAPITRE 25 (pp. 249-256)

Pour ce chapitre et le suivant, voir dans *Onze études sur l'image de la femme dans la littéraure française du XVIIe siècle*, réunies par Wolgang Leiner, 1984, notre contribution « La veuve au XVIIe siècle ». Voir aussi le livre déjà cité de Christian Biet, qui consacre d'intéressants développements à la situation juridique de la veuve. Nous remercions S. Beauvalet de nous avoir permis de consulter la première partie de sa thèse d'habilitation, encore inédite, *Le Veuvage féminin en France aux XVIIe et XVIIIe siècles. Mythe et réalité.*

L'âge du veuvage de la fille de Mme de Rochefort s'explique si on se rappelle que celle-ci a été mariée à douze ans.

Malgré son bref mariage, la fille de Bussy reste en fait sous la dépendance paternelle : « Elle aimerait bien à vivre règlement et à dîner à midi comme les autres, écrit Mme de Sévigné en annonçant à sa fille le décès de Coligny, mais l'attachement que son père a pour elle la fera toujours déjeuner à quatre heures du soir, à son grand regret. » Il lui faudra, plus tard, acheter une terre, et se rendre en cachette à Lanty, son nouveau domaine, pour parvenir à s'y remarier secrètement avec La Rivière. Cela ne suffira pas à l'arracher à la coupe paternelle (voir *supra* chapitre 15, p. 162 *sq*).

Le choix pour une veuve entre le remariage ou un chaste veuvage ne se pose que pour les veuves disposant de revenus assurés. Pour les autres, c'est-à-dire la plupart des veuves, le remariage est la seule solution. Dans le peuple le veuvage avec enfants sans un (difficile) remariage équivaut à la misère. Voir à ce sujet Marcel Bernos, *op. cit*, chapitre 7, « Les veuves, dignes et vulnérables ».

CHAPITRE 26 (pp. 257-267)

Le veuvage n'a pas fait partie des préoccupations du concile de Trente, et n'intéresse ensuite qu'accessoirement les théologiens et les moralistes. Dans l'*Introduction à la vie dévote*, François de Sales leur consacre un chapitre entier. Après lui, sur vingt-trois traités consacrés au mariage entre 1638 et 1788, trois seulement s'intéressent pendant quelques pages au veuvage féminin, ceux de Claude Maillard, Thomas Le Blanc et Jean Girard de Villethierry. Ce dernier sera le seul à lui consacrer un volume entier.

Sur le cas particulier des femmes de maîtres artisans, qui pouvaient conserver la boutique (et souvent épouser un des compagnons formés ou recrutés par le défunt), voir le chapitre suivant.

CHAPITRE 27 (pp. 268-277)

Sur le travail des femmes, le livre de Gustave Fagniez, *La Femme et la société française*, chapitre 3, « La vie professionnelle », reste très utile. On le complétera à l'aide des indications plus récentes données dans Marcel Bernos, *Femmes et gens d'Eglise*, déjà cité, chapitre « De quelques emplois féminins », et pour les travailleuses de la campagne, par les ouvrages déjà cités de P. Goubert et J.-L. Flandrin.

Il n'y a qu'un petit nombre de femmes véritablement oisives au XVIIe siècle. Tout en haut de la hiérarchie sociale figurent les femmes des nobles d'épée, qui partagent en principe l'oisiveté de leurs maris, sans partager leurs obligations militaires. En fait, leur situation dépend de l'importance des revenus des terres patrimoniales. Les moins riches mènent à la campagne une vie qui diffère peu de celle des paysannes qui ont comme elles à gérer et à commander une petite entreprise agricole. Elles demeurent dans leur fief quand leurs revenus sont insuffisants pour paraître à la cour. Leurs maris font de même et se dispensent, autant qu'ils le peuvent, de participer à de ruineuses campagnes militaires. En un temps où les biens fonciers se déprécient, même les plus riches ne doivent en général qu'à la faveur royale de maintenir le train de vie qui convient à la cour. En ce cas, pour être bien en cour et bénéficier des largesses du monarque, il ne suffit pas de bien servir, il faut être vu. C'est aux épouses d'assurer cette nécessaire présence quand le mari sert au loin, et en toutes circonstances d'être là pour tenir leur rang. Même oisives, les femmes du haut de la société sont des femmes occupées.

CHAPITRE 28 (pp. 278-288)

Sur l'idéal de la beauté à travers le temps, nous avons principalement consulté le livre de Catherine Fouquet et Yvonne Knibiehler, *La Beauté pour quoi faire ?*, 1982. Sur les avantages et inconvénients de la beauté, *Histoire des femmes en Occident*, *op. cit.*, t. III, chapitre 2, Sara F. Matthews Grieco, « Corps, apparence et sexualité », et chapitre 3, Véronique Nahoum-Grappe, « La belle femme ». Sur l'étalage des poitrines, *La Femme au XVIIe siècle*, actes du colloque de Vancouver, édités par Richard G. Hodgson, Lise Leibacher-Ouvrard, « Voiles de sang et amazones de Satan : la querelle des nudités de gorge », 2002. Sur la contenance modeste des femmes, Marcel Bernos, *Femmes et gens d'Eglise*, *op. cit.*, chapitre 2, « La modestie, vertu féminine ou simplement chrétienne ? ». Sur la mode, l'habillement et les fards, outre G. Mongrédien, *La Vie quotidienne sous Louis XIV*, on consultera la thèse de Louise Godard de Donville, *Signification de la mode sous Louis XIII*, 1978.

Au début du XVIIe siècle, dans sa *Théorie de la figure humaine*, Rubens partage encore l'idée que la beauté idéale ne peut être une femme et la justifie en rappelant que l'homme seul a été créé à l'image de Dieu. Tirée d'une côte d'Adam, la femme n'est qu'un reflet indirect et imparfait du projet divin.

« Dès leur quatorzième année, les femmes sont appelées maîtresse par les hommes. Par suite, voyant qu'il ne leur reste rien d'autre à faire qu'à trouver des hommes pour partager leur couche, elles se mettent à se parer et à mettre en cet art toute leur espérance. » Pour les casuistes comme pour l'auteur de ce texte, Epictète, la beauté des femmes ne doit servir qu'à leur attirer des maris, et ensuite à les conserver.

C'est au temps d'Honoré de Balzac qu'est né le mythe de la femme de trente ans qui aurait déjà perdu tous ses charmes. Au XVIIe siècle, l'idée qu'on se fait de la beauté n'en exclut pas les femmes mûres, aux formes affirmées.

CHAPITRE 29 (pp. 289-297)

Ce chapitre et les suivants doivent beaucoup à la thèse, déjà citée, de Linda Timmermans, *L'Accès des femmes à la culture*, notamment pour ce chapitre-ci à son « Avant-propos », qui fait le point sur l'histoire de la querelle des femmes, et au chapitre 4, « Le problème du savoir féminin dans la querelle des femmes traditionnelles ». L'ouvrage ancien de Gustave Reynier, *La Femme au XVIIe siècle*, 1933, reste très utile par les analyses qu'il donne de plusieurs ouvrages qui ont pris part à la querelle. Pour ce chapitre-ci, voir notamment ses chapitres 1, « La querelle des femmes avant le XVIIe siècle », et 3, « Réveil de la querelle des femmes ». Voir également Evelyne Berriot-Salvadore, *Les Femmes dans la société française de la Renaissance*, 1990, et Madeleine Lazard, *Les Avenues de Fémynie. Les femmes et la Renaissance*, 2002.

Dans leur célébration des « Femmes célèbres », les défenseurs des femmes du début du siècle mettent surtout en valeur la capacité des femmes à exercer des qualités viriles, à être des « femmes fortes ». Voir sur ce point la contribution de Noémie Hepp, dans *Onze études de femmes, op. cit.*, « La notion d'héroïne ». Puis on a plutôt insisté sur la spécificité féminine.

La querelle des femmes n'intéresse qu'une part infime de la société, celle où elles ont la possibilité de penser. « La liberté ne saurait apparaître comme problématique qu'à la femme qui a été par privilège délivrée des servitudes sans appel de la misère du travail, de l'ignorance, de l'âge », Paul Hoffmann, *op. cit.* Mais c'est de ces rares privilégiées que part un mouvement sans lequel cette querelle et les débats ultérieurs sur la condition de la femme n'auraient pu avoir lieu.

Fait nouveau, au XVIIe siècle, les misogynes comme les « champions des dames » s'appuient sur les autorités scientifiques du temps pour prouver, les uns que la hiérarchie des sexes est une loi biologique et les autres qu'elle ne l'est pas.

De 1656 à 1658 paraît un bien curieux roman, intitulé *La Précieuse ou le Mystère des ruelles.* Il a induit en erreur les critiques qui y ont vu une description précise d'une catégorie particulière de femmes (les « précieuses ») au lieu de le tenir pour ce qu'il est : une œuvre d'imagination dans laquelle l'auteur, l'abbé de Pure, s'est amusé à faire dire à des femmes tout ce qui s'était dit sur les femmes depuis le début de la « querelle » dont elles étaient l'objet, et tout ce qu'on pouvait y ajouter, sérieusement ou par plaisanterie. L'intérêt de son livre, c'est qu'on y trouve, dans un essai de transposition littéraire des conversations des ruelles, l'écho du malaise des femmes, de toutes les femmes, par rapport à leur condition subalterne. On y trouvera notamment des idées utopiques, par exemple sur le mariage à l'essai, que les critiques ont eu le tort de prendre pour la vraie doctrine des précieuses. En fait, ce que l'abbé de Pure exprime, c'est que les révoltes des femmes de ce temps-là ne peuvent être que des révoltes imaginaires. Voir sur ce point notre livre *Les Précieuses ou comment l'esprit vint aux femmes*. On y verra aussi pourquoi il n'est pas pertinent de parler de « précieuses », notion floue et non opérationnelle, quand on veut éclairer la question du statut conjugal, moral et intellectuel de la femme.

La réflexion menée sur la condition des femmes pendant tout le siècle n'a pas eu de conséquence pratique sur leur situation sociale, familiale, conjugale. Comme leurs révoltes, leurs satisfactions ont lieu dans l'imaginaire, par exemple dans la « souveraineté » que leur accorde la galanterie des « salons ». On le verra dans les chapitres suivants, elles ne font de vrais progrès que dans le domaine de la vie intellectuelle. Mais c'est un point de départ essentiel.

CHAPITRE 30 (pp. 298-308)

Voir le chapitre 5 du livre cité de Linda Timmermans, « Le féminisme dans la première moitié du XVIIe siècle ». On y trouve notamment un intéressant développement sur les variations du texte de *L'Honnête Femme* selon les éditions, l'une d'elles comportant un ajout au texte de Duboscq, plus libéral, de Perrot d'Ablancourt sur la participaton des femmes à la vie intellectuelle de leur temps (*op. cit.*, p. 296-297).

Sur Poullain de La Barre, voir l'édition de *De l'éducation des dames* par Bernard Magné. G. Reynier, dans l'ouvrage cité ci-dessus, résume les idées de l'auteur dans son chapitre 12, « Poullain de La Barre et le mouvement féministe à la fin du XVIIe siècle ». « Plusieurs des idées de Poullain de La Barre, conclut-il, ont fait leur chemin qu'on avait prises en leur temps pour des paradoxes. Il faudra bien des années encore, près de deux siècles, pour que le vieux préjugé cède et que l'inégalité tende à s'effacer. Mais la question s'est élevée grâce à lui. Elle est posée philosophiquement, le féminisme a déjà sa doctrine et — si on laisse de côté quelques fantaisies — un programme sage et bien défini : il est intéressant de noter que cela s'est fait sous l'influence et selon l'esprit de la méthode cartésienne. »

En 1687, le *Traité de l'éducation des filles* de Fénelon est largement en retrait sur les ouvrages des tenants de l'humanisme dévot du début du siècle. Son auteur concède qu'il ne faut pas tenir les jeunes filles dans une ignorance dangereuse. Mais parce qu'il se défie de la nature féminine, portée à la nouveauté, curieuse d'idées qui sont au-dessus de sa portée, incapable de se gouverner et de se maîtriser, il fixe d'étroites bornes à leurs connaissances. A la différence d'Erasme et des humanistes, il ne croit pas que le savoir soit en soi nécessairement moral, au contraire. Comme presque tous les penseurs de l'Eglise catholique, il n'a pas confiance dans la légitimité de la quête d'une vérité que l'homme a perdue par la faute originelle. Pour lui comme pour beaucoup de ses contemporains, l'étude encourage l'orgueil et risque d'avoir des résultats particulièrement pernicieux chez les femmes, dont la condition suppose modestie et soumission.

CHAPITRE 31 (pp. 309-317)

Pour ce chapitre et le suivant, voir Linda Timmermans, *op. cit.* chapitre 6, « La querelle des femmes savantes dans la seconde moitié du XVIIe siècle », et Gustave Reynier, *op. cit.*, chapitre 8, « La science des dames et les lois de la bienséance ». Voir aussi les actes du colloque de Chantilly de septembre 1995, *Femmes savantes, savoir des femmes, du crépuscule de la Renaissance à l'aube des lumières*, études réunies par Colette Nativel, 1999.

Sur le savoir de Mlle de Scudéry et ses limites, sur son attitude envers le savoir et celui qu'elle recommande aux femmes, sur les romans en général et les siens en particulier comme moyens de vulgarisation du savoir, voir Chantal Morlet-Chantalat, « Parler du savoir, savoir pour parler, Mlle de Scudéry et la vulgarisation galante », in *Femmes savantes, savoir des femmes, op. cit.*

En 1661, dans la *Célinte* de Mlle de Scudéry, Philinte oppose à la stérile curiosité, réputée féminine, pour « les secrets d'autrui », la nécessaire tentative de « pénétrer s'il est possible dans les secrets de la nature ou dans ceux de toutes les sciences et de tous les arts ». Et quand Artélise lui objecte : « Mais pour les dames, à qui les secrets dont vous parlez ne siéraient pas trop bien, que voulez-vous qu'elles fassent de leur curiosité ? » Lysidas répond par le portrait d'Arténice (Mme de Rambouillet), qui n'a « jamais donné sujet par aucune de ses actions ni de ses paroles de la soupçonner de la moindre chose qui pût faire blâmer sa conduite ni de la plus petite irrégularité contre la plus exacte bienséance ». Il y a donc pour les femmes, comme le montre l'exemple de cette figure mythique, une honnête curiosité, qui nourrit discrètement la vie de l'esprit, dont rien ne dit qu'elle ne pourra pas s'appliquer aux sciences quand les bienséances le permettront.

Pour les femmes, manifester ses connaissances est surtout une affaire de ton : « On peut même dire son avis d'une manière si modeste, explique Sapho, et si peu affirmative que sans choquer la bienséance de son sexe, on ne laisse pas de faire voir qu'on a de l'esprit, de la connaissance et du jugement. » Cette attitude féminine s'inscrit dans les exigences plus générales de l'esthétique galante, dont il sera question au chapitre 36.

CHAPITRE 32 (pp. 318-326)

Outre les ouvrages cités à propos des chapitres précédents, on peut consulter la thèse de Sandrine Aragon, *Des liseuses en péril. Les images de lectrices dans les textes de fiction de* La Précieuse *de l'abbé de Pure à* Madame Bovary *de Flaubert (1556-1856)*, 2003.

Sorel a remarqué avec regret l'invasion de l'amour dans la comédie : « C'est, dit-il des romans, ce qui donne sujet aux pièces de théâtre, et ce qui excite les applaudissements et les acclamations du peuple. Les tragédies ou tragi-comédies, qui sont des romans faits pour la représentation, en sont souvent tirées ou inventées à leur exemple. » Corneille, dans l'Avertissement mis en tête du *Cid*, a bien senti les dangers du romanesque. Il n'a pas, dit-il, suivi les « Chroniques » et s'est « contenté du texte de l'historien » parce que celles-là « ont quelque chose qui sent le roman, et peuvent ne persuader pas davantage que celles que nos Français ont faites de Charlemagne et de Roland ». Cela n'empêchera ni son frère Thomas ni Quinault de bâtir leur succès sur le romanesque théâtral. Fénelon, dans sa *Lettre à l'Académie*, reprochera à Pierre Corneille même d'y avoir sacrifié. C'est le romanesque, affirme-t-il à la fin du siècle, qui a rendu nos spectacles « imparfaits ». « Nos poètes les ont rendus languissants, fades et doucereux comme les romans. » Le seul moyen de sauver la tragédie est de la délivrer de l'amour.

Sur la question des romans, sauf à dire que ce sont des lectures de femmes, l'opinion est fortement partagée. L'abbé de Pure vante nommément *Cyrus*, récemment achevé, et *Clélie*, dont le début vient de paraître. Il loue aussi, et avec insistance, la personne de Mlle de Scudéry, laissant entendre que nul n'ignore qu'elle écrit sous le nom de son frère. C'est précisément des œuvres de cet auteur que Molière se moquera, trois ans plus tard, en 1659, dans *Les Précieuses Ridicules*. Il y montre les dérèglements que les romans provoquent sur des esprits féminins. Cathos et Magdelon se ridiculisent en imaginant les réalités du mariage sur le modèle du scénario qu'il tire de Mlle de Scudéry. La Bélise des *Femmes savantes* s'invente, sur le même modèle, un monde où elle obtient de tous les hommes les hommages qu'elle n'a pas reçus dans la vie. *La Fausse Clélie* de Subligny s'en prend aux effets néfastes de la lecture du même roman sur l'esprit de Juliette d'Arviane.

Pour Eulalie et les personnages qui l'entourent, les lectures profanes paraissent aller de soi. Le pouvoir politique a mis en place un système qui s'emploie à vérifier l'orthodoxie, la moralité et surtout le conformisme politique de la production littéraire. Pour le reste, l'édition est libre. Les gens d'Eglise invitent fermement les femmes à limiter rigoureusement la place de la lecture dans leurs occupations. Ce ne sont que des recommandations. Pour elles comme pour les hommes, dans le temps que leur laisse l'accomplissement de leurs tâches, seule serait un péché la lecture des ouvrages nommément déclarés immoraux ou impies. Le reste est une question de conscience et d'âge.

CHAPITRE 33 (pp. 327-337)

La science relève encore en grande partie de la philosophie. Chez Descartes, ce qui a particulièrement retenu l'attention des femmes, c'est sa théorie des animaux machines, sérieusement critiquée par La Fontaine dans son « Discours à Mme de La Sablière ». On se passionne aussi pour l'interprétation cartésienne du monde physique, dont on retient, pêle-mêle, l'absence de vide, les tourbillons, la « matière subtile ». On discute le *Traité des passions*, que Mme de Sévigné se fait expliquer pour pouvoir comprendre ce qu'on en dit devant elle, comme elle aime, dit-elle, connaître les règles d'un jeu qu'elle voit jouer sans y prendre part personnellement. Bel exemple de l'intérêt discret pris par une femme pour un savoir dont elle veut au moins saisir de quoi il est fait.

Sur la divulgation des querelles théologiques auprès du public féminin, et plus généralement d'un public incompétent de « dames et de cavaliers », voir notre livre *L'Imposture littéraire dans* Les Provinciales *de Pascal*, 1982.

Le succès de *La Fréquente Communion* fut durable. En 1680 encore, Mme de Sévigné l'emporte dans ses bagages lors d'un voyage en Bretagne ; elle la fait lire aux visitandines de Nantes.

Comme Rapin soulignait que les livres d'Arnauld étaient fort bien et « agréablement » écrits, Nicole relève l'agrément de l'expression chez Pascal. Mais alors que le premier insiste aussi sur l'attrait de la nouveauté, de la curiosité et de la mode, le second met l'accent sur le plaisir du lecteur. Chez Arnauld, une certaine réussite formelle n'était que la servante d'idées qui, à elles seules, attiraient suffisamment l'attention du public. Avec Pascal, le mode d'expression devient l'indispensable appât pour le retenir. Parce qu'il faut « forcer » l'intérêt de gens lassés ou indifférents, la manière revêt désormais une importance capitale. La forme, dans les *Provinciales*, n'est pas seulement le moyen de communiquer un contenu dans une langue accessible comme chez Arnauld. Elle est, comme souvent dans le journalisme d'aujourd'hui, le moyen de faire exister ce contenu aux yeux d'autrui. Le succès de ce que Mme de Sévigné appelle « les petites lettres » (il y en eut seize) fut d'autant plus considérable qu'il s'inscrivit dans la durée.

« Ce n'est pas une bonne qualité d'être savante, écrit La Fontaine à sa femme en tête des lettres qui constituent son *Voyage de Paris en Limousin*, et c'en est une très mauvaise de paraître telle. » Mais après cette concession à l'esprit du temps, il lui conseille de s'intéresser au récit de voyage qu'il va lui faire pour la détourner des romans.

CHAPITRE 34 (pp. 338-348)

A mesure qu'on avance dans le premier volume, l'abbé de Pure tend à oublier les précieuses qu'il prétend décrire pour parler des femmes en général. Ce glissement n'est pas la marque d'une opposition entre des précieuses ridicules, qu'il aurait précédemment décrites, et d'autres femmes dont viendrait le salut de la culture. Philonime, au début du développement final, renvoie explicitement à son expérience passée, qui reste la base des derniers propos de Gléasire et de Géname. En fait, c'est dans l'ensemble de son livre que l'auteur traite des idées des femmes de son temps, quitte à leur prêter ses propres imaginations, surtout dans son quatrième et dernier volume.

Au moment d'achever le premier volume de son roman, l'abbé de Pure en définit le principal sujet par la bouche de Philonime. « Si vous voulez lire *La Précieuse*, dit ce personnage, vous y trouverez ce caractère d'esprit que les habiles hommes condamnent dans les femmes et dont les habiles femmes condamnent les hommes les plus savants. Vous y verrez cette ardeur de la curiosité du sexe et l'ambition de s'égaler au nôtre. » Il s'agit donc de la peinture de deux types, les intellectuelles pleines de curiosité et les détenteurs du savoir traditionnel. L'auteur s'est plu à mettre en scène dans une fiction les circonstances et les modalités de leur opposition. Il s'y moque des deux camps, mais de deux maux, il opte pour le moindre, et il prend finalement parti pour le camp de la nouveauté, celui des femmes, contre la tradition sclérosée et sans avenir des doctes.

Les femmes qui forment une large partie du public des lecteurs, peut-être même la majorité, usent du droit qu'on leur reconnaît — non sans peine — d'accéder à la vie intellectuelle, de lire — discrètement — et par conséquent de juger. Elles sont alors prisonnières d'un dilemme. Si elles se réunissent entre elles dans une « académie femelle », on les accuse d'incompétence et de décider sans autres principes de choix que leur goût, autrement dit leur caprice. Si elles s'entourent de « philosophes et de beaux esprits », on leur reproche de ne pas se conduire en femmes et on se moque de leur pédanterie affichée. Dans les deux cas, elles risquent de se disqualifier. Et pourtant, globalement, malgré ces handicaps, elles ont réussi à substituer à la critique des règles celle du plaisir et du goût. C'était chose faite à la fin du siècle. Et cet acquis est demeuré. Qui oserait aujourd'hui dénier à quiconque, même le plus ignare, le droit de juger de l'œuvre du meilleur ou du pire de nos écrivains ?

CHAPITRE 35 (pp. 349-358)

Ecrit en 1666, le *Traité sur l'origine des romans* a été publié en 1669 en tête de *Zaïde* dont il sera question ci-après, au chapitre 37. Huet y explique que, séduites par les romans qu'on a écrits pour leur plaire, les femmes « ont tellement méprisé l'ancienne fable et l'histoire qu'elles n'ont plus entendu [compris] des ouvrages qui tiraient de là autrefois leur plus grand ornement. Pour ne rougir plus de cette ignorance dont elles avaient si souvent occasion de s'apercevoir, elles ont trouvé que c'était plus tôt fait de désapprouver ce qu'elles ignoraient que de l'apprendre, sans se souvenir de ces trois illustres Marguerite et de tant d'autres dames qui ont honoré la France de leur savoir ». Huet exagère l'influence des romans, mais ne se trompe pas en dénonçant la mutation culturelle qui a eu lieu chez les femmes depuis les savantes reines du temps des Valois. A la culture classique partagée et valorisé par les dames de l'élite de la cour a succédé une culture moderne, celle de l'ensemble des femmes de la meilleure société. Il y a eu à la fois changement d'échelle et transformation du contenu des savoirs.

Des nombreux ouvrages consacrés à Mme de Rambouillet, on retiendra celui de Nicole Aronson, *Madame de Rambouillet ou la Magicienne de la Chambre bleue*, 1988. Dans le livre cité de Linda Timmermans, le chapitre 1, section « Les nouvelles orientations intellectuelles des femmes. Trois exemples significatifs : Mme d'Auchy, Mme des Loges, Mme de Rambouillet », replace la célèbre marquise parmi ses « rivales ».

Conçues à l'instar de la vie de Voiture, ses œuvres n'ont pas été faites pour recueillir l'approbation des spécialistes de l'écriture, mais celle de l'élite féminine : « Je me trompe, dit Pinchêne, si le suffrage d'aucun homme, pour qualifié qu'il soit dans l'ordre de la fortune et de la suffisance [du savoir], lui est plus avantageux que l'approbation de ces femmes illustres qui ont fait son entretien, et de ses écrits un de leurs plus agréables divertissements. » Tout en ayant merveilleusement su plaire à la fois « au cercle et au cabinet », c'est-à-dire aux mondaines et aux hommes cultivés, il a su éviter les écueils de la culture savante. « Il a très bien pratiqué, continue le préfacier, cet oracle d'un ancien que c'est bien souvent un tour d'adresse que d'éviter de plaire aux docteurs. Aussi voulait-il plaire à d'autres, je veux dire à la cour, dont les dames sont la plus belle partie. »

En plein milieu du siècle, Pinchêne constate, à propos de Voiture, que le pouvoir littéraire est désormais partagé entre les hommes et les femmes : « Comme cette belle moitié du monde, avec la faculté de lire, a encore celle de juger aussi bien que nous, et est aujourd'hui maîtresse de la gloire des hommes autant comme les hommes eux-mêmes, c'est par elles que j'ai résolu de finir. » Il termine en effet en confiant aux femmes l'avenir de l'œuvre de son oncle, car, dit-il, « dans la délicatesse du goût des dames et l'extrême politesse qu'elles demandent dans les écrits et dans l'entretien, il a toujours eu le bonheur de leur plaire et de réussir auprès d'elles ». Elles ont fait sa réputation mondaine, il leur revient de lui assurer désormais la gloire littéraire.

Nous avons montré l'importance de la galanterie littéraire dès 1669 dans notre thèse : *Mme de Sévigné ou la lettre d'amour*. Nous l'avons distinguée de la préciosité dans plusieurs articles, notamment dans « Préciosité et galanterie » : *La Guirlande di Cecilia, studi in onore di Cecilia Rizza*, 1996. Sur Mlle de Scudéry « reine de Tendre » et non des précieuses, voir ci-dessus le chapitre 17. Voir aussi Delphine Denis, *Le Parnasse galant, institution d'une catégorie littéraire*, 2001, et *La Muse galante : poétique de la conversation dans l'œuvre de Madeleine de Scudéry :* on y trouvera notamment les textes des « Conversations » sur la galanterie et celui de la prophétie de Calliope.

Sur l'atmosphère intellectuelle de la cour de Foucquet, la meilleure source reste la thèse d'Urbain Châtelain, *Le Surintendant Foucquet protecteur des lettres, des arts et des sciences*, 1905, à condition de remplacer partout « précieux » par « galant ».

CHAPITRE 36 (pp. 359-366)

A la fin du roman de l'abbé de Pure, dans le récit inachevé qui conte l'« Histoire de Didascalie », conçue et élevée pour être une parfaite intellectuelle, ce personnage, à la différence des femmes du début du livre, ne refuse ni l'écriture ni l'éventuelle divulgation de ses écrits. Elle a écrit une ode. Elle envisage d'écrire une comédie, un roman, un essai sur l'absence, mais elle est prise par l'action, sa campagne en faveur de la libération des femmes. Elle se contente donc d'exposer sa théorie d'un roman qui, à l'inverse des productions de son temps, ne reposerait que sur l'histoire de « deux belles âmes » ne s'aimant « que par des motifs de raison » et ne brûlant « que de flammes spirituelles ».

Sur le nombre des femmes ayant accédé à l'impression au XVIe siècle, voir le livre déjà cité d'Evelyne Berriot-Salvadore, *Les Femmes dans la société française*, « Chronologie des œuvres féminines éditées au XVIe siècle ».

Le pourcentage de la présence des femmes dans l'imprimé au XVIIe siècle, et notamment de leurs lettres, est donné par Fritz Nies, dans son article « La lettre, un genre féminin ? », *Revue d'histoire littéraire de la France*, novembre-décembre 1978.

En 1675, dans ses *Observations sur la langue française*, Ménage écrit : « S'écrire par billets est une chose fort commode, et qui a été introduite depuis trente ou quarante ans par Mme la marquise de Sablé et par Mme la comtesse de Maure. » Selon Furetière, billet signifie « petit écrit, petite lettre qu'on envoie pour apprendre ou négocier quelque chose ». C'est le sens ancien. Puis il ajoute : « La mode est venue d'écrire par billets, sans signature ni suscription au lieu des lettres de cérémonie. » C'est le nouveau sens, attaché à une nouvelle pratique, que Furetière assimile péjorativement à une mode, car il croit aux règles d'un genre épistolaire, dont il a donné des modèles en publiant lui-même un recueil de lettres.

L'expression « écriture de salon », forcément approximative à une époque qui ignore le mot « salon », a été proposée par Joan DeJean dans un article stimulant, « De Scudéry à La Fayette : la pratique et la politique de la collaboration littéraire dans la France du XVIIe siècle », *Autour de Mme de la Fayette, XVIIe siècle*, octobre-décembre 1993.

Les interdits entourant l'écriture féminine sont si forts qu'on préfère que les femmes soient les objets et non les réalisatrices des œuvres collectives. La fameuse *Guirlande de Julie*, dédiée par Montausier à la fille aînée de Mme de Rambouillet, ne contient pas un seul texte féminin. Malgré son caractère éminemment « galant », l'entreprise a paru trop concertée pour qu'elles puissent y participer sans inconvenance. D'où l'originalité de l'initiative de Mlle de Montpensier.

Sur le portrait littéraire, voir l'ouvrage très précis de Jacqueline Plantié, *La Mode du portrait littéraire en France (1641-1681)*, 1994. Sur l'importance de Mlle de Montpensier dans la vie littéraire, voir Jean Garapon, *La Culture d'une princesse, écriture et autoportrait dans l'œuvre de la Grande Mademoiselle (1627-1693)*, 2003.

CHAPITRE 37 (pp. 367-395)

Sur les conditions de publication des œuvres de Mme de La Fayette, voir notre biographie de ce personnage et notre édition de ses *Œuvres complètes*.

Dans un passage cité par Linda Timmermans (*op. cit.*, p. 297), rédigé selon elle par Perrot d'Ablancourt, *L'Honnête Femme* célèbre la valeur intellectuelle et la créativité des femmes dans toutes sortes de domaines. « Ce nous est, y est-il dit, une perte et un malheur extrême [*sic*] de ce que la tyrannie de la coutume en empêche plusieurs de donner leurs œuvres au public et de laisser leurs écrits à la postérité. »

Les Chroniques du samedi, dont le manuscrit a enfin été retrouvé, viennent d'être publiées par Alain Niderst, Delphine Denis et Myriam Maître.

L'abbé de Pure commence le quatrième et dernier tome de son roman par le récit d'une éclipse. Puis il donne la parole à un vieux mage qui prédit l'avènement du sexe faible. Les femmes, dit-il, vont prendre l'empire jusque-là donné aux hommes, retrouvant « un rang que l'injustice des lois humaines avait usurpé sur leur mérite et leur beauté ». L'éclipse, selon lui, annonce une lumière nouvelle : « Que nous allons voir, dit l'oracle, d'astres nouveaux, de femmes savantes, de termes inouïs, d'opinions modernes, de sentiments recherchés et de choses nouvelles ! » Il y aura bientôt nombre « d'ouvrages nouveaux et de productions d'esprit chez les libraires », ajoute le vieillard, qui mourra, dit-il, « satisfait de voir que du moins la postérité ne sera pas sevrée de ces belles lumières qui ont si peu brillé dans les siècles passés et de voir nos neveux plus heureux et plus éclairés que nos pères ». Surprenante déclaration (ironique ?) en faveur des Modernes, au moment où commence, à ce qu'on dit, l'entrée dans le classicisme, fondé sur le principe de l'imitation des Anciens et de leur incontestable supériorité. Plus surprenante déclaration encore en faveur de la prise du pouvoir intellectuel, et notamment du pouvoir littéraire, par les femmes.

Bibliographie

Nous ne citons ici que quelques ouvrages généraux et des ouvrages collectifs abordant des thèmes variés. Les ouvrages portant sur des aspects particuliers de la condition des femmes sont cités dans les notes des chapitres concernés.

OUVRAGES COLLECTIFS

Onze études sur l'image de la femme dans la littérature française du XVIIe siècle, réunies par Wolgang Leiner, 1978, puis 1983.

La Femme au XVIIe siècle, actes du colloque de Fordham, publiés par Jean Macary, Biblio 17, 1983.

Onze nouvelles études sur l'image de la femme dans la littérature française du XVIIe siècle, réunies par Wolgang Leiner, 1984.

XVIIe siècle, « Les pouvoirs féminins au XVIIe siècle », n° 144, juillet-septembre 1984.

Marcel Bernos, Charles de La Roncière, Jean Guyon, Philippe Lécrivain, *Le Fruit défendu, les chrétiens et la sexualité de l'Antiquité à nos jours*, 1985.

La Femme à l'époque moderne (XVIe-XVIIIe siècles), actes du colloque de l'Association des historiens modernistes de l'université, Bulletin de l'association n° 9, 1985.

Présences féminines. Littérature et société au XVIIe siècle français, actes de Londres, 1985, édités par Ian Richmond et Constant Venesoen, Biblio 17, 1987.

Sexualité et religion, textes réunis par Marcel Bernos, 1988.

Georges Duby, Michelle Perrot, *Histoire des femmes*, t. 3, *XVIe-XVIIIe siècles*, sous la direction de Natalie Zemon Davis et Arlette Farge, 1991.

Femmes et pouvoirs sous l'Ancien Régime, sous la direction de Danielle Haase-Dubosc et Eliane Viennot, 1991.

La Culture des femmes au XVIIe *siècle et aujourd'hui : de la* Précieuse *à l'*Ecrivaine, textes réunis par Roger Duchêne, *Papers on French Seventeenth Century Literature*, 1995.

Femmes savantes. Savoirs des femmes, études réunies par Colette Nativel, 1999.

Le Mariage sous l'Ancien Régime, études réunies par Claire Carlin, *Dalhousie French studies*, numéro spécial, 2001.

Vie des salons et activités littéraires, de Marguerite de Valois à Mme de Staël, actes du colloque de Nancy recueillis et publiés par Roger Marchal, 2001.

La Femme au XVIIe *siècle,* actes du colloque de Vancouver, octobre 2000, édités par Richard G. Hodgson, Biblio 17, 2002.

Les Femmes au Grand Siècle, actes du colloque de Tempe, mai 2001, édités par David Wetsel et Frédéric Canovas, Biblio 17, 2003.

OUVRAGES GÉNÉRAUX

Léon Abensour, *Histoire générale du féminisme des origines à nos jours*, 1921.

—, *La Femme et le féminisme avant la Révolution*, 1923.

Maïté Albistur et Daniel Armogathe, *Histoire du féminisme français du Moyen Age à nos jours*, 1977.

Georges Ascoli, 1906, « Essai sur l'histoire des idées féministes en France du XVIe siècle à la Révolution », *Revue de synthèse historique*.

Benedetta Craveri, *L'Age de la conversation,* 2001.

Pierre Darmon, *Mythologie de la femme dans l'ancienne France*, 1983.

Roger Duchêne, *Les Précieuses ou comment l'esprit vint aux femmes*, 2001.

Claude Dulong, *La Vie quotidienne des femmes au Grand Siècle*, 1984.

Gustave Fagniez, *La Femme et la société française dans la première moitié du* XVIIe *siècle,* 1929.

Pierre Goubert, Daniel Roche, *Les Français et l'Ancien Régime, culture et société*, 1984.

Olwen Huston, *The Prospect Before Her. A History of Women In Western Europe*, vol. I, 1500-1800, 1995.

Carolyn C. Lougee, *Le Paradis des femmes : Women, Salons, and Social Stratification in Seventeenth-Century France*, 1976.

Ian Maclean, *Woman triumphant : feminism in French literature 1610-1652*, 1977.

Myriam Maître, *Les Précieuses. Naissance des femmes de lettres en France au XVIIe siècle,* 1999.
Jean-Michel Pelous, *Amour précieux, amour galant (1654-1675), essai sur la représentation de l'amour dans la littérature et la société mondaines,* 1980.
Gustave Reynier, *La Femme au XVIIe siècle, ses ennemis et ses défenseurs,* 1933.
Jacques Solé, *Etre femme en 1500. La vie quotidienne dans le diocèse de Troyes,* 2000.
Françoise Thébaud, *Ecrire l'histoire des femmes,* 1998.
Linda Timmermans, *L'Accès des femmes à la culture (1598-1715),* 1993.
Alain Viala, *Naissance de l'écrivain,* 1985.

Index

Table

Collection « Pour l'Histoire »

Michel Abitbol	*Le Passé d'une discorde. Juifs et Arabes du* VIIe *siècle à nos jours*
Pascal Acot	*Histoire du climat*
Harold Acton	*Les derniers Médicis*
Pierre Aubé	*Les Empires normands d'Orient* (XIe-XIIIe *siècle)*
Martin Aurell	*L'Empire des Plantagenêt (1154-1224)*
Bartolomé Bennassar, Lucile Bennassar	*Les Chrétiens d'Allah*
Jacques Benoist-Méchin	*Histoire des Alaouites*
Jean-Paul Bertaud	*La presse et le pouvoir, de Louis XIII à Napoléon Ier*
Olivier Blanc	*L'Amour à Paris au temps de Louis XVI*
Pierre Blet	*Les Nonces du pape à la cour de Louis XIV*
Arnaud Blin	*Iéna. Octobre 1806*
Henry Bogdan	*Histoire des Habsbourg, des origines à nos jours*
Henry Bogdan	*La Guerre de Trente Ans (1618-1648)*
Jean-Claude Bologne	*Histoire de la pudeur*
Jacques-Olivier Boudon	*Histoire du Consulat et de l'Empire*
Régis Boyer	*Les Vikings*
Jean-Joël Brégeon	*L'Egypte de Bonaparte*
Michel Bur	*Suger*
Paul Butel	*Histoire de l'Atlantique*
Paul Butel	*Histoire des Antilles françaises* (XVIIe-XXe *siècle)*
Paul Butel	*L'Opium, histoire d'une fascination*
Gérard Chaliand	*Les Empires nomades de la Mongolie au Danube* (Ve *siècle av. J.-C.-* XVIe *siècle)*
Louis Chevalier	*Classes laborieuses et classes dangereuses*
Louis Chevalier	*Splendeurs et misères du fait divers*
Carl von Clausewitz	*De la guerre*
André Clot	*L'Egypte des mamelouks (1250-1517)*
André Clot	*L'Espagne musulmane* (VIIe-XVe *siècle)*
André Clot	*Mehmed II (1432-1481)*
Bernard Cottret	*1598. L'Edit de Nantes*
Bernard Cottret	*Histoire de la réforme protestante* (XVIe-XVIIIe *siècle)*
Bernard Cottret	*La Révolution américaine, la quête du bonheur*
Liliane Crété	*La Rochelle au temps du Grand Siège*
Liliane Crété	*La Traite des nègres sous l'Ancien Régime*
Liliane Crété	*Les Camisards (1702-1704)*
Catherine Desportes	*Le Siège de Malte. La grande défaite de Soliman le Magnifique (1565)*
Ghislain de Diesbach	*Histoire de l'émigration (1789-1814)*
Roger Duchêne	*Etre femme au temps de Louis XIV*
Jean-Baptiste Duroselle	*La Grande Guerre des Français (1914-1918)*
Jean-Baptiste Duroselle	*L'Europe, histoire de ses peuples*
Lucien Febvre	*« Honneur et Patrie »*
Lucien Febvre	*Le Rhin. Histoire, mythes et réalités*
Lucien Febvre	*L'Europe. Genèse d'une civilisation*
Suzanne Fiette	*De mémoire de femmes. L'histoire racontée par les femmes de Louis XVI à 1914*

Claude Fohlen	*Histoire de l'esclavage aux Etats-Unis*
Raoul Girardet	*La Société militaire, de 1815 à nos jours*
Vincent Gourdon	*Histoire des grands-parents*
Alain Gouttman	*La Guerre de Crimée (1853-1856). La première guerre moderne*
René Grousset	*L'Epopée des Croisades*
Bernard Guenée	*L'Opinion publique à la fin du Moyen Age, d'après la « Chronique de Charles VI » du Religieux de Saint-Denis*
Jacques Heers	*La Première Croisade*
Jacques Heers	*Les Barbaresques. La course et la guerre en Méditerranée (*XIVe-XVIe *siècle)*
Jacques Heers	*Les Négriers en terres d'islam. La première traite des Noirs (*VIIe-XVIe *siècle)*
Jacques Heers	*Libérer Jérusalem (1095-1107)*
Paul Hermann	*La Mythologie allemande*
Gabrielle Houbre, Louise Bruit Zaidman, Christiane Klapisch-Zuber	*Le Corps des jeunes filles, de l'Antiquité à nos jours*
Joëlle Hureau	*La Mémoire des pieds-noirs, de 1830 à nos jours*
Roger Joint-Daguenet	*Histoire de la mer Rouge*
Antoine-Henri Jomini	*Précis de l'art de la guerre*
Didier Le Fur	*Marignan. 13 et 14 septembre 1515*
Basil H. Liddell Hart	*Stratégie*
Bernard Lugan	*Histoire du Maroc, des origines à nos jours*
Anne Martin-Fugier	*Les Salons de la IIIe République. Art, littérature, politique*
Philippe Masson	*Histoire de l'armée allemande (1939-1945)*
Philippe Masson	*Histoire de l'armée française de 1914 à nos jours*
Philippe Masson	*La Puissance maritime et navale au* XXe *siècle*
Eric Mension-Rigau	*Le donjon et le clocher. Nobles et curés de campagne de 1850 à nos jours*
Pierre Miquel	*La Grande Révolution*
Pierre Miquel	*Le Second Empire*
Claude Nicolet	*La Fabrique d'une nation. La France entre Rome et les Germains*
Jean-Christophe Notin	*La Campagne d'Italie. Les victoires oubliées de la France (1943-1945)*
Dominique Paladilhe	*La Bataille d'Azincourt (1415)*
Dominique Paladilhe	*Les Papes en Avignon*
Xavier de Planhol	*L'Islam et la mer*
	*La Mosquée et le matelot (*VIIe-XXe *siècle)*
Jean-Pierre Poly	*Le Chemin des amours barbares. Genèse médiévale de la sexualité européenne*
Jean-Pierre Rioux	*Au bonheur la France*
Michel Roquebert	*Histoire des Cathares. Hérésie, Croisade, Inquisition du* XIe *au* XIVe *siècle*
Michel Roquebert	*La Religion cathare. Le Bien, le Mal et le Salut dans l'hérésie médiévale*
Catherine Salles	*La Rome des Flaviens. Vespasien, Titus, Domitien*

Robert Sauzet	*Les Cévennes catholiques. Histoire d'une fidélité* (XVIe-XXe *siècle)*
Bertrand Schnerb	*L'Etat bourguignon (1363-1477)*
Bertrand Schnerb	*Les Armagnacs et les Bourguignons. La maudite guerre*
Jacques-Alain de Sédouy	*Le Congrès de Vienne. L'Europe contre la France (1812-1815)*
Daniel Soulié	*Villes et citadins au temps des pharaons*
Etienne Taillemite	*Histoire ignorée de la Marine française*
Emile Temime	*Histoire de Marseille, de la Révolution à nos jours*
Lionel de Thorey	*Histoire de la messe, de Grégoire le Grand à nos jours*
Frédéric Tiberghien	*Versailles. Le chantier de Louis XIV (1662-1715)*
Philippe Tourault	*La Résistance bretonne, du* XVe *siècle à nos jours*
Jean Verdon	*Boire au Moyen Age*
Jean Verdon	*La Nuit au Moyen Age*
Jean Verdon	*Le Plaisir au Moyen Age*
Jean Verdon	*Les Femmes en l'An Mille*
Jean Verdon	*Rire au Moyen Age*
Jean Verdon	*Voyager au Moyen Age*
Dominique de Villepin	*Les Cent-Jours ou l'esprit de sacrifice*
Emmanuel de Waresquiel, Benoît Yvert	*Histoire de la Restauration (1814-1830)*
Michel Winock	*La Belle Epoque. La France de 1900 à 1914*
Alvise Zorzi	*Histoire de Venise. La République du Lion*

Cet ouvrage a été composé par
Nord Compo (Villeneuve-d'Ascq)
et imprimé sur presse Cameron
par **Bussière Camedan Imprimeries**
à Saint-Amand-Montrond (Cher)
pour le compte des éditions Perrin

Achevé d'imprimer en janvier 2004

N° d'édition : 1872. — N° d'impression : 040362/1.
Dépôt légal : février 2004.
Imprimé en France